LOUISE TREMBLAY-D'ESSIAMBRE

Les héritiers du fleuve 2
1918-1939

TOME 3
1918-1929

TOME 4
1931-1939

SAINTJEAN

Guy Saint-Jean Éditeur
4490, rue Garand
Laval (Québec) Canada H7L 5Z6
450 663-1777
info@saint-jeanediteur.com
saint-jeanediteur.com

....

**Données de catalogage avant publication disponibles à Bibliothèque
et Archives nationales du Québec et à Bibliothèque et Archives Canada.**

....

Nous reconnaissons l'aide financière du gouvernement du Canada ainsi que celle
de la SODEC pour nos activités d'édition. Nous remercions le Conseil des arts du
Canada de l'aide accordée à notre programme de publication.

Gouvernement du Québec – Programme de crédit d'impôt pour l'édition
de livres – Gestion SODEC

Paru initialement en 2014 en deux tomes, chez le même éditeur.
© Guy Saint-Jean Éditeur inc., 2022

Correction: Johanne Hamel
Conception graphique de la couverture et mise en pages: Christiane Séguin
Illustration de la page couverture: Toile de Daniel Brunet, *Les vieilles goélettes*,
coll. privée, danielbrunet.com

Dépôt légal – Bibliothèque et Archives nationales du Québec, Bibliothèque et
Archives Canada, 2022

ISBN: 978-2-89827-426-8
ISBN EPUB: 978-2-89827-427-5
ISBN PDF: 978-2-89827-428-2

Imprimé et relié au Canada
1re impression, août 2022

 Guy Saint-Jean éditeur est membre de
l'Association nationale des éditeurs de livres (ANEL).

Tome 3
1918-1929

À Claude, Marie-Ève et Jean…
Merci pour tout.
Merci surtout pour votre infinie patience
et votre présence amicale…
Bonne chance à toi, MÈV.

« La connaissance des mots conduit
à la connaissance des choses. »

PLATON

« Il n'est rien de plus précieux que le temps,
puisque c'est le prix de l'éternité. »

LOUIS BOURDALOUE

NOTE DE L'AUTEUR

Comme le temps file! Le mien m'a déjà conduit à la soixantaine. Pourtant, il me semble que c'est tout juste hier que je trépignais devant la vie qui tardait à commencer pour de bon et voilà que ce matin, alors que j'y pense, je constate que le plus long du chemin est derrière moi. Pfft, parti sur un claquement de doigts! Cette observation s'applique aussi à Alexandrine, Victoire, Matthieu et tous les autres. Les cheveux blonds et bruns sont devenus gris et blancs, les rides se sont creusées au coin des paupières et aux commissures des lèvres tandis que les générations suivantes leur poussent dans le dos pour occuper la place. Toute la place! Par contre, à cette époque, on avait un grand respect pour la sagesse des vieux et personne n'aurait songé à les éloigner, à les séparer du quotidien sauf en cas d'absolue nécessité. Aujourd'hui, c'est autre chose. Des habitudes différentes sont nées avec la modernité et les générations ne s'entremêlent plus aussi élégamment qu'autrefois. Il faut cependant admettre que les gens vivent plus longtemps, en meilleure santé, et qu'ainsi, ils gardent leur autonomie jusqu'à un âge plus avancé. On remet alors du blond et du châtain dans la chevelure, on camoufle les rides de mille et une façons et on se donne l'illusion d'une éternelle jeunesse. Est-ce mieux? Je ne saurais le dire. Quoi qu'il en soit, l'important, je crois, c'est de ne pas regretter ce qu'il y a derrière, et malgré l'âge qui avance inexorablement, il faut continuer de regarder devant avec gourmandise. Quand on y croit, la vie sait se montrer généreuse à sa façon!

Il en va de même pour mes personnages.

D'Alexandrine et Clovis à Léopold et Justine, de Victoire et Lionel à Béatrice et Julien, de Matthieu et Prudence à Marius et Jean-Baptiste, de James et Lysbeth à Johnny Boy, au fil des saisons, la vie continue sur les berges du fleuve.

Il y a des rires, Prudence y voit. Il y a des inquiétudes, Léopold les a suscitées. Il y a de grands bonheurs, le petit Julien les a engendrés quand Victoire a appris qu'elle était enceinte.

Il y a surtout le quotidien qui se poursuit, emmêlé aux traditions et aux inventions du monde moderne. Le téléphone et ses opératrices, les moteurs diesel, les automobiles de plus en plus nombreuses... Il y a même des avions qui défient les lois de la gravité! Petit à petit, la vie des villes se dissocie de celle des campagnes. Alexandrine, la première, a vu sa famille se disperser, s'éloigner de la Pointe au profit de Québec, tandis que James continue de s'ennuyer de Montréal. Les cafés, les cinémas, l'effervescence des rues... Ruth et Donovan, Timothy, Lewis, Edmun. Ils étaient sa famille et ils lui manquent. Si ce n'était de Lysbeth qui a toujours autant besoin de grand air, James retournerait auprès de ses amis sans la moindre hésitation. Marius, par contre, a repris la ferme familiale avec un indéniable plaisir et il entend bien moderniser les équipements de son père, d'autant plus que l'électricité est aux portes du village. Quant à Mamie, elle observe la société à travers la vie de trois générations de Bouchard, espérant connaître la quatrième. Si elle n'entend plus très bien, elle reste vive et active. Assise bien droite devant moi, elle observe tout ce que je fais, sans comprendre ce que j'écris puisqu'elle ne sait pas lire. Par contre, elle a fini par apprendre à compter et elle anticipe le fait que dans un an, elle aura cent ans! S'y rendra-t-elle? Elle le souhaite tellement!

Je suis vraiment emballée par la perspective d'explorer cette époque pas si lointaine, après tout. C'est l'époque de la jeunesse de mes propres parents et, à entendre mon père en parler, une certaine émotion dans la voix et un pétillement joyeux dans le regard, ce furent assurément de très belles années, malgré la crise et la guerre!

Cependant, avant de plonger en 1918, tout comme je l'ai fait dans le tome 2, j'aimerais que vous restiez avec moi pour qu'ensemble, on aille faire un tour chez les Bouchard avant de nous pencher sur la guerre qui fait rage en Europe. Au fil de quelques pages, on va reprendre en 1914, peu après que Léopold ait annoncé qu'il partait pour l'armée, laissant sa mère anéantie.

Êtes-vous bien installés? Oui? Alors, allons-y!

PROLOGUE

Sur la Côte-du-Sud, chez Marie, dans le village
de l'Anse-aux-Morilles, en septembre 1914

Le travail avait été plutôt facile, l'accouchement très rapide, et la nouvelle mère s'était endormie aussitôt après la délivrance, avant même d'avoir vu son fils. «Tant mieux», avait alors souligné le médecin avec une profonde lassitude dans la voix. Puis, il s'était lancé dans une longue explication dont Gilberte n'avait retenu que quelques mots comme autant de glaives plantés dans son cœur. Puis, le vieux docteur Ferron était parti en disant qu'il parlerait tout de suite au père pour que lui, à son tour, prévienne Marie.

— Je vais passer par le magasin général pour lui dire que le mieux serait de placer le bébé le plus rapidement possible. L'attachement serait une source de tristesse inutile puisque cet enfant-là ne comprendra jamais rien de toute façon. Avec une grosse famille comme celle de Marie, ça serait juste un paquet de troubles que de le garder à la maison.

Le bruit de la porte se refermant sur le médecin avait claqué aux oreilles de Gilberte comme celui de l'abandon, de la lâcheté. Au même moment, une première larme avait roulé sur sa joue.

Plusieurs minutes plus tard, le bébé, un petit garçon aux cheveux châtains, dormait paisiblement dans les bras de sa tante Gilberte qui pleurait encore à chaudes larmes. Des sanglots silencieux parce qu'elle ne voulait pas alerter toute la maisonnée.

Pourquoi lui et pourquoi maintenant ?

Gilberte referma les bras sur le nouveau-né dans un geste possessif empreint d'une infinie tendresse. Bien que le médecin ait dit que l'âge de la mère y était pour quelque chose, elle en doutait grandement. Prudence, à quarante ans passés, avait bien donné naissance à deux enfants en parfaite santé, non ? Alors, pourquoi Marie, à tout juste trente-quatre ans, serait-elle l'unique responsable de ce malheur ?

Gilberte était à ressasser tout ce que le médecin lui avait dit quand Romuald entra dans la chambre sur la pointe des pieds. De toute évidence, il était bouleversé. Ses yeux rougis en faisaient foi. Pourtant, sa première inquiétude fut de prendre des nouvelles de Marie.

— Comment va-t-elle ? demanda-t-il à mi-voix en désignant le lit d'un petit geste de la tête.

— Après la délivrance, elle allait bien. Elle s'est endormie tout de suite après, sans avoir vu le bébé et, comme tu vois, elle dort encore.

— Et… et lui ?

Du menton, Romuald désignait les couvertures au creux des bras de Gilberte.

— Il dort aussi.

— Il… il va bien ? Il est comment ?

— Bien sûr qu'il va bien ! Qu'est-ce que tu crois ? Ce n'est pas…

Gilberte se mordit la lèvre. Elle avait failli répondre que ce n'était pas un monstre malgré l'image fort négative que le médecin avait faite de ce minuscule bébé.

— Ce n'est qu'un tout petit bébé, tu sais, reprit-elle dans un souffle.

Gilberte tendit le nouveau-né à son beau-frère.

— Tu veux le prendre ?

— Non !

Comme un cri d'épouvante, vite remplacé par un ton d'excuse.

— Non, je crois préférable de ne pas m'attacher. C'est le docteur qui l'a dit.

À ces mots, Gilberte comprit que le médecin avait tenu exactement le même discours à son beau-frère. Par réflexe, ses bras se refermèrent encore plus étroitement sur le corps du bébé dans un geste de protection.

— Ouais... C'est en effet ce qu'il a dit, renchérit Gilberte, les lèvres pincées sur un évident désaccord.

Puis, sur un ton invitant, elle ajouta :

— Viens le voir, au moins. Il est mignon, tu sais.

Tout hésitant, Romuald fit quelques pas vers Gilberte et il se pencha sur ce nouveau fils qu'il n'aurait pas le droit d'aimer. Le médecin n'avait pas doré la pilule en lui parlant de ce bébé.

— Dommage pour vous, mais idiot il est né et idiot il restera !

Alors, Romuald ne savait pas trop à quoi s'attendre. Au pire, peut-être ! Au lieu de quoi, il découvrit un poupon en apparence tout à fait normal, à l'exception de ses yeux en amande, comme ceux d'un Chinois, et de son visage légèrement aplati, ce qui ne l'enlaidissait pas, bien au contraire.

Durant un long moment, Romuald fixa le bébé, le cœur rempli d'amour en réserve, avant de se retourner brusquement quand il sentit ce même cœur se serrer. Le médecin avait raison : il était facile de s'attacher à un poupon. Alors, il garderait ses distances.

Comme réponse logique à ses pensées, Romuald recula d'un pas en se répétant que le mieux serait que Marie ne voie jamais son fils.

— Qu'est-ce que t'as décidé de faire ?

La question de Gilberte, même lancée dans un souffle, le fit sursauter.

— J'en ai pas la moindre idée. Toi, Gilberte, si c'était toi la mère, qu'est-ce que tu ferais ? Ou qu'est-ce que tu voudrais que je fasse ?

Prise au dépourvu, Gilberte leva les yeux sans répondre. Puis, elle se repencha sur le nouveau-né qui dormait toujours à poings fermés. Chose certaine, maintenant qu'elle l'avait vu, qu'elle l'avait tenu tout contre elle, Gilberte se sentait incapable de l'abandonner. Et elle n'était que la tante. De là à imaginer ce que Marie pourrait ressentir…

Gilberte poussa un long soupir rempli de sanglots. Dans sa vie, il y avait eu un jour où elle avait pleuré sa mère morte en couches. Aujourd'hui, elle pleurait un neveu qu'elle ne pourrait pas bercer, qu'elle ne pourrait pas aimer tout comme elle l'avait vécu avec sa jeune sœur Béatrice parce que sa mère, avant de mourir, avait confié sa petite sœur à son amie Victoire.

À cette pensée, Gilberte tressaillit.

— Lionel, murmura-t-elle en fixant son beau-frère intensément avec, dans le regard, une lueur porteuse d'espoir. Il y a Lionel pour nous aider.

Le nom de Béatrice avait fait apparaître celui de son frère aîné. Aux yeux de Gilberte, Béatrice et Lionel seraient toujours intimement liés, et ce, depuis son unique visite à Pointe-à-la-Truite.

Lionel et Béatrice…

Et maintenant Lionel, Béatrice et Victoire parce que, depuis plusieurs années, Lionel vivait sous le même toit que leur jeune sœur puisqu'il avait épousé Victoire.

— Oui, il y a Lionel pour nous aider, affirma Gilberte avec plus d'assurance.

— Lionel ?

— Pourquoi pas ? Après tout, il est docteur.

— Ouais… C'est vrai, j'ai un beau-frère docteur ! Je l'avais oublié.

Romuald se souvenait à peine de Lionel qui, plus âgé que lui, avait quitté le village alors qu'il n'était qu'un gamin. Et comme les Bouchard n'en parlaient jamais…

Romuald baissa un regard sceptique vers sa belle-sœur.

— Tu penses vraiment que ton frère Lionel pourrait faire quelque chose ?

Gilberte poussa un second soupir tout en haussant les épaules.

— Ça, j'en ai pas la moindre idée, mon pauvre Romuald. Par contre, il est docteur et un deuxième avis pourra sûrement pas nuire.

— Tant qu'à ça… Mais je pense que le docteur Ferron a raison, par exemple, quand il dit que c'est mieux de pas s'attacher.

— Peut-être…

Cette courte discussion avait redonné une certaine assurance à Romuald. Il redressa les épaules, posa un regard sur Marie qui dormait couchée en chien de fusil, puis il revint à Gilberte. Avant que Marie se réveille, il fallait prendre des décisions et c'est lui qui les prendrait. Qui d'autre pourrait le faire ? Après tout, ce bébé, tout idiot qu'il était, c'était tout de même son fils.

— Toi, Gilberte, tu vas partir pour la ferme de ton père. Avec le p'tit.

La voix de Romuald était ferme. Gilberte le ressentit comme une invitation à se ressaisir, ce qu'elle fit en se redressant sur sa chaise.

— Tu pars tout de suite, avant que Marie se réveille, insista Romuald. J'ai pas de crainte, chus certain que Prudence va ben t'accueillir.

— C'est sûr. Prudence, c'est la bonté faite femme. Mais Marie, elle?

Gilberte glissa un regard inquiet vers Marie.

— T'es ben certain que…

— Laisse faire Marie, je m'en occupe, coupa Romuald. C'est le devoir d'un mari de voir à sa femme. C'est ben certain que Marie va avoir de la peine, ça je le sais. Comme j'en ai moi-même. Mais on va traverser cette épreuve-là ensemble en priant le Bon Dieu d'avoir pitié de nous autres.

Gilberte ne pouvait qu'approuver une telle attitude. Elle hocha tristement la tête tandis que Romuald poursuivait.

— Pis ça va être mon devoir de père de te trouver un bateau pour vous amener à la Pointe, toi pis le bébé. Pour que tu puisses aller voir Lionel, comme tu l'as proposé. C'est plein de bon sens, de penser comme ça. Un dans l'autre, ça va probablement être la seule affaire que j'vas faire dans toute ma vie pour ce p'tit garçon-là… Pour Germain, tiens! On va toujours ben y donner un nom, pis c'est celui-là qu'on avait choisi si c'était pour être un garçon. Débile ou pas, ça y prend un nom, hein, Gilberte?

C'est ainsi qu'après un séjour de deux petites journées à la ferme de son père où Mamie avait passé la majeure partie de son temps à bercer le poupon, Gilberte s'embarqua à bord de la goélette de Clovis pour se rendre à Pointe-à-la-Truite. Baptisé la veille au matin dans la sacristie par le curé Bédard, le petit Germain dormait paisiblement dans ses bras tandis que le bateau tanguait mollement sur un fleuve tranquille. Une brise toute en douceur gonflait la voile, dont Gilberte entendait les cordages buter contre le mât. Pour une matinée d'automne, le soleil était particulièrement hardi et Gilberte en sentait la chaleur sur son bras.

Clovis était plutôt taciturne. Un petit bonjour à l'arrivée de Gilberte, quelques mots pour voir à son installation dans la cabine et ce fut tout. Depuis l'appareillage, Clovis se contentait de fixer les flots que la coque du bateau fendait en se rapprochant peu à peu de la rive nord.

Comme elle vivait depuis longtemps chez Marie et que son beau-frère travaillait au magasin général, cette fois-ci Gilberte n'avait plus l'impression de se diriger vers une terre inconnue. Au gré des bateaux accostant au quai de l'Anse-aux-Morilles, les nouvelles voyageaient aisément d'une rive à l'autre et se rendaient régulièrement autour de leur table quand la famille se retrouvait pour le souper. Rares étaient les journées où Romuald n'avait pas quelque potin à leur répéter. C'est pourquoi Gilberte ne fit aucun effort pour engager la conversation puisque la semaine dernière, elle avait appris que Léopold, le plus jeune fils de Clovis, était parti pour l'armée. Ça devait être un choc terrible pour cet homme aux cheveux gris qui voyait en son fils cadet le prochain capitaine de sa goélette. Gilberte aurait bien aimé trouver des mots de réconfort, mais qu'aurait-elle pu dire que Clovis ne savait déjà ? Puis, elle avait bien assez de ses propres soucis pour ne pas avoir envie de faire la conversation. Depuis que Romuald lui avait confié le petit Germain, Gilberte considérait qu'elle en était l'unique responsable.

Jusqu'au moment où elle le confierait à Lionel.

À cette pensée, un spasme tordit l'estomac de Gilberte et, au même instant, son cœur s'emballa. La perspective de revoir Lionel lui donnait le vertige.

Son frère, tout médecin qu'il était, saurait-il vraiment ce qu'il fallait faire ? Connaîtrait-il de bonnes personnes à qui confier ce petit garçon un peu différent ?

À moins que le tableau sombre esquissé par le docteur Ferron ne soit que le reflet d'une mentalité obsolète et qu'aujourd'hui, il existait des solutions qui permettraient de garder le bébé.

Peut-être bien. Après tout, le docteur Ferron était un vieil homme fatigué, probablement dépassé.

Depuis la naissance du bébé, depuis l'instant où le médecin avait quitté la chambre de Marie, Gilberte s'accrochait désespérément à ce faible espoir qu'elle entretenait comme on souffle sur l'étincelle ténue qui pourrait allumer le feu. Il devait bien y avoir une solution quelque part, non ? À ses yeux, seul Lionel pouvait apporter une réponse à cette interrogation. C'est uniquement pour cette raison que Gilberte avait piétiné son orgueil et ses rancunes et qu'elle avait décidé de se déplacer entre les deux rives afin de consulter son frère.

La traversée se fit dans un parfait silence que seul le vent du large s'emmêlant aux voilures soutenait discrètement.

Puis, le quai de la Pointe apparut. D'abord un trait sur l'écume des vagues, il se précisa, se mit à grossir jusqu'au moment où la coque vint buter contre les montants de bois.

— Le jour, Lionel est soit au bureau dans la maison du docteur Gignac, soit en visite chez des patients, expliqua Clovis tout en manœuvrant pour accoster. Mais Victoire, elle, est toujours chez elle. C'est sûr qu'elle va t'accueillir comme il faut pour attendre ton frère.

Sans avoir eu besoin d'en parler, Clovis avait tout deviné. La nouvelle qu'un enfant anormal était né dans la famille de Romuald, le fils de Baptiste le marchand général de l'Anse, avait rapidement fait le tour des deux villages. Quand, au lendemain de la naissance, Romuald avait demandé s'il pouvait conduire Gilberte et le bébé sur l'autre rive, par matin calme de préférence, Clovis en avait déduit tout le reste. Pourquoi Gilberte reviendrait-elle à la Pointe si ce n'était pour rencontrer son frère médecin ? La rumeur d'un bébé infirme s'était alors confirmée et Victoire s'était mise à attendre cette belle-sœur qu'elle ne connaissait pas. C'est elle-même qui l'avait dit à Clovis, tout à l'heure, quand elle l'avait vu passer pour se rendre à sa goélette.

— Tu diras à Gilberte de venir attendre Lionel ici !

Ce que Clovis venait de faire.

Dès que le tangage du bateau diminua, Gilberte se leva. D'un bras, elle soutenait le bébé. Sur l'autre, elle fit glisser l'anse du panier qui contenait l'essentiel pour elle-même et tout ce dont un bébé pouvait avoir besoin durant quelques jours. Juste quelques jours. Au-delà de cette limite, Gilberte ne voyait rien, ne concevait rien, n'apercevait pas la moindre lueur.

— Merci, Clovis. Vous êtes ben d'adon de m'avoir emmenée. Par contre, je sais pas trop quand est-ce que j'vas retourner à l'Anse… Ça va dépendre de Lionel, je crois ben. De ce qu'il va avoir à me dire. Quand je saurai ce qui me pend au bout du nez, je vous ferai signe.

D'un haussement d'épaules, Clovis signifia qu'il comprenait.

— Pas de trouble. Si j'ai à traverser à ce moment-là, ça va me faire plaisir de t'emmener. Sinon, je trouverai ben quelqu'un pour le faire à ma place. En attendant, bon courage, lança Clovis en posant brièvement les yeux sur le bébé avant de revenir à Gilberte.

Celle-ci lui trouva l'air fatigué, amer. Alors, elle soutint silencieusement son regard durant un instant avant de répondre d'une voix douce :

— Je vous rends la pareille, Clovis. Je vous souhaite ben du courage. Chacun à notre manière, on passe un moment difficile, non ? Astheure, vous allez m'excuser, mais je voudrais ben être arrivée chez Lionel pis Victoire avant que le p'tit se mette à brailler pour avoir sa bouteille. Ça me tente pas trop d'être le point de mire de tout un chacun !

Gilberte traversa le village de la Pointe les yeux au sol, se promettant de revenir au cimetière pour se recueillir sur la tombe de sa mère, Emma, avant de retourner sur la Côte-du-Sud. Puis, il y avait aussi ses grands-parents maternels à qui elle s'était promis de rendre visite.

Après un large tournant, tout au bout de la rue principale, à quelques pas de l'église, du presbytère et de l'auberge de la mère Catherine, la petite maison jaune s'offrit brusquement à son regard. La bâtisse semblait blottie dans un écrin de verdure tacheté d'or et de pourpre en ce matin de septembre et Gilberte trouva l'image fort jolie. Tout à côté, contre la cime d'un grand sapin, la cheminée de la forge crachait un panache de fumée grise.

Gilberte ralentit le pas, le cœur battant la chamade. Maintenant que le but de sa traversée était là, juste devant elle, la jeune femme ne savait plus vraiment si elle avait bien fait de se fier à son intuition. Il y avait de cela de nombreuses années, elle avait tendu la main à son frère Lionel, lui disant que s'il avait envie de la revoir, il n'aurait qu'à traverser jusqu'à l'Anse.

Lionel n'était jamais venu. Il n'avait jamais écrit. Pas le moindre mot, ne serait-ce que pour lui annoncer son mariage ou la naissance de son fils Julien. Gilberte s'était alors juré de ne jamais rien entreprendre pour le revoir. Après tout, elle n'y était pour rien dans ce gâchis. C'est lui qui avait quitté la maison paternelle, pas elle.

Pourtant, ce matin, c'était bien elle qui se tenait devant sa demeure.

Gilberte s'arrêta, indécise, mal à l'aise.

Qu'avait-elle imaginé ? Que son frère allait l'accueillir à bras ouverts, faisant fi du passé ? Qu'il allait, d'un coup de baguette magique, transformer l'avenir du petit Germain en le guérissant miraculeusement ? Allons donc ! Leurs destinées s'étaient séparées depuis trop longtemps maintenant pour que Lionel soit heureux de la revoir. Après tout, Gilberte était le reflet d'une époque que, de toute évidence, Lionel Bouchard avait voulu définitivement rayer de sa vie.

D'autant plus qu'aujourd'hui, sa sœur Gilberte n'apportait que des problèmes.

Bien que réelle, tout comme l'envie de rebrousser chemin, d'ailleurs, l'hésitation de Gilberte fut de courte durée, cavalièrement interrompue par un vagissement venu des couvertures. Le petit Germain commençait à avoir faim et, comme elle l'avait dit à Clovis, Gilberte n'avait nullement l'intention de se donner en spectacle aux habitants de la Pointe. Prenant son courage à deux mains, elle se dirigea vers la maison jaune, celle de Lionel et Victoire. C'est Clovis qui le lui avait appris avant qu'elle descende de la goélette.

— Tu peux pas te tromper ! C'est la maison jaune sur ta gauche au bout de la rue principale, en bas de la côte qui mène chez nous.

Elle y était donc !

Toujours aussi mal à l'aise, Gilberte s'engagea sur une petite allée bien entretenue qui menait aux quelques marches montant vers la maison. Victoire devait la surveiller, car à peine Gilberte eut-elle posé un pied sur la galerie que la porte s'ouvrait sur une femme plantureuse, au sourire avenant.

— Gilberte, n'est-ce pas ?

Tout juste un signe de tête de la part de Gilberte pour acquiescer et Victoire s'effaçait pour la laisser entrer.

— Venez, entrez chez nous ! Vous êtes la bienvenue. Vous pouvez même vous dire que vous êtes ici chez vous. Après tout, vous êtes ma belle-sœur, non ?

Et avant même que Gilberte puisse articuler quelques mots pour la remercier, Victoire tendait les bras.

— Allez, donnez-moi ça, ce bébé-là ! Même nouveau-né, ça finit par peser sur les bras, un tout-petit !

En moins de temps qu'il n'en faut pour le dire, Gilberte se retrouva à la cuisine, une tasse de thé à la main et une assiette débordant de biscuits encore tièdes devant elle.

— Allez, servez-vous ! Même si le dîner s'en vient dans pas trop longtemps, l'air du large, ça creuse l'appétit !

La cuisine embaumait le rôti, le pain et la vanille. Incapable de résister à tant de gentillesse, Gilberte trempa ses lèvres dans la tasse, tendit la main vers l'assiette de biscuits et, après une première bouchée, poussa un soupir de soulagement.

Finalement, tout se passait bien jusqu'à maintenant.

De là à croire que Lionel aussi serait content de la voir, il n'y avait qu'un pas à franchir, ce que Gilberte fit sans la moindre hésitation. Au bout du compte, il semblait bien que son intuition ait été la bonne.

— Heureuse d'être arrivée, lança-t-elle enfin. Et merci pour l'accueil. J'avoue que je savais pas trop à quoi m'attendre.

Victoire esquissa une moue de compréhension.

— C'est normal… On ne se connaît pas même si on a pas mal de choses en commun.

— C'est vrai.

Durant un moment, les deux femmes se dévisagèrent en silence. Puis, Victoire proposa, une pointe de jovialité dans la voix et le regard :

— Alors, si on commençait par le commencement ? Moi, c'est Victoire. Pour faire une histoire courte, disons que j'ai été mariée à Albert Lajoie durant un bon bout de temps. Mais ça, vous devez le savoir puisque c'est nous autres qui avons élevé Béatrice, votre petite sœur. Une fois devenue veuve, malgré notre différence d'âge, je me suis remariée avec votre frère Lionel. On a un fils, Julien, qui, à l'heure où on se parle, doit traîner du côté de la forge à regarder tout ce que fait James. Peut-être que vous le connaissez, James O'Connor, l'Irlandais comme on l'appelle par ici ? C'est lui qui a racheté la forge de mon pauvre Albert... Si mon Julien n'y dort pas, c'est bien parce que je ne le veux pas ! C'est mon défunt mari, Albert, qui aurait été heureux de voir ça... Mais je suis là à parler, à parler... C'est bien moi, ça ! À votre tour, Gilberte !

Si Gilberte avait mieux connu Victoire, elle aurait vite compris que cette femme-là était tendue comme les cordes d'un violon. Victoire n'avait jamais eu la langue dans sa poche, certes, et au fil des années, elle avait appris à servir son baratin aux clients avec aplomb, mais elle savait garder une certaine réserve quand elle rencontrait des étrangers. Et pour l'instant, Gilberte était encore une étrangère pour elle.

Puisant à même les souvenirs de ses quelques années d'école alors que les cours de bienséance de mademoiselle Goulet avaient une grande importance, Gilberte se leva de sa chaise au moment où elle entamait ses présentations.

— Moi, fit-elle en se retenant de faire une courbette, c'est Gilberte, comme vous le savez déjà. Chez nous, je suis la première des filles pis, depuis quelques années, je demeure chez ma sœur Marie pour y donner un coup de main. Avec ses neuf enfants, c'est pas de trop ! Si je suis ici, c'est à cause de lui, précisa Gilberte en pointant le bébé que Victoire tenait toujours contre elle. Il est né au début de la semaine pis le docteur de par chez nous a dit que ça serait mieux de le placer, vu qu'il est pas normal... C'est un mongol, comme le docteur a dit à Romuald, mon beau-frère, pis ces bébés-là, il faut les placer. C'est pour ça que je suis ici. Pour voir Lionel pis savoir ce que lui en pense. Après toute, il est docteur, il doit ben avoir une idée de ce qu'on peut faire, hein ?

— C'est certain que Lionel est mieux placé que moi pour vous répondre.

Tout en parlant, Victoire s'était penchée sur le petit Germain.

— Difficile de croire que ce bébé-là n'est pas normal, murmura-t-elle. Il est si mignon.

— Ouais, c'est aussi mon opinion.

— Alors, on va attendre de voir ce que Lionel en pense… En attendant, si on le couchait sur mon lit ?

— J'aimerais mieux le réveiller pour le faire boire. Tout à l'heure, il a poussé un p'tit cri. Ça, ça veut dire qu'il doit avoir faim. C'est drôle, mais ce bébé-là pleure pas comme les autres que j'ai connus. Si on le brasse pas un peu pour le réveiller, il peut prendre des heures avant de se décider à pleurer pour de bon pour avoir sa bouteille.

Ce fut ainsi que les deux femmes apprirent à se connaître, s'occupant ensemble du bébé et partageant ensuite le repas du midi avec le petit Julien, qui repartit vers la forge aussitôt sa dernière bouchée avalée.

— Quand je vous disais ! lança Victoire en riant, prenant Gilberte à témoin. C'est une vraie rage, son affaire ! Comme une démangeaison qui ne veut pas se calmer. J'ai hâte que l'école commence, en septembre prochain. Ça devrait lui changer les idées.

Puis, après avoir siroté une tasse de thé, les deux femmes firent la vaisselle en discutant de la petite compagnie de Victoire.

— Ça m'occupe ! Toute seule ici durant de longues années, sans enfants, à attendre que mon Albert revienne de la forge, je n'aurais pas été capable de le tolérer. C'est comme ça que je me suis mise à cuisiner. D'abord pour nous autres, puis pour certains voisins à cause d'Albert qui n'arrêtait pas de dire à ses clients comment est-ce que j'étais une bonne cuisinière.

C'est alors que la mère Catherine, la sœur de mon défunt mari, m'a demandé de lui faire des desserts pour son auberge. Un peu plus tard, j'ai cuisiné pour les auberges de la région et pour le Manoir à Pointe-au-Pic. Finalement, au jour d'aujourd'hui, ça fait bien du monde à contenter !

— J'sais pas si je serais capable de cuisiner autant, soupira Gilberte tout en enviant la belle cuisine où elle se trouvait. J'aime ça, cuisiner, c'est sûr, mais au point de passer mes grandes journées devant le fourneau ? J'sais pas !

Puis, d'un mot à l'autre, d'une confidence à l'autre, Victoire prononça le nom de Béatrice et le cœur de Gilberte tressaillit en l'entendant.

— Elle sera là demain. Avec ses deux garçons.

— Des garçons ? C'est drôle, mais cette nouvelle-là s'est pas rendue jusqu'à moi.

Victoire haussa les épaules comme pour montrer qu'elle ignorait le pourquoi de la chose.

— Oui, répéta-t-elle, Béatrice a deux garçons. Des jumeaux.

— Comme maman, murmura Gilberte, le regard vague et le cœur en émoi.

Puis, à l'intention de Victoire, sans cependant oser lever les yeux vers elle, elle précisa :

— Notre mère a eu des jumeaux à deux reprises. Clotilde et Matilde, en premier. Pis Antonin et Célestin, plus tard.

— Alors là, c'est à mon tour de dire que je ne le savais pas. Tu vois, Lionel me parle bien peu de sa famille.

Curieusement, le tutoiement s'était imposé à Victoire avec un naturel désarmant.

— Et nous, on ne parle jamais de Lionel, souffla Gilberte.

À ce moment, devant ces constatations navrantes, le regard des deux femmes se croisa. Victoire avait beau avoir l'âge qu'aurait eu sa mère, Gilberte ne ressentait pas le fossé des générations entre elles. «Comme avec Prudence», pensa-t-elle spontanément avec une tendresse un peu déroutante. N'empêche que ce constat fut suffisant pour que Victoire lui semble encore plus chaleureuse.

Durant ce long après-midi d'apprivoisement, voire de confidences, il n'y eut qu'au moment où Lionel revint que Gilberte sentit un malaise s'abattre sur la cuisine. Victoire était aux fourneaux et Julien jouait sur le plancher avec une toupie multicolore.

Un embarras palpable enveloppa la pièce dès que Lionel parut dans l'embrasure de la porte, interrompant les conversations. Empêtré dans des émotions qui lui étaient toujours aussi difficiles à exprimer, le médecin s'en remit alors aux gestes du quotidien pour dissiper le malaise. Comme il avait vu James le faire tant et tant de fois, Lionel agrippa son fils sous les bras, le souleva de terre et le fit tournoyer durant un moment. Ravi, rouge de plaisir, le bambin poussa de petits cris de joie jusqu'à ce que son père le pose sur le plancher.

— Encore, papa, encore!

— Plus tard, fiston! Tu n'as pas remarqué? On a de la visite.

C'est alors que Lionel se redressa et, du regard, il chercha celui de sa sœur qui le dévorait des yeux.

Ils restèrent ainsi un long moment silencieux, comme si toutes ces années d'absence imposaient ce moment d'ajustement.

Gilberte fut la première à faire un pas en direction de Lionel, la main tendue. Une main que Lionel ignora tant l'envie de tenir Gilberte tout contre lui était grande. Malgré l'éducation reçue et le peu de démonstration affectueuse ayant ponctué son enfance, le médecin avait appris la spontanéité aux côtés de Victoire. Il prit sa sœur tout contre lui et celle-ci s'abandonna à son étreinte fraternelle. Gilberte recevait si peu d'affection...

Le frère et la sœur restèrent enlacés durant un long moment, puis Gilberte se dégagea, les larmes aux yeux. Des démonstrations de tendresse comme celle-ci la mettaient toujours mal à l'aise, faute d'habitude. Par contre, la chaleur ressentie alors qu'elle était blottie contre son frère avait eu raison de sa rancune et de ses inquiétudes.

— Je me suis ben gros ennuyée de toi, avoua-t-elle tout simplement en fixant Lionel droit dans les yeux.

— Moi aussi.

L'émotion déformait la voix de Lionel.

— Promis, ça n'arrivera plus, affirma-t-il après avoir toussoté. On va trouver le moyen de se voir plus souvent... Je... Béatrice aussi veut te connaître.

— Je le sais.

De la tête, Gilberte désigna Victoire.

— Ta femme me l'a dit, tout à l'heure. Y a rien au monde qui me ferait plus plaisir que de connaître enfin ma sœur Béatrice... Sauf peut-être d'apprendre que le petit Germain est pas malade.

— Alors, c'est vrai, tout ce qu'on a dit depuis quelques jours?

Gilberte hésita, chercha Victoire des yeux comme si elle avait besoin d'un certain appui pour continuer.

— Je sais pas trop ce qui s'est rendu jusqu'ici, expliqua-t-elle enfin, mais par chez nous, c'est le mot «débile» qui revient le plus souvent. Ou le mot «idiot». Tu peux pas savoir à quel point c'est dur à entendre même si je sais qu'il n'y a pas de méchanceté là-dedans.

— Je m'en doute un peu... Alors, où est-il, ce bébé?

— Dans la chambre de Béatrice, intervint Victoire, heureuse du déroulement de ces retrouvailles réussies, alors que

Lionel les appréhendait tellement. On l'a installé sur le lit. C'est fou, mais il passe son temps à dormir, ce bébé-là !

— Dans certains cas, c'est normal. Tu viens avec moi, Gilberte ? J'aimerais l'examiner. C'est d'abord pour ça que tu es venue, non ?

— Ouais, c'est pour ça... entre autres !

L'examen fut long et minutieux. Lionel palpait le bébé avec une grande douceur tout en exprimant ses observations à mi-voix.

— Une petite face de lune, des yeux en oblique et une langue un peu épaisse qui pointe hors de ses lèvres...

Intimidée par l'homme savant qu'elle découvrait en son frère, Gilberte se tenait un peu à l'écart et elle écoutait attentivement tout ce qu'il disait.

— La peau est flasque et un peu jaunâtre... Les jambes anormalement arquées, même pour un nouveau-né... Regarde, Gilberte, l'espacement entre ses deux orteils ! Ça ne trompe pas... Maintenant, j'aimerais que tu lui enlèves tous ses vêtements.

Debout dans l'embrasure de la porte, Victoire se tenait immobile, les deux mains jointes à la hauteur du cœur. Comme chaque fois qu'elle avait eu la chance de voir Lionel avec un patient, elle était subjuguée par sa grande douceur, par sa patience qui semblait inépuisable. Il sortit son stéthoscope de la mallette noire qu'il avait emportée et après l'avoir réchauffé au creux de ses mains, il le posa délicatement sur la poitrine du petit Germain. Même réveillé par toutes ces manipulations, le bébé ne pleurait toujours pas. Puis, posant le bébé à plat sur une main, Lionel le retourna et promena son instrument sur son dos.

— Heureusement, à première vue, le cœur ne semble pas touché comme je l'ai déjà vu du temps de mon internat, murmura le médecin avec une pointe de soulagement dans la voix. Voilà, j'ai terminé. Tu peux l'emmailloter, Gilberte. Je ne voudrais pas qu'il prenne froid.

Sans trop savoir pourquoi, Gilberte se sentait soulagée, comme si elle s'était libérée du fardeau en le confiant à Lionel. Elle s'empressa de recouvrir le bébé et elle le coucha sur le côté, un oreiller soutenant son dos. Puis, elle se tourna vers son frère, confiante.

Malheureusement, le diagnostic de Lionel, impitoyable, la frappa directement au cœur, ramenant aussitôt angoisses, inquiétudes et tristesse.

— Idiotie mongoloïde, laissa tomber Lionel dans un soupir.

Ce pronostic ressemblait à s'y méprendre à celui du vieux docteur Ferron et Gilberte sentit tout son corps se cabrer sans qu'aucun mot n'arrive à franchir le seuil de ses lèvres.

— Ouais, idiotie mongoloïde, répéta Lionel en replaçant machinalement les couvertures autour du corps du bébé qui s'était rendormi. C'est triste à dire, mais il n'y a pas de doute : le petit Germain est un idiot.

— J'aime pas ce mot-là, riposta Gilberte sur un ton buté, le visage inondé de larmes qu'elle essuya d'un geste brusque du bras. T'es ben sûr de toi ?

— Aucun doute. Et même si je n'aime pas le mot moi non plus, c'est le seul qu'on connaît pour décrire un bébé comme celui-là. L'avenir va te le prouver.

D'un haussement d'épaules répété, tel un tic, Gilberte repoussa le pronostic de Lionel et toutes les perspectives d'avenir qu'il laissait supposer.

— Alors, qu'est-ce qu'on fait ? demanda-t-elle avec une certaine impatience, déçue de voir que son frère n'en savait guère plus que le vieux médecin du village.

— J'avoue qu'il n'y a pas grand-chose à faire dans un cas comme le sien, sinon le regarder grandir. La famille pourrait choisir de le garder avec elle, c'est sûr. Certaines le font et ne s'en portent pas plus mal, malgré le surplus de travail que ça entraîne et les provisions de patience que ça demande. Par contre, à mon avis, le placer serait le mieux, pour lui comme pour la famille. Surtout que Marie a déjà de nombreux enfants, n'est-ce pas ?

— Le placer !

Sans répondre à la question de Lionel, Gilberte s'insurgeait contre sa proposition.

— Et si je dis que moi, je ne veux pas le placer ?

— Est-ce à toi de le vouloir, Gilberte ? Ce n'est pas ton fils ni le mien. Qu'est-ce que Marie a dit en te le confiant ?

À cette seconde question, Gilberte se mit à rougir violemment.

— Marie l'a pas vu, articula-t-elle péniblement, la gorge serrée. Je lui ai même pas parlé. Elle s'est endormie tout de suite après la délivrance. C'est… c'est Romuald, son mari, qui a pris toutes les décisions. Il a dit qu'il ne voulait pas s'attacher au bébé et que ça serait mieux que Marie le voie jamais. Il a quand même accepté ma proposition de venir te consulter pour avoir un autre avis… Romuald m'a dit aussi que mes décisions seraient les bonnes et qu'il les endosserait. J'espérais tellement revenir à la maison avec Germain.

Puis, dans un souffle accablé, Gilberte ajouta :

— Mais étant donné que tu parles comme le docteur Ferron…

— Ce n'est pas moi qui parle, Gilberte, c'est le gros bon sens. Il n'en souffrira pas, tu sais. C'est à peine s'il va être conscient de vivre.

— Tu crois ?

Lionel poussa un long soupir rempli à la fois d'impuissance et d'amertume.

— C'est ce que l'expérience nous a démontré jusqu'à maintenant, expliqua-t-il, toujours aussi patient. Si quelques-uns d'entre eux arrivent à prononcer péniblement certains mots, ça ne va pas beaucoup plus loin. Et rien ne prouve qu'ils comprennent ce qu'ils disent.

— C'est difficile à croire.

— Je le sais…

Gilberte resta un long moment à contempler le bébé, perdue dans ses pensées. Victoire s'était approchée de Lionel et elle avait glissé son bras sous le sien. Dès qu'il était question de bébé, son cœur tressaillait d'émoi. Surtout depuis la naissance de son fils Julien. Au lieu de combler son désir de maternité, la venue de son fils avait exacerbé cette envie. Malheureusement, elle n'était plus en âge d'avoir un autre enfant. Les yeux brillants de larmes contenues, elle aussi, elle contemplait le bébé en silence. Puis, lentement, Gilberte tourna la tête vers son frère.

— Je connais pas ça, moi, une famille où placer un bébé qui est… qui est malade, déclara-t-elle d'une voix étranglée.

— Quand je parlais de le placer, je ne pensais pas nécessairement à une famille.

— Ah non?

— Non. Je pensais plutôt à l'Hospice Sainte-Anne, à Baie-Saint-Paul.

Gilberte ferma brièvement les paupières sur son regard affolé.

— C'est quoi ça? Un hospice? C'est pas pour les vieux, un hospice?

— Oui, si on veut. Mais à Baie-Saint-Paul, ils reçoivent aussi quelques personnes comme Germain. Des idiots. C'est le gouvernement qui paie pour eux et ça permet de faire fonctionner tout l'hospice.

— Ben voyons donc!

Consternée, Gilberte promena son regard angoissé de Lionel à Victoire avant de revenir le poser sur le petit Germain.

— Ça se peut pas, murmura-t-elle en se tordant les mains d'impuissance. C'est pire que tout ce que j'avais pu imaginer… Un hospice…

Gilberte ravala son envie de pleurer en reniflant bruyamment. Pour l'instant, son minuscule neveu n'avait pas besoin de ses larmes.

— Pis qui est-ce qui va s'occuper de lui à… à l'hospice ?

— Des religieuses. Les Petites Franciscaines de Marie. De saintes femmes, crois-moi ! Comme je vais parfois à l'hospice, je connais bien l'endroit et les religieuses. Je peux donc t'assurer que le bébé ne manquera de rien. Pourvu que les religieuses acceptent un si jeune bébé, bien entendu.

— Bon ! Encore autre chose…

Jamais de toute sa vie Gilberte ne s'était sentie aussi inutile, insignifiante.

— Et si on allait manger ? proposa Victoire d'une voix apaisante, voyant que sa belle-sœur était complètement dépassée. Ça fait beaucoup d'émotion en peu de temps, tout ça. Et j'avoue que j'ai un peu de difficulté à m'y retrouver, moi aussi. On n'est pas obligés de prendre une décision tout de suite, là, debout dans l'encadrement de la porte, n'est-ce pas ? De toute façon, Julien doit se demander ce qu'on fait, alors moi, je descends.

La décision se prit d'elle-même puisqu'il n'y avait aucun autre choix. Le petit Germain irait donc à l'hospice. Durant la soirée, Lionel en parla longuement et l'image qu'il en fit réussit à apaiser Gilberte un tant soit peu.

— Des religieuses, tu dis ?

— Oui, des religieuses. De bien bonnes personnes. Et aussi des bénévoles. Un grand bâtiment comme celui-là a besoin de toutes les mains charitables qui s'offrent.

— Ah oui ? Si tu le dis…

Il fut décidé qu'on demanderait à Clovis s'il pouvait les reconduire.

— Ça va mieux en suivant le fleuve que par la route, estima Lionel. Veux-tu que je t'accompagne ? Je connais bien la mère directrice et je pourrais, le cas échéant, mettre un peu de pression pour…

— Ça sera pas nécessaire. Je devrais être capable de me débrouiller toute seule. Tu as beaucoup d'ouvrage ici, non ?

— Et si moi j'y allais ? proposa Victoire sans laisser la chance à Lionel de répondre. Je peux très bien demander à maman et à Lysbeth de voir à Julien pour une journée. Ou encore à Béatrice.

Cette fois-ci, Gilberte sembla d'accord. Elle tourna vers Victoire un sourire reconnaissant.

— Ça serait gentil… C'est vrai que ça va être une journée difficile. Je… je le sais pas comment j'vas réagir quand ça va être le temps de laisser Germain là-bas.

— Alors, c'est décidé, je vais avec toi ! Demain, je m'occupe de tout organiser et on va essayer de faire le voyage après-demain ! En attendant, j'invite Béatrice à venir souper avec son mari et ses deux garçons. Il n'est pas dit que ta première visite chez nous va être uniquement un moment de tristesse !

Sur ce constat, Victoire jeta un regard sur l'horloge du salon avant d'éclater de rire, comme si une femme de sa trempe, amoureuse de la vie, avait le besoin impérieux de cette jovialité pour désamorcer toutes les tensions passées et à venir. Puis, après un long bâillement, elle lança :

— Avez-vous vu l'heure ? Au lit, tout le monde ! Voir que ça a de l'allure, se coucher tard comme ça ! Je peux bien tomber de fatigue.

Victoire et Lionel montèrent à leur chambre côte à côte, main dans la main, les doigts entremêlés. Heureusement pour elle, Gilberte les précédait. Être le témoin de leur intimité n'aurait fait qu'attiser le feu de son amertume de vieille fille, comme elle se surnommait elle-même avec dérision et affliction. Pour l'instant, la tristesse profonde ressentie à l'égard du petit Germain était amplement suffisante pour éloigner le sommeil. Elle n'avait pas besoin d'en rajouter.

Le voyage se fit le surlendemain, comme prévu, par temps gris et venteux. Tendue, nerveuse et le cœur dans l'eau, Gilberte se réfugia dans le coin le plus reculé de la cabine du bateau pour éviter de participer à la conversation.

En quelques mots à peine, prononcés entre Clovis et Victoire, Gilberte comprit que, malgré les apparences, ces deux-là ne faisaient pas partie de son univers. Ils étaient de la génération de son père et elle l'entendait dans leurs propos. Gilberte se demanda alors comment Lionel se sentait quand ils étaient tous ensemble. Son frère avait-il réussi à se tailler une place d'égal à égal ? Il était vrai, par contre, que son titre de médecin imposait le respect. Probablement suffisait-il à combler le fossé.

Ce qui n'était pas son cas à elle, avec à peine une sixième année terminée…

Gilberte laissa échapper un soupir discret. À vrai dire, il était rare qu'elle se sente à sa place, qu'elle se sente à l'aise. Elle se faisait souvent l'impression de n'être qu'une forme imprécise, un peu grisâtre, qui se mouvait entre les gens sans qu'on l'aperçoive.

Sauf hier peut-être…

La rencontre avec Béatrice, bien que chargée en émotion, avait été un beau moment. Elles se ressemblaient tellement que leur premier contact avait été le sourire timide mais complice qu'elles avaient spontanément échangé.

— Je me suis souvent demandé à qui je ressemblais, dans la famille Bouchard, avait constaté Béatrice dès qu'elle avait aperçu sa sœur. Je viens d'avoir ma réponse.

— En fait, c'est à maman que nous ressemblons, avait précisé Gilberte. Du visage, parce qu'elle était plus grande que nous.

Puis, dans cette économie de gestes émotifs si caractéristique de l'éducation reçue, et malgré son cœur qui battait la chamade, tout comme elle l'avait fait précédemment avec Lionel, Gilberte avait fait un pas vers Béatrice en lui tendant la main. C'était sans compter le fait que Béatrice avait été élevée par Victoire. Ignorant la main tendue, elle avait plutôt enlacé Gilberte et l'avait serrée tout contre elle avant de l'embrasser sur les deux joues.

— Si tu savais à quel point je suis contente! J'ai souvent pensé au moment que je suis en train de vivre. J'ai souvent tenté de l'imaginer.

— Moi aussi!

Un long regard avait scellé cette confession. Puis, prenant Gilberte par la main, Béatrice l'avait entraînée à sa suite.

— Et maintenant, viens! Il faut que je te présente mon mari et mes deux garçons.

Gilberte n'avait quant à elle personne à présenter. Pourtant, elle avait ravalé la réplique habituelle qui lui montait aux lèvres en pareil cas et elle s'était laissée remorquer par Béatrice.

C'est ainsi que, la veille, Gilberte avait passé une des plus belles soirées de sa vie. Une de celles dont elle chérirait longtemps le souvenir à défaut de pouvoir chérir autre chose dans la vie. Ce n'est qu'au moment où Gilberte s'était glissée finalement entre les draps que la tristesse de devoir bientôt se séparer du bébé l'avait rattrapée avant de s'emmêler à ses rêves.

Au réveil, le cauchemar s'était poursuivi. Aujourd'hui, elle devrait abandonner son neveu dans un hospice. Ce n'était plus un rêve mais bien la triste réalité. Il faisait gris, il faisait froid et Gilberte avait le cœur lourd.

Le vent s'engouffrait sous la porte disjointe de la cabine. Il faisait si beau à son départ de l'Anse, deux jours auparavant, que Gilberte n'était pas vraiment habillée pour la saison. Une simple veste de laine tentait de la réchauffer sans grand succès. Un long frisson convulsif secoua ses épaules alors que, par le petit hublot, Gilberte contemplait la rive que le bateau suivait. Le paysage de la côte nord du fleuve était si différent de celui du sud!

Puis, il y eut une certaine accalmie et Gilberte s'aperçut que le bateau venait d'entrer dans une baie.

— On est presque arrivés, commenta Clovis. Le temps d'accoster, d'amarrer le bateau, pis vous pourrez descendre. L'hospice est un peu plus loin que l'église. Vous pourrez pas le rater, c'est gros comme un hôpital! Pis vous avez tout votre temps! Avec les vents de travers qu'on connaît à matin, m'en vas attendre le baissant de la marée pour retourner à la Pointe.

Les deux femmes traversèrent le village en marchant contre le vent et Gilberte avait l'impression que le Ciel se mettait de la partie pour lui signifier son désaccord en agissant comme elle le faisait. En agissant contre nature. Quelle sorte de cœur avait-elle donc pour s'apprêter à abandonner un aussi petit bébé?

Indifférent aux états d'âme de sa tante, le petit Germain dormait profondément, blotti contre sa poitrine. Gilberte l'avait chaudement emmitouflé dans une couverture et elle l'avait glissé sous son chandail. Tous les trois pas, anxieuse, elle vérifiait s'il respirait toujours.

Malgré les bourrasques et le chemin pierreux, Gilberte trouva que l'hospice n'était pas assez loin. Le cœur voulut lui sortir de la poitrine quand la masse sombre de l'édifice se dressa devant elle.

— Je crois bien qu'on y est, murmura Victoire en ralentissant le pas. Bonne sainte Anne que c'est difficile. Es-tu prête, Gilberte ?

— Qu'est-ce que vous pensez ? Non, je suis pas prête.

La voix de Gilberte était rauque, renfrognée, agressive.

— Mais comme je pense que je le serai jamais, aussi ben y aller tout de suite. Astheure, on passe par où ? Par la grande porte ou par celle d'à côté ?

Elles passèrent par l'entrée principale et furent accueillies par une religieuse à la cornette amidonnée et au sourire avenant. Quand elle comprit la raison de leur visite, sa désolation fut sincère.

— Pauvre petit ange ! Venez, mesdames, venez avec moi. On va rencontrer notre mère supérieure. C'est elle qui pourra vous dire ce qu'on peut faire, déclara la religieuse alors que son regard attendri, glissé subrepticement vers le bébé, proclamait clairement ce qu'elle aurait bien aimé que sa supérieure décide.

Cette même supérieure, toutefois, sembla plutôt embêtée.

— Un bébé ? Je suis reconnaissante au docteur Bouchard d'avoir pensé à nous comme étant de bonnes personnes, mais nous ne sommes pas équipées pour recevoir des bébés !

— Quand même ! Ça ne demande pas grand-chose, un si petit bébé !

— Ça demande une présence vigilante… et bien du temps !

— Allons donc !

Victoire avait pris la situation en mains, comprenant, au silence de Gilberte, que celle-ci en serait bien incapable.

— J'ai dû m'occuper d'un nouveau-né, moi aussi, expliqua-t-elle à la supérieure, d'un ton qui se voulait convaincant. La mère était morte en couches. Une amie à moi et la mère de ma compagne, ajouta Victoire en désignant Gilberte, qui n'avait toujours pas desserré les lèvres. Ce n'est pas facile de s'occuper d'un bébé quand on n'a pas l'habitude, je vous l'accorde, mais avec l'aide de Dieu, on y arrive, croyez-moi ! Pis finalement, on s'aperçoit que c'est une bénédiction du Ciel, avoir un bébé dans sa vie.

— Je n'en doute pas un seul instant, chère dame, même si j'ai fait un tout autre choix pour orienter ma vie… Cela dit, ça ne me donne pas de solution miracle de savoir tout cela. Même en admettant que vous ayez raison !

Un silence gênant s'abattit sur la pièce tandis que Victoire tentait désespérément de trouver d'autres mots, d'autres motifs pour convaincre la religieuse de changer d'avis.

— Et si je vous offrais de rester ici, avec vous autres, pour m'en occuper ?

Gilberte était intervenue dans la discussion, d'une voix évasive, sans quitter le petit Germain des yeux. Constater que personne ne voulait de cet enfant-là dépassait son entendement, d'où cette proposition qu'elle-même était surprise d'avoir faite aussi spontanément.

Mais maintenant que les mots étaient dits…

Le temps de prendre une profonde inspiration pour se conforter dans sa décision et Gilberte leva la tête.

— Alors ? Qu'est-ce que vous pensez de mon idée ?

Toute supérieure qu'elle était, la religieuse semblait déroutée par une telle proposition.

— Vous ? Ici ?

Gilberte haussa les épaules.

— Pourquoi pas?

— Vous voulez prendre le voile?

— J'ai pas dit ça, souligna Gilberte avec une petite impatience dans la voix. Si j'avais voulu devenir religieuse, ça fait longtemps que je me serais décidée. Non, le couvent, le costume pis les vœux, ça m'intéresse pas. J'ai juste dit que je pourrais rester ici pour m'occuper de Germain. Ça, c'est le nom du bébé. Germain Delisle. C'est de même qu'on l'a baptisé dans la paroisse où il est né. J'ai son baptistaire dans mon panier, pis j'ai aussi une lettre du père, confirmant que c'est moi qui peux prendre toutes les décisions concernant Germain.

— Ouais…

— Pis si je vis ici, je pourrais m'occuper des autres aussi, comme de raison, ajouta précipitamment Gilberte. Durant mes temps libres. Si vous avez besoin de moi. Chus pas manchote, vous savez!

— On a besoin de toutes les bonnes volontés, c'est vrai, confirma la supérieure tout en hochant la tête.

— Bon! Vous voyez ben que mon idée est pas si folle que ça!

Gilberte s'animait. Elle se redressa, resserra son étreinte autour du corps du bébé, toujours emmailloté et blotti tout contre elle.

— Tout ce que j'ai besoin, dans le fond, expliqua Gilberte avec conviction, c'est d'un lit pour dormir pis d'une assiette pour manger. Pour le reste, j'ai jamais été ben ben gourmande.

— Que vont dire vos proches? Vous devez bien avoir une famille, des parents, des…

— J'ai personne qui tient à moi au point de s'en faire de me savoir ici, trancha Gilberte d'une voix douce mais décidée. De toute façon, c'est moi qui aurais pris soin de Germain, une bonne partie du temps. C'est juste l'endroit qui changerait, si jamais vous acceptez de le garder pis que je reste avec lui pour m'en occuper.

— En effet…

— Pis je pense que ma sœur Marie, la mère du bébé, serait ben contente de savoir que c'est moi qui vas m'en occuper. Me semble que sa peine serait moins grande… Vous pensez pas, vous ?

Ce fut ainsi que Gilberte ne reprit pas le bateau de Clovis pour retourner à la Pointe afin de prier sur la tombe de sa mère, comme elle se l'était promis, et pour rendre visite à ses grands-parents maternels avant de retourner à l'Anse-aux-Morilles. Deux lettres, péniblement écrites au bout d'une table du réfectoire, expliqueraient la situation à Marie et Romuald, bien sûr, puis à son père et Prudence. Dans cette seconde lettre, elle adressait aussi quelques mots aux jumeaux Antonin et Célestin pour qui elle avait une affection particulière. En post-scriptum, Gilberte demanda qu'on lui fasse parvenir le peu d'effets qui lui appartenaient.

— C'est le mieux qui pouvait arriver, conclut-elle en remettant ses lettres à Victoire, qui était encore sous le choc.

— T'es bien certaine de vouloir passer une partie de ta vie ici ? demanda-t-elle sur un ton désolé tout en regardant autour d'elle.

— Pourquoi pas ? Pourvu que Germain manque de rien, moi ça me suffit.

— Et ta sœur Marie ? Avec sa grosse famille, elle ne comptait pas sur toi ?

— Justement… Elle sait qu'elle peut compter sur moi. Je la connais bien, elle va comprendre ma décision. Maintenant, retournez au bateau, Victoire. Faudrait pas que Clovis commence à s'inquiéter. Vous saluerez bien Lionel pour moi. Pis Béatrice aussi, comme de raison. Pis si jamais un de ces jours vous passez par ici, oubliez-moi pas. Venez me voir ! C'est sûr que toutes les visites vont être les bienvenues.

Ce furent ses derniers mots. À la façon insistante dont Gilberte prononça le mot « toutes », laissant sourdre une certaine forme de panique enrobée d'ennui pressenti, Victoire comprit à quel point le sacrifice était grand pour elle.

Par amour pour un bébé qui ne la reconnaîtrait probablement jamais, Gilberte acceptait de s'enfermer dans un hospice pour une longue partie de sa vie.

Sur le chemin du retour la menant au bateau, Victoire se surprit à espérer que Lionel ait eu raison en lui précisant, hier soir dans l'intimité, qu'un idiot mongoloïde n'avait pas une longue espérance de vie.

Est-ce que ce fut l'assaut du vent ou l'intensité des émotions ? Quand Victoire monta à bord de la goélette, son visage était inondé de larmes.

PREMIÈRE PARTIE

Été 1918 ~ Printemps 1919

CHAPITRE 1

*Août 1918, quelque part
dans le nord de la France...*

Léopold profitait d'une accalmie pour se débarbouiller dans l'eau trouble accumulée au fond d'un trou d'obus. Un bout de savon, qui rétrécissait comme une peau de chagrin, passait d'une main à l'autre tandis que quelques hommes, accroupis, essayaient tant bien que mal de faire disparaître la crasse séchée qui les maculait depuis les derniers jours. Pas question, cependant, de se raser, les lames étaient trop émoussées et l'eau trop froide.

Pourtant, pour se laver, le capitaine Léopold Tremblay aurait eu droit à une cuve remplie d'eau tiède. Après tout, il était officier. Mais il préférait rester avec ses hommes. Ce qui était bon pour eux l'était tout autant pour lui, avait-il répondu au major Langlois. On n'avait pas insisté parce qu'on le respectait.

Léopold Tremblay avait toujours été un bon soldat. Solitaire, taciturne, soit, mais un bon soldat.

En effet, si Léopold refusait de se faire des amis, c'est qu'il avait trop vu d'hommes mourir au cours des dernières années. Un lien indéfectible l'unissait néanmoins à sa compagnie et il était apprécié, tant par ses hommes que par les commandants du 22e régiment auquel il appartenait.

Dans la région où ils étaient arrivés, la semaine précédente, une longue tranchée zébrait la terre de France comme une vilaine cicatrice. Vingt-cinq kilomètres entre Albert et Montdidier. Ne manquait plus que l'arrivée des tanks et des brigades de mitrailleuses motorisées pour donner l'assaut. Hier, portant le casque de l'armée australienne pour tromper les Allemands, Léopold et quelques autres officiers, australiens et canadiens, avaient été affectés à l'étude du secteur d'Amiens. La tension était palpable. Le maréchal, Sir Douglas Haig, dirigeait l'offensive et les avait mis en garde : la bataille risquait d'être coûteuse. Mais comme Léopold estimait qu'il n'y avait pas de bataille simple ou facile, il prenait les choses comme elles se présentaient, une à la fois. Aujourd'hui, il avait la chance de se laver dans un trou d'eau, demain, il verrait. Il comprenait les visées névralgiques de cette attaque destinée à libérer la ligne de chemin de fer entre Amiens et Paris. Gagner cette bataille, repousser les Allemands au-delà de la ligne Hindenburg qu'ils tenaient depuis le printemps, entrouvrirait peut-être une porte menant vers la fin du conflit.

C'est ce que Léopold avait retenu de la réunion tenue la veille : la guerre finirait peut-être bientôt.

Peut-être...

Léopold esquissa un sourire à la fois railleur et désabusé en essuyant son visage avec un torchon grisâtre. Dire qu'à l'automne 1914, au moment où il s'était enrôlé, il pensait être de retour à la Pointe pour la saison de cabotage de l'été 1915 !

— ... Sapristi, maman ! On dirait que tu lis pas le journal ! Tout le monde le dit : c'est pas une guerre qui va durer longtemps. Ben juste quelques mois ! Juste assez, j'espère, pour me donner le temps d'aller voir les vieux pays.

La réalité avait été tout autre !

Cela faisait maintenant presque quatre ans que Léopold était parti de chez lui et tout près d'un an qu'il n'avait rien reçu des siens. Ni colis, ni lettres, ni même une carte postale. Il osait croire que si un malheur était arrivé, l'armée aurait bien trouvé un moyen de le prévenir. Quant à Augusta, la jolie fiancée…

Léopold ferma les yeux sur une image qui allait en s'estompant avec le passage des mois et des années. La photo qu'il avait emportée n'était plus qu'une pâle copie délavée et le sourire radieux d'Augusta, celui qui lui avait un jour chaviré le cœur, s'effaçait peu à peu sur le papier et dans sa mémoire.

D'Augusta non plus, Léopold n'avait rien reçu depuis des lunes. Peut-être avait-elle cessé d'attendre, tout simplement, ou peut-être avait-elle croisé quelqu'un d'autre.

Peut-être était-elle même mariée à un autre…

Léopold secoua la tête dans un geste de déni. Pourquoi continuerait-il à se battre si ce n'était pour retrouver celle qu'il aimait ? Les belles envolées patriotiques ne voulaient plus dire grand-chose pour lui. Le tourisme qui l'avait emmené ici encore moins. Quel imbécile il avait été ! Si la situation avait été moins tragique, il en aurait ri. Sa mère, Alexandrine, avait eu raison en disant de ne jamais faire de promesse qu'on n'est pas certain de tenir. Cela faisait maintenant presque quatre ans qu'il avait cru partir pour quelques mois, au lieu de quoi, il avait été plongé dans l'horreur. Une infamie contre laquelle sa vie avait buté et s'était arrêtée. Son quotidien, depuis, n'était plus qu'un duel entre l'espoir et la mort. Il était entouré de vermine, attaqué par les poux et tenaillé par la faim jour après jour, malgré la présence de quelques cantines du YMCA.

Rester en vie…

C'était son credo, les seuls mots qui lui venaient à l'esprit quand les obus déchiraient la terre autour de lui.

Rester en vie pour retrouver la quiétude de son village et le silence de la mer quand il voguerait d'une rive à l'autre, d'un quai à l'autre.

Rester en vie pour tenir la promesse faite à sa mère.

Rester en vie pour protéger celle de ses hommes.

Rester en vie.

L'offensive fut déclenchée à 4 h 20, le matin du 8 août. Sur vingt-cinq kilomètres, les troupes anglaises, australiennes, canadiennes et françaises échelonnées entre Albert et Montdidier se devaient de gagner du terrain méthodiquement. Tanks et avions avaient ouvert l'avancée et continuaient de les soutenir tandis qu'une brève attaque de l'armée française avait préparé les hostilités.

Le terrain se gagnait un mètre à la fois et Léopold vivait une minute à la fois. Chaque parcelle de terre gagnée sans perdre un homme était pour lui une petite victoire. Ils allaient y arriver. Coûte que coûte. Jusqu'à maintenant, chaque fois qu'il s'était retrouvé face à un feu nourri de l'ennemi, il s'en était sorti. Quelques égratignures, soit, une dent cassée, une entorse, mais rien de majeur. Pourquoi en serait-il autrement aujourd'hui ? D'autant plus que cette fois-ci, l'espoir faisait battre son cœur plus fort que la peur. Comme les commandants l'avaient prédit, le conflit tirait à sa fin. Ainsi, Léopold reviendrait chez lui en un seul morceau.

Comme promis.

Avec quatre ans de retard, il allait finalement honorer l'engagement vis-à-vis de sa mère et peut-être aussi vis-à-vis de sa fiancée.

Si elle l'attendait toujours.

Après tout, pourquoi pas ?

D'un remblai à une butte, d'une tranchée à un repli du terrain, les alliés avançaient et, curieusement, les Allemands reculaient. Parfois sans riposter, se rendant corps et armes à leur ennemi. Parfois en s'enfuyant comme devant un raz-de-marée.

Est-ce pour cela que la vigilance proverbiale de Léopold se relâcha? Peut-être bien, après tout. Cette bataille ne ressemblait en rien à celles qu'il avait connues jusqu'à ce jour.

— Hé, Samson! Tu vois la colline là-bas?

Du bras, Léopold montrait un remblai terreux où s'acharnaient à vivre quelques arbustes rachitiques.

— Ouais.

— Ça serait bien qu'on y campe avant la fin de la journée.

— Ben d'accord avec vous, mon capitaine, mais on fait ça comment? Jusque-là, y' doit ben y avoir trois cents pieds à découvert.

— Peut-être...

Les yeux plissés, main en visière et menton au ras du sol, Léopold analysa le terrain, tenta de calculer.

— C'est vrai qu'il y a un grand bout à découvert, admit-il, mais à l'autre bout, ça a pas l'air de bouger ben ben...

Par réflexe, Léopold regarda tout autour de lui. C'était une belle matinée d'été. S'il n'y avait pas eu au loin la déchirure de quelques tirs isolés, Léopold aurait eu envie de dire que c'était une journée pour être en vacances.

Des vacances...

Cela faisait si longtemps qu'il n'avait pas eu de temps à lui, à part quelques heures à la fois...

Un jour, quand la guerre serait finie et que le monde aurait recommencé à vivre normalement, Léopold se jura qu'il emmènerait Augusta ici, en vacances, justement...

Un avion passa en rase-motte au-dessus de sa tête, le ramenant à sa tranchée et au monticule de terre qu'il espérait gagner.

— On les arrose sans arrêt durant un bon moment, pis on attend un peu, proposa-t-il sur un ton de commandement. S'il se passe rien, on avance.

— Pis si c'est une embuscade ?

— Ça serait bien la première de la journée. Depuis le matin, les Allemands détalent comme des lapins.

— C'est vrai... Dans ce cas-là, je vérifie l'état de nos munitions, pis je viens vous faire un rapport.

Ce fut bref.

Léopold fut le premier à tomber, touché à un bras et aux deux jambes par un tir de mitrailleuse. Samson fut le second, en essayant de porter secours à son capitaine. Le reste de la troupe se replia devant un seul homme caché par une palissade au sommet de la colline et habité par la rage de survivre. Un Allemand rendu fou par cette guerre qui n'en finissait plus.

L'attaque franco-britannique fut un franc succès. Le soir du 8 août 1918, la ligne de front avait reculé de douze kilomètres vers l'est.

Le 10 août, la ligne de chemin de fer entre Amiens et Paris fut rouverte. Ce qui s'appellerait désormais la Bataille d'Amiens avait apporté les résultats escomptés, les plus marquants pour l'armée britannique depuis le début de la guerre.

Malheureusement, Tremblay et Samson ne furent pas de ceux qui purent festoyer. Samson avait rendu l'âme sur le champ de bataille et Léopold, opéré d'urgence dans la nuit du 9 septembre, était toujours entre la vie et la mort.

Et le médecin qui l'opéra ne put sauver son bras droit.

CHAPITRE 2

Trois mois plus tard, dans Charlevoix, chez les Tremblay,
en novembre 1918

Il avait fallu que la vie de Léopold soit en danger pour que la famille reçoive enfin de ses nouvelles. Un simple télégramme, bref et froid, que le maître de poste avait lu avant de le leur remettre. Au moins, on savait qu'il était vivant.

— Voir qu'on aurait pas pu continuer à correspondre avec lui avant ça ! rouspéta Alexandrine, une fois de retour chez elle. Léopold était pas au fin fond des concessions, comme on l'a longtemps pensé. Bonté divine, il était en France. Me semble que c'est un grand pays, la France. Non ?

Depuis que le télégramme était arrivé, il trônait au milieu de la table. Alexandrine en connaissait le contenu par cœur à force de l'avoir lu et relu.

— Un an, Clovis ! On a passé un an à se faire du sang de cochon pour notre fils parce que l'armée disait que le courrier se rendait plus. T'as-tu une petite idée de tout ce que j'ai pu m'imaginer, moi là ? Une longue année, à prier matin et soir, sans trop savoir si on priait pour quelque chose parce que j'étais quasiment sûre qu'il était en Allemagne, prisonnier, ou pire, déjà mort !

— Au moins, ça c'est une chose de réglée ! On sait qu'il est vivant.

Le gros bon sens de Clovis! Un trait de caractère qui avait toujours plu à Alexandrine. Par contre, dans de telles circonstances, la placidité habituelle de son mari n'arrivait pas à calmer ses inquiétudes.

— Ouais, c'est vrai, il est vivant. Merci Seigneur! Pour une fois qu'Il entend mes prières... Mais dans quel état Léopold va nous revenir, hein? Le papier qu'on a reçu parle de blessures sérieuses. Assez sérieuses pour qu'il soye rapatrié en Angleterre en attendant la fin de la guerre parce qu'il peut pas retourner se battre. On rit plus!

— Mais au moins, astheure, notre Léopold est loin des canons pis des fusils.

— Ouais, c'est vrai. Une saprée bonne affaire. Mais si tu veux mon avis, Clovis Tremblay, Léopold aurait jamais dû y être, devant les canons! Il aurait ben dû m'écouter, aussi!

— Avec la conscription, il serait peut-être parti pareil.

— Que tu dis... Moi, j'en suis pas si sûre que ça. S'il y en a qui m'écoutaient, des fois, dans cette maison-là, on se serait peut-être ben moins inquiétés pis...

Quand Alexandrine commençait à parler de la guerre, des injustices de la vie et de ses déceptions toutes personnelles, Clovis avait appris à se taire et il la laissait s'épuiser. Puis, il séchait les larmes qui se mettaient inévitablement à couler.

— Pourquoi, Clovis? Pourquoi notre vie est-elle si difficile?

Dans un sens, Alexandrine n'avait pas tort. Leur vie aurait pu être plus douce, plus facile. Ils étaient à l'âge du repos comme certains de leurs amis, entourés de leurs enfants et de leurs petits-enfants. Ce n'était pas le cas. Encore cet été, Clovis avait dû se lever à l'aube, pratiquement tous les jours, pour continuer à sillonner le fleuve parce que personne de la famille n'avait pris la relève sur la goélette. Ni fils, ni gendre, ni petit-fils parce que leurs fils, Paul et Léopold, n'habitaient plus ici, du moins pour l'instant, et qu'il n'y avait ni gendre ni petits-fils... C'était devant ce fait que la question d'Alexandrine prenait tout son sens et, comme Clovis en ignorait la réponse, il se contentait de serrer sa femme très fort contre sa poitrine. C'était sa manière à lui d'éloigner les larmes, de rester fort pour elle.

— Tout seuls, Clovis! Toi pis moi, on se retrouve tout seuls. Nos enfants, toutes nos enfants sont partis de la maison. Même notre bébé, même Justine s'est sauvée en ville pour rejoindre ses sœurs. Pour gagner sa vie, comme elle a dit en partant. Comme si c'était là une raison capable de nous consoler! Pourquoi, Clovis? Pourquoi tout le monde est parti? Me semble que la vie de par ici est pas si désagréable que ça. Me semble qu'on a été des bons parents.

— On a été de bons parents, pas de doute là-dessus.

— Pourquoi d'abord la maison s'est vidée? Pourquoi on est toujours pas grands-parents? Tu peux-tu me le dire toi, Clovis?

Philosophe, Clovis répondait invariablement:

— C'est la vie qui a voulu ça.

C'était à ce moment-là, comme un rituel entre eux, qu'Alexandrine s'arrachait à l'étreinte de son mari en bougonnant.

— La vie, la vie... C'est pas une réponse, ça, la vie!

Cette conversation revenait régulièrement entre eux, tous les dix jours ou presque, comme si tout le reste avait été épuisé au fil des mois et des années vécus en commun, et qu'il ne restait plus que cette déception amère à partager.

Pourtant, ils étaient toujours aussi amoureux l'un de l'autre, comme au matin de leurs noces, mais à leur âge, ça ne suffisait plus pour bousculer les tristesses occasionnées par la vie et leurs enfants. Alors, puisque ce matin, Léopold avait été le déclenchement et le cœur de leur discussion, Clovis y revint tout naturellement.

— Au moins, Alex, on peut oser espérer que Léopold, lui, va revenir s'installer ici. Tu sais comme moi combien il aime la mer !

Le vieil homme avait mis dans sa voix tout ce qu'il pouvait trouver d'enthousiasme au fond de son cœur et de ses espoirs. Alexandrine opina aussitôt.

— C'est vrai. Du moins, ça l'a déjà été.

La réponse d'Alexandrine, même sincère, fut cependant déclamée d'une voix un peu plus hésitante. Alors, Clovis exagéra l'entrain. Rien ne lui fendait plus le cœur que de voir son Alexandrine se morfondre.

— Ben voyons donc ! Pourquoi ça aurait changé ? Fie-toi sur moi, Alexandrine : les temps durs achèvent, j'en suis certain. À l'âge où Léopold est rendu, j'aurai pas de crainte à lui céder ma place au gouvernail. Toute la place, à part de ça ! Depuis le temps qu'il en rêvait, il devrait sauter sur l'occasion ! Faut pas oublier que si Léopold était encore un gamin quand il a quitté la maison, celui qui va nous revenir devrait être devenu un homme. Un homme responsable, à part de ça. Avec tout ce qu'il a vécu pis tout ce qu'il a dû voir.

— Tant qu'à ça...

Alexandrine semblait songeuse. Peut-être tentait-elle de deviner l'avenir en y accrochant, elle aussi, tout ce qu'elle pouvait trouver d'espoir au fond du cœur. Mais soudain, son regard changea. Il devint plus perçant sous ses sourcils froncés.

— Ben voyons donc !

Alexandrine tourna la tête à droite, à gauche, puis revint à Clovis.

— T'entends-tu ce que j'entends ?

Clovis regarda par la fenêtre.

— On dirait les cloches de l'église.

— C'est ben ce que je pensais...

Tout en parlant, Alexandrine tendit l'oreille à l'instant où une vive lueur d'inquiétude traversa son regard.

— Pourquoi les cloches sonnent comme ça, Clovis ? C'est pas l'heure de l'angélus…

— Peut-être un feu dans le village ? Un gros. Comme quand le magasin de Jules Laprise a été…

— Veux-tu ben te taire, oiseau de malheur, coupa Alexandrine, alarmée.

— Ben on va en avoir le cœur net ! Mets ta veste, Alexandrine.

Clovis était déjà devant la porte de la cuisine qui donnait sur l'arrière de la maison. Il avait décroché les chaudes vestes de laine pendues à un clou.

— Suis-moi, Alex ! On va aller au bout du jardin, sur le bord de la falaise. Comme il y a plus de feuilles dans les arbres, on devrait voir ce qui se passe en bas, dans le village.

— Je sais pas si ça me tente de voir ce qui…

— Ben si tu viens pas, moi, j'y vais !

Clovis avait ouvert la porte. Porté par le vent, le tintement des cloches s'engouffra dans la maison en même temps que la froidure. Alexandrine frissonna.

— Écoute !

Clovis, immobile, tendait l'index devant lui vers la porte grande ouverte et vers l'autre bout de leur jardin.

— Écoute comme faut ! Me semble que c'est un carillon joyeux, comme celui des noces pis des baptêmes, pas le glas des funérailles comme quand le feu a pris au magasin.

— T'as ben raison…

Aussitôt, Alexandrine s'activa. Elle se dirigea vers Clovis en tendant la main pour prendre son chandail.

— Dans ce cas-là, je te suis.

Elle avait retrouvé son aplomb habituel.

— Je me demande ben ce qui se passe.

Bras dessus, bras dessous, ils traversèrent le jardin dégarni, marchant prudemment entre les mottes de terre durcie.

Du haut de la falaise, le regard embrassait le cœur du village, de l'église jusqu'au quai en passant par la rue principale, le cimetière et le presbytère.

Nul besoin d'entendre les voix des gens qu'ils apercevaient pour comprendre que l'événement annoncé par les cloches était heureux, comme Clovis l'avait prédit.

— À se faire aller de même, le bedeau va ben avoir les deux bras morts, murmura Clovis, légèrement moqueur devant le son des cloches qui ne faiblissait pas. Pis as-tu remarqué? Les gens sur le quai se tapent dans le dos, s'embrassent pis lancent leurs casquettes dans les airs. Ça doit être important. Ben important. De toute façon, c'est pas normal d'avoir autant de monde sur le quai en pleine semaine à ce temps-ci de l'année.

— On y va?

Alexandrine avait redressé les épaules et, d'une main impatiente, elle tirait sur la manche du chandail de Clovis.

— Tout d'un coup, je me sens comme une petite jeunesse dans les jambes! Envoye, viens-t'en. Pas besoin d'atteler, Clovis: une promenade jusqu'au village nous fera pas de tort. Ça va nous rappeler quand on était jeunes, toi pis moi, pis qu'on allait au village pour un oui pis pour un non, pratiquement tous les jours! Pis…

Alexandrine hésita, comme si les mots allaient transformer ses espoirs en déception. Malgré cela, n'y tenant plus, elle lança:

— Pis si c'était la guerre qui était finie, hein?

Clovis lui emboîta le pas en hochant la tête. Après tout, pourquoi pas? Néanmoins, plus sage que son épouse, il déclara:

— On va attendre avant de se réjouir, veux-tu ? La semaine dernière aussi, on parlait dans le journal que c'était fini. Pis c'était pas vrai.

— Ben ça va finir par être vrai un jour !

Subitement, l'enthousiasme d'Alexandrine n'avait plus de limite.

— Me semble qu'il y a juste une nouvelle comme celle-là pour revirer la paroisse de même ! Amène-toi, Clovis !

Clovis ne demandait pas mieux que de se joindre à l'enthousiasme d'Alexandrine, espérant qu'elle disait vrai.

— Ben ça, ma belle, si t'as raison, ça voudrait dire que notre Léopold devrait plus tarder ! lança-t-il tout joyeux.

Alexandrine offrit un sourire radieux à son mari avant de le presser encore plus.

— Grouille-toi, mon homme ! J'ai hâte de savoir !

Alexandrine avait deviné juste et ce fut Victoire qui le lui confirma quand elles se rencontrèrent devant la maison de cette dernière, en bas de la côte. Une veste de laine hâtivement jetée sur ses épaules, la pâtissière se précipita vers son amie.

— Alexandrine ! La guerre est finie ! On parle juste de ça au magasin pis au bureau de poste ! Dans la paroisse, c'est Jules Laprise qui l'a su en premier. Dans son téléphone ! Pis par le télégraphe du bureau de poste. La nouvelle s'est répandue comme une traînée de poudre, c'est le cas de le dire. C'est sûrement la meilleure nouvelle qu'on a eue depuis longtemps…

— Tu dis, toi…

Le sourire d'Alexandrine était éclatant, resplendissant de tout le soulagement qu'elle ressentait.

— Ça laisse à penser que notre garçon devrait revenir dans pas longtemps.

— C'est bien que trop vrai, ton Léopold va nous revenir. Surtout que tu as appris qu'il était bien vivant.

— Mais blessé, s'empressa d'ajouter Alexandrine, subitement sérieuse. Pis pour ça, j'ai ben l'impression que tant qu'on l'aura pas vu, on saura pas vraiment ce qui s'est passé.

La réplique ne demandait aucune réponse, sinon une pression de la main de Victoire sur le bras de son amie. Comme un encouragement à garder espoir.

— Pis Augusta, elle? demanda-t-elle en même temps.

Alexandrine haussa lentement les épaules sans cependant se départir de son sourire.

— Jusqu'à preuve du contraire, elle l'espère toujours. C'est ce qu'elle nous a dit. C'est même elle, je crois bien, qui nous a le plus aidés durant toutes ces années-là. Clovis, elle pis moi, on mélangeait nos espoirs pis les raisons qu'on avait d'espérer, pis ça nous faisait du bien. Plus de bien que les lettres d'Anna, en tout cas, qui nous répétait que toute sa communauté continuait de prier pour son frère.

— La prière aussi, c'est important. Ben important.

— Des fois, oui. Mais pas tout le temps. T'auras beau m'ostiner jusqu'à demain, ma pauvre Victoire, y a des demandes, de même, que le Bon Dieu écoute pas. Pas pantoute! Lui avec, des fois, Il fait juste à sa tête.

— C'est peut-être qu'Il voit plus loin que nous...

L'éternelle sagesse de Victoire, son indéfectible confiance en Dieu et en l'avenir la faisaient parler parfois de manière pontifiante, ce qui horripilait Alexandrine.

— Mais tu as raison, Alexandrine, on ne reviendra pas là-dessus, se hâta de conclure Victoire, voyant le regard de son amie s'assombrir. Ça viendrait gâcher une journée qui est bien partie.

La religion et la foi en Dieu étaient parmi les rares sujets sur lesquels Victoire et Alexandrine n'arrivaient pas à s'entendre. Quand le Bon Dieu avait le culot de se glisser dans leur conversation, les deux amies en venaient même, parfois, à se disputer ! Parfois... Alors, pour désamorcer la tension qu'elle sentait poindre, Victoire proposa :

— Viens-tu prendre un thé ? Ou un café ? J'ai des biscuits qui sortent du four.

À ces mots, Alexandrine éclata de rire. Il n'y avait que Victoire pour passer du coq à l'âne avec cette vivacité toute gourmande.

— Pourquoi est-ce que ça me surprend pas ? Des biscuits tout chauds quand la journée commence à peine !

— Faut bien que je m'occupe, rétorqua Victoire, un brin offusquée. Toi avec, des fois, quand t'avais toute ta famille à la maison, ça sentait bon jusqu'ici et pas mal de bonne heure le matin, à part de ça !

Victoire exagérait un peu, mais à peine, et Clovis, devant ces quelques mots, esquissa un sourire nostalgique. C'était la belle époque de leur vie, celle où les enfants étaient encore jeunes.

— Vas-y, Alexandrine, conseilla-t-il alors à son épouse.

Il avait assisté à la discussion sans intervenir, sachant que le moindre mot malencontreux aurait pu jeter de l'huile sur le feu. Tout comme Alexandrine, il entretenait quelques réserves envers la religion qui leur était présentée, dimanche après dimanche, comme une panacée à tous les maux, du corps comme de l'âme. Lui n'y croyait pas vraiment et il préférait s'adresser directement à Dieu, quand le besoin s'en faisait sentir.

— Durant ce temps-là, j'vas aller au bureau de poste, expliqua-t-il. Question de saluer quelques amis pis de voir si on a du courrier.

Alexandrine ne se fit pas prier et elle emboîta le pas à Victoire.

Effectivement, les biscuits étaient encore tièdes, fondants à souhait, et l'odeur du café, une boisson qu'Alexandrine buvait rarement parce que trop coûteuse pour ses modestes moyens, envahit rapidement la cuisine d'un parfum exotique qui lui fit fermer les yeux. Elle en savoura l'odeur d'une longue inspiration gourmande.

— Bonté divine que ça sent bon chez vous ! Je comprends Lionel d'avoir succombé !

Les mots lui avaient échappé, car ce sujet-là, lui aussi, était un peu délicat. En effet, si la fille d'Alexandrine, la belle Marguerite, avait fui le village, c'était à l'époque où Lionel avait commencé à courtiser Victoire. Sans aucune autre précision que le fait d'avoir passé une courte soirée en tête-à-tête avec le beau docteur, Marguerite avait compris qu'elle n'aurait aucune chance auprès de lui. Pour cette raison, pour le départ précipité de sa fille en direction de la ville, Alexandrine aurait pu en vouloir à son amie qui était nettement plus âgée que Lionel. De quel droit Victoire avait-elle accepté les avances de cet homme qui aurait pu être son fils alors que Marguerite, elle, avait sensiblement le même âge que le beau médecin ? C'est donc d'un commun accord qu'on évitait d'en parler. Un autre sujet, finalement, qui aurait pu séparer Victoire et Alexandrine si leur amitié avait été moins sincère.

— Justement, en parlant de Lionel… Me semble qu'on le voit pas tellement par les temps qui courent.

— Parle-moi-z'en pas ! Avec l'épidémie de grippe qui a envahi les villes, pis même certains villages quand c'est pas les chantiers, d'après ce que j'ai entendu dire, la moindre toux, le plus petit reniflement font craindre le pire. Lionel s'appartient plus ! Il va de l'un à l'autre sans relâche. Quasiment jour et nuit ! C'est tout juste s'il rentre pour souper avant de repartir pour une bonne partie de la soirée. Aujourd'hui, il est à Pointe-au-Pic… Savais-tu que l'hôtel a été fermé ? Décision du maire à la suite de celle des gouvernements d'interdire tout rassemblement dans les villes. Pas de cinéma, pas de théâtre, pas de joute sportive… Même les églises sont fermées. De toute façon, cette année, toujours à cause de la grippe qui commençait ses ravages, les touristes se sont faits plutôt rares. Tout ça pour te dire qu'avec l'hôtel fermé, on mange des biscuits pas mal souvent parce que j'ai plus personne à qui les livrer et qu'il faut bien que je m'occupe un peu! À part Julien qui passe le plus clair de ses journées à l'école ou à la forge, j'ai pas grand-chose à faire!

Alexandrine répondit d'abord par un long soupir.

— Je comprends tout ça, annonça-t-elle enfin. Moi avec, par bouttes, je trouve le temps long même si la saison de cabotage est finie pis que Clovis reste avec moi à la maison un peu plus souvent… Pis je suis au courant aussi de tout ce qui se passe en ville à propos de la grippe… Rose m'en a parlé en long pis en large dans sa dernière lettre. Savais-tu que mes trois filles sont sur le chômage? L'usine de la Rothmans est fermée, elle avec. Pis pas question d'aller les voir pour leur apporter de quoi manger! Clovis lui-même a refusé une livraison en ville, le mois dernier, juste avant la fin de sa saison, parce qu'il avait vraiment peur d'attraper la grippe.

— C'est vrai qu'il n'y a pas de risque à prendre. C'était une sage décision de la part de Clovis.

— Comme tu dis… Mais moi, pendant ce temps-là, j'ai le cœur tout reviré par l'inquiétude. S'il fallait qu'une de mes filles…

Alexandrine secoua vigoureusement sa tête couronnée de gris en fermant brièvement les yeux comme pour conjurer le mauvais sort qui aurait pu s'abattre sur sa famille. Puis, sur une longue inspiration, elle ajouta:

— On a jamais vu ça, une épidémie comme celle-là. J'ai lu dans le journal de la semaine dernière que ça tombe par centaines, certains jours. C'est pas des farces, ça là ! Des centaines de morts en une seule journée !

— Heureusement que le village a été épargné.

— Jusqu'à date !

— Jusqu'à date, oui. Mais si on continue de prier avec ferveur, comme nos évêques le demandent dimanche après dimanche, ça va finir par passer et ici, on n'aura perdu personne.

— Si tu le dis !

Il y avait une pointe de moquerie dans la voix d'Alexandrine quand elle poursuivit sur un ton sentencieux emprunté justement à celui que Victoire employait parfois pour parler de religion.

— En autant que le Bon Dieu veut ben t'écouter, comme de raison, ça va aller, analysa Alexandrine. Mais ça, c'est juste s'Il veut t'écouter ! Si on prend en compte comment ça se passe en ville, pas sûre, moi, qu'Il regarde par ici, le Bon Dieu ! On dirait, ces derniers temps, que Son attention était plutôt tournée vers les vieux pays !

Victoire ne releva pas la pique sous-entendue. Elle revint plutôt à ce qui avait amené Alexandrine au village. Le sujet était nettement plus joyeux.

— Mais en attendant, pour aujourd'hui, on a toutes les raisons de nous réjouir ! Pis, comme tu viens toi-même de le dire, on peut remercier le Ciel de nous avoir épargnés de ce bord-ci de l'océan. Pour ça, au moins, tu peux pas dire le contraire : il y a quelqu'un qui a tenu compte de nos prières. S'il avait fallu que la guerre s'en vienne jusqu'ici.

— C'est vrai que ça aurait pas été drôle. Je te donne pas tort là-dessus !

Pressentant qu'elle n'aurait peut-être pas le dernier mot, Alexandrine s'était empressée de donner raison à son amie pour aussitôt après changer de sujet de conversation.

— Astheure, ma chanceuse, parle-moi de ta nouvelle petite-fille. Comment est-ce qu'elle s'appelle, encore?

— Léonie! La belle Léonie! Dix livres, qu'elle pesait à sa naissance. Te rends-tu compte? Un bien beau bébé, tu sauras! Béatrice est vraiment aux p'tits oiseaux depuis sa naissance. Ça la change de ses deux garçons, comme elle dit. Et elle a raison! Pour les avoir gardés de temps en temps, des jumeaux, ça occupe une journée, je te dis juste ça.

L'avant-midi passa sans que les deux amies s'en rendent compte. Les cloches de midi sonnaient quand Clovis se pointa pour retrouver son épouse et regagner leur maison avec elle.

D'un commun accord, Alexandrine et Clovis attendirent d'être de retour chez eux avant d'ouvrir leur courrier.

— Ça va faire durer le plaisir, lança Alexandrine quand ils attaquèrent la côte qui menait à leur maison. C'est rare qu'on aye trois lettres en même temps! J'ai hâte de savoir ce qu'il y a là-dedans! Mais quand même, marche pas trop vite, Clovis, j'ai les articulations des genoux qui tiraillent un peu!

Aux adresses écrites sur les enveloppes, ils avaient deviné que Léopold leur avait enfin donné lui-même de ses nouvelles, ce qui était encourageant.

— Pis celle-là, je pense que je pourrais assez facilement deviner ce qu'elle contient, se moqua gentiment Clovis en secouant l'enveloppe qu'il tenait du bout des doigts et sur laquelle la longue écriture d'Anna traçait élégamment leur adresse. Notre fille aînée doit encore nous parler de ses prières qui vont finir par sauver le monde et son frère.

— À force de s'entêter, on dirait ben que cette fois-ci, elle va avoir raison! De toute évidence, d'après ce qu'on a entendu au village, le monde et son frère sont sauvés!

Quant à la troisième enveloppe, ils n'arrivaient pas à découvrir de qui elle leur parvenait, sinon qu'elle avait été envoyée depuis la ville de Québec.

— Donne-moi la main, Clovis! Ça va m'aider à monter la côte un peu plus vite. Je suis vraiment curieuse de voir ce qu'il y a dans ces trois lettres-là.

Tandis qu'Alexandrine préparait le repas, un sandwich au porc frais vite fait, Clovis, assis à un bout de la table, sa longue pipe en écume à portée de main, décacheta une première enveloppe.

— Je commence par la lettre d'Anna!

Comme prévu, leur fille parlait prières et communauté.

— Et dans sa prochaine lettre, elle va nous écrire qu'elle avait eu raison et que si la guerre est finie, c'est grâce à elle et à ses sœurs en Jésus-Christ! conclut-il en remettant la feuille de papier brouillon dans son enveloppe.

— Amen, lança Alexandrine, un brin agacée. Finalement, à part parler de ses oraisons, notre fille nous dit pas grand-chose de sa vie au couvent, conclut-elle.

Puis, elle pressa Clovis d'ouvrir la deuxième lettre.

— Astheure, mon homme, lis-nous la lettre de Léopold. Peut-être ben qu'il nous donne la date de son retour, vu que la guerre est finie!

— Ça, ma belle, c'est impossible!

— Pourquoi?

— Rappelle-toi! Au moment où Léopold a écrit son papier, expliqua Clovis en montrant la lettre qu'il venait de sortir de son enveloppe, la guerre était toujours pas finie.

Alexandrine esquissa un sourire mi-figue, mi-raisin.

— C'est ben que trop vrai! fit-elle sur un ton gêné, une rougeur subite lui maquillant les joues. C'est l'excitation d'à matin qui m'a toute chamboulée...

Sur ce, Alexandrine poussa un long soupir.

— Bon, ça y est, me v'là déçue. Ça doit être parce que je me languis de le savoir ici, chez nous, ben à l'abri. Mais lis pareil, mon mari, pis prends ben ton temps. J'veux toute ben comprendre ce que Léopold a à nous raconter.

Curieusement, Léopold ne parlait ni de la guerre ni de ses blessures.

— Ça doit vouloir dire que c'est pas trop grave, sinon me semble qu'il nous en parlerait, non? demanda Alexandrine, la voix remplie d'un optimisme bien légitime, malgré tout teinté d'hésitation.

— C'est ben ce que je me dis, moi aussi, répondit Clovis sur le même ton.

— À ben y penser, Clovis, la lettre de Léopold est ben correcte de même. Savoir qu'Augusta l'attend toujours, comme il l'a écrit, ça doit prendre ben de la place dans l'espérance qu'il met à nous revenir.

— Pour sûr!

— Selon moi, l'avenir pour lui, astheure que la guerre est finie, ça doit plus ressembler à Augusta qu'à autre chose.

— C'est vrai… Le bateau pis le fleuve, pis nous autres avec, tant qu'à y être, ça doit venir ben loin en deuxième dans ses intérêts.

— Ça peut se comprendre…

Alexandrine avait déposé deux assiettes garnies sur la table, un pot de marinades, un pichet d'eau.

— Mange tout à loisir, mon Clovis, avant de lire la dernière lettre, proposa-t-elle. Pendant ce temps-là, j'vas lire moi-même celle de Léopold. Me semble que juste le fait de reconnaître son écriture en pattes de mouche, ça va me faire chaud au cœur.

Les deux époux échangèrent un sourire heureux. Entre eux, les mots habillaient le quotidien, certes, mais pour les choses d'importance ou celles du cœur, un simple regard suffisait.

Ce fut ce même regard, à la fin du repas, qui alerta Alexandrine.

Après s'être essuyé la bouche du revers de la main, Clovis avait ouvert la dernière enveloppe, sous le regard attentif de sa femme.

Sans qu'aucun mot soit prononcé, simplement à voir l'expression du visage de son mari, Alexandrine eut le réflexe de déposer son sandwich dans l'assiette.

— Une mauvaise nouvelle? demanda-t-elle quand elle vit son mari froncer les sourcils avant de lever vers elle un regard furtif rempli d'effroi.

— Je sais pas encore, articula-t-il en reportant les yeux sur le papier. C'est juste que cette lettre-là nous vient du Département de la santé publique de la Ville de Québec. C'est écrit ici, en haut du papier.

Le cœur frémissant, Alexandrine repoussa son assiette d'un geste brusque, tout appétit définitivement envolé.

— Ben voyons donc, toi! s'affola-t-elle. Qu'est-ce que c'est ça encore? Lis, Clovis, lis ça vite parce que j'ai le cœur qui veut me sortir de la poitrine tellement il bat fort pis tout croche. Laquelle? Laquelle de nos filles est malade? À moins que ça soye Paul…

Tout à sa lecture, Clovis ne répondit pas à Alexandrine.

Puis, quand il eut fini de parcourir la lettre, les mots lui manquèrent.

Les yeux mouillés, la gorge nouée, il tendit la lettre d'une main tremblante.

Alexandrine, malgré la peur, la hantise de ce qu'elle allait lire, lui arracha le papier des mains.

Elle ne vit d'abord qu'un nom, un seul.

Rose…

À cause de la réaction de Clovis, son silence et ses yeux mouillés, elle devina le reste avant même de le lire.

Rose était morte. La grippe avait eu raison d'elle. Quoi d'autre aurait pu susciter l'envoi d'une lettre de la part de la Santé publique de Québec ?

Aux prises avec quelques idées confuses emmêlées à l'inquiétude, Alexandrine inspira longuement pour tenter de se calmer.

Mais pourquoi ne les avait-on pas prévenus ? Était-ce allé si vite que ni Justine, ni Marguerite, ni Paul n'avaient eu le temps d'intervenir, d'écrire ou de les appeler ? Après tout, il y avait un téléphone au magasin général…

Alexandrine ferma les yeux sur son désarroi, et tout ce qu'elle vit sur l'écran de ses paupières baissées, ce fut le visage rieur d'une petite fille toujours heureuse. Rose avait été son rayon de soleil, son éclat de rire, sa complice. Elles s'entendaient si bien, toutes les deux, et sur tant de sujets !

Jusqu'au jour où Rose était partie à la ville.

— Pour voir comment c'est, là-bas ! avait-elle justifié, se moquant gentiment des inquiétudes de sa mère. La ville ! avait-elle ajouté d'une traite avec une certaine ferveur dans la voix, les mains jointes à hauteur de cœur et des étoiles d'envie plein les yeux. Allons donc, maman ! Pourquoi t'en faire comme ça ? Si je suis pas heureuse, je vais revenir. Promis ! Mais laisse-moi au moins aller voir.

Alors, Alexandrine avait dit oui du bout des lèvres.

Au matin de son départ, Alexandrine s'en souvenait fort bien, debout sur le quai en regardant s'éloigner le bateau de Clovis qui emportait leur fille, elle avait senti un nuage se glisser entre la mer et le soleil. Un gros nuage noir. Elle en avait frissonné. Pourtant, il faisait si beau, ce jour-là.

Et voilà qu'en ce moment, elle venait de lire dans une lettre écrite par un inconnu, elle venait de lire que sa fille n'était plus qu'un souvenir.

On avait couché le nom de Rose sur le papier et on l'avait entouré de mots respectueux, comme on entoure de fleurs la dépouille des défunts.

La grippe avait tué sa fille et ses rires alors qu'elle venait tout juste d'avoir trente-cinq ans.

Plus loin, quelques lignes avant la signature, on avait précisé qu'on était désolé.

Quelle dérision !

Quand Alexandrine eut le courage d'ouvrir les yeux, quand le vertige ressenti consentit à se retirer, remplacé par la détresse, et que l'idée de la douleur à venir fut acceptée, comme cette mère avait jadis accepté celle du décès de son fils Joseph, Alexandrine relut la lettre à travers les larmes qui s'étaient mises à couler. Rose ne serait même pas enterrée au cimetière paroissial. « À cause des dangers de contagion », avait-on spécifié. Alexandrine avait perdu deux enfants et elle ne pourrait jamais se recueillir sur leur tombe. Joseph avait été enseveli sous les vagues et Rose, ravie par la grippe, reposerait dans une fosse commune.

Alexandrine frémit de désespoir.

Après cela, on lui demandait d'aimer Dieu et de Lui faire confiance…

La main qui tenait le papier se crispa, chiffonnant l'en-tête de la lettre.

C'est alors qu'Alexandrine prit conscience de la lourde main de Clovis posée sur son épaule. Debout, à côté d'elle, il la fixait intensément. Pourtant, elle ne l'avait entendu ni se lever ni s'approcher.

Alexandrine redressa la tête et elle plongea son regard dans celui de son mari. Longtemps, très longtemps, jusqu'à ce que leurs chagrins se mélangent à ne devenir plus qu'un, ils se dévorèrent des yeux. Puis, sachant qu'elle n'était plus seule avec sa peine, Alexandrine se releva.

Les yeux noyés de larmes, Clovis lui tendait les bras.

CHAPITRE 3

Quelques mois plus tard, sur la Côte-du-Sud,
dans la cuisine de Prudence, en janvier 1919

Pour les jumeaux Célestin et Antonin Bouchard, celle qu'ils auraient voulu appeler maman avait toujours été Gilberte. Ils étaient trop jeunes au décès de leur mère, Emma, à peine cinq ans, pour en garder un souvenir probant et comme leur sœur l'avait remplacée au pied levé, avec une infinie patience et une bonne humeur inaltérable, ils s'y étaient attachés très facilement. Gilberte avait cependant toujours refusé qu'ils l'appellent maman mais pour eux, il n'y avait eu qu'elle pour jouer ce rôle.

Plus tard, quand Gilberte avait décidé de déménager ses pénates chez leur sœur Marie pour l'aider avec sa nombreuse famille, les jumeaux avaient été déçus, attristés, pas de doute là-dessus, mais ils avaient quand même accepté la chose sans récrimination. Après tout, leur belle-mère Prudence était là pour voir au quotidien, avec ses rires et sa gentillesse. Et Gilberte ne partait pas pour le bout du monde, elle s'en allait tout juste dans le village en bas de la côte. Ils pourraient ainsi lui rendre visite comme bon leur semblerait. De toute façon, ils n'étaient plus vraiment des gamins et ils étaient deux. L'ennui n'aurait donc pas la même saveur pour eux que pour quelqu'un qui aurait été seul.

Dans leur cas, la déception était permise, d'accord, mais pas l'amertume. C'était là une constatation qu'ils avaient faite de nombreuses années plus tôt.

C'est pourquoi, dans leurs prières quotidiennes, ils n'oubliaient jamais de remercier le Ciel de leur avoir donné ce privilège d'être des jumeaux. Ainsi, ils ne seraient jamais seuls.

D'aussi loin qu'ils s'en souvenaient, les jumeaux avaient toujours considéré qu'ils avaient raison de penser ainsi. À preuve, leurs sœurs Clotilde et Matilde, jumelles tout comme eux, partageaient leur point de vue, bien qu'elles soient aujourd'hui fort éloignées l'une de l'autre. Matilde vivait dans un rang non loin de là avec sa petite famille, à peine trois enfants, tandis que Clotilde, toujours célibataire puisqu'elle était « maîtresse d'école », passait la majeure partie de son temps dans la région de Rimouski.

— Ça change rien au fait que je sais que Matilde sera toujours là pour moi, avait-elle cependant rétorqué, un jour qu'ils en parlaient avec Clotilde, de passage à la maison paternelle. Et vice-versa ! Matilde n'a qu'à me faire savoir qu'elle a besoin de moi et je trouverai bien moyen de revenir auprès d'elle. Élèves ou pas ! De toute façon, depuis le temps que j'enseigne à Neigette, la Commission scolaire me doit bien ça !

Quand ils avaient ce genre de discussion, et avec qui que ce soit, Célestin laissait habituellement Antonin parler librement sans intervenir. Tout ce que son frère prétendait ou affirmait était tellement mieux dit que ce qu'il aurait pu faire lui-même.

Et comme, la plupart du temps, ils pensaient la même chose…

Quand son frère prenait la parole, Célestin se contentait donc de signifier vigoureusement son accord et tout le monde était content.

Antonin était l'homme des mots, tandis que Célestin était celui de l'action. La vie les avait ainsi faits.

— C'est le Bon Dieu qui l'a voulu comme ça, déclarait solennellement leur père, Matthieu, quand Célestin, enfant, demandait pourquoi il était si grand, si fort, alors qu'Antonin, lui, était délicat, voire gracile. C'est depuis la naissance que vous êtes différents. Même votre mère, Emma, le disait : Célestin sera toujours plus lent qu'Antonin, mais il est fait plus fort. Pis si vous êtes nés comme ça, expliquait leur père sur un ton convaincu, le regard porté vers le passé, avec un indéniable respect dans la voix puisqu'il parlait de sa première épouse, c'est pour pouvoir vous protéger l'un l'autre. Chacun à sa manière.

Ce fut ainsi qu'ils vécurent leur enfance de jumeaux, l'un jamais bien loin de l'autre. Au besoin, Antonin prenait la parole, surtout quand on se moquait de la lenteur de Célestin, et, en contrepartie, ce dernier montrait les poings quand on se moquait de la petite taille d'Antonin. Règle générale, Célestin n'avait pas besoin d'aller plus loin : sa carrure en imposait, même aux plus fanfarons. D'autant plus qu'on avait vite compris qu'on ne pouvait pas vraiment discuter avec lui : quand il était en colère, Célestin Bouchard était encore moins loquace qu'en temps normal et encore plus lent à comprendre la logique des choses ou des événements.

Et ses coups pouvaient faire très mal, quelques bravaches du village l'avaient appris à leurs dépens.

On avait donc pris l'habitude de l'éviter, tout comme on évitait son frère, d'ailleurs, puisque l'un n'allait pas sans l'autre.

Puis, ce fut l'adolescence, période où les amis ne furent pas légion autour d'eux.

Antonin aurait pu faire de grandes études, comme son frère Lionel dont il ne gardait qu'un très vague souvenir. En fait, aux yeux des jumeaux, Lionel était mort en même temps que leur mère, pour ainsi dire, puisqu'il avait quitté définitivement la maison en même temps qu'elle. Si aujourd'hui, ils savaient que l'aîné de leur famille était devenu médecin, c'était bien parce que Gilberte en avait vaguement parlé, au retour de son premier voyage à la Pointe, de l'autre côté du fleuve. Pour le reste, Lionel aurait bien pu ne pas exister, ils ne s'en seraient pas plus mal portés. Pour cette raison, le fait qu'un des Bouchard ait eu la chance d'étudier jusqu'à l'université n'avait eu que bien peu d'importance dans l'esprit d'Antonin quand était venu le temps de songer à son avenir. Célestin ne pouvant le suivre au collège, déjà que le primaire avait été un véritable enfer pour lui, la décision s'était imposée d'elle-même : dès la fin de leur huitième année de présence à l'école au bout du rang, les jumeaux resteraient donc à la maison pour aider leur père et leur frère Marius. Comme il ne manquait pas d'ouvrage sur la ferme familiale, deux paires de bras supplémentaires ne pourraient nuire. Après en avoir longuement discuté, un bon matin, les jumeaux s'étaient déclarés entièrement satisfaits de la vie qu'ils mèneraient.

— Pourvu qu'on reste ensemble, le reste a peu d'importance, avait alors déclaré Antonin, au grand soulagement de leur père pour qui les études n'avaient jamais été un élément essentiel à la réussite d'une existence.

La vie d'homme des jumeaux venait donc de commencer, ils avaient treize ans. Ils étaient nés deux. Ils avaient traversé l'enfance à deux. Ils continueraient sur le chemin de la vie à deux. C'était logique, prévisible et rassurant.

Le moment où tout avait semblé déraper, beaucoup plus pour Célestin que pour Antonin, d'ailleurs, avait été le jour où Gilberte était partie pour la Pointe avec le nouveau-né de Marie, celui que tout le monde au village appelait déjà l'idiot.

Pourtant, Gilberte leur avait promis de ne pas s'attarder sur l'autre rive du fleuve.

— Il faut bien que quelqu'un s'en occupe, de ce bébé-là, avait-elle expliqué, lors de son bref séjour à la maison paternelle après la naissance du petit Germain. Tu dois bien comprendre ça, n'est-ce pas, Célestin ? Dès que tout est réglé, pour le mieux, j'vas revenir ici.

— Promis ?

— Promis !

Célestin lui avait donc fait confiance, car oui, il comprenait que ce petit bébé-là n'était pas tout à fait comme les autres.

Mais Gilberte n'était jamais revenue.

Jamais !

L'incompréhension de Célestin n'avait eu d'égal que le sentiment de panique qui l'avait alors envahi.

Gilberte ne les aimait-elle donc pas ? Durant toutes ces années passées à dire qu'elle tenait à eux et qu'ils remplaçaient les enfants qu'elle n'avait pas eus, elle leur avait menti ?

Aux yeux de Célestin, c'était un non-sens. Gilberte avait été leur mère, la seule dont il pouvait se souvenir du visage ou du son de la voix et il l'aimait.

Au plus profond de son cœur, Célestin aimait Gilberte, comme un enfant peut aimer une mère, et Gilberte le savait fort bien puisqu'il l'avait souvent répété. Alors, pourquoi était-elle partie ?

D'autant plus que malgré l'importance qu'elle avait dans sa vie, dans leur vie à tous les deux, Antonin et lui, Gilberte était partie sans même leur dire adieu, par un beau matin d'automne, alors que tous les deux, ils travaillaient aux champs.

Le jour où son père, Matthieu, lui avait confirmé que Gilberte ne reviendrait pas, Célestin n'avait rien compris, sinon qu'il était profondément malheureux.

Là encore, Antonin avait fait la différence. Il avait parlé et expliqué pour que Célestin se fasse à l'idée. Puis, il avait lu et relu la lettre que Gilberte leur avait fait parvenir par l'entremise de Clovis.

— Tu vois bien qu'elle ne nous a pas oubliés ! C'est écrit là, dans la lettre que papa et Prudence ont reçue : « Dites à Antonin et Célestin que je les aime et que je vais penser à eux autres tous les jours. »

— Peut-être... Mais pour rester loin comme ça, aussi longtemps que ça, on dirait bien que Gilberte aime mieux le nouveau bébé que nous deux.

— C'est parce qu'il est encore bien petit. Penses-y, un nouveau-né ! Il a besoin de quelqu'un pour s'occuper de lui.

— Ouais...

Une deuxième lettre, arrivée le mois suivant, avait apporté un certain réconfort et une troisième, adressée directement aux jumeaux, cette fois-ci, avait fait comprendre à Célestin que Gilberte aussi s'ennuyait.

— Pourquoi elle revient pas, d'abord, si elle s'ennuie de nous deux ? avait-il demandé d'une voix grave remplie d'interrogation.

— Parce qu'un bébé, ça ne grandit pas aussi vite que de l'avoine, Célestin. Ça prend plus qu'une saison pour devenir grand !

La discussion s'était terminée dans un éclat de rire parce que l'image employée par Antonin était drôle. L'idée d'un champ rempli de bébés en train de pousser faisait rire Célestin. Oui, bien sûr, il comprenait ce qu'Antonin cherchait à expliquer : un bébé, ça prend plus de temps que de l'avoine pour devenir grand, tout le monde sait ça, même Célestin, et comme Gilberte avait écrit qu'elle reviendrait quand Germain serait grand...

Encore une fois, les années avaient passé. Un peu plus de quatre ans, pour être précis. Petit à petit, Célestin s'était fait à l'idée que ça prendrait du temps avant de revoir Gilberte. Beaucoup de temps. Mais bon… Comme elle écrivait régulièrement pour donner de ses nouvelles et parler du petit Germain qui, malgré tout, grandissait peu à peu; comme chaque année, à Noël, elle fabriquait une très jolie carte de souhaits pour lui et Antonin, avec des anges joufflus et des bergers habillés de peaux de bêtes, Célestin s'était mis à attendre les lettres de sa sœur comme autrefois, il attendait le bon moment pour aller lui rendre visite chez Marie.

Il avait accepté qu'il ne servirait à rien de s'impatienter. Antonin lui avait expliqué que personne ne pouvait rien changer à la situation. Pas plus leur père que Prudence ou lui, Antonin.

Sauf que, depuis quelque temps…

Assis dans un coin de la cuisine, occupant la chaise habituellement dévolue à Mamie, Célestin essayait de faire le point, ce qui lui demandait de gros efforts, comme jadis quand il devait faire ses devoirs. Le regard perdu sur l'immensité du champ d'avoine qu'il apercevait au-delà de la grange, un champ aujourd'hui couvert de neige durcie où le vent s'en donnait à cœur joie en faisant virevolter une fine poussière brillante, Célestin se berçait vigoureusement. Avec acharnement, pourrait-on dire, parce que le mouvement de balancier l'avait toujours aidé à réfléchir.

Et en ce moment, la réflexion s'annonçait pénible, car il avait le cœur dans l'eau.

Être mis de côté par son frère, et ce, de plus en plus souvent, bouleversait Célestin. La perspective de se retrouver seul, ne serait-ce que pour quelques heures, était aussi terrorisante que les fléaux dont on parlait dans la Bible et que le curé Bédard brandissait à l'envi à la messe le dimanche.

Prudence lui avait expliqué le sens du mot «fléau», différent de ceux qu'on prenait pour battre l'avoine et, depuis, chaque fois qu'il l'entendait, Célestin fermait les yeux d'effroi comme s'il était personnellement menacé.

Depuis quelque temps, en fait quand il y pensait comme il faut, en comptant sur ses doigts pour calculer les semaines, Célestin s'apercevait que c'était depuis la fête de l'Immaculée Conception, ou à peu près, que le manège durait: Antonin n'était plus tout à fait le même.

Cette nouvelle réalité, blessante, Célestin n'avait pas eu besoin de longues explications pour la comprendre.

En effet, en quelques jours à peine, le changement avait été perceptible. Une simple commission à faire au village, commission qu'Antonin avait tenu à faire seul, l'exigeant même sur un ton tout à fait inhabituel, un peu cassant, avait sonné l'alarme aux oreilles de Célestin comme le clairon de l'orchestre militaire avait résonné dans sa tête, l'automne précédent, lors d'un concert donné sur le parvis de l'église pour souligner la fin des hostilités en Europe.

— Pis pourquoi tu veux pas que j'y aille? avait-il cependant demandé, tout à fait décontenancé par la situation.

Pour la première fois de sa vie, Célestin se sentait méfiant vis-à-vis de son frère. Celui-ci avait haussé les épaules avant de répondre.

— Parce que c'est pas nécessaire que tu viennes avec moi. J'vas juste chercher vingt livres de farine pour Prudence pis Mamie qui veulent faire des tartes.

— Ben justement… Je pourrais transporter la farine pour toi, vu que je suis plus fort que toi. T'auras juste à t'occuper de payer.

— Je viens de te le dire, sapristi! C'est pas nécessaire.

— Pis ça?

— Bon, ça suffit! J'vas au village tout seul, pis je veux plus en entendre parler. T'es plus un bébé. Tu peux rester ici à m'attendre durant une petite heure sans faire de crise. Un point c'est tout!

Le ton était tellement impatient que Célestin en avait perdu le peu de mots qu'il trouvait si difficilement quand venait le temps de se justifier ou de défendre ses choix.

Ça avait été le premier d'une longue série d'événements en tous points semblables, au grand désarroi de Célestin.

De toute leur vie de jumeaux, jamais il n'y avait eu autant de courses à faire au village que depuis la messe de l'Immaculée Conception et, immanquablement, Antonin exigeait d'y aller seul.

S'il n'y avait eu que cela!

Songeur, sursautant au moindre mot lancé un peu fort, parfois impatient ou encore agité, Antonin ne se ressemblait plus et cette nouvelle attitude plongeait Célestin dans une grande perplexité.

Tenez! Prenez aujourd'hui, par exemple!

Par un temps digne du pôle Nord, alors qu'Antonin détestait avoir à affronter les grands froids, il était quand même parti pour le village pour se rendre chez Marie afin d'aider leur beau-frère Romuald à rentrer du bois pour le poêle.

Depuis quand Romuald avait-il besoin d'aide pour rentrer son bois? Ça sentait le prétexte à plein nez et même lui, Célestin, à qui on pouvait facilement passer un sapin, avait senti l'échappatoire. Il avait eu beau insister, soupirer, taper du pied, Antonin avait fait la sourde oreille et il était parti sans lui.

Encore!

Même que cette fois-ci, devant tant d'insistance de la part de Célestin et l'évidente impatience d'Antonin, Prudence s'en était mêlée.

— Laisse tomber, mon homme! avait-elle conseillé à Célestin quand, le cou tendu vers la fenêtre, il regardait son frère disparaître au coin de la maison. Laisse aller ton frère. Avec le froid de canard qu'on a depuis un boutte, y a rien de ben agréable dans ce qu'Antonin va aller faire au village, crois-moi! Toi, pendant ce temps-là, tu vas m'aider à glacer le gâteau. C'est pas mal plus agréable que d'aller se geler les pieds dehors, tu penses pas? Pis tu sais comment est-ce que t'aimes ça, non, m'aider à glacer les gâteaux?

La perspective d'aider Prudence avait mis un peu de baume sur la déception de Célestin.

— D'accord, avait-il marmonné en se laissant lourdement tomber sur la chaise berçante de Mamie. Mais le gâteau, ça réglera pas mon problème.

C'est pourquoi, en attendant que le gâteau ait suffisamment refroidi pour être garni, Célestin se berçait avec ardeur, battant bruyamment des pieds à chaque mouvement de balancier des patins de la chaise et essayant de comprendre ce qui était en train de se passer dans sa vie. C'était confus, mais il sentait que le moment était grave et les larmes n'étaient pas bien loin. Seule la présence de Prudence, Mamie et Hortense dans la même pièce, et un semblant d'amour-propre appris au fil des ans à observer Antonin, empêchait son chagrin de déborder sur ses joues mal rasées.

Du coin de l'œil, Prudence l'observait, sachant que bientôt, dans quelques minutes peut-être, elle devrait intervenir. Antonin le lui avait demandé, trop bouleversé pour le faire lui-même.

— Je vous en prie, Prudence! Moi, je pourrai pas. Les mots vont rester coincés là, avait-il expliqué en se pointant la gorge. J'ai jamais été capable de voir pleurer mon frère, pis cette fois-ci, je suis certain qu'il va commencer par pleurer. Je le connais, vous savez. Après, quand il va avoir compris que ça changera rien entre lui pis moi, il va accepter. J'en suis sûr. Mais jusque-là, par exemple, avant qu'il aye toute ben compris…

Antonin semblait si vulnérable, si désemparé que Prudence avait promis d'intercéder pour lui auprès de Célestin.

— D'accord. Dès que l'occasion se présente, je vais parler à ton frère.

D'où la confection de ce gâteau au chocolat comme Célestin les aimait tant. Ça servirait de mise en place pour une conversation qui risquait d'être difficile.

Du bout du doigt, Prudence tâta la surface de la pâtisserie et la tiédeur ressentie lui fit pousser un petit soupir de soulagement. La discussion qu'elle anticipait n'était pas pour tout de suite.

Prudence tourna alors les yeux vers Mamie. Assise à la table aux côtés d'Hortense, l'épouse de Marius, la vieille dame préparait les légumes pour le repas du midi. Une montagne de légumes! Les années avaient beau passer, la maison de Matthieu ne désemplissait pas! Du premier lit, comme on appelait sa première union avec Emma, il ne restait que les jumeaux et Marius. Tous les autres faisaient leur vie plus ou moins loin de la maison paternelle. N'empêche qu'avec les deux filles nées de son mariage avec Prudence, plus les trois fils de Marius et tous les adultes de la maison, il restait encore douze personnes à la table, trois fois par jour! La besogne ne manquait pas, mais à trois, les femmes s'en tiraient, ma foi, assez bien. Comme en ce moment, alors qu'à dix heures à peine, le repas du midi était pratiquement prêt. Quand Prudence signalerait discrètement à Mamie et Hortense de la laisser seule avec Célestin, la routine n'en souffrirait pas. En effet, sur une simple toux sèche de la part de Prudence, une toux répétée au moins trois fois, les deux femmes avaient promis de se retirer.

— Pauvre toi, avait compati Mamie quand Prudence lui avait confié ce qu'Antonin lui avait demandé de faire. Je voudrais pas être à ta place, chère ! Avec Célestin, on sait jamais trop trop ce qui nous attend. Peut-être ben qu'il va te piquer une braille sans bon sens pis que t'arriveras pas à le consoler. Comme un p'tit garçon qui a un gros chagrin. Mais peut-être, avec, qu'il va se mettre en colère parce que les mots vont y manquer pour dire ce qu'il ressent. Pis ça, d'habitude, c'est pas trop beau à voir.

Tout en parlant, Mamie hochait la tête d'un air inquiet, presque affolé.

— J'aime pas ça, moi, quand Célestin se choque même si dans le fond, je le sais ben qu'il peut être doux comme un agneau... Comment on va faire, chère, pour vivre avec Célestin quand Antonin sera plus là ? Tu le sais-tu, toi ?

C'était là la question que tout le monde se posait dans la maison parce que, hormis Célestin, tous les adultes, bien entendu, étaient au courant du grand bonheur qui s'était présenté dans la vie d'Antonin.

— À mon avis, mieux vaut tout dire net, frette, sec, sans mettre de gants blancs, avait estimé Matthieu lorsqu'il avait été mis au courant de la situation. Me semble que ça regarde pas Célestin si son frère a décidé de...

Un simple regard de Prudence, qui n'était pas du tout d'accord avec sa vision des choses, avait interrompu la tirade de Matthieu. Un éclat d'impatience avait traversé son regard, le temps de comprendre, exaspéré, qu'encore une fois, à cause de Prudence, il en avait perdu tous ses moyens et tous ses mots. Cependant, comme il était forcé d'admettre qu'habituellement, c'est elle qui avait raison dès qu'il était question de sentiments et que, depuis le jour où cette femme-là était entrée dans sa maison, le calme et la sérénité régnaient sous son toit, Matthieu avait obligé cette colère instinctive à s'éloigner en inspirant longuement. Beau joueur, il avait même ajouté avant de quitter la pièce :

— Ça a pas vraiment d'importance, ce que j'en pense. C'est toi qui dois avoir raison. D'habitude, t'es pas mal meilleure que moi quand vient le temps de parler au monde... Ça fait que pour astheure, m'en vas te faire confiance pour jaser avec Célestin, pis moi, m'en vas aller voir mes vaches. Avec elles, au moins, on a pas besoin de discuter ben ben longtemps. Pis ma Betty est sur le point de mettre bas. Comme elle est plus très jeune, j'veux m'assurer que toute se passe ben.

Sur ce, Matthieu avait quitté leur chambre à coucher sans demander son reste, se promettant même de ne revenir sur le sujet des noces d'Antonin que le jour où tout serait annoncé à Célestin.

Ce que Prudence espérait faire dans l'heure à venir.

Par contre, de là à dire que tout serait alors réglé aurait été d'un optimisme excessif.

Prudence en était tout à fait consciente.

Au mieux, se disait-elle, elle préparerait Célestin à avoir un bon dialogue avec son frère. « Paver le chemin », avait-elle coutume de dire quand une tâche délicate l'attendait alors qu'elle savait n'être que l'intermédiaire, tout comme en ce moment. C'était logique de voir la situation sous cet angle. Logique et réalisable.

En fait, c'était le plus que Prudence pouvait espérer, car depuis toujours, il n'y avait eu qu'Antonin pour faire entendre raison à Célestin.

Tout à coup, un bruit de chute venu d'une des chambres à l'étage posa un silence de stupeur sur la cuisine. Les trois femmes et Célestin se regardèrent, surpris. Hortense se leva précipitamment et Célestin, comprenant que le subit branle-bas ne s'adressait pas à lui, redonna un élan à la chaise berçante qui recommença aussitôt à grincer.

— Excusez-moi, tout le monde, mais ça doit être Gédéon qui est encore tombé. Un vrai casse-cou, cet enfant-là !

Hortense était déjà dans l'escalier. Profitant de l'occasion qui lui était présentée, Mamie se leva à son tour.

— Pour que j'entende un bruit qui vient de l'étage d'en haut, ça doit être grave, expliqua-t-elle. D'habitude, avec mes oreilles pas fiables, j'entends rien en toute de ce qui se passe dans les autres pièces. Tu vas devoir m'excuser, Prudence, mais j'ai ben envie d'aller voir ce qui est arrivé en haut. Touche pas aux carottes, chère, j'vas finir de les éplucher en redescendant.

À son tour, devant la cuisine désertée, Prudence estima qu'elle allait, elle aussi, profiter de l'occasion.

— Viens-tu me rejoindre, mon Célestin ? Je dirais que c'est le temps de glacer le gâteau. Il a bien refroidi.

Chaque fois qu'elle avait un moment d'intimité avec Célestin, Prudence ressentait une curieuse émotion, faite de malaise et d'attendrissement. S'adresser avec des mots d'enfant à ce gros et grand gaillard la bouleversait toujours même si, au quotidien, elle n'y pensait pas souvent. Elle posa un regard ému sur Célestin qui semblait hésiter.

— Qu'est-ce que t'attends, mon homme ? Viens me rejoindre !

Avec une certaine lourdeur, dépliant gauchement son corps un peu trop gros, un peu trop long, Célestin se leva enfin. Fermant les yeux une fraction de seconde, Prudence implora le Ciel de lui venir en aide. Tout ce qu'elle souhaitait, c'était de trouver les bons mots, ceux qui ménageraient la sensibilité de cet homme un peu simple, un brin exaspérant par moments à cause de sa lenteur en tout, mais qui pouvait donner sa chemise au besoin.

— Viens t'asseoir, Célestin !

Devant l'air morose de ce dernier qui traînait les pieds en approchant de la table, Prudence exagéra son entrain.

— Coudon, qu'est-ce qui se passe, à matin, avec toi ? C'est quoi cette face-là ?

Prudence s'activait. Elle déposa alors le gâteau sur la table tout à côté du bol de glaçage à la vanille qu'Hortense avait préparé plus tôt.

— Tu parles d'une chance ! Tu glaces le gâteau, Célestin. Tout seul ! T'es pas content ? Tiens, prends la spatule. Moi, pendant ce temps-là, j'vas finir de peler les carottes, vu que Mamie a pas l'air de vouloir redescendre tout de suite. Faudrait pas prendre du retard ! Tu sais comme moi que ton père aime bien manger à midi tapant, quand on entend les cloches de l'église !

Tout en parlant, sans vraiment attendre de réponse, Prudence s'était installée de l'autre côté de la table, en face de Célestin. Avec l'aisance de la grande habitude, elle maniait l'économe à petits gestes précis sans perdre Célestin de vue.

— Attention, mon homme ! Ça coule sur le bord de l'assiette... Voilà ! C'est mieux... Pis ? Dis-moi comment ça va ! T'avais l'air ben jongleur, tout à l'heure, pendant que tu te berçais. Y a quelque chose qui tourne pas rond ?

Concentré sur sa tâche, Célestin ne répondit pas. À croire qu'il n'avait rien entendu, mais Prudence ne s'en formalisa pas. Elle savait que la question ferait son bout de chemin dans l'esprit de Célestin et que la réponse viendrait plus tard. Ou alors, s'il avait tout oublié, il lui demanderait de répéter.

Patiente de nature, Prudence se contenta de peler ses carottes en attendant que Célestin soit disponible, de corps et d'esprit.

Les travaux de force n'avaient jamais été un problème pour Célestin. On pouvait aller jusqu'à dire qu'il y excellait. À preuve, certains voisins faisaient même appel à ses services, à l'occasion, et les quelques sous alors gagnés faisaient la fierté de Célestin. Mais pour les détails, les gestes délicats, il en allait différemment. Depuis qu'il était tout gamin, Célestin devait faire de réels efforts pour parvenir au bout de la tâche demandée. Comme Mamie l'avait déjà souligné en riant, ce n'était pas lui qui pourrait faire de la dentelle ! À quoi Célestin avait répondu, en riant lui aussi :

— Mes doigts sont ben que trop gros, Mamie, pour faire une chose aussi belle que la dentelle du col de la robe à Prudence. Voyons donc ! Pis à force de travailler dans la grange pis dans la terre, mes mains sont devenues toutes rugueuses. Je tirerais tout plein de fils !

Émue par ce souvenir, Prudence leva les yeux vers Célestin. S'étant redressé, il admirait son œuvre : un gâteau au chocolat qu'il avait lui-même glacé sans aide. De toute évidence, il était fier de lui et beaucoup plus calme que tout à l'heure. Prudence décida d'en profiter pour lancer la conversation.

— Bravo, Célestin. C'est un beau gâteau que tu nous as fait là… Ça devrait être bon comme dessert. Merci pour ton aide.

— Pas de quoi.

Le sourire de fierté de Célestin était éclatant. Cependant, il fut de courte durée et il s'effaça peu à peu pour être remplacé par une ride de réflexion qui s'installa entre ses sourcils.

— Prudence ? Je peux-tu vous poser une question ?

— C'est sûr, ça !

Prudence ne savait trop si elle devait se réjouir ou s'inquiéter de voir Célestin prendre les devants. De toute évidence, il voulait parler de ce qui l'inquiétait et il y avait fort à parier que le nom d'Antonin allait apparaître.

— Alors ? C'est quoi ta question ?

— C'est Antonin.

— Quoi, Antonin ?

— Ben…

De toute évidence, Célestin était déstabilisé. Expliquer ses émotions n'avait jamais été facile pour lui et parler de son frère faisait justement appel aux sentiments qui les unissaient. Agité, Célestin regarda autour de lui jusqu'à ce que son regard rencontre la berceuse, abandonnée devant la fenêtre. Ce fut alors plus fort que lui et il s'y dirigea pour aussitôt la mettre en branle. Prudence attendit un moment. Voyant que Célestin semblait plus calme, elle n'hésita plus et elle le rejoignit, traînant une chaise pour elle.

— Ça va nous faire du bien une petite détente, annonça-t-elle nonchalamment tout en s'installant devant lui. T'as eu une bonne idée. Pis? Qu'est-ce que tu veux me demander à propos d'Antonin?

— C'est quoi qui se passe avec mon frère?

Installé dans la chaise qu'il berçait tout doucement, Célestin se sentait à l'aise. Il lui semblait qu'ainsi, les mots viendraient plus facilement pour s'expliquer et qu'enfin, grâce à Prudence, il aurait peut-être une réponse à toutes les interrogations qui s'agitaient en lui depuis un long moment déjà.

Parce que lui, il n'y arrivait pas tout seul.

— On dirait que je connais plus mon frère, expliqua-t-il en parlant lentement tout en regardant par la fenêtre. On dirait qu'il a changé…

Puis, il se tourna vers Prudence pour ajouter:

— J'ai-tu faite quelque chose de travers qui l'aurait choqué?

Prudence haussa les épaules pour gagner du temps. Elle savait qu'avec Célestin le moindre mot malencontreux pouvait prendre des proportions démesurées. Elle décida alors de lui renvoyer la question. Tranquillement, au rythme imposé par Célestin lui-même, les choses prendraient peut-être tout naturellement leur place, sans esclandre ou grands épanchements.

— Selon toi, qu'est-ce que t'aurais pu faire pour le choquer?

Tout en soupirant, Célestin donna un coup de talon sur le plancher pour accélérer le balancement de la chaise.

— Je le sais pas pantoute, Prudence. C'est ça, le problème ! Antonin a changé, ça c'est sûr, mais je sais pas pourquoi.

— Et tu penses que c'est de ta faute ?

À son tour, Célestin haussa les épaules dans un geste de découragement.

— C'est souvent à cause de moi quand Antonin s'impatiente, expliqua-t-il sur le ton qu'il aurait pris pour se parler à lui-même. Pis depuis un boutte, il est pas tellement patient, Antonin. Il veut même plus que j'aille avec lui pour faire les commissions au village. Ça, c'est grave.

— C'est vrai que d'habitude, Antonin et toi, vous faites les commissions ensemble.

— Bon ! Vous voyez ben que j'ai raison !

Un sourire fugace traversa le visage de Célestin, visiblement satisfait de voir qu'il ne s'était pas trompé.

— Me semblait aussi, murmura-t-il en redressant les épaules.

Le temps de se bercer un peu, le temps d'ajuster quelques idées, et Célestin demanda une seconde fois :

— Mais tout ça, ça règle pas le problème. Non monsieur ! C'est quoi j'ai ben pu faire pour qu'Antonin soye pas trop patient avec moi ?

— Si je te disais que tu n'y es pour rien.

Le soulagement de Célestin, bien qu'évident, fut rapidement remplacé par l'incompréhension qui brouilla à nouveau son regard.

— Mais c'est quoi, d'abord, qui fait pas l'affaire d'Antonin ? Je comprends pas, Prudence. Si c'est pas moi, c'est qui ? C'est quoi ? Il est malade ?

— Rassure-toi, il n'est pas malade. Disons que c'est plutôt une joie qui a amené ton frère à changer.

— Une joie ? Une joie aussi, ça peut rendre le monde de mauvaise humeur ? Comme une mauvaise nouvelle ? J'aurais jamais pensé... Pourquoi il m'en parle pas de sa nouvelle, Antonin, d'abord ? Moi aussi, j'aime ça les joies.

— Même si c'était une joie juste pour lui ?

— Oh ! Ça se pourrait, ça ? Depuis qu'on est tout petits, Antonin pis moi, les choses ont toujours été pareilles. Même notre linge, des fois. Pis quand j'avais de quoi, Antonin l'avait aussi. Pis c'était pareil pour lui. On a toujours été contents en même temps. On a toujours toute partagé, lui pis moi.

— C'est vrai. C'est la première chose que j'ai remarquée quand je suis venue m'installer ici : les jumeaux Bouchard savaient se tenir entre eux. Pis ça vaut aussi pour tes sœurs Clotilde et Matilde.

— Ouais... On est fiers de ça, nous quatre, d'être des jumeaux. On en parle des fois quand mes sœurs viennent faire un tour.

— Mais tu sais aussi que tes sœurs ne vivent plus ensemble même si elles sont encore très unies.

— C'est vrai.

Tout en approuvant, Célestin opina vigoureusement de la tête jusqu'à ce que, brusquement, il lève les yeux vers Prudence.

— Mais Antonin pis moi, c'est pas pareil. On vit ensemble. À moins que...

S'il fut un moment dans sa vie où Prudence eut la certitude d'être le témoin privilégié d'une révélation, ce fut bien quand elle aperçut une lueur de détresse traverser le regard de Célestin.

— Une minute, vous là...

Le jeune homme s'agitait sur sa chaise. Il s'épongea le front avec la manche de sa chemise, regarda autour de lui avec désarroi comme si la pièce venait subitement de se métamorphoser et qu'il ne reconnaissait plus les lieux. Respirant bruyamment, il revint à Prudence.

— Êtes-vous en train de me dire, vous là, qu'Antonin veut s'en aller ? Ça se peut pas, ça ! On l'a dit assez souvent, lui pis moi : on est venus au monde ensemble, nous deux, ça fait que c'est pour la vie.

— Tu as tout à fait raison. Antonin et toi, c'est pour la vie. Il ne faut pas avoir de doutes là-dessus. Jamais ! Ça n'empêche pas qu'il peut y avoir certains changements dans votre vie de tous les jours.

— Des changements… J'en veux pas, moi, des changements.

Célestin regarda autour de lui pour vérifier que tout était bien à sa place avant de revenir à Prudence.

— On est assez bien comme ça, estima-t-il avec une intonation de panique dans la voix… Pis j'aime pas ça, les changements… Ça serait quoi, les changements que vous parlez, Prudence ? Pas trop gros, j'espère, parce que moi je serai pas content. Non monsieur !

Prudence prit une profonde inspiration avant de répondre par une question.

— Si je te disais qu'Antonin est amoureux, est-ce que c'est quelque chose que tu comprendrais, que tu pourrais accepter, comme changement ?

Célestin avait arrêté le va-et-vient de la chaise et, les yeux écarquillés, il fixait Prudence. Le temps que les mots se fraient un chemin en lui, jusqu'à son cœur et, d'une voix étranglée, il demanda, une pointe d'incrédulité dans la voix :

— Antonin ? Mon frère Antonin est en amour ?

— On dirait bien.

— Ben ça alors !

Brusquement, Célestin comprenait un peu mieux. C'était à la fois une joie pour Antonin et une inquiétude pour lui. Il ne savait trop comment il allait faire pour l'accepter, mais c'était assurément une grosse, une très grosse nouvelle et il avait besoin d'un moment pour y penser.

Lentement, Célestin remit la berceuse en marche.

Finalement, c'était comme pour Marius et Hortense quand ils voulaient être seuls et qu'ils montaient dans leur chambre pour avoir la paix. Les commissions au village, c'était la façon qu'Antonin avait trouvée quand il voulait avoir la paix, lui aussi.

N'est-ce pas?

Ça, Célestin pouvait le comprendre. Au moins, ce n'était pas à cause de lui si Antonin était impatient.

Quand on était en amour, des fois, ça arrivait qu'on ait envie d'être seuls. Comme lui, parfois, quand il demandait à Antonin de venir avec lui, dehors sur la galerie, ou dans la grange, ou dans leur chambre, juste pour jaser sans personne pour les déranger. Parce qu'il aimait Antonin et qu'il voulait, parfois, être seul avec lui.

C'était ainsi qu'on lui avait expliqué pourquoi Marius et Hortense avaient envie de se retirer parfois dans leur chambre, et Célestin l'avait très bien compris.

Et maintenant, c'est Antonin qui avait une amoureuse.

— C'est qui, la fiancée d'Antonin?

La question avait été posée sur un ton distrait, absent, comme si elle était sans véritable importance.

— C'est Annette, la sœur de Romuald. Tu connais Romuald, n'est-ce pas?

Une lueur d'intérêt traversa le regard de Célestin.

— C'est sûr que je connais Romuald! C'est mon beau-frère à cause qu'il est marié à ma sœur Marie... Pis je connais Annette aussi. Je l'ai vue pas mal souvent quand j'allais voir Gilberte chez Marie.

Le nom de Gilberte s'était glissé tout naturellement dans la conversation, et de l'avoir prononcé fut comme une grande tristesse s'abattant sur Célestin, un rappel de l'ennui qu'il avait d'elle. Ce souvenir lui coupa la parole. Si Gilberte avait été là, il se serait senti moins seul. Puis, lentement, le nom d'Annette revint s'imposer et Célestin tourna alors les yeux vers Prudence.

— Elle est gentille, Annette, admit-il avec un calme surprenant. Et drôle aussi, quand elle raconte des histoires aux enfants de Marie. Elle fait toutes sortes de bruits avec sa bouche, comme si les poules étaient vraiment là. Ou les cochons, ou le grand méchant loup…

— Comme ça, t'es pas trop triste de savoir qu'Antonin est amoureux d'elle?

— Non, pas trop… Ça va être comme pour Marius pis Hortense…

— Presque, oui. Je vois que tu comprends ce qui arrive à Antonin.

— C'est sûr que je comprends. Il a une fiancée. Ça arrive des fois, d'avoir une fiancée. Pis si Antonin est heureux, moi aussi va falloir que je le soye. Pour lui.

— C'est bien de penser comme ça, Célestin.

— Ouais… Astheure, Antonin a une fiancée…

Célestin parlait à mi-voix, sur un ton pensif en se berçant tout doucement. Prudence se fit le plus silencieuse possible. En ce moment, Célestin avait besoin de toute la concentration dont il était capable pour se faire à l'idée, pour s'ajuster à la situation. Au bout de quelques minutes, il leva les yeux et offrit un sourire un peu timide à Prudence.

— Si Antonin est content, moi aussi j'vas l'être, déclara-t-il, solennel. Ça a toujours été de même entre nous deux. Ça fait qu'il reste juste un problème à régler, Prudence.

— Ah oui? Lequel?

— Quand Annette va venir s'installer ici comme Hortense, expliqua Célestin, moi, où c'est que j'vas aller me coucher?

Va-tu falloir que j'aille mettre mon lit dans la chambre des p'tits ?

— Non. Ça ne sera pas nécessaire, Célestin.

— Ah non ?

Subitement, Célestin était tout sourire.

— Ben c'est correct, d'abord. Ça me tentait pas tellement de me retrouver avec trois p'tits gars dans ma chambre. Rapport que moi, j'suis devenu un homme. Mais si j'peux rester dans la même chambre qu'Antonin, y en a pas, de problème. Annette peut ben déménager quand elle voudra.

À ces mots, Prudence comprit que, malgré les apparences, le pire restait à venir.

— Annette ne déménagera pas, Célestin, précisa-t-elle alors d'une voix très douce. C'est Antonin qui va aller la rejoindre.

Encore une fois, les mots prirent tout leur temps pour se frayer un chemin jusqu'à la compréhension. Lentement, le regard de Célestin s'assombrit.

— Ah non ! Ça, je veux pas, annonça-t-il finalement en tapant du pied.

La perspective d'une vie sans Antonin lui était tout à fait intolérable, douloureuse, impensable.

Puis, cette même perspective devint rapidement impossible.

— Non, ça se peut pas, ce que vous dites là, Prudence. Pourquoi Antonin y ferait ça ? Je crois pas ça, moi, qu'Antonin aye décidé de s'en aller. Non, ça se peut pas !

— Oui, ça se peut.

— À cause de la chambre ? Ben si c'est juste ça que ça prend pour régler le problème, m'en vas y aller, d'abord, dans la chambre des p'tits. C'est pas grave. Mais je veux pas qu'Antonin s'en aille. Non monsieur !

Prudence avait la désagréable sensation de marcher sur des œufs. Le moindre faux pas risquait de provoquer un désastre.

— C'est pas une question de chambre, Célestin.

Le grand gaillard s'agitait, épongeait son front où la sueur dessinait des sillons comme lui savait si bien les tracer dans la terre meuble.

— C'est quoi, d'abord ? demanda-t-il au bord de la panique. C'est donc ben compliqué, à matin, de comprendre les choses.

Célestin respirait bruyamment, comme un taureau que l'on excite, que l'on tente de mettre en colère.

— C'est vrai que tout ça, c'est un peu compliqué, concéda Prudence. Mais Antonin n'a pas le choix, Célestin, expliqua-t-elle avec une infinie patience dans la voix.

— Pourquoi ?

Prudence perçut un sentiment d'angoisse dans la voix de Célestin. La sienne se fit alors rassurante.

— Parce qu'Annette doit rester avec ses parents. Sa maman n'a pas une bonne santé et avec le magasin général, elle a besoin que sa fille reste auprès d'elle.

— Ben c'est moi qui vas y aller, d'abord.

— Non plus, Célestin. Toi, tu peux pas t'en aller. Qu'est-ce que Marius, Louis et ton père feraient sans toi ?

— Ils vont ben se passer d'Antonin, analysa Célestin de façon tout à fait inattendue, ça fait qu'ils peuvent se passer de moi aussi. C'est tout !

— Voyons donc ! Mais qu'est-ce que tu vas penser là ? Antonin va revenir, Célestin. Jamais il ne pourrait s'en aller en te laissant derrière lui. Et puis, il le sait bien que son père et ses frères ont encore besoin de lui. C'est une grande ferme, la ferme des Bouchard ! C'est pour ça qu'il va continuer à travailler ici, tous les jours, comme il a l'habitude de faire.

— Ah oui ? fit le gaillard avec un lourd scepticisme dans la voix.

Il fixait Prudence avec méfiance.

— Je le sais pas si ça se peut, ça, demeurer ailleurs pis travailler ici ?

— Oui, ça se peut. Je te jure que je dis la vérité, Célestin ! Tu vas continuer à voir ton frère tous les jours puisqu'il va continuer à venir travailler ici.

— Tous les jours ?

— Oui, tous les jours. Sauf peut-être le dimanche. Mais ce jour-là, tu vas le voir à la messe. Pis tu vas pouvoir lui faire des visites, si tu t'ennuies trop.

— Ah oui, des visites… Comme Gilberte avant. Ben si c'est comme ça…

Ce fut ainsi qu'il n'y eut ni grande colère ni larmes inépuisables. Juste un grand désarroi devant un tel bouleversement des habitudes. Un désarroi si intense que les mains de Célestin se mirent à trembler, malgré sa visible acceptation de la situation. Mais quand Prudence tendit la sienne vers lui pour le rassurer, le costaud recula sur sa chaise en roulant des yeux effarés.

— Non ! Touchez-moi pas, Prudence. Vous le savez ben : j'aime pas ça quand on me touche… Pour astheure, j'veux juste parler à Antonin.

Désemparé, Célestin regardait tout autour de lui, les mains agrippées aux accoudoirs de la chaise.

— Ouais, faut que je parle à Antonin, gronda-t-il. J'veux que ça soye lui qui me raconte tout ça, avec ses mots à lui. Oui monsieur ! Après, ça va aller…

Célestin poussa un long soupir rempli de sanglots. Puis, d'une longue inspiration, il sembla se reprendre et, fixant Prudence, il ajouta :

— Ouais… Promis, Prudence, ça va aller.

CHAPITRE 4

Le même jour, en janvier 1919, à Québec,
dans la cuisine de Paul

La journée avait été glaciale. Derrière le rideau de cotonnade bleu pervenche, le soleil se couchait déjà. On avait beau savoir que les journées avaient déjà commencé à rallonger, on ne le percevait pas vraiment et l'impression qui persistait était celle que l'hiver régnerait en maître de nombreuses semaines encore.

Hélas !

Installés autour de la table de la cuisine, les trois enfants Tremblay, ceux qui vivaient à Québec depuis un bon moment déjà, pressaient le bout de leurs doigts contre leurs tasses en les tenant à deux mains. Le chauffage au charbon de la grande maison de Paul peinait à garder l'immeuble tiède par ces grands froids sibériens. Dans l'attente de ses sœurs Justine et Marguerite, qu'il avait invitées, il avait donc préparé une grande quantité de thé bien chaud, un mélange anglais que sa mère appréciait particulièrement, et il avait déposé la théière au beau milieu de la table, bien enveloppée dans une cache en coton matelassé qu'Alexandrine avait cousue expressément pour lui. Le seul regret de Paul, en ce moment, était de ne pas avoir de foyer pour faire une bonne flambée. À son avis, ça aurait été nettement plus efficace que le thé pour tous les réchauffer, à défaut d'avoir un bon vieux poêle à bois comme dans la cuisine chez ses parents.

L'électricité n'avait pas que des avantages !

Depuis le décès de leur sœur Rose, par solidarité ou tout simplement pour se commémorer quelques souvenirs communs, Marguerite, Justine et Paul se réunissaient ainsi, plus ou moins régulièrement. Depuis les fêtes, ils l'avaient même fait à trois reprises. Comme la tristesse avait dominé, lors du souper traditionnel chez leurs parents le soir de Noël, ils ressentaient ce besoin d'être ensemble encore plus fortement qu'en temps normal.

— J'ai peut-être pas d'enfant à moi, soulignait justement Marguerite, faisant ainsi référence à la grande tristesse d'Alexandrine et Clovis, mais j'aime ça, les enfants. J'ai toujours aimé ça ! Ça fait que je peux fort bien comprendre comment les parents doivent se sentir...

Tout en parlant, Marguerite hochait la tête, le regard un peu vague. Puis, secouant vigoureusement la tête, elle prit son frère et sa sœur à témoin et ajouta :

— Perdre deux enfants, vous rendez-vous compte ? D'abord Joseph, tout jeune, pis astheure, Rose, qui était pas ben vieille, elle non plus. Ça doit t'arracher le cœur, de voir mourir tes enfants comme ça.

La simple mention du nom de son frère aîné suffisait habituellement à faire blêmir Paul, ce que Marguerite était justement en train de constater. Le temps avait estompé l'événement, certes, mais les émotions restaient vives et douloureuses. L'horreur de voir Joseph passer par-dessus bord et disparaître sous les vagues glauques était toujours aussi présente. Paul en faisait encore des cauchemars, à l'occasion, et s'il avait décidé de vivre ici, à Québec, ça avait été un choix tout à fait délibéré : celui de mettre une distance calculable entre lui et le village de Pointe-à-la-Truite.

Entre lui et le fleuve aux allures d'océan.

C'est pour cette même raison que Paul n'allait jamais se promener sur la terrasse, près du Château Frontenac, là où la vue du fleuve, entaillé par la pointe de l'île d'Orléans, était époustouflante. Il se refusait aussi de prendre le traversier pour se rendre à Lévis. La noirceur insondable de l'eau lui donnait le vertige, disait-il.

— C'est pour ça que je peux pas prendre la relève du père sur le bateau, disait-il en guise d'explication quand on lui demandait s'il finirait par retourner à la Pointe, un jour. La houle, ça me donne le vertige pis un gros mal de cœur! Je peux pas passer toute ma vie à avoir mal au cœur, vous pensez pas?

Il avait une telle hantise de l'eau qu'il allait jusqu'à croire que, même si le pont de Québec accueillait trains et piétons depuis plus d'un an déjà, il valait mieux attendre encore un peu avant de l'emprunter. Paul avait ainsi décidé, de façon tout à fait arbitraire, que l'inauguration officielle du pont, l'été prochain en présence du prince Edward de Galles, serait une date envisageable pour enfin se diriger vers la rive sud, à Lévis plus précisément, là où habitait un bon ami à lui. En effet, deux incidents majeurs lors de la construction du pont, incidents qui avaient provoqué de nombreux décès, il fallait tout de même l'admettre, l'empêchaient d'avoir une confiance absolue dans cet enchevêtrement de poutres d'acier sur piliers de pierres en maçonnerie.

Pourtant, sans contredit, l'architecte qu'il était admirait le chef-d'œuvre!

Se faisant violence, Paul repoussa le souvenir de son frère Joseph et tout ce qui s'y rattachait pour revenir à la conversation de ses sœurs qui, malheureusement, tournait en rond, encore et toujours, ponctuée par les tragédies ayant marqué leur vie familiale.

— Ça fait que j'ai jamais connu Joseph ! constatait présentement Justine, la plus jeune des enfants Tremblay, la seule qui n'était pas encore née lors du tragique événement. Pis c'est une chance que je sois venue m'installer ici, en ville, parce que j'aurais à peine connu Rose, elle avec. Si on se souvient bien, j'étais encore pas mal petite quand la plus vieille de mes sœurs est partie pour Québec.

— C'est pas vrai, ce que tu viens de dire là ! La plus vieille chez nous, c'est pas Rose, c'est Anna.

— Oui, c'est vrai, mais comme je l'ai pas connue, s'excusa Justine en rougissant. C'est un peu fou de penser comme ça, mais en plus, comme Anna vit au couvent, chez des sœurs cloîtrées, j'ai tendance à l'oublier. On la voit si peu souvent…

— C'est vrai… Tout ça pour dire : pauvre maman ! En plus de perdre Joseph pis Rose, sa plus vieille vit enfermée dans un monastère ! Elle pouvait bien être triste à Noël même si on voit que papa fait tout son possible pour la soutenir.

— Ce qui n'a pas aidé, c'est que Léopold soit pas encore revenu des vieux pays, renchérit Paul, coupant ainsi la parole à Marguerite, pressé qu'il était de changer de sujet.

— Mais au moins, on sait qu'il est vivant, argumenta Justine avec une pointe de soulagement dans la voix. C'est toujours pas de sa faute à lui si l'armée a de la misère à organiser le retour des troupes.

— C'est vrai. Mais j'ai hâte de le revoir, moi aussi, déclara Marguerite sur le même ton. Les parents sont pas les seuls à s'ennuyer, vous saurez ! Je suis du même avis que toi, Paul : si Léopold avait été là, ça aurait aidé à détendre l'atmosphère durant le souper de Noël. Notre frère doit sûrement avoir des tas de choses à nous raconter.

— C'est sûr que ça aurait changé bien des choses… C'est papa surtout qui a l'air de s'ennuyer de lui. Je parie qu'il doit espérer son retour avant la saison de navigation. À son âge, ça doit être dur de se retrouver au gouvernail, jour après jour.

— Ça doit, oui. Certains jours doivent lui paraître ben longs pis difficiles.

— Pis maman, elle? demanda Justine en versant une bonne lampée de thé dans sa tasse avant de resserrer promptement ses mains tout autour. Est-ce qu'il y a quelqu'un qui pense à maman? Elle aussi, elle doit trouver les journées pas mal longues, toute seule à la maison, même quand papa est présent.

— Si c'est ce que tu penses, pourquoi tu retournes pas chez les parents? nota Paul tout en se levant pour remettre de l'eau à bouillir parce qu'il venait de soulever une théière vide. De toute façon, j'ai jamais vraiment compris pourquoi t'avais quitté la maison. Rouleuse de cigarettes, c'est pas un métier qui doit être tellement…

— Tais-toi, Paul!

Justine fixait son frère avec une lueur amère au fond des prunelles. Elle attendit qu'il reprenne sa place à la table parce qu'elle voulait le regarder droit dans les yeux quand elle préciserait sa pensée.

— C'est injuste de parler comme tu le fais, lança-t-elle, colérique, dès que Paul fut en face d'elle. C'est toujours ben pas de ma faute à moi si les parents avaient pas les moyens de me payer des études. Je l'ai demandé, pis c'est ce qu'ils m'ont répondu: Paul a épuisé toutes nos réserves! C'est comme ça que je suis devenue rouleuse de cigarettes.

Mal à l'aise, Paul détourna le regard. Justine n'avait pas tout à fait tort, car tout comme lui, elle aurait pu poursuivre sa scolarité bien au-delà de l'école du village même si les longues études n'étaient pas vraiment à la mode pour les filles. Par contre, Paul avait été à même de constater que certaines d'entre elles se rendaient parfois jusqu'à l'université. D'où peut-être ce ressentiment qu'il entendait dans la voix de Justine. Sa jeune sœur avait toujours eu des notes au-dessus de la moyenne et elle aimait apprendre. Toutefois, dans le domaine des études, quand la famille n'était pas trop fortunée, il était normal de favoriser les garçons plutôt que les filles. C'est ce que Paul s'apprêtait à dire quand Marguerite le prit de court.

— J'avoue que c'est peut-être normal de donner la préférence à un garçon quand vient le temps de payer des études à quelqu'un dans une famille, remarqua-t-elle comme si elle avait lu mot à mot dans les pensées de son frère, mais dans ton cas, mon pauvre Paul, ça se justifie pas complètement. Je dirais même pas du tout !

— Pourquoi tu dis ça ? fit-il, piqué au vif, en se tournant prestement vers sa sœur. J'ai toujours été appliqué dans mes études, tu sauras, et j'ai très bien réussi mon cours. J'ai obtenu mon diplôme avec très grande distinction, faut surtout pas l'oublier. Aujourd'hui, si je peux dire que j'ai une bonne profession, je peux aussi ajouter avec fierté que mon bureau a une solide réputation !

— Pis à trente-huit ans, t'es toujours pas marié, répliqua Marguerite du tac au tac sans tenir compte des explications de son frère.

Était-ce de la moquerie ou une critique qui faisait briller les yeux de Marguerite à ce point ? Difficile à dire, mais aussitôt la remarque lancée, Paul se sentit indéniablement embarrassé devant ce qui ressemblait à un reproche.

— Dans ton cas, on peut pas dire que t'as étudié durant tout ce temps-là pour faire vivre décemment une famille, affirma Marguerite, d'une seule traite, en dépit de la rougeur qu'elle avait cru percevoir sur le visage de Paul, au moment où il ouvrit la bouche pour essayer, en vain, de se défendre.

Me semble que d'habitude, c'est pour ça qu'un garçon étudie, non ?

L'envie de répondre s'était dissoute dans la tirade de Marguerite. Alors, sans dire un seul mot, Paul tourna la tête vers la fenêtre. Seule une lueur blafarde à travers les branches d'un érable dénudé résistait à la nuit qui s'imposait et, comme depuis quelques jours le givre avait envahi le bas des vitres, l'image proposée à Paul ressemblait à une carte de souhaits. Ne manquait qu'une belle neige en lourds flocons pour se croire de retour à Noël.

C'était joli.

Paul tenta donc de se concentrer sur le paysage. Sans succès. Alors, imperceptiblement, juste pour lui, il poussa un long soupir silencieux. Il aurait voulu trouver une réplique, une explication, une justification aux reproches de Marguerite, mais tout ce qui lui venait à l'esprit ne se disait pas.

Les confidences, les motivations, les désirs… Sans compter la sensation de culpabilité ressentie quand il fermait les yeux et que le sourire un peu forcé et triste de sa mère envahissait toutes ses pensées. Avec l'aîné de la famille décédé et sa sœur Anna au couvent, Paul se sentait doublement responsable de la tristesse de ses parents. Ça aurait été à lui de prendre la relève, tant sur la goélette que pour assurer la pérennité des Tremblay. Oui, il aurait dû trouver une épouse pour continuer la lignée de Clovis Tremblay et habiter à la Pointe pour soutenir son père. Marguerite n'avait pas tout à fait tort. Paul le savait fort bien, et pourtant, il n'avait rien tenté pour changer la situation.

Était-ce vraiment un choix ? Aussi éclairé et délibéré qu'il se plaisait à le croire ?

Paul se posait encore parfois la question. La seule réponse qui lui venait était que, pour la goélette, il aurait pu faire des efforts. Ne serait-ce qu'en devenant architecte maritime.

Quant au reste…

Paul reporta les yeux sur ses deux sœurs qui continuaient de parler entre elles. Il aurait tant aimé pouvoir tout dire, tout avouer, mais il n'aurait su trouver les mots.

Alors, il se taisait. Autant devant ses sœurs et ses parents que devant qui que ce soit d'autre, d'ailleurs.

Pour lui, la mort de Joseph avait tracé une démarcation indélébile dans sa vie. Depuis, tout ce qu'il ressentait, ce qu'il choisissait, ce qu'il voulait y était rattaché, d'une façon ou d'une autre. À ses yeux, dans le secret de son cœur, la mort de Joseph justifiait tout, mais cela, probablement que personne n'aurait pu vraiment le comprendre.

Et cela faisait si longtemps déjà que Joseph était mort…

Posant les deux mains à plat sur la table, Paul se releva lentement pour se diriger vers la cuisinière. Il souleva la bouilloire qui crachait un long sifflement chuintant et, aussitôt, un agréable silence succéda à ce bruit irritant. Paul prit alors une longue inspiration de soulagement, comme si son tourment venait de s'envoler avec la vapeur sortant du bec de la bouilloire. Puis, s'activant avec aisance, il prépara le thé. Cela faisait bien rire ses sœurs, d'ailleurs, cette facilité et ce plaisir évident qu'il avait à préparer les repas.

— J'ai pas eu le choix de m'y faire, avait-il maintes fois plaidé quand elles se moquaient gentiment de lui. C'était apprendre à cuisiner ou mourir de faim. Quoi que vous en pensiez, les années d'étude n'ont pas toujours été une partie de plaisir, vous savez.

Ce qu'il n'avait jamais avoué, cependant, c'était qu'il aimait vraiment se retrouver aux fourneaux. Peut-être même plus que devant sa table à dessin ! Mais comment le dire sans essuyer de moqueries? Un homme à la cuisine et par envie, en plus! À l'exception de quelques grands chefs européens, cela ne se voyait jamais. Encore une fois, sans doute que ses sœurs n'auraient pas compris.

La décision de rester chez Paul pour le souper alla de soi. Chez lui, la nourriture était plus abondante et variée que dans le petit logement en bas de la ville, dans Saint-Roch. Les ressources financières n'étaient pas du tout les mêmes, malgré la générosité de Paul à l'égard de ses sœurs. Ainsi, rares étaient les fois où Justine et Marguerite refusaient une invitation.

Tout comme Rose qui avait toujours dit oui aux invitations de son frère.

— Vous rappelez-vous? demanda Justine avec une nostalgie qu'on entendait jusque dans sa voix. Rose voulait toujours faire la salade! Elle disait que sa vinaigrette au persil était la meilleure.

— Et elle avait bien raison! approuva Paul avec chaleur. En fait, bien avant que vous arriviez en ville, c'est Rose qui m'a tout appris dans une cuisine. Elle savait y faire quand venait le temps de tourner un bon repas avec trois fois rien!

Cette fois-ci, le silence qui s'abattit sur la pièce était empreint de tristesse et de souvenirs. Puis, d'une voix étranglée, Justine demanda:

— Est-ce que quelqu'un a vu Gérald depuis… depuis que Rose est partie?

— Pas moi, murmura Paul tout en dressant la table. C'est peut-être mieux comme ça. S'il fallait que je le croise dans la rue, je ne sais pas trop ce que je pourrais lui dire.

— Ça vaut pour moi aussi, murmura Justine.

Quant à Marguerite, elle survola la table des yeux pour capter d'abord le regard de Paul, puis celui de Justine avant de se mettre à parler.

— Pensez-vous qu'on aurait dû en parler aux parents? demanda-t-elle finalement, une certaine anxiété dans la voix. Sinon, peut-être qu'on devrait le faire maintenant?

— Pourquoi?

À son tour, du regard, Paul sonda l'opinion de ses sœurs avant de poursuivre.

— Qu'est-ce que ça donnerait de plus qu'ils sachent à propos de Gérald, à part tourner un peu plus le couteau dans la plaie?

— C'est vrai que maman serait pas mal déçue d'apprendre qu'avec un peu de chance, elle aurait été grand-mère dans quelque temps.

— En plus de tout le reste! Non, non... On en a longuement parlé pis notre décision a été la bonne... Enfin, je crois. Comme tu viens de le dire, Marguerite, je pense, non je suis certaine que maman serait encore plus malheureuse si elle apprenait que Rose s'apprêtait à leur présenter son fiancé.

— Ouais... Au lieu d'assister à des funérailles, c'est à un mariage qu'on aurait dû aller, souligna Paul.

— Moyenne différence! précisa alors Marguerite, revenue de son hésitation première. Pis c'est pas plus Justine que moi qui va faire un changement dans la situation.

— Pourquoi pas?

— Parce que, jusqu'à date, c'est pas les prétendants qui se bousculent à notre porte. Me semble que tu devrais le comprendre sans qu'on soit toujours obligé de mettre les points sur les « i »!

L'amertume de la remarque était perceptible, tant dans la voix de Marguerite que dans celle de Justine, qui répliqua aussitôt:

— Ouais, comme tu dis! Pis c'est pas Anna non plus qui va donner à maman la joie d'être grand-mère! Des trois filles qui leur restent, pour astheure, il y en a pas une qui pourrait faire oublier aux parents la tristesse qui vient de leur tomber dessus avec le décès de notre chère Rose.

À ces mots, les deux sœurs se tournèrent spontanément vers Paul, qui, pour cacher son embarras, exagéra son haussement d'épaules.

— Qu'est-ce que vous avez à me regarder comme ça? demanda-t-il en bougonnant. Je vous ferais remarquer que je suis pas plus avancé que vous deux.

Il fit mine de chercher autour de lui.

— J'ai pas ça de caché dans un garde-robe, moi, une amie ou une fiancée, lança-t-il en guise de conclusion, espérant ainsi clore une discussion qui l'agaçait.

— Non, peut-être pas, admit Marguerite, relançant la discussion de plus belle. Pour astheure! Mais dans l'avenir, dans un avenir pas trop loin, à part de ça, ça pourrait changer, non?

Devant le silence de Paul qui s'encroûtait, Marguerite reprit comme si son frère avait besoin d'explications.

— Ça pourrait changer plus vite qu'on le pense parce que t'es un gars pis que pour vous autres, c'est pas mal plus facile de trouver quelqu'un! Il suffit d'une belle fille à proximité, d'un sourire ou d'un regard... Après tout, c'est aux hommes que ça revient de faire les premiers pas.

— Pis tu penses que c'est facile?

— Ben... Sûrement plus que pour nous autres. Non?

— Non!

Paul parlait par-dessus son épaule tout en servant la soupe.

— Si on changeait de sujet de conversation? dit-il enfin clairement. C'est pas la première fois qu'on en parle, en long pis en large, pis ça n'a rien changé au fait qu'on est encore seuls, tous les trois. Comme le dirait notre père: c'est la vie qui veut ça...

Cette fois-ci, le soupir que Paul poussa fut nettement perceptible.

— Arrêtons donc de nous en faire avec cette situation-là. Le retour de Léopold devrait tout régler! Avec son Augusta qui l'attend toujours, je nous prédis des noces pour l'été prochain. Ça devrait aider les parents à retrouver le sourire... Maintenant, assoyez-vous, j'arrive avec les bols de soupe!

Le repas fut délicieux, comme d'habitude, ce qui permit de détendre l'atmosphère. Un peu plus tard, avec sa délicatesse habituelle et malgré le froid qui s'intensifiait au rythme où la noirceur tombait, et cela sans compter le vent qui venait de se lever, Paul tint à raccompagner ses sœurs.

— Pas question de vous laisser partir toutes seules!

— Ben voyons donc! On est deux pis on marche vite.

— Quand même! Le soir, quand il fait noir comme chez le loup, on sait jamais qui on peut rencontrer. Surtout dans le bas de la ville.

— C'est pour ça que Justine pis moi, on a ben l'intention de déménager dans Limoilou.

Le nom du quartier fit tiquer Paul. Il se tourna prestement vers sa sœur Marguerite qui, tout en parlant, ajoutait un long foulard par-dessus son chapeau pour ne pas avoir à le retenir de la main.

Se mirant dans la glace au tain dépoli, elle tentait de l'ajuster le plus joliment possible tandis que Justine prenait le relais pour expliquer leurs projets à Paul.

— Le 1er mai prochain, on déménage! C'est décidé.

— Dans Limoilou, d'après ce que je peux comprendre... Comme ça, vous n'avez pas retenu ma proposition?

— Celle de venir nous installer ici? Non, Paul! On te l'avait dit de pas trop compter là-dessus. C'est trop loin de notre travail.

— Mais Limoilou aussi, c'est assez loin!

Curieusement, même s'il était soulagé de la tournure des événements, Paul se sentait obligé d'insister. Après tout, il était le frère aîné, celui à qui sa mère avait confié ses deux filles, au moment où il quittait la maison paternelle après le repas de Noël. C'est pourquoi, pour que la mesure soit pleine et qu'il puisse avoir l'esprit serein, il arriva même à mettre une pointe de déception dans sa voix quand il répéta :

— Limoilou, c'est quand même pas à la porte !

— C'est pas si loin que ça ! On va peut-être avoir à marcher un peu plus longtemps, c'est vrai, mais c'est pas si pire que ça en a l'air. Je pense que ça vaut la peine d'y penser ben sérieusement. La semaine dernière, Marguerite pis moi, on est allées se promener par là, pis c'est pas mal tentant. Les rues sont larges, ben éclairées, pis il y a des arbres un peu partout. C'est un beau quartier, Paul. Pas de doute là-dessus. Plus beau en tout cas que celui où on reste. On rit plus ! C'est toute ben droit, avec des rues pis des avenues, comme à New York. Je l'ai lu dans la gazette, y a pas si longtemps que ça.

— Mais ça, c'est au printemps prochain ! Si ça se concrétise.

Plus la conversation avançait et moins Paul avait l'air déçu.

— Si jamais vous vous décidez, comptez sur moi pour vous aider à trouver un logement qui a de l'allure, annonça-t-il finalement sur un ton plus que léger. Pis soyez pas inquiètes : en cas d'urgence, je vous refilerai quelques piastres à la fin du mois. Mais en attendant d'y être, moi, je vous ramène à la maison !

— C'est pas nécessaire !

— Pas de discussion ! Habillez-vous chaudement. Au besoin, si jamais vous pensez que vous en avez pas assez, il y a des mitaines et quelques foulards dans l'armoire près de la porte d'entrée, leur indiqua-t-il.

Lui-même s'emmitoufla comme un ours, car ce soir, raccompagner ses sœurs n'était qu'un prétexte pour affronter le froid hivernal. Pour lui, contrairement à Justine et à Marguerite, la soirée ne faisait que commencer.

Ils firent la route bras dessus, bras dessous, se taquinant comme ils l'avaient si souvent fait au temps de leur enfance.

Quand il fut certain que Marguerite et Justine ne le surveillaient plus et qu'elles étaient bien au chaud dans leur petit logement, Paul rebroussa chemin pour tourner le coin de la rue dans la direction opposée à celle d'où ils étaient venus. Il avait l'intention bien arrêtée de ne pas retourner chez lui. Vivre une longue soirée de solitude ne lui faisait aucune envie et c'est ce qui l'attendait chez lui, les conversations de l'après-midi ayant fait renaître, de surcroît, des émotions qu'il préférait habituellement éviter.

Paul remonta alors le col de son manteau et il enfonça les mains dans ses poches. Le vent qu'il affrontait de face était cinglant et la neige durcie crissait sous ses pas.

Lorsqu'il longea la rue Saint-Joseph, Paul fut tenté de s'arrêter dans un petit casse-croûte qui offrait une cuisine familiale réconfortante. Il le savait pour y être allé à quelques reprises.

Un bon café bien chaud et une part de gâteau feraient une halte agréable avant de poursuivre sa route. S'arrêter dans cet endroit était devenu une habitude qu'il avait prise depuis quelque temps déjà et Paul aimait les routines. Ça le sécurisait.

Il tendait déjà la main vers la poignée de la porte peinte en bleu quand son geste avorta brusquement.

La perspective d'une longue conversation avec la propriétaire le faisait hésiter malgré le temps peu clément. Cette femme joviale à la langue bien pendue l'accaparerait durant de longues minutes, pour ne pas dire des heures, Paul s'en doutait bien. Alors, il passa tout droit, faisant fi des frissons dans le bas du dos et de ses orteils engourdis. Tant pis pour le café chaud. Après tout, ce n'était pas ce dont il avait envie en ce moment.

Ce n'était surtout pas ce dont il avait besoin pour terminer cette journée faite de souvenirs parfois pénibles.

Depuis l'après-midi, il anticipait les cauchemars qui pourraient survenir au cours de la nuit, lorsqu'il serait seul avec sa peine, et il ne se sentait pas la force de leur faire face.

Depuis le décès de Joseph, Paul avait toujours craint la solitude quand il avait le cœur à la tristesse. Que cette réaction soit normale ou pas, surtout avec les années qui passaient inexorablement, il s'en fichait éperdument. Son frère n'étant plus là pour lui expliquer les choses, le protéger, le réconforter, les événements tragiques prenaient parfois des proportions sans borne. La mort de sa sœur Rose faisait partie de ces moments pénibles qu'il avait dû traverser, seul. Si Joseph avait été là, ça aurait été différent puisqu'il l'aurait consolé, apaisé. C'est toujours ce que Joseph avait fait quand leur père obligeait le jeune Paul à prendre la mer avec lui et que ce dernier paniquait.

— Crains pas, Paul, je suis là, avec toi. J'vas toujours être là pour toi en attendant le jour, quand tu vas être grand, où tu vas dessiner mon bateau, disait régulièrement Joseph, un bras autour des épaules de Paul et le regard fouillant l'horizon. Ce jour-là, papa pourra plus t'obliger à prendre le large avec lui parce que t'auras plus le temps.

— J'ai hâte.

— Je le sais… En attendant, parle-moi de mon bateau, demandait alors catégoriquement le jeune Joseph qui, lui, depuis toujours, trépignait dans l'attente du jour où il pourrait enfin quitter l'école afin de rejoindre son père, Clovis, sur la goélette. Dis-moi, Paul, dis-moi comment tu le vois dans ta tête, mon bateau !

Alors, invariablement, le jeune Paul se mettait à raconter comment serait le bateau qu'il construirait pour Joseph. Le jeune garçon qu'il était alors fermait les yeux. Il s'appuyait contre le corps de son grand frère, toujours stable malgré la houle, et il s'amusait à imaginer le bateau. Lentement l'image se précisait et, tout heureux, Paul se lançait dans une longue description.

Assurément, ce serait la plus belle, la plus grande goélette qu'on n'aurait jamais vue à la Pointe !

— Tout le monde va t'envier, tu sais !

C'est ainsi que se passaient la plupart des traversées, Paul oubliant, grâce à Joseph, qu'il avait peur de l'eau trop sombre et des vagues parfois un peu trop grosses.

Jusqu'au jour de l'orage.

Ce jour-là, c'est lui qui aurait dû protéger Joseph. Qui d'autre ? Ils étaient trois à bord de la goélette et leur père était au gouvernail à tenter de garder le bateau à flot.

Alors, s'il avait été à la proue avec Joseph, comme il le lui avait demandé, Paul aurait pu le retenir, il en était convaincu. Mais trop timoré pour rejoindre son frère par un si gros grain, il était resté à l'arrière. Et surtout à l'abri, à cause de la pluie qui s'était mise à tomber. Il était cependant suffisamment proche pour entrevoir l'éclat de surprise, d'abord, puis d'épouvante qui avait obscurci le regard de Joseph quand il avait basculé par-dessus bord.

Joseph était là, à quelques pas seulement, se tenant bien droit, faraud devant l'orage, puis, brusquement, il n'y était plus. Entre les deux, un moment intemporel qui revenait en boucle dans la vie de Paul parce que lui, Paul Tremblay, le lâche des lâches, était resté figé sur place, sans réagir, sans même crier pour alerter leur père.

C'était dans sa tête et dans son cœur, ce jour-là, qu'il avait crié le nom de son frère à s'en arracher la gorge.

C'était dans sa tête et dans son cœur qu'il continuait parfois de crier le nom de son frère Joseph.

Encore et encore et encore…

Par la suite, Paul s'était jeté dans les études pour oublier avant de demander à ses parents de poursuivre son cours à Québec. Tout et n'importe quoi pour s'éloigner de la Pointe et de son éternel cauchemar.

Mais le cauchemar l'avait suivi jusqu'à la ville.

Avec acharnement, il avait cherché à s'identifier à Québec, déclarant aimer la ville.

— C'est pour suivre mon destin, avait-il expliqué à ses parents quand vint le temps de s'inscrire à l'université. J'aime vivre en ville et quand j'aurai terminé mon cours, j'ai plus de chances d'avoir des contrats à Québec qu'ici, au village.

Paul voulait surtout s'éloigner de la culpabilité qui l'aiguillonnait au moindre prétexte.

Mais la culpabilité aussi l'avait suivi jusqu'en ville.

Puis, un jour, il avait rencontré Joachim. Le jeune homme avait sensiblement l'âge que Joseph aurait eu. Il avait le regard pétillant, le rire facile et les traits anguleux, tout comme Joseph.

Et son bras, quand Joachim le posait nonchalamment sur les épaules de Paul, dans les moments de confidence, ce bras avait la même chaleur, procurait le même réconfort que celui de Joseph.

Paul venait alors d'entrer à l'université.

Il s'était trouvé un ami, un confident, un complice.

Paul venait de retrouver un grand frère.

Alors, Paul présenta Joachim à Rose et rendit visite à Anna avec lui.

Ils firent la fête, s'offrirent une virée à Montréal et étudièrent d'arrache-pied. Joachim faisait son droit, tandis que lui découvrait le plaisir de dessiner des plans.

Ce furent, en fin de compte, deux belles années bien remplies où il n'y eut pratiquement pas de cauchemars et où la culpabilité consentit à jeter du lest.

Puis, arrivé au bout de son chemin universitaire, Joachim déclara qu'il rentrait chez lui en Gaspésie.

— Ils ont besoin de notaires, chez nous aussi, et je peux faire ma cléricature chez mon oncle, à Gaspé. Pourquoi est-ce que je resterais ici?

— En effet...

La tristesse de Paul était palpable. Alors, Joachim avait ajouté:

— Et toi, Paul, pourquoi ne viendrais-tu pas nous rejoindre à la fin de tes études? On construit des maisons et des immeubles chez nous aussi, tu sais. Ma famille serait heureuse de t'accueillir, j'en suis certain.

Le cœur dans l'eau, Paul avait fait mine d'hésiter, par politesse. Uniquement par politesse parce que la Gaspésie, n'est-ce pas, c'était aussi la mer...

— Je ne croirais pas, avait-il avoué finalement, incapable de mentir. Je préfère la ville, je te l'ai déjà dit, il me semble...

Il y avait eu une déception dans l'œil de Joachim. Alors, Paul avait ajouté:

— Mais bon, si tu y tiens, je vais y penser!

Pourtant, c'était déjà tout réfléchi, et ce, depuis fort longtemps.

Le temps des confidences et des rires partagés venait de disparaître une seconde fois dans sa vie et Paul se jura que ça serait bien la dernière. Cela faisait trop mal de perdre un frère.

Ou un ami.

Certes, la tristesse ressentie n'égalait pas celle vécue au décès de Joseph puisqu'il n'y avait aucun sentiment de culpabilité s'y rattachant. N'empêche que le départ de Joachim avait marqué à sa façon une autre étape dans la vie de Paul.

C'est alors qu'il y avait eu une certaine Germaine, le temps d'un été.

Ces quelques mois avaient été comme un feu de paille dans la vie de Paul. Un embrasement subit, intense, mais éphémère puisqu'il n'y avait eu ni réconfort ni sentiment d'abandon comme il l'avait connu avec Joachim. Bien au contraire! On attendait de Paul Tremblay qu'il sache se montrer fort et rassurant comme tous les hommes se devaient de l'être alors que lui, il l'était si peu. C'est pourquoi, lorsque Germaine l'avait quitté, le soulagement avait remplacé adroitement la déception qui aurait dû être la sienne et sans hésitation, Paul avait repris ses anciennes habitudes. Il avait alors recommencé à fréquenter assidûment les quelques tavernes qui donnaient sur le port.

Si Paul détestait toujours autant la proximité de l'eau, il aimait cependant entendre le rire des marins.

Il faut croire qu'il n'était pas le seul, car de nombreux hommes venaient y boire en solitaire, tout comme lui. Parfois certains repartaient à deux, discrètement, et Paul s'en était aperçu.

Où allaient-ils?

Paul l'ignorait, mais parfois, il se surprenait à les envier, et ce qu'il ressentait à les voir quitter ainsi la taverne ne ressemblait pas aux émotions qui l'avaient jadis uni à son ami Joachim.

C'était autre chose.

Autre chose de plus violent, plus envahissant, plus déconcertant, si bien que Paul mit un certain temps à comprendre.

Puis à accepter, d'abord avec réticence et, enfin, au bout de longs mois de valse-hésitation, avec impatience.

Saurait-il, lui aussi, braver les interdits et repartir avec un autre ?

Malgré sa timidité naturelle vint le jour où Paul n'eut plus envie de repousser cette sensation perturbante, troublante. Elle était trop attirante dans son intensité pour être écartée.

Alors, Paul continua de fréquenter ces quelques tavernes du bas de la ville, le corps en émoi, écartelé entre ce désir exacerbant qui l'envahissait parfois et ce que d'aucuns appelaient la normalité des choses.

Ce fut là, dans une de ces tavernes, après quelques bières prises en solitaire à écouter les conversations autour de lui, que Paul rencontra Edward, un marin anglais de passage à Québec. Un regard entre eux, un seul, et le nom de Germaine fut oublié à tout jamais.

Le nom de toutes les Germaine, possibles et improbables.

Un regard, un seul, et il n'y eut plus aucun doute dans le cœur, la tête et l'âme de Paul. Tant pis pour l'univers entier, il serait de ceux qui vivent dans l'ombre.

Ce soir-là, à son tour comme tant d'autres l'avaient fait auparavant, Paul avait quitté le bar en compagnie d'un homme, la peur et la gêne lui tordant le ventre, certes, mais porté par un désir plus grand que la raison.

Le reste, tout le reste de sa vie avait coulé de source à partir de cette nuit intense, passée dans la cabine d'un paquebot qui avait mouillé dans le port de Québec.

Après Edward, il y avait eu Simon, puis, quelques mois plus tard, il avait rencontré le bel Armand.

Ce fut ce même Armand, après des mois d'une passion dévorante, qui avait été sa première peine d'amour. Une vraie, faite de réclusion, de larmes, de désespoir qui consume et qui donne envie d'en finir.

Mais Raymond l'avait consolé.

Aujourd'hui, et ce, depuis quelques mois, il y avait Réginald, et Paul souhaitait avec ferveur qu'il n'y ait plus que lui jusqu'à la fin de sa vie.

Pour la première fois depuis si longtemps, Paul Tremblay était heureux d'un bonheur tout simple, sans complications autres que celles imposées par la société. Seul le souvenir de Joseph arrivait encore à poser de l'ombre sur sa vie à cause de la culpabilité qui y était rattachée.

Comme ce soir, parce qu'une de ses sœurs en avait longuement parlé, soulignant qu'il était mort beaucoup trop jeune.

Alors, pour arriver au repos, pour sombrer dans l'oubli de cette culpabilité maudite qui ne voulait pas le lâcher, il n'y avait qu'une seule chose à faire, qu'une seule personne à retrouver, et c'était Réginald. Comme n'importe qui, Paul avait besoin de l'être aimé pour connaître l'apaisement.

Marchant contre le vent, la tête engoncée dans le col de son manteau et les yeux au sol, Paul tourna alors au coin de la rue de la Couronne. Un peu plus loin, au bout de la rue transversale et passé la toute nouvelle, la grandiose Gare du Palais, il connaissait une petite taverne, un petit pub, puisque c'était un Irlandais qui en était le propriétaire et qu'il tenait à cette appellation. C'était un endroit sympathique que Paul prenait plaisir à fréquenter et où il savait trouver la personne qu'il cherchait.

Au pas de course ou presque, Paul franchit les derniers carrefours qui le séparaient de la taverne où il comptait se réfugier, dans l'unique espoir que Réginald ait eu la même idée que lui, les mêmes envies que lui, en ce samedi d'hiver trop glacial pour sortir, mais en même temps trop long pour vouloir rester seul. Malheureusement, certaines conversations ne pouvant se confier au téléphone, car trop d'oreilles indiscrètes en faisaient leurs choux gras, semaine après semaine, Paul ignorait habituellement les intentions de sortie de son ami et ce bar était devenu leur point de rendez-vous.

Trop souvent hélas, les deux amants devaient s'en remettre au hasard pour planifier leurs rencontres, le fleuve entre eux étant le plus puissant des obstacles puisque Réginald vivait et travaillait à Lévis.

Paul tira le lourd battant de bois sculpté, le cœur battant la chamade. En ce moment, pour lui, le réconfort de l'âme était tout aussi important que celui du corps et il n'y avait qu'au creux des bras de Réginald qu'il pourrait le trouver.

Et il avait peut-être une proposition à lui faire. Une proposition que jamais il n'avait eu l'intention de faire avant ce soir, mais que les circonstances lui avaient présentée sur un plateau d'argent.

Après tout, pourquoi pas?

Réginald était son phare et son port d'attache, malgré une attitude en apparence frivole, un peu déconcertante, et Paul avait l'intention de le lui faire comprendre.

Le froid sibérien qui sévissait sur la ville le justifiant, il n'y avait que quelques clients dans le bar sombre. Ainsi, Paul eut tôt fait de constater que Réginald avait probablement boudé l'envie de sortir et il fut déçu. Néanmoins, il n'était pas question de rebrousser chemin pour autant, car il était gelé et fatigué. Il préférait, et de loin, vivre sa déception ici, auprès du foyer qui diffusait une bonne chaleur, plutôt qu'en solitaire dans un logement sombre et froid, beaucoup trop grand pour un homme seul.

Paul fit donc quelques pas en avant et, après avoir enlevé ses mitaines, il souffla sur ses doigts pour ensuite se frotter vigoureusement les mains. Il faisait décidément très froid. Une fois les frissons calmés, Paul dressa l'index pour attirer l'attention du propriétaire de l'endroit, le grand Tommy, un

Irlandais de souche venu s'établir à Québec de nombreuses années auparavant.

Paul regarda tout autour de lui avec plus d'attention tout en se dirigeant vers sa table habituelle, à l'abri des regards indiscrets, tout là-bas au fond de la salle. Personne de sa connaissance parmi la clientèle. Tant mieux, il n'aurait aucune conversation à entretenir. Alors, il tira une chaise vers lui et s'installa à la table minuscule coincée près de la porte de la cuisine qui semblait n'attendre que ce fidèle client.

Aussitôt que Paul fut installé, Tommy sortit de derrière le bar et se dirigea vers lui, tout souriant, un plateau posé en équilibre sur une main. À la blague, Tommy soutenait que ce plateau-là était soudé au bout de ses doigts depuis plus de trente ans !

— C'est le cadeau que la Ville de Québec m'a fait quand je suis venu m'établir ici ! disait-il à qui voulait l'entendre. Le premier bar rencontré quand je suis débarqué m'a fait signe ! On m'y a engagé, on m'a donné ce plateau, les clients ont ri de mes blagues et, aujourd'hui, c'est moi le patron !

Arrivé rapidement auprès de Paul, Tommy n'attendit pas qu'il passe sa commande. Contrairement à ses habitudes, il prit un verre sur son plateau et le posa d'autorité devant son client.

— Tiens, Paul ! Prends ça ! C'est la tournée du patron.

Tommy avait posé sur la table une coupe en verre lourd, grossier, rempli d'une boisson grenat légèrement fumante.

— Spécialité de la patronne ! annonça-t-il de sa voix de baryton, chaude et profonde, où ne subsistait qu'un très léger accent. Avec un froid pareil, ma bourgeoise a eu l'idée de préparer un cruchon de vin à la cannelle que je garde au chaud en arrière, sur un rond du poêle.

— Bonne idée, approuva Paul après une longue gorgée. Tu diras à ta femme qu'elle avait raison : son petit boire réchauffe le dedans bien mieux qu'une bière.

— Promis, m'en vas y transmettre le message, assura Tommy en donnant machinalement un coup de torchon sur la table. Ça va y faire plaisir… Si t'en veux encore, t'as juste à me faire signe.

Sur ce, Tommy tourna les talons vers de nouveaux clients qui venaient d'entrer, tout aussi transis que Paul l'avait été quelques instants auparavant.

Malheureusement, ce n'était toujours pas Réginald.

Déçu, Paul vida son verre d'un trait, ou presque, et, accrochant l'attention de Tommy au passage, il fit signe de remplir son verre une seconde fois.

À défaut du réconfort de bras aimants, Paul trouverait l'oubli dans le vin à la cannelle de la patronne, comme les clients appelaient affectueusement l'épouse de Tommy quand ils avaient la chance de la croiser, affairée, apportant vivres et plats fumants, venus tout droit de ses fourneaux.

Verre à la main, Paul s'appuya donc confortablement contre le dossier de sa chaise et, fermant les yeux, il se laissa aller à une rêverie éveillée qui l'avait, bien souvent, aidé à traverser de longues soirées solitaires.

Ce fut ainsi que, le temps d'une seconde coupe de vin, il s'imagina propriétaire d'un petit restaurant, un peu à l'image de celui où il se tenait en ce moment. Trop sombre, certes, mais chaleureux en hiver et plus frais en été. C'est là, à l'abri d'éventuelles moqueries puisqu'il serait l'unique patron du bistrot, qu'il pourrait se laisser aller à sa passion première : la cuisine. Jour après jour, Paul Tremblay, tavernier, concocterait de nouveaux plats qu'il offrirait avec fierté à sa clientèle et, le soir venu, quand il mettrait la clé dans la serrure du restaurant, il irait retrouver Réginald dans un petit logement fait expressément pour eux, selon leurs goûts et leurs priorités. Nul doute qu'il y aurait un immense foyer dans le salon et une cuisine à la hauteur de ses envies et de ses talents. Une cuisine bien outillée, avec poêle dernier cri et réfrigérateur électrique, comme il en avait vu un dans une revue. Qui plus est, Réginald et lui vivraient dans une société idyllique où ils n'auraient plus à se cacher. Leur amour serait reconnu, toléré, accepté. Alors, l'été, quand les nuits seraient douces, ils pourraient se promener main dans la main comme tous les amoureux du monde et l'hiver, ils iraient glisser sur une des pentes des Plaines d'Abraham, riant et s'amusant comme des enfants, sans avoir à se cacher, à cacher leur relation.

Voilà le rêve que Paul entretenait depuis les derniers mois, quand le souvenir de Joseph se faisait trop lourd. Il se projetait dans un avenir utopique, impossible, qu'il enjolivait à volonté.

Voilà le rêve qui l'emportait loin de ses tristesses, de ses frustrations et de ses désirs trop souvent inassouvis.

Un rêve qui, malheureusement, se terminait régulièrement sur l'image d'un sourire un peu las, celui de sa mère, quand elle constatait, les bras grands ouverts sur le vide, qu'elle avançait en âge sans être grand-mère.

— Je comprends pas! disait-elle invariablement dans le rêve de Paul. On avait-tu l'air si malheureux que ça, votre père pis moi? Si misérables qu'on vous a ôté l'envie d'être parents à votre tour?

C'était là, sur ce constat auquel Paul ne pourrait jamais répondre franchement sans devoir dire toute la vérité, oui, c'était là, habituellement, qu'il ouvrait les yeux sur la réalité, sur sa réalité bien particulière faite de non-dits, de cachotteries et de fausses impressions, mais à laquelle il tenait tant parce qu'elle portait maintenant le nom de Réginald. Une réalité faite aussi d'acceptation devant le fait qu'il n'aurait jamais de famille bien à lui, car malgré l'attendrissement qu'il ressentait devant un enfant, jamais il ne serait père. Ce serait se mentir et mentir aux autres que d'espérer le devenir, et Paul avait toujours cherché à être un honnête homme. En dépit de cette déception qui mettait un terme à son rêve, Paul y revenait souvent, comme ce soir, parce que parfois, il s'imaginait oser dire la vérité à sa mère et celle-ci lui ouvrait tout grand les bras dans un geste d'accueil, d'approbation et d'amour.

Mais avant d'en arriver à ce point bien précis de sa rêverie, alors que Paul allait ouvrir les yeux, une voix le rejoignit dans son monde onirique. La seule voix, outre celle d'Alexandrine, qu'il tolérait dans ce monde inventé pour réconforter son âme.

— Enfin! Je pensais jamais arriver!

Grelottant sous une gabardine trop mince pour l'hiver, une fine couche de givre attachée à ses cils et saupoudrant une barbe de quelques jours qu'il gardait ainsi par souci de coquetterie, Réginald Martin se tenait devant lui. Il s'ébrouait et se tapait vigoureusement sur les bras.

— Dieu soit loué, je suis enfin au chaud! Tu parles d'un froid de canard!

Paul esquissa un sourire de soulagement, de plaisir, tout en se retenant de se lever à la hâte afin de prendre Réginald tout contre lui pour le réchauffer. En public, la retenue n'était pas qu'un geste de politesse, elle était la seule attitude acceptée. Par contre, le pétillement de son regard disait à quel point Paul était heureux de voir Réginald.

— J'ai jamais eu si froid de toute ma vie, articula péniblement ce dernier, prenant place devant Paul tout en continuant de se frictionner les bras du bout des doigts.

L'hiver, quand le pont de glace se formait entre les deux rives, il était relativement facile de passer de Québec à Lévis.

Piétons, carrioles et même, plus récemment, quelques automobiles, empruntaient quotidiennement la route tracée sur
les eaux gelées. Le soir, ce chemin de fortune était balisé par
des feux allumés et entretenus à tous les cinq cents pas. Par
contre, le vent y était omniprésent et l'humidité glacée trans-
perçait jusqu'aux vêtements les plus chauds.

Alors, même si Réginald était porté sur les exagérations
de toutes sortes, Paul n'eut aucun doute sur la véracité de ses
propos. Sous son paletot de laine fine, Réginald devait être
complètement frigorifié.

— Si tu voulais laisser la mode de côté aussi! le gronda
Paul avec néanmoins beaucoup d'affection dans la voix. C'est
pas un temps pour se pavaner, mon pauvre Réginald, c'est un
temps pour s'emmitoufler. Pelure par-dessus pelure, comme
un oignon! Si tu m'écoutais, des fois, t'aurais probablement
un peu moins froid.

— Mais j'aurais l'air fou!

— Voir que ça a de l'allure de penser de même, s'impa-
tienta Paul en levant les yeux au plafond. Des plans pour
attraper ton coup de mort! Tommy! lança-t-il enfin en élevant le ton et en se tournant vers le bar. Deux verres de vin,
s'il te plaît. Bien chaud!

Paul laissa Réginald reprendre son souffle sans trop
insister. Après de longues minutes, le jeune homme sembla
sortir de sa torpeur. Il retira sa gabardine à petits gestes précis
et soigneux, avant de la déposer délicatement sur le dossier de
sa chaise. La bonne chaleur de l'âtre l'avait enfin réchauffé.

— Pis dire qu'il faut que je traverse dans l'autre sens tantôt,
constata-t-il cependant d'une voix navrée, en reprenant sa
place.

Réginald regarda autour de lui, fut secoué par un dernier
frisson, puis il déclara, sur un ton exaspéré :

— L'hiver devrait pas exister!

— C'est vrai qu'on est mieux en été, je te l'accorde. Mais c'est peut-être justement à cause de l'hiver qu'on sait apprécier l'été à sa juste valeur !

— Oh ! Toi pis tes principes !

Ce fut à ce moment que Tommy arriva avec deux verres qu'il posa sur la table avant de repartir à l'autre bout de la salle où on le réclamait. Le temps d'une gorgée et Paul rétorqua :

— Ils m'ont bien servi jusqu'à maintenant, mes principes.

— Mettons... Mais en attendant, c'est pas toi qui vas devoir retraverser le fleuve pour aller dormir.

L'occasion était trop belle pour ne pas en profiter. Alors, Paul proposa :

— Et si tu restais ici ?

Malgré la tentation qui fut immédiate, l'idée, surtout venant de Paul, était tellement saugrenue que Réginald en soupira d'exaspération.

— Tu dis n'importe quoi ! J'ai pas les moyens de me payer une chambre d'hôtel pis tu le sais très bien.

— Et moi, c'est contre mes principes d'en payer une quand j'ai une maison confortable à quelques pas d'ici, ajouta Paul avec une lueur amusée au fond du regard.

Cette lueur eut l'heur d'agacer prodigieusement Réginald. Elle lui rappelait trop de souvenirs cuisants.

— Je le savais, imagine-toi donc, fit-il avec une certaine impatience. C'est pas la première fois que tu me le dis pis moi, j'ai pas l'habitude de parler à travers mon chapeau... Oh ! Pis regarde-moi pas comme ça ! J'ai l'impression que tu te moques de moi pis ça m'agace. N'empêche que j'ai raison à propos de la chambre d'hôtel.

— Pas nécessairement... Il n'y a pas que des hôtels pour dormir... Si tu venais chez moi, à la place ?

— Chez toi ?

Cette fois, Réginald s'agita sur sa chaise, jeta un regard à la dérobée autour de lui. Depuis le temps qu'il rêvait d'une telle invitation, il avait l'impression que Paul l'avait claironnée et que tout le monde les regardait.

— Oui, chez moi, disait justement Paul, sur ce ton de confidence qui était le leur depuis le début de la conversation.

Revenu de ses émotions, croyant que la proposition n'était probablement qu'une blague – allons donc! Paul le sage, le raisonnable, ne pouvait avoir un tel coup de folie! –, Réginald poussa un profond soupir.

— Bon! Une autre niaiserie… Vraiment, j'aurais peut-être mieux fait de rester à Lévis, finalement.

La situation était difficile pour lui. Parler à voix basse quand le moment portait à l'excitation lui était franchement pénible. Extraverti par choix, drôle de nature, facilement cinglant, Réginald aimait parler fort et retenir l'attention d'un public. C'est ainsi qu'il avait appris à susciter les rires plutôt que les remarques désobligeantes. Mais l'occasion ne se prêtait pas vraiment aux grandes déclarations intempestives, alors il dut se forcer pour baisser le ton afin de demander :

— Depuis quand, Paul Tremblay, que t'as plus peur du qu'en-dira-t-on? Que t'as plus peur des commérages? Tes voisins ont subitement disparu?

— Non… Aux dernières nouvelles, ils étaient tous là.

— Ben c'est quoi, d'abord, ce virage-là?

— Il fait froid.

— Oh! Tu me dis pas! J'avais pas remarqué, rétorqua Réginald, sarcastique. Pis qu'est-ce que ça change au fait que tu dois préserver ta réputation de bon gentleman?

— Ça change rien, en effet, mais ça peut expliquer bien des choses. Comme le fait d'inviter un ami à dormir parce qu'il habite trop loin pour retourner chez lui par un si grand froid.

On ne parle pas d'une habitude, ici, on parle d'une exception… en attendant.

— En attendant quoi ?

— Que je place une pancarte à louer dans le coin de la fenêtre du salon.

Ce fut comme un coup au cœur de Réginald. Qu'est-ce que c'était que ça, maintenant ? Paul voulait un locataire ? La perspective était dérangeante. En effet, si Paul avait un locataire, il ne s'ennuierait plus autant, et s'il ne s'ennuyait plus, aurait-il encore envie de le voir aussi souvent, de le fréquenter assidûment, n'ayons pas peur des mots, même si leurs fréquentations, justement, n'étaient pas des plus faciles ?

— Tu veux louer ta maison ? demanda alors Réginald avec une indifférence difficile à feindre. Tu veux déménager sans vendre ta maison ou quoi ?

— Non, je n'ai pas l'intention de vendre ma maison ni de déménager. Je veux seulement louer une de mes chambres.

— Ah bon ! Et on peut savoir pourquoi ?

— Parce que c'est trop grand pour moi, cet immense logement de sept pièces et demie. Pratique, oui, étant donné mon bureau situé au rez-de-chaussée, mais définitivement trop grand.

— Ça je le sais, tu m'en as déjà parlé. C'est justement pour cette raison que tu as offert à tes sœurs de le partager avec toi.

— Ce qu'elles ont refusé.

— Ah oui ? Drôle d'idée.

Malgré l'espèce de jugement dans le propos, on percevait un certain soulagement dans la voix de Réginald. Paul rétorqua alors sans hésiter :

— Peut-être que ce n'est pas une bonne décision de leur part, j'en conviens avec toi, mais c'est clair qu'elles ne viendront pas s'installer chez moi. Le ton pour en parler était trop catégorique. D'où cette idée de louer une chambre qui m'a alors traversé l'esprit.

— Louer… C'est une idée. À qui ?

— Si je le savais, mon pauvre Réginald, je ne parlerais pas de mettre une pancarte à la fenêtre de mon salon, n'est-ce pas ? Bien que…

Paul avait l'air de bien s'amuser, au grand dam de Réginald qui détestait, justement, qu'on le fasse à ses dépens. Surtout quand le sujet était aussi grave que celui d'ouvrir sa porte à un inconnu.

À sa défense, il faut cependant dire qu'en présence d'un Réginald plutôt flamboyant, Paul redevenait le garçon prime-sautier qu'il avait déjà été, alors qu'il n'était qu'un enfant et que la vie de tous les jours, à l'exception des traversées sur la goélette de son père, était encore et toujours une formidable, une joyeuse découverte.

— Pis si je te disais que je n'aime pas ça, cette idée-là ? déclara alors Réginald sur un ton boudeur, décidé à être sincère jusqu'au bout.

— Pourquoi ?

— Comme ça…

Il y avait un trémolo dans la voix de Réginald qui ne jouait plus du tout la comédie. L'homme à l'apparence futile et mondaine que tous connaissaient comme étant un joyeux luron n'était qu'une façade et les propos de Paul, inquiétants à certains égards, venaient de fissurer l'épaisse couche de vernis que Réginald s'appliquait à conserver intacte.

— S'il fallait que tu rencontres quelqu'un, fit-il en guise d'explication, quelqu'un qui…

— Il n'y aura personne d'autre que toi et tu le sais, l'interrompit Paul avec vivacité malgré la retenue du timbre de sa voix… N'est-ce pas que tu le sais ?

Le cœur de Réginald battait à tout rompre.

— Je… j'ose croire, oui.

Il n'y avait plus aucune trace de frivolité dans la voix du jeune homme. Malgré la différence d'âge entre eux, plus de dix ans, ce n'était pas rien, Réginald était profondément attaché à Paul et le regard qu'il posait maintenant sur son ami était empreint de gravité. Leur vie n'était pas facile, certes, mais leurs sentiments étaient sincères.

N'est-ce pas qu'ils étaient sincères ?

— Et si je te disais que la pancarte n'est qu'un leurre ? expliqua Paul, subitement tout aussi sérieux que Réginald. Une façon de tromper mes voisins, justement ?

À ces mots, Réginald se permit une longue inspiration, faite d'un fond de crainte tenace mêlé à un certain soulagement.

— Je… je ne sais pas trop si je comprends ce que tu essaies de dire, osa-t-il articuler pour être certain que ses impressions étaient les bonnes.

C'est à peine si les mots arrivaient à se faufiler, tant la gorge de Réginald était serrée.

— Et si j'ajoutais, poursuivit Paul, que j'aimerais que ça soit toi, le locataire ?

Réginald retenait son souffle.

— L'idée d'offrir le gîte à mes sœurs, c'était avant que tu entres dans ma vie. Mais maintenant qu'elles ont dit non et que toi, tu es là…

— Tu voudrais que ça soit moi qui…

— Oui, Réginald, coupa Paul avec un empressement touchant, comme s'il craignait que son vis-à-vis s'en aille. C'est toi que je voudrais comme locataire. Qui d'autre ? Un célibataire comme moi ne pourrait jamais offrir de chambre à une femme, n'est-ce pas ?

— C'est sûr. Ça ferait jaser…

Le naturel que Réginald affichait habituellement semblait revenir par petites touches, tandis que ses mains, virevoltant autour de lui, soulignaient chacune de ses paroles. Brusquement, il était soulagé et il se sentait tout léger.

— Curieux d'ailleurs que les gens voient la situation sous cet angle ! constata-t-il. Tu trouves pas, toi ? J'ai bien une logeuse, moi, pis personne n'y trouve à redire.

— C'est vrai. Ridicule, j'en conviens, mais vrai. Comme le dirait mon père : c'est la vie qui veut ça et ni toi ni moi n'allons changer le cours des choses, ce soir ! Alors ? Que dis-tu de ma proposition ?

Pour une des rares fois de sa vie, Réginald était sans voix. Les mots de Paul, le pressant d'accepter, le rejoignaient dans ce qu'il avait de plus intime, de plus sensible, de plus vrai.

Jusqu'à maintenant, la vie ne lui avait pas fait de cadeau. Mal dans son corps de garçon, combien de fois, enfant, Réginald s'était-il caché pour pleurer parce qu'il aurait tant voulu être comme ses sœurs et avoir le droit de parler chiffons avec elles ? Il les enviait, les jalousait, les épiait. Jusqu'au jour où son père l'avait surpris, caché sous le lit de sa sœur aînée, la grande Mariette.

La gifle reçue avait été à la hauteur de la colère de son père, donnée avec la force de sa déception. Il l'avait même traité de petit vicieux.

— Que je te revoie, mon sacrement ! T'as rien à faire dans la chambre de tes sœurs ! Espèce de p'tit cochon !

S'il avait su, peut-être que…

Mais Charles-Émile Martin ne pouvait pas savoir. Pire mais banal, il ne voulait même pas savoir qui était vraiment son fils.

Alors, le petit Réginald s'était inventé des amis imaginaires qui, eux, pouvaient partager ses rêves et ses envies sans qu'il risque d'être puni. Néanmoins, ces amis-là ne pouvaient répondre à toutes les questions qui l'empêchaient de dormir certaines nuits.

À seize ans, Réginald avait quitté son village parce qu'il n'en pouvait plus des regards moqueurs ou dédaigneux posés sur lui. Il n'avait pas choisi d'être différent, ça s'était imposé quand il était encore tout petit et cet état de choses avait grandi au même rythme que son corps. Il était délicat, préférait le calme aux jeux bruyants et avait indéniablement une attirance pour les hommes. Au sortir de l'adolescence, Réginald se sentait fort loin de ses amis qui parlaient des filles avec un langage parfois grivois en se trouvant drôles.

Réginald, lui, ne les trouvait pas drôles du tout.

Alors, il était parti sans que son père ne cherche à le retenir.

Il voyait la ville comme un paradis où il serait un inconnu parmi tant d'autres. Peut-être bien que là, il trouverait une place, un toit, une maison où il se sentirait enfin chez lui.

Mais la ville ne lui avait pas fait de quartier, elle non plus. Ses petites manies, ses gestes trop délicats lui avaient rapidement attiré les moqueries, les mesquineries, les raclées, parfois. Alors, Réginald s'était forgé une carapace pour survivre et, depuis les dix dernières années, son quotidien n'avait été qu'un tourbillon d'étourdissement, une tragi-comédie où il refusait de s'ouvrir. Il se contentait d'exacerber ce côté féminin jusqu'à devenir une caricature qui faisait rire.

Les rires qu'il provoquait intentionnellement, il pouvait les tolérer.

Les autres rires, ceux que Réginald appelait les blessures à l'âme, avaient été trop douloureux et les coups au corps, trop nombreux. C'est pour cette raison qu'il s'était inventé un personnage. Pour se protéger, se mettre à l'abri. Mais à force de jouer un rôle, d'endosser une image et de porter un masque chaque fois qu'il sortait de sa chambre, il lui arrivait d'y croire vraiment.

Mais pas maintenant, pas devant Paul qui s'ouvrait à lui avec la sincérité naturelle qui était la sienne, lui offrant un paradis comme Réginald n'en avait jamais envisagé.

Le toit chaleureux dont il rêvait depuis l'enfance était là, à portée de main, à portée d'intentions.

C'est pourquoi ce soir, Arlequin n'avait pas envie de faire rire son habituel public. Il voulait plutôt déposer son domino et effacer son maquillage.

— Je... je suis ému..., avoua-t-il d'une voix rauque, celle qui touchait Paul jusqu'à l'âme... On dirait presque une demande en mariage...

L'image aurait pu être grotesque si Réginald l'avait suggérée en battant des paupières, en minaudant, ce qu'il aurait probablement fait s'il avait moins bien connu Paul. Au lieu de quoi, il tendit furtivement une main pour la poser sur celle de son ami et la serrer avec affection. Geste à peine esquissé, un peu malhabile, comme un frôlement pudique. Après tout, on était en public. Mais ce fut suffisant pour que Paul comprenne.

— Si je m'attendais à ça en attaquant la traversée du fleuve, avoua enfin Réginald après avoir longuement inspiré, je pense que je serais parti encore plus de bonne heure.

— Est-ce que je dois voir une réponse positive dans ces quelques mots ?

Réginald allait répondre sur le même ton intime quand, du coin de l'œil, il aperçut le grand Tommy qui se dirigeait droit vers eux, son plateau le précédant. Alors, se redressant, le jeune homme monta le ton de quelques notes et il lança, de la voix et des mains :

— Tu sais bien que c'est oui, Paul… Qu'est-ce que t'allais penser là, toi? C'est oui, oui, oui! Pis pour toute ce que tu viens de dire, à part de ça!

CHAPITRE 5

Avril 1919, sur l'Atlantique,
quelque part entre l'Angleterre et le Canada

À l'aller, dans ses moments libres, il s'était tenu bien droit devant l'immensité de l'océan. Nonchalamment appuyé contre le bastingage, le pied sûr et l'esprit curieux, il fixait les flots qui se précipitaient vers le bateau avec la gourmandise et l'arrogance d'un tout jeune homme lorsque la vie s'offre à lui. Ivre d'air marin, de projets et d'ambition, il voyait les mois qui commençaient comme une aventure remplie de découvertes exaltantes avant de revenir à la maison, au printemps suivant, juste à temps pour épouser la belle Augusta qui l'avait regardé partir les yeux pleins de larmes.

Ému sans vouloir le montrer, Léopold s'en était gentiment moqué.

— Allons donc! Mais qu'est-ce que c'est que ce déluge?

— On aurait dû se marier avant!

— Ben voyons donc! Pourquoi changer nos projets?

Après tout, il ne partait que pour quelques mois, n'est-ce pas? Le mariage qui était prévu pour le printemps suivant aurait lieu au printemps suivant! Hier encore, dans le journal d'Halifax qu'il avait péniblement déchiffré avec son lieutenant, on le répétait: cette guerre-là n'allait pas durer.

Alors oui, Léopold serait bientôt de retour pour retrouver la goélette de son père et sa fiancée bien-aimée. Il lui ferait une douzaine d'enfants, au moins, et en compagnie de son père, pour faire vivre sa famille et parce qu'il aimait ça, il sillonnerait le fleuve, allant d'un quai à l'autre, poussant même la goélette jusqu'à Montréal pour élargir leurs horizons d'affaires.

Les ambitions de Léopold n'avaient, à ce moment-là, aucune limite, et le ciel de sa vie était d'un bleu limpide, sans le moindre nuage, comme celui au-dessus de sa tête.

On était alors à l'automne de 1914 et, contre la volonté de sa mère, Alexandrine – après tout, elle n'y connaissait rien, pourquoi l'aurait-il écoutée? –, Léopold Tremblay, futur capitaine de goélette, venait de s'embarquer en direction de l'Angleterre pour ce qui serait la plus formidable aventure de toute sa vie.

Pour ce qui serait, il n'allait pas tarder à l'apprendre, la plus douloureuse descente aux enfers que l'on puisse connaître.

En quatre ans, il avait tout vu et tout connu. En quatre ans, il avait vécu plus qu'en toute une vie.

De l'exaltation d'une amitié sincère comme seul un fusil peut en faire naître, au déchirement de l'âme devant la mort.

De la faim qui creuse douloureusement le ventre, à l'ivresse de mordre dans une pomme rongée par les vers.

De l'enthousiasme devant l'inconnu, au ressentiment puis au désenchantement devant la réalité.

Oui, Léopold avait l'intime conviction d'avoir tout vu, tout connu.

Aujourd'hui, c'était l'aigreur d'un vieil homme qui le portait vers l'avant puisqu'il n'avait aucune raison de regarder vers l'arrière. Ce qu'il y voyait était soit trop laid, soit trop invitant, car ses blessures, dans son pays, lui interdiraient une vie normale, la vie qu'il aurait voulu mener.

Il avait eu faim, il avait eu soif. Il avait gardé la barbe pour se réchauffer dans les tranchées et il avait partagé ses nuits avec la vermine. Il avait eu peur, mille fois, il avait pleuré tout autant. De l'enfant parti pour la guerre, en riant parce qu'il la voyait comme un jeu, revenait un homme désabusé, blessé, meurtri qui ne savait pas s'il pourrait rire de nouveau.

Mais quand même…

Presque cinq ans plus tard que prévu, Léopold tenait la promesse faite aux deux femmes de sa vie et il revenait enfin chez lui.

Cette fois-ci, il était agrippé au bastingage, car il n'avait plus le pied aussi marin. Une cheville entravée par un os mal soudé, il boitait, perdait souvent l'équilibre. Étant donné son bras déchiqueté par le tir d'une mitrailleuse, la manche droite de sa vareuse pendait contre son torse, inutile. Il ne voulait pas l'épingler à l'épaule, comme tant d'autres le faisaient. Ça rendait la blessure encore plus visible, pensait-il, et il ne voulait surtout pas faire pitié.

Il détestait penser à lui-même comme à un estropié, mais c'était devenu une réalité maudite qui le mènerait jusqu'à la mort.

De quoi vivrait-il désormais? Léopold n'en avait pas la moindre idée.

Ce qu'il connaissait pour gagner sa vie, c'était la mer et la goélette de son père. Ce qu'il aimait, dans la vie, c'était la mer et la goélette de son père.

Toutes deux étaient devenues un rêve inaccessible, un cauchemar de tous les instants.

Cette traversée mettant une démarcation presque tangible entre la vision de l'enfer dont il rêvait encore trop souvent et son village tant aimé serait donc son dernier, son ultime voyage en mer.

Léopold s'en était fait le serment, son regard rempli de larmes fouillant l'horizon.

D'être si malhabile sur le pont qui se dérobait sous ses pieds avait dicté l'impensable : Léopold Tremblay, fils de Clovis Tremblay, capitaine et petit-fils d'Eugène Tremblay, capitaine lui aussi, ne pourrait jamais devenir capitaine à son tour.

La guerre lui avait volé son avenir.

Puisqu'il était blessé et que cette blessure le rendait invalide, Léopold Tremblay avait été démobilisé avant même de s'embarquer pour rentrer au pays. À défaut de devenir capitaine de bateau, il ne pouvait pas plus envisager une carrière militaire puisqu'il n'était d'aucune utilité à l'armée. Par contre, entre les branches, on parlait d'une médaille pour lui. Sa bravoure était souvent citée en exemple.

Cette médaille, si elle existait vraiment, serait peut-être une dernière fierté pour ses parents, parce qu'après…

Seule Augusta savait ce qui s'était réellement passé. Des blessures de Léopold, elle était l'unique personne du village à connaître la nature et la gravité, car il avait demandé la plus stricte discrétion sur le sujet. « Je connais bien ma mère, avait-il écrit, et je sais à quel point son imagination peut être fertile, par moments. Je veux donc lui éviter des nuits blanches à se faire du tourment pour moi. Sa peine sera bien assez grande quand elle me verra. Pour mon père, c'est sa déception qui me fait peur. Là avec, on verra à ça quand je serai revenu. »

Léopold aurait voulu être capable d'indifférence, de ténacité, de patience ; l'angoisse l'en empêchait.

Sa bravoure et son courage étaient restés sur les champs de bataille, entre un trou d'obus et un tir de mitrailleuse et, aujourd'hui, il tremblait devant la vie qui s'offrait à lui.

Si Léopold fermait les yeux, des visions de cadavres, de corps mutilés, de gueules cassées, ainsi qu'on nommait les blessés, faisaient débattre son cœur. S'il gardait les yeux ouverts, c'est la lucidité devant l'avenir qui faisait trembler ses mains.

Ses nuits étaient désormais peuplées de cauchemars et ses propres cris l'éveillaient. Il attendait alors l'aube en se berçant nerveusement comme un vieillard insomniaque, le nom d'anciens camarades encombrant son esprit comme autant de stèles militaires blanches impeccablement alignées.

La traversée lui parut interminable.

Quand il débarqua enfin à Halifax, on lui remit un billet pour le train.

— Direction Québec, Tremblay! Tu rentres chez vous. Es-tu content?

Léopold n'avait pas répondu. De la main gauche, il avait soulevé son barda et s'était dirigé vers la gare. Son nom n'étant plus sur les listes de l'armée, à lui de se débrouiller seul, maintenant. On l'avait ramené au pays, comme promis, on n'en ferait pas plus. Si Léopold avait entendu parler de foule en liesse pour accueillir les héros de guerre, de réceptions, de champagne, même, et de remerciements officiels, de toute évidence, la fanfare, ce n'était pas pour lui.

Dans le train, il resta le nez à la fenêtre, évitant la présence des autres soldats.

À Québec, il trouva facilement un colporteur prêt à l'emmener vers Charlevoix.

— Pour un p'tit gars de chez nous qui revient au pays, ça va être gratis, à part de ça.

À peine quelques mots, certes, mais Léopold comprit que son sacrifice ne serait pas tout à fait inutile. Tout là-bas, en France, d'autres mères, d'autres fiancées seraient heureuses de voir revenir leur « p'tit gars ».

Léopold osa croire qu'il y était un peu pour quelque chose. Peut-être…

La route fut longue, mais au moins, il faisait beau, presque tiède. La chaleur du soleil chauffait le lainage du manteau. L'odeur de la terre mouillée et le cri des corneilles perchées dans les arbres encore dénudés l'accompagnèrent jusqu'aux limites de Pointe-à-la-Truite, juste avant le grand tournant menant à la côte qui descendait en louvoyant vers le cœur du village.

— Ici, ce sera parfait.

Léopold préférait se présenter dans son patelin sans tambour ni trompette. Aucune date n'ayant été précisée, personne ne l'attendait vraiment. Il se rendrait dans un premier temps chez Augusta parce que l'ennui de sa fiancée n'avait jamais faibli, et que ce même ennui l'avait porté jusqu'ici.

Et c'est avec elle qu'il irait frapper à la porte de ses parents.

Avec sa fiancée à son bras, Léopold croyait que la manche vide de sa vareuse attirerait moins l'attention.

Il trouva Augusta au jardin, en train de mettre les draps d'un lit à sécher. Léopold comprit alors qu'à la Pointe, les choses semblaient avoir peu changé : le lundi, d'aussi loin que Léopold se souvienne, on avait toujours fait le lavage.

Cette image de sa fiancée les bras levés dans le soleil de ce bel après-midi fit naître une curieuse émotion qui balaya toutes les angoisses, le temps d'un soupir tremblant.

Le cœur chaviré d'être enfin revenu à la normalité des choses, si belles, si rassurantes dans leur simplicité, Léopold attendit qu'Augusta se retourne pour lui faire signe parce que la voix lui manquait. Jamais il n'arriverait à lancer son nom avec la force de ce qu'il ressentait pour elle en ce moment.

La jeune femme fixa enfin la dernière épingle de bois et se pencha pour ramasser le panier à ses pieds. Le temps de se redresser, de se retourner et Augusta laissa tomber ce même panier en portant les deux mains à sa bouche comme pour retenir un cri. À tort, Léopold pensa aussitôt que ce cri, si elle l'avait poussé, aurait été un cri d'horreur. En effet, Augusta ne venait-elle pas de comprendre, en le voyant, à quoi ressemblerait leur destinée?

Après tout, Augusta avait encore le droit de dire non à la vie que Léopold avait à lui proposer, n'est-ce pas?

Au lieu de quoi, puisqu'elle savait déjà ce qui l'attendait et qu'elle avait eu le temps de se préparer un peu à cette rencontre, elle se précipita vers lui et l'enlaça.

— Merci Seigneur! Tu es vivant.

Puis, fébrile, Augusta prit le visage de Léopold à deux mains et elle plongea son regard dans le sien.

— On se marie dès que les bans sont publiés, murmura-t-elle avec fermeté, avec une certaine rudesse qui tentait de camoufler l'émotion ressentie. J'ai trop attendu, j'ai trop pleuré. Si on s'était mariés avant ton départ, aussi, comme j'en avais parlé, j'aurais pu bercer ton fils en attendant ton retour.

Si Léopold attendait une réponse qu'il n'avait su lire entre les lignes des lettres de sa bien-aimée, il venait de l'avoir.

D'autorité, Augusta saisit le barda de celui qu'elle appelait son homme depuis tant d'années déjà et le glissa sur son épaule. Puis, délaissant le panier à linge, elle confia sa main à celle de Léopold et elle l'entraîna à sa suite.

— Et maintenant, tu viens voir ma mère, décida-t-elle sans lui demander son avis. Après, on ira chez toi.

En apercevant le jeune homme, ses traits tirés, ses joues creuses et les rides, déjà, au coin des yeux et des lèvres, en apercevant surtout la manche vide et constatant la démarche malhabile, la mère d'Augusta se mit à pleurer et elle versa suffisamment de larmes pour tout le monde. Puis, elle se moucha consciencieusement dans un grand carré de lin fin, le glissa dans une des larges poches de son tablier et mit Léopold à la porte, non sans l'avoir serré tout contre elle auparavant.

— Et maintenant, file, mon garçon! gronda-t-elle en le tançant de l'index. Je connais une mère qui ne se possède plus. Si tu as ton barda avec toi, c'est que tu n'es pas passé par chez vous et que tu ne l'as pas encore vue. Allez, ouste! Va-t'en! On reparlera plus tard… si tu as envie de parler.

La route se fit en silence, Augusta et Léopold, étroitement enlacés, réapprenant à ajuster leurs pas.

De son père, Léopold entendit d'abord le bruit et il s'arrêta, tendant l'oreille.

Une hache fendait le bois dont le craquement résonnait dans l'air tiède. L'hiver avait dû être rude puisqu'il fallait faire du bois de chauffage en avril. La réserve devait être épuisée. Amer, Léopold pensa aussitôt que c'était là un de ces gestes du quotidien, banal mais essentiel, qu'il ne pourrait plus faire. On ne fend pas le bois avec un seul bras.

Combien de découvertes, de prises de conscience, de déceptions encore, au fil des jours de cette nouvelle vie qui commençait pour lui?

Augusta sentit Léopold se raidir tout contre elle. Son bras à elle se fit alors plus lourd contre le sien et ce fut elle qui se remit à marcher, l'entraînant à sa suite.

Arrivés devant la longue allée menant à la modeste demeure des Tremblay, ils aperçurent Clovis à l'instant où lui-même levait la tête.

Si le père fut surpris, décontenancé par la vision qui s'offrait à lui, il n'en laissa rien paraître, sinon que la hache lui glissa des mains pour choir dans les copeaux, entre les billots.

Malgré les cheveux entièrement blancs et les épaules voûtées par le poids de l'âge et du travail, Clovis vint au-devant de son fils en foulant le sol inégal de la cour de son pas long et sûr.

Curieusement, Léopold repensa à toutes les fois où il avait demandé à son père de ralentir l'allure parce que ses jambes d'enfant n'arrivaient pas à suivre le rythme. Aujourd'hui encore, avec sa cheville bloquée, c'est probablement ce qu'il devrait demander quand ils iraient au village ensemble. Devant une telle constatation, Léopold sentit les larmes lui monter aux yeux.

Depuis son retour d'Angleterre, Léopold pleurait souvent, pour un oui comme pour un non.

Mal à l'aise, il allait détourner la tête, quand Clovis arriva à sa hauteur.

Il y eut d'abord le père et le fils, face à face. Puis, il y eut deux hommes qui se reconnurent à travers les larmes.

Les rides de l'un s'unirent au regard désillusionné de l'autre. Augusta recula d'un pas et Clovis tendit les bras.

Ce fut épaule contre épaule que Clovis et Léopold marchèrent vers la maison, Augusta suivant discrètement à quelques pas derrière, le barda toujours à son bras.

Alexandrine, fidèle à elle-même, inspira bruyamment pour arriver à se ressaisir. Puis, elle détailla Léopold de la tête aux pieds, comme seule une mère peut le faire, à l'image de celle qui examine le nouveau-né qu'on vient de mettre dans ses bras.

Alexandrine fut-elle déçue par ce premier examen? Déstabilisée par la manche vide et la démarche boiteuse? Elle non plus, elle n'en laissa rien voir et, d'un élan, elle se précipita vers son fils pour le prendre tout contre elle.

— Enfin!

Ce fut là son mot d'accueil et il disait tout.

De l'ennui à l'inquiétude, de la réprobation au plaisir de le revoir, en un mot Alexandrine avait résumé ce que sa vie avait été durant les cinq dernières années.

Sa vie à elle aussi avait fait un petit détour par l'enfer.

Puis, elle se tourna vers Augusta.

— Va, ma fille, va chez toi dire à tes parents que je les attends pour le souper. Ce soir, c'est la fête chez les Tremblay, mais je pense qu'il y a juste vous autres que j'ai envie d'inviter. Mon fils revient de loin, pis je pense qu'il est fatigué.

Augusta avait à peine fermé la porte derrière elle que le souper devint le prétexte à ne pas pleurer, à exagérer la bonne humeur.

— Si je me souviens bien, toi, c'est des patates pilées pis du jambon que t'aimais le plus, non ?

Alors, Alexandrine décrocha un jambon qui séchait depuis des mois pendu à une poutre de la cuisine d'été, puis sans attendre, elle le mit à bouillir dans une grande quantité d'eau additionnée de sirop d'érable.

— Comme j'en ai fait un à Pâques… C'était ben bon. Je te l'avais-tu écrit que ton frère Paul pis tes deux sœurs étaient venus nous voir à Pâques ? Paul avait même amené son nouveau pensionnaire… Ça, je pense que je te l'avais écrit, hein, que ton frère a décidé de louer une de ses chambres ? C'est vrai que sa maison est ben grande pis que ça devait être ennuyant par bouttes, tout seul là-dedans… Tout ça pour te dire que son pensionnaire s'appelle Réginald. Réginald Martin. Selon ce que Paul nous a dit, il est seul dans la vie. Pas de famille, pas de fiancée, pas trop d'amis non plus… Pourtant, c'est un gentil garçon, un ben gentil garçon. C'est pour ça que Paul a eu l'idée de nous le présenter. Tu vas sûrement avoir l'occasion de le rencontrer un de ces jours… Pis en parlant de tes sœurs ! C'est Justine qui va être contente de te revoir ! Elle me disait justement, l'autre jour, que…

Alexandrine cuisinait et parlait; défripait du plat de la main sa plus belle nappe et parlait; sortait les couverts et parlait; retirait le gâteau du four et parlait; mettait la table et parlait; vérifiait la cuisson du jambon et parlait.

Puis, à bout de souffle et de mots, elle se tourna vers Léopold.

— M'entends-tu aller ? C'est tout juste si t'as répondu deux mots ! Astheure que j'ai fait l'inventaire de la famille pis du canton, va à l'étage pour te reposer un brin. Tu dois être fatigué sans bon sens avec le voyage qui t'a ramené depuis les vieux pays. Ta chambre t'attend toujours pis ton lit avec. Va t'allonger un peu. Essaye de dormir. M'en vas aller te chercher quand ta promise pis ses parents vont arriver.

Durant la longue heure qu'Alexandrine passa seule à la cuisine à finaliser le repas, elle réussit à contenir ses larmes.

Puis, durant tout le temps où Augusta et sa famille se joignirent à eux, elle n'eut pas le temps d'y penser, occupée qu'elle était à voir au bien-être de ses invités.

— Assoyez-vous ! C'est sans prétention, la visite est arrivée à l'improviste !

Elle se voulait drôle pour détendre l'atmosphère ; on sourit par politesse.

Tout comme Alexandrine l'avait fait durant l'après-midi, les convives parlèrent de tout et de rien jusqu'au moment du départ, comme s'ils avaient peur d'entendre les histoires que Léopold aurait pu avoir envie de raconter. Pourtant, il n'avait pas tellement l'air d'avoir envie de parler, le beau Léopold, assis avec Augusta à l'autre bout de la table. Ils étaient plutôt occupés à se dévorer des yeux et, comme les parents comprenaient qu'ils avaient cinq longues années à rattraper...

Ce qui fit qu'Alexandrine arriva à se contenir de la soupe au dessert et même après, jusqu'au moment où elle retrouva enfin l'intimité de sa chambre et le réconfort des bras de Clovis.

— Pourquoi, Clovis ?

Les larmes inondaient enfin les joues d'Alexandrine, coulaient le long de son menton pour venir fleurir le devant de sa robe de nuit en coton rêche, un peu jaunâtre d'avoir été trop souvent lavée. Clovis se contenta de caresser son dos à longs mouvements calmes, le temps qu'elle se ressaisisse.

— Pourquoi avoir été blessé à la dernière minute? demanda enfin Alexandrine dans un dernier sanglot. Parce que c'est ce qui est arrivé, non? Notre fils a été blessé à peine une semaine avant la fin de la guerre! C'est injuste!

— Au moins, il est vivant. Pour une fois, le Bon Dieu a écouté nos prières…

À ces mots, Alexandrine posa les deux mains sur la poitrine de Clovis et s'écarta suffisamment de lui pour le fixer droit dans les yeux, un certain ressentiment se mêlant étrangement à son chagrin.

— Ben voyons donc! Comment est-ce que tu peux parler comme ça? Moi, c'est pas ça que j'avais demandé au Bon Dieu. Pas ça pantoute! Encore une fois, Il a écouté juste à moitié, Clovis! Juste à moitié… Pauvre Léopold… Comment c'est qu'il va gagner sa vie, astheure, notre fils? Comment il va faire pour élever une famille?

— C'est vrai que ça va être moins facile.

— Moins facile?

Cette fois-ci, Alexandrine abandonna pour de bon le réconfort des bras de son mari. Les deux poings sur les hanches, elle regardait Clovis comme on regarde un enfant têtu ou un peu borné.

— Ma parole! On dirait que tu comprends pas! Moins facile? C'est pas facile pantoute que tu devrais dire… J'espère juste qu'Augusta va avoir le courage d'aller jusqu'au bout avec lui…

— À mon tour de dire que c'est toi qui comprends pas! Juste à voir, on voit ben!

— Encore! Toi pis tes manières de dire que je comprends pas toujours… Qu'est-ce que t'entends par là, toi?

— C'est pas compliqué! Je disais juste que le regard que la belle Augusta posait sur notre garçon était celui d'une femme amoureuse.

— Ah ça…

Tout en parlant, Alexandrine s'était retournée vers le lit et elle repliait soigneusement la courtepointe qu'elle avait cousue l'année précédente. Cette magnifique couverture colorée garnissait leur lit depuis qu'un matelas de guenilles avait remplacé la vieille paillasse. C'est ainsi qu'Alexandrine se faisait un devoir de bien tendre leurs draps et couvertures tous les matins et de les replier avec soin tous les soirs.

— Moi aussi, j'ai remarqué qu'ils se lâchaient pas des yeux, imagine-toi donc! Pis je peux comprendre. Même blessé, notre Léopold est toujours un bel homme. Il a peut-être vieilli de toute une vie en cinq ans, avec les rides pis toute, mais ça change rien au fait que c'est un beau garçon. C'est juste normal qu'Augusta soye sensible à ça. Mais c'est pas ce qui se passe dans la chambre à coucher qui met du pain sur la table, Clovis Tremblay, tu devrais le savoir! Comment il va faire pour travailler, notre Léopold, asteure qu'il lui manque un bras? Augusta doit ben y penser, elle avec, non? S'il fallait qu'elle change d'idée, qu'elle soye épouvantée par l'avenir… Tout ce qu'il connaît, Léopold, c'est ton fichu bateau pis…

— Justement.

La voix de Clovis, même très calme, était à la fois catégorique et convaincante quand il interrompit Alexandrine.

— Le bateau est toujours là, j'y ai vu.

— Ça, je le sais… Je me suis assez ennuyée ces dernières années, toute seule ici dedans, pour pas l'oublier. Mais si la goélette est encore là pis en bon état, notre fils, lui, est juste à moitié là pis en mauvais état.

Clovis entendait la colère sourde de chacune des paroles d'Alexandrine.

— Comment peux-tu t'imaginer que Léopold va réussir à naviguer dans le sens du monde, amanché comme il est ?

— Il va faire comme tant d'autres ont fait avant lui.

Curieusement, Clovis n'avait vraiment pas l'air de s'en faire, ce qui était loin de calmer, de réconforter Alexandrine. Bien au contraire, cette attitude qu'elle jugeait nonchalante attisait son impatience. Elle se glissa sans hésitation sous les couvertures, qu'elle remonta jusqu'à ses épaules, tout en tournant le dos à Clovis qui finissait calmement de boutonner son pyjama, un cadeau venu de la ville et offert par ses enfants lors du dernier Noël.

— Léopold sera pas le premier à prendre la mer avec juste un bras, expliqua Clovis en se couchant à son tour. Rappelle-toi d'Odilon Gamache pis de mon cousin Ovide Tremblay... Il y a pas seulement la guerre pour briser une vie, tu sais. La mer aussi peut parfois se montrer ben cruelle.

— Comme si je le savais pas, murmura Alexandrine, ramenée encore une fois aux pires douleurs ayant traversé sa vie. N'empêche que cette fois-ci on aurait pu s'en passer. Nous autres comme Léopold. T'as beau dire avec tes exemples d'Odilon pis Ovide, moi, je vois pas notre garçon se retrouver tout seul à bord, avec une grosse mer d'orage, à essayer de mener sa barque avec juste un bras.

— Qui dit qu'il va être obligé d'être tout seul à bord de la goélette ? Pour astheure, je pense qu'il a encore un père assez solide pour le seconder.

À ces mots, Alexandrine s'assit carrément dans le lit.

— Toi, Clovis ? Toi, sur le bateau avec Léopold ? Ben là, je te comprends plus. C'est pas toi qui disais, pas plus tard que la semaine dernière, combien t'espérais que Léopold revienne avant la saison pour pouvoir prendre ça plus facilement ?

— Ouais, c'est moi qui disais ça. Pis ? Que notre fils aye un bras ou ben deux, ça change rien à ce que j'ai dit, pis à ce que je sais de la saison qui s'en vient. Penses-tu que j'aurais laissé Léopold partir tout seul, même avec deux bras?

La colère d'Alexandrine tomba aussi vite qu'elle était montée.

— Ouais… C'est vrai que ça fait longtemps que Léopold a pas navigué.

— Pas juste ça… En cinq ans, ben des choses ont changé. Il va y avoir des décisions à prendre, des routines à modifier. Ça s'improvise pas comme ça, une saison sur le fleuve.

— T'as raison, Clovis. J'aurais dû y penser, moi aussi. Après toute, c'est pas le premier été qui s'amène avec son lot de problèmes pis de décisions à prendre. Même que ça doit faire une bonne quarantaine d'années que ça se répète… Je pense que le choc que j'ai eu en voyant notre fils nous arriver pas mal plus blessé que je le pensais a tout faite dérailler dans ma tête… Mais toi, Clovis? C'est ben beau toute ce que tu viens de me dire, mais c'est pas comme ça que tu voyais l'avenir. Parti comme c'est là, c'est pas demain la veille que tu vas arrêter de naviguer. Viens pas dire le contraire.

— Ça se peut, acquiesça Clovis en haussant les épaules avec indifférence. Qu'est-ce que tu veux que je te réponde d'autre? De toute façon, c'est pas à ça que ça sert, un père? À essayer de mener ses enfants à bon port? Ben c'est ce que j'vas faire avec Léopold. J'ai toujours pensé qu'on était pas là pour nos enfants juste par temps clair. En ce moment, il y a peut-être quelques nuages sur l'horizon, c'est vrai, mais c'est pas ça qui va m'empêcher de faire ce que je dois faire. Léopold a besoin de moi. Il va avoir besoin de moi encore plus que je le pensais, pas de doute là-dessus. Je l'ai vu dans ses yeux. Il a peur, notre gars, peur de pas mal d'affaires, à part de ça, c'est ben clair. Mais il peut compter sur moi. Tu vois, Alex, l'important pour moi, c'est que mon fils soye revenu. Pour ça, juste pour ça, j'ai l'impression de m'être un petit peu raccommodé avec le Bon Dieu pis ça me fait du bien… Après toute ce qu'on a vécu, ouais, ça me fait du bien. Ça fait que le reste, les bouttes qui manquent pis le courage à rebâtir, ça m'importe peu. On va travailler fort, lui pis moi, c'est sûr, mais on va y arriver.

Tandis que Clovis parlait, Alexandrine s'était recouchée et, tout doucement, elle s'était rapprochée de son mari. Quand il se tut, elle était blottie tout contre lui, un bras autour de sa taille et la tête sur son épaule.

Comme souvent entre eux, il y eut un long, un très long silence. Alexandrine se répétait tout ce que Clovis venait de lui dire, elle entendait les battements de son cœur et elle se sentait bien, rassurée. C'était son homme, celui qu'elle avait jadis choisi pour partager sa vie et jamais, malgré les bourrasques et les tempêtes, jamais elle ne l'avait regretté.

Alexandrine se souleva alors sur un coude et prolongea ce moment de silence en regardant intensément Clovis.

Longtemps, longtemps…

Jusqu'à ce que le son d'une toux vienne déranger le silence.

Léopold…

Dormait-il ou, au contraire, avait-il les yeux grands ouverts sur la nuit tout en pensant à Augusta ?

Alexandrine esquissa l'ombre d'un sourire, le cœur gonflé d'allégresse.

Son fils était revenu !

Oui, Clovis avait raison : l'essentiel était que Léopold soit de retour, bien vivant, et que lui, son père, soit prêt à l'accompagner dans ce retour qui s'annonçait plus difficile que prévu.

Comme le disait si justement Clovis : le reste avait bien peu d'importance.

Alexandrine se recoucha, la tête posée sur la poitrine de son homme.

— Il y a de ça ben des années, je t'ai choisi pour être le père de mes enfants, fit-elle de façon un peu imprévue, la voix sourde.

— Oui… Pis? Pourquoi tu me dis ça là, maintenant?

— Comme ça. On dirait que le fait d'avoir vu Léopold en chair et en os m'a rappelé plein de choses de notre vie à tous les deux… La naissance des enfants, leur enfance, les malheurs… Je sais pas trop comment le dire, mais je voulais que tu saches que t'avoir choisi toi et pas un autre, quand j'étais encore une toute jeune femme, c'est probablement la meilleure décision que j'ai prise dans toute ma vie.

Le bras de Clovis se resserra autour des épaules d'Alexandrine, preuve qu'elle venait de toucher un point sensible.

— Je t'aime, Clovis, ajouta-t-elle dans un souffle. Pis j'aurais jamais pu souhaiter un meilleur père pour mes enfants. J'espère juste que tu le sais, que tu l'as toujours su.

DEUXIÈME PARTIE

Automne 1919 ~ Printemps 1922

CHAPITRE 6

Septembre 1919, sur la Côte-du-Sud,
dans la chambre à coucher de Prudence et Matthieu

Le soleil venait tout juste de se lever, glissant quelques rayons obliques sur le plancher recouvert d'un prélart à grosses fleurs, jadis d'un beau rouge vif mais aujourd'hui un peu fanées. Tout en se préparant pour la journée, Matthieu et Prudence parlaient à voix feutrée même s'ils savaient que Mamie ne pouvait les entendre. Malgré cela, avec les enfants qui dormaient dans une des chambres à côté, valait mieux être prudent si on voulait un peu de discrétion.

— … C'est comme ça que j'ai su la date de naissance de Mamie ! C'est le 3 octobre 1819. Te rends-tu compte, Matthieu ? Notre bonne vieille Mamie va avoir cent ans dans quelques semaines. On n'a pas le choix, faut faire quelque chose pour souligner ça !

Bien que d'accord en principe, Matthieu fixa Prudence avec, dans le regard, un bon mélange de scepticisme, d'agacement et de curiosité.

— T'es ben certaine de toi ? demanda-t-il finalement en ajustant les bretelles de son pantalon qui émirent un petit claquement sec contre la rondeur de son ventre. Me semble que c'est vieux en s'il vous plaît, cent ans !

— Je viens de te dire que j'ai eu sa date de naissance, rétorqua Prudence sur un ton offusqué. À force de la voir biffer les journées sur le calendrier, je me suis douté que quelque chose s'en venait. On aurait dit qu'elle voulait me passer un message. Pis pour une vieille comme elle, qu'est-ce que tu veux que ça soit d'autre qu'une fête importante ? C'est comme ça que j'en ai parlé au curé pour avoir la date exacte de sa naissance, pis c'est là qu'il m'a assuré que Mamie était pas née dans la paroisse parce que son nom apparaissait nulle part dans ses registres… Par contre, il connaissait son vrai nom. Savais-tu ça, toi, qu'elle s'appelle Marie-Anna Cloutier ?

— Oui, ça, je le savais, commenta Matthieu en redressant les épaules comme s'il y avait là matière à être fier. Je le sais, rapport que c'est écrit dans les papiers que le notaire a préparés pour moi quand j'ai acheté la ferme… Pis en parlant du notaire, me semble que c'est à lui que t'aurais dû t'informer. Il sait toute, cet homme-là !

— C'est ce que j'ai fait, aussi.

Cette fois, la susceptibilité s'entendait dans la réplique de Prudence.

— Pour qui tu me prends ? Je suis capable de réfléchir sans toi, tu sauras… Bon, tout ça pour dire qu'après le curé qui pouvait rien me dire pour faire avancer mes affaires, c'est au notaire que j'ai parlé. Pis c'est là que j'ai su que notre Mamie a été baptisée à l'église Notre-Dame-des-Victoires à Québec, pis qu'elle a vécu son enfance dans le bas du fleuve, dans un village un peu passé Rimouski. Elle est arrivée à l'Anse vers l'âge de seize ans pour servir de bonne au curé du temps. C'est de même qu'elle a rencontré son mari. Elle s'est installée ici, sur la ferme de son mari, en 1840, quelques jours après son mariage. Depuis ce jour-là, elle a pas bougé d'ici ! Sauf son voyage à la Pointe, ben entendu. Ça en fait-tu des journées, ça, à voir le même paysage !

— Faut croire qu'il est à son goût parce qu'elle continue de l'admirer. Y a pas une journée qui passe sans qu'elle s'installe dans sa chaise juste devant la fenêtre pour nous dire, au bout de quelques minutes, combien elle trouve ça beau, les champs d'avoine pis les pâturages.

— C'est vrai que c'est beau, approuva Prudence en rabattant les draps sur le lit. Surtout quand on va au bout de la terre pis qu'on a le fleuve à nos pieds, à perte de vue, juste en bas de la colline.

— Ouais... J'appelle ça mon bout du monde...

En complément à ce qui venait de se dire dans la chambre, Matthieu laissa voguer son regard par la fenêtre durant un court moment. Les champs d'avoine blonds, contrastant avec le bleu délavé du ciel, le firent soupirer de contentement. Soulignant l'horizon, un ruban scintillant, comme un trait élancé tracé à la plume, laissait deviner la présence du fleuve. Matthieu non plus ne se lassait pas d'admirer le paysage. Son paysage bien à lui puisqu'il l'avait payé à la sueur de son front, un cent à la fois, durant de très nombreuses années.

Le temps d'un second soupir devant la vie qui avait passé trop vite malgré tout, puis il se tourna vers Prudence.

— Bon, c'est ben beau tout ça, mais qu'est-ce que t'as l'intention de faire pour Mamie? Comme je te connais, tu me parles pas comme ça, sur un ton de messe basse, au saut du lit, juste pour me donner la date de naissance de la vieille. Tu dois ben manigancer quelque chose, non?

Prudence esquissa un sourire malicieux.

— C'est ben certain...

Quelques taloches adroites sur les sacs de jute remplis de plumes qui servaient d'oreillers pour leur redonner la forme et prendre le temps de soupeser ses mots et Prudence levait les yeux vers Matthieu.

— J'en ai parlé à Marie, à Hortense, pis à Matilde, énuméra-t-elle d'une voix ferme, établissant ainsi qu'elle avait déjà quelques alliées. On est toutes d'accord qu'on devrait organiser un gros pique-nique pour souligner le centenaire de Mamie. En octobre, comme c'est le mois de sa fête, ça serait ben beau. Je dirais même que ça serait parfait si on pouvait s'installer dans le verger quand les couleurs sont à leur mieux pis que les pommes sont ben rouges. Pas besoin de mettre des décorations, la nature va le faire pour nous autres.

— Pis s'il pleut?

— On fera ça dans la maison.

— T'es-tu malade, toi?

Effaré, Matthieu regarda autour de lui comme si la paroisse entière allait subitement se regrouper dans sa chambre.

— Ici? demanda-t-il encore. Tu voudrais organiser ça ici?

— Où c'est que tu veux qu'on aille?

— Ouais…

Matthieu semblait hésitant. Ce qui ne dura pas, car son imagination, de nature peu fertile, ne pouvait concevoir de solution de rechange à son salon. De toute façon, Prudence avait raison : s'il pleuvait, ils devraient se rabattre sur la maison. En effet, où s'installer pour une fête ailleurs que dans son salon? Sûrement pas dans l'étable, entre les vaches et le taureau! À cette idée, Matthieu esquissa un sourire en détournant la tête pour ne pas avoir à s'expliquer.

Comme souvent, pour ne pas dire tout le temps, il lui faudrait s'en remettre à Prudence pour tout planifier. Pour lui, toutes ces choses de la vie sociale et familiale étaient un peu comme un mystère insondable. Il aimait y participer, de loin, avec la fierté un peu complaisante de celui qui a ouvert les goussets pour permettre la réalisation de l'événement, mais il n'avait aucune espèce d'idée pour organiser quoi que ce soit.

— Ça va être comme pour la veillée qu'on a déjà préparée, les filles pis moi.

Devant le silence de Matthieu, Prudence s'enflammait. Qui ne dit mot consent, n'est-ce pas? Alors, le ton montait, joyeux, enthousiaste.

— T'avais rien vu aller quand on a fait une veillée, rappela-t-elle à Matthieu, au cas où il aurait besoin de se faire rafraîchir la mémoire. T'avais rien dit pis rien fait, sauf peut-être que tu trouvais qu'on faisait trop à manger. Mais l'un dans l'autre, pis c'est toi-même qui me l'avais avoué, t'avais ben aimé ça, cette belle soirée-là.

— C'est vrai, admit Matthieu du bout des lèvres, comprenant que s'il montrait trop d'enthousiasme, il risquait de se retrouver avec un bal sur les bras.

Et dans son salon, en plus!

Matthieu ferma les yeux d'épouvante, espérant que Prudence achevait son long monologue préparatoire à la fête. Cette dernière, n'ayant rien remarqué de spécial dans l'attitude de Matthieu, qui de prime abord commençait toujours par être contre à peu près tout, continuait de plus belle.

— Bon, tu vois! On peut pas dire que j'exagère. Au fil des années, on a fait juste une veillée chez nous. On reçoit jamais, à part la famille quand vient le temps des fêtes. Mais là, je pense que ça s'impose. Célébrer ses cent ans, ça arrive pas à tout le monde. Je dirais même que c'est pas mal rare.

— C'est sûr... C'est en plein ce que je t'ai dit t'à l'heure.

— Ça fait que si je comprends bien, t'es d'accord avec mon idée?

— Ben...

Acculé au mur comme seule Prudence arrivait à l'y pousser, Matthieu savait qu'il valait mieux obtempérer s'il voulait avoir la paix.

— Ouais, on pourrait dire ça comme ça. N'empêche qu'il faudrait pas tomber dans les exagérations, par exemple.

— C'est ben sûr.

— Pis faudrait pas, non plus, inviter la paroisse au grand complet.

— Ça aussi, c'est ben certain. Le salon est pas assez grand, de toute façon, au cas où on aurait du mauvais temps. À part monsieur le curé, comme de raison, pis le notaire qui s'occupe des petites affaires de Mamie, pis peut-être aussi le docteur Ferron qui passe la voir de temps en temps, je vois juste du monde de notre famille.

— Comme? demanda Matthieu, suspicieux.

— Comme... Ben voyons donc! Tu le sais comme moi... Comme les enfants pis les p'tits-enfants. Comme aussi Baptiste, le...

— Tu veux inviter le marchand général? interrompit Matthieu, haussant dangereusement le ton, sans se soucier le moins du monde que le reste de la famille l'entende. Depuis quand Baptiste fait partie de notre famille?

— Depuis que ta fille Marie a marié son garçon Romuald pis qu'Antonin a marié sa fille Annette en juin dernier.

— C'est ben que trop vrai... Bonyenne d'affaire...

Matthieu avait l'air catastrophé.

— Ça va nous amener ben du monde, tous ces mariages-là.

— Un peu oui! Mais on n'a pas le choix. Tu voudrais pas déclencher une chicane de famille en oubliant quelqu'un, hein?

— C'est sûr que des chicanes, des chicanes de famille en plus, y a pas personne de sensé qui veut ça.

— Je suis contente de te l'entendre dire... Astheure, vérifie avec moi, Matthieu. On va faire le décompte des invités. Après, on pourra aller déjeuner. Pis plus tard dans la journée, quand je serai toute seule dans la cuisine, j'en profiterai pour faire la liste de ceux qu'on a décidé d'inviter, toi pis moi. M'en vas faire ça par écrit pour être certaine de pas oublier qui que ce soit. Si jamais je pensais à quelqu'un d'autre, je te le dirai avant de l'écrire sur la liste. Ça va-tu comme ça?

— Ça a plein d'allure.

C'est ainsi que de la chambre d'à côté, celle qui donnait vers le sud, Célestin put suivre la conversation qui se déroulait chez les parents, comme il en avait pris l'habitude depuis le début de l'été.

Depuis le mariage de son frère.

En effet, le mariage d'Antonin avait été un gros moment dans sa vie, sinon le plus gros, le plus important, le plus intense. Quand il avait vu son frère marcher au bras d'Annette, après la cérémonie, alors qu'ils étaient tous en direction de la maison des parents de la mariée pour le repas des noces, il avait eu de la difficulté à contenir ses larmes.

Jusqu'à maintenant, quand les jumeaux étaient ensemble, ils marchaient ensemble. Ça avait commencé au premier jour d'école et ça s'était poursuivi de façon tellement naturelle que Célestin avait tenu pour acquis qu'où allait Antonin, il allait aussi.

Sauf depuis les derniers mois, alors qu'Antonin avait pris l'habitude de s'éloigner de la maison sans lui. Oh! Célestin avait vite compris ce qu'Antonin vivait parce que ce n'était pas trop difficile à comprendre : son frère était en amour. Prudence lui en avait parlé et ensuite Antonin avait confirmé : il était bel et bien amoureux et, quand on a une fiancée, il est normal de vouloir être seul avec elle. Célestin l'avait très bien compris et très bien accepté. Pourvu qu'Antonin revienne s'asseoir près de lui pour les repas et s'installe pour dormir dans la même chambre que lui, Célestin ne voyait aucun inconvénient au fait que son frère soit en amour.

Jusque-là, ça allait.

Ça allait même très bien puisque Célestin avait aidé Prudence à préparer des fleurs en papier pour décorer la salle à manger des parents d'Annette. Le mariage d'Antonin serait une belle fête!

Effectivement, ça avait été une belle fête pour presque tout le monde.

Le soleil était au rendez-vous, Antonin avait demandé à son frère de tenir les alliances en attendant la célébration et les cloches avaient sonné à toute volée, ce que Célestin avait toujours trouvé beau et réjouissant, particulièrement ce jour-là puisque cette fois-ci, elles sonnaient pour lui, pour sa famille.

C'était au moment du repas qu'il avait commencé à déchanter vraiment, quand on lui avait montré une chaise à l'autre bout de la table d'honneur pour qu'il s'y installe.

— C'est ton père qui doit s'asseoir près d'Antonin. Ton père pis Prudence. C'est comme ça que ça se passe dans une noce. C'est les convenances.

La mort dans l'âme, Célestin avait repoussé la chaise qu'il avait déjà tirée vers lui et il s'était traîné les pieds jusqu'au bout de la table en se disant que si Gilberte avait été là, elle n'aurait pas toléré qu'il se fasse parler sur ce ton.

Convenances ou pas!

Parce qu'en plus, Gilberte n'était pas là!

« C'est trop loin, avait-elle écrit en réponse à la carte d'invitation que Célestin avait lui-même dessinée sous la surveillance de Prudence. Trop loin pour nous car, Germain est beaucoup trop petit pour un tel voyage. »

Germain était trop petit? Encore?

Célestin s'était alors demandé jusqu'à quel âge Germain serait encore petit. Après tout, ça faisait quand même bien des années que Gilberte était partie avec le bébé.

N'empêche que la réponse de sa sœur avait clos la discussion et fait taire toutes les spéculations concernant son éventuelle présence à la cérémonie.

Dommage, mais Gilberte ne serait pas là.

Si Antonin avait été déçu, il n'en avait rien laissé voir. Pour cette raison, Célestin avait fait de même et il avait caché ses larmes sous l'oreiller pour que personne ne sache à quel point il était déçu. Mais en ce matin de réjouissances où tout le monde semblait s'amuser sauf lui, l'absence de sa grande sœur était lourde à porter.

Puis, il y avait eu la première nuit, seul dans la chambre des jumeaux.

Célestin n'avait jamais dormi seul. Même qu'à la naissance des bébés, leur mère, Emma, les avait couchés dans le même berceau, Antonin et lui.

C'est Gilberte qui le lui avait raconté.

Ainsi, oui, lors de cette première nuit que Célestin avait passée tout seul, épiant les bruits du dehors et sursautant aux ombres sur le mur, il n'avait pas tellement bien dormi.

Heureusement, le surlendemain, Antonin était arrivé très tôt, suffisamment tôt pour prendre le déjeuner avec eux avant d'attaquer la journée d'ouvrage et, cette fois-là, Célestin s'était assis tout à côté de lui, comme ils en avaient l'habitude.

De voir son frère, tout heureux de son mariage parce qu'il avait les yeux brillants de joie, avait vraiment fait plaisir à Célestin.

Si Antonin était heureux à ce point, lui aussi se devait de l'être.

C'est ainsi que pour pallier le manque d'écoute, Célestin s'était mis à se parler à lui-même, marmonnant dans sa barbe, comme le disait Prudence, se moquant gentiment de lui quand elle le surprenait à chuchoter avec conviction, voire avec vivacité, comme s'il répondait effectivement à un interlocuteur.

Et quand il était dans sa chambre, pour compenser la solitude qui lui faisait toujours un peu peur, Célestin s'était mis à épier toutes les conversations de la maison, celles qui le rejoignaient jusque dans cette chambre qu'il trouvait bien trop grande pour lui tout seul. Se concentrant sur les discussions, les échanges plus musclés ou les simples causeries, Célestin oubliait ainsi qu'Antonin n'était plus là, l'obligeant à un silence qu'il détestait.

C'est donc comme ça que ce matin, il avait commencé par se réjouir quand il avait entendu le mot « fête »; qu'il avait ensuite froncé les sourcils quand on avait parlé des cent ans de Mamie parce que cent ans, ça se pouvait quasiment pas; et qu'il avait finalement soupiré de mécontentement quand il avait compris que la discussion était terminée et que les noms de Lionel et Gilberte n'avaient pas été prononcés.

— Ben voyons donc!

Lionel, Célestin s'en fichait pas mal. Après tout, il ne gardait de lui aucun souvenir probant et comme on n'en parlait jamais à la maison, Célestin se disait depuis longtemps que Lionel n'avait plus d'importance dans leur famille. On pouvait donc célébrer sans lui.

— Mais Gilberte, par exemple, grommela-t-il en sortant de sous les draps, c'est pas pareil. Oh non monsieur, c'est pas pareil pantoute!

Une fête sans Gilberte ce serait comme pour les noces d'Antonin: ça serait une fête ratée, tout simplement!

— Pis moi, ça me tente pas pantoute d'avoir une autre fête de gâchée parce que Gilberte est pas avec moi.

Célestin se doutait bien que même s'il s'appliquait de toutes ses forces à faire une carte encore plus jolie, Gilberte risquait de refuser l'invitation comme elle avait refusé celle des noces d'Antonin. En quelques mois à peine, le petit Germain n'avait pas tellement vieilli, et Gilberte et lui habitaient toujours aussi loin. Ça devait être pour toutes ces raisons que Prudence n'en avait pas parlé avec son père. Ça aurait été une vraie perte de temps de discuter de Gilberte, et Célestin savait combien son père détestait perdre son temps !

— Mais ça se passera pas comme ça !

Célestin était déjà habillé.

Tant pis pour les remontrances, ce matin il n'avait pas la tête à faire son lit et il quitta sa chambre sans plus de façon.

Il descendit rapidement à la cuisine qu'il traversa au pas de course en direction des bécosses dans le fond de la cour.

Comme tous les matins.

Quand il en revint, Célestin était affamé et sa décision était prise.

Face à face avec lui, sans se cacher derrière des mots écrits sur un papier, Gilberte n'oserait pas dire non à une aussi importante invitation.

Les cent ans de Mamie, c'était autre chose qu'un simple mariage. Des mariages, il y en avait souvent à l'église de la paroisse. Pas toutes les semaines mais presque. Célestin le savait à cause des cloches qu'il entendait sonner à la volée, les samedis matin. Tandis que fêter les cent ans de quelqu'un…

— C'est la première fois que j'entends parler de ça !

— Qu'est-ce que t'as à marmonner comme ça, mon Célestin ?

— Rien… J'ai rien. Juste la journée qui s'en vient…

Ne restait plus qu'à trouver la bonne manière pour se rendre là où habitaient Gilberte et le petit Germain qui ne devait plus être si petit que ça !

Célestin attaqua son assiettée d'œufs brouillés au jambon avec une lueur perplexe au fond du regard.

Les idées entourant son escapade lui vinrent lentement, une à la fois, comme le chemin que l'on doit débroussailler dans une forêt dense. Il se souvenait fort bien du départ de sa sœur, de nombreuses années auparavant, et c'était par bateau que Gilberte avait dit qu'elle quitterait l'Anse-aux-Morilles.

Célestin ferait donc de même.

Il se souvenait aussi qu'avant de partir, durant les quelques jours passés à la maison paternelle en compagnie du bébé de Marie, celui qu'on appelait déjà l'idiot, Gilberte avait dit à Prudence qu'elle voulait parler à Lionel.

Célestin pourrait donc, lui aussi, parler à Lionel. Après tout, Lionel était son frère même s'il ne gardait aucun souvenir de lui.

À partir de là, il improviserait, selon ce que Lionel aurait à lui dire.

— Ouais, m'en vas improviser, murmura Célestin en regagnant le dernier champ à vider de son avoine, alors qu'il marchait à grandes enjambées, loin devant le groupe formé par son père et ses frères.

Improviser...

C'est Prudence qui lui avait expliqué ce mot, il y avait de cela bien longtemps.

— Quand tu vois plus rien dans ta tête, avait-elle dit, c'est peut-être que tu peux rien voir en avance.

— Ça arrive, ça ?

— Oui, ça arrive. Tout ce que tu peux faire, dans ce temps-là, c'est attendre d'être rendu au bon moment pis de décider à la dernière minute.

— J'aime pas ça, moi, pas savoir à l'avance. Non monsieur ! J'aime donc pas ça décider à la dernière minute. J'ai peur de me tromper.

— Personne aime ça, Célestin.

— Ah non ? Je suis pas tout seul à penser de même ?

— Mais non, voyons ! C'est plus rassurant de savoir exactement ce qui nous attend, c'est ben clair. Pis c'est normal, aussi. Pour tout le monde ! Mais c'est pas toujours possible. Alors, on improvise une fois qu'on est rendu au bon moment là où, avant, on ne voyait rien pantoute dans notre tête.

— Eh ben…

Depuis ce jour, Célestin essayait le plus souvent possible de ne pas avoir à improviser. Même s'il savait que c'était normal, que tout le monde passait par là un jour ou l'autre en ressentant le même inconfort que lui devant l'inconnu, ce n'était pas une raison suffisante pour rechercher volontairement les occasions d'improviser.

Mais quand on n'avait pas le choix…

Cela prit trois matins pour que la rencontre ait enfin lieu sans que personne, à la maison, ne s'étonne de le voir partir pour le village de si bonne heure. Il était vrai, cependant, que depuis le mariage d'Antonin, quand il n'y avait pas trop d'ouvrage à la ferme, Célestin était un peu plus libre dans ses promenades. Après tout, il était un homme, comme l'avait si bien souligné Prudence, un soir que le sujet des promenades de Célestin avait été amené sur le tapis.

— Voyons donc, Matthieu! Célestin n'est plus un enfant.

— C'est vrai… J'ai trop souvent tendance à l'oublier.

Ce fut ainsi que Célestin gagna en liberté, question que le mariage d'Antonin n'ait pas été tout à fait inutile pour lui.

Donc, comme toutes les récoltes de l'année étaient terminées, à l'exception du potager, et que personne à la maison ne se souciait vraiment des allées et venues de Célestin, il pourrait mener son projet à terme.

Après deux jours d'attente sur le quai de l'Anse-aux-Morilles, ce fut par une matinée venteuse et fraîche que Célestin identifia enfin le mât de la goélette de Clovis. Il la reconnaissait entre toutes pour être venu à l'occasion avec son père rencontrer Clovis. Célestin dut se retenir pour ne pas battre des mains tellement il était content.

Surtout, ne pas susciter de questions qui feraient tomber son plan à l'eau!

Célestin fut surpris de constater que Clovis n'était pas seul à bord du bateau. Mais en cherchant bien dans sa mémoire, après quelques efforts soutenus, il se souvint d'avoir déjà vu cet homme-là et qu'il s'appelait Léopold. C'était lui qui accompagnait régulièrement Clovis avant de partir pour la guerre. Célestin se sentit soulagé, car il détestait rencontrer des étrangers. Maintenant, c'était clair dans ses souvenirs : son père avait parlé de ce Léopold qui partait pour la guerre.

Célestin le dévisagea.

Il aurait bien voulu lui poser des questions sur cette guerre dont on avait tant discuté autour de la table, à la maison, mais il n'osa pas. Le visage de Léopold était trop sérieux, comme s'il était en colère. De plus, Léopold boitait et il lui manquait un bras. Selon Célestin, c'était bien assez pour ne pas être de très bonne humeur. Il en fut aussitôt tout intimidé. Par contre, Clovis, lui, était tout souriant, et c'est avec plaisir, du moins lui sembla-t-il, qu'il permit à Célestin de monter à bord.

— Eh ben ! Tu veux voir Lionel ?

C'était la raison donnée par Célestin pour demander un passage vers l'autre rive.

— Ouais. C'est mon grand frère pis je le connais pas ben ben, avait-il expliqué en opinant vigoureusement du bonnet. Ça fait que j'ai décidé de traverser pour le rencontrer.

Célestin n'avait surtout pas l'intention d'aller plus loin dans ses explications. S'il fallait que quelqu'un lui mette des bâtons dans les roues, il risquait fort de se fâcher. C'est toujours ce qui arrivait quand il était trop contrarié, et il savait que ses colères ne lui avaient jamais rien apporté de bon.

Bien au contraire, il avait toujours été puni quand il se fâchait vraiment !

— Ouais, c'est ça que je veux faire, répéta-t-il avec toute la conviction dont il était capable. Je veux aller rencontrer mon grand frère !

Heureusement, Clovis se contenta de cette réponse et il aida Célestin à monter à bord, car celui-ci, s'il était d'une force hors du commun, n'était pas tellement doué quand venait le temps de faire preuve d'équilibre.

— T'es trop grand pis trop gros pour essayer de te tenir juste sur une patte, lui avait gentiment expliqué Antonin qui, lui, était agile et rapide comme un siffleux. T'as grandi tellement vite que l'équilibre a pas suivi. Comme une grosse marmotte.

Célestin avait bien ri de cette explication-là !

Si Antonin le disait, ça devait être vrai, non ?

Alors, ce matin, un peu craintif, mal à l'aise à cause de la houle qui lui donnait l'impression d'avoir les pieds ronds, Célestin s'était installé dans la cabine, bien déterminé à n'en bouger qu'une fois le fleuve traversé.

— Donne-nous le temps de charger des poches d'avoine dans la cale et on repart.

Pour passer le temps, Célestin observa donc Clovis et son fils Léopold de tous ses yeux, un peu surpris que les deux hommes semblent si bien s'entendre sans avoir à échanger de paroles. Dans les champs, son père donnait tout le temps des ordres pour que ça aille rondement, disait-il. Ici, à bord de la goélette, nul besoin de parler pour que ça aille rondement. À preuve, sans un seul mot échangé, les poches d'avoine avaient été chargées et le bateau venait de quitter le quai de l'Anse-aux-Morilles. Malgré un pied tordu qui le faisait boiter, Léopold se déplaçait aisément du mât aux cordages, puis une fois le bateau bien lancé, il rejoignit son père dans la cabine et ce fut lui qui prit le gouvernail. D'une seule main,

Léopold arriva à garder le cap, ce qui impressionna grandement Célestin.

Si par la taille, ce Léopold ressemblait à Antonin, manifestement, il avait la force d'un Célestin.

Celui-ci se dit alors que si la houle n'existait pas, il aimerait peut-être travailler sur un bateau. S'il s'ennuyait de ses discussions avec Antonin, Célestin préférait nettement ne pas avoir à discuter parce que les mots ne suivaient pas toujours sa pensée et, sur un bateau, de toute évidence, on n'avait pas vraiment besoin de parler.

Ce fut ainsi que, d'une réflexion à une autre, Célestin ne vit pas le temps passer et c'est tout surpris qu'il constata que la goélette était en train d'accoster. Clovis avait repris le gouvernail et Léopold était sur le pont, à lancer les cordages aux quelques hommes qui attendaient sur le quai.

— On est rendus, Célestin… Toi, c'est bien Célestin, n'est-ce pas ?

— Ouais, c'est en plein ça !

Célestin avait l'air tout heureux que l'on connaisse son nom. Il offrit un grand sourire à Clovis et pour faire bonne mesure, il ajouta :

— Pis mon frère jumeau s'appelle Antonin. Antonin Bouchard. Astheure, m'en vas descendre du bateau pis j'vas aller voir mon frère Lionel Bouchard.

— Sais-tu au moins où il demeure, ton frère Lionel ?

Sans attendre de réponse, au simple regard troublé que Célestin lui renvoya, Clovis enchaîna rapidement :

— C'est facile à trouver, tu vas voir ! Tu suis la rue principale du village, tu passes devant l'église, devant le magasin général pis l'hôtel, pis un peu plus loin, sur ta gauche, tu vas voir une maison jaune. Tu peux pas la rater, elle est vraiment jaune. C'est là qu'il habite, ton frère Lionel. T'auras juste à frapper. Si lui est parti, sa femme, Victoire, va t'ouvrir. T'as rien à craindre, c'est une gentille femme et elle va sûrement te permettre d'attendre Lionel dans sa cuisine.

— Ben si c'est de même, je pars tout de suite. J'ai hâte de le voir, mon frère. Ben hâte. Merci, là, pour le voyagement depuis l'Anse. C'est ben pratique un bateau pour venir voir mon frère Lionel.

— Pis si t'as besoin d'un autre voyagement, comme tu dis, d'un transport pour retourner chez vous, t'auras juste à demander à Lionel de me le faire savoir. On s'organisera.

Clovis suivit Célestin du regard jusqu'à ce qu'il disparaisse au bout du cimetière, tournant à droite dans la bonne direction. Il avait vite deviné qu'il était celui des enfants de Matthieu dont il avait déjà dit : « Il est fort comme un taureau, mais il a la cervelle d'un p'tit garçon. Par contre, c'est un bon travaillant, dur à l'ouvrage, pis ben persévérant. Surtout, il a bon cœur ! »

Le temps de se demander, un peu curieux, ce que Célestin pouvait bien vouloir dire à son frère Lionel qu'il n'avait pas vu depuis tant d'années, et Clovis quitta la cabine à son tour. Léopold, aidé des quelques passants qui flânaient régulièrement sur le quai, avait déjà commencé à vider la cale.

Clovis lui jeta un regard rempli de fierté.

Il n'avait peut-être qu'un bras, mais il était débrouillard, son fils Léopold. Débrouillard et déterminé.

Il était surtout bien vivant.

Clovis inspira profondément, soulagé, reconnaissant envers ce Dieu qu'il n'avait peut-être pas suffisamment prié tout au long de sa vie.

La belle Augusta qui vivait sous leur toit, depuis les noces célébrées en juin dernier, devait y être pour quelque chose, elle aussi, dans cette résolution, dans ce courage devant la vie, devant l'avenir. Toujours de bonne humeur, patiente et de bon conseil, la jeune femme influençait indéniablement Léopold dans le bon sens. Ainsi, soulagé et heureux, Clovis voyait son fils se transformer peu à peu. De taciturne et troublé qu'il leur était revenu de la guerre, le jeune homme redevenait lentement celui qu'il avait été avant son départ. Bien sûr, il y avait une lueur de douleur au fond de son regard, certains souvenirs refusant de s'effacer, comme Léopold l'avait déjà dit dans un souffle, alors que Clovis s'était enhardi à le questionner.

— Cherche pas à savoir, papa, avait-il ordonné calmement. Perds pas ton temps à poser des questions inutiles, c'est trop laid pour être raconté.

Clovis n'avait donc pas insisté, mais le respect qu'il ressentait pour son fils avait grandi ce jour-là et il s'était alors promis d'être patient avec lui.

À force d'être aimé, Léopold finirait peut-être par oublier toutes les abominations qu'il semblait avoir vues, tous les drames humains qu'il avait sûrement vécus.

En attendant, Clovis l'aidait de toutes ses forces à reprendre pied dans leur réalité de marins. Contre toute attente, et malgré les appréhensions bien légitimes de Léopold, le métier lui revenait avec une certaine facilité.

— Me semblait aussi, l'avait un jour encouragé Clovis, me semblait que tu pouvais pas avoir toute oublié.

— J'ai rien oublié, papa...

Léopold était tout hésitant. Puis, comprenant que son père avait droit à quelques explications, il avait ajouté sur un ton réticent :

— Je pensais tellement au fleuve pis au bateau quand j'étais là-bas que je pouvais pas oublier. C'est ça qui m'a gardé en vie, je pense ben. Ça pis Augusta... Astheure, donne-moi la poche d'avoine que tu tiens à bout de bras depuis tantôt... On a trop d'ouvrage pour prendre le temps de placoter.

Encore une fois, Clovis n'avait pas insisté, mais d'un mot échappé à un regard tourmenté, il finissait par avoir une idée assez claire de l'horreur que son fils avait traversée. Cependant, Clovis gardait ses réflexions pour lui, se disant que dans la vie, il y a certaines choses, certaines vérités, qu'on n'a pas envie de partager, même avec ceux que l'on aime. ·

Surtout avec ceux que l'on aime parce qu'on a le devoir de les protéger.

Alexandrine faisait définitivement partie de ces gens-là.

N'empêche qu'à partir du mois de mai, d'un jour à l'autre, petit à petit, la vie avait repris un cours plus paisible sous le toit de Clovis Tremblay, et il avait recommencé à prier avec une certaine ferveur.

Aujourd'hui, en ce mois de septembre 1919, il s'apprêtait à remiser la goélette après la meilleure saison qu'il ait vécue depuis fort longtemps.

Ainsi, sur cette pensée, Clovis rejoignit enfin son fils et les quelques voisins plus âgés qui, désœuvrés, venaient fréquemment aider les marins qui rentraient à la Pointe. Clovis eut une dernière pensée pour Célestin, se demanda s'il avait trouvé la maison de Lionel, puis il leva joyeusement un bras.

— Salut, la compagnie ! J'arrive pour vous aider !

En fait, la maison de Victoire et Lionel était d'un tel jaune flamboyant que même un Célestin intimidé par ce qu'il s'apprêtait à faire ne pouvait la rater.

S'il hésita un instant avant de frapper à la porte, son malaise fut cependant de courte durée. À peine eut-il cogné deux fois sur le battant que la porte s'ouvrait déjà sur un des fameux sourires de Victoire, si engageant, si contagieux que Célestin ne put y résister. Il esquissa un pâle sourire à son tour et, parce que c'était ce qu'on lui avait montré, le grand gaillard baragouina son nom, triturant nerveusement sa vieille casquette grise qu'il tenait à deux mains.

— Tu t'appelles Célestin, c'est bien ça ? vérifia Victoire qui avait mal compris le nom.

— C'est en plein ce que je viens de dire, madame, répéta patiemment Célestin. Je m'appelle Célestin Bouchard. Pis mon frère, lui, c'est Antonin Bou...

— Ben là, coupa gaiement Victoire, tu dois être le frère de mon Lionel! Je connais pas tellement bien sa famille, c'est vrai pis c'est dommage, mais si t'es un Bouchard, c'est que tu es de la famille de mon mari donc de ma famille à moi aussi! Entre, Célestin! Je suis très heureuse de t'accueillir chez nous... Lionel n'est pas là pour le moment, mais si ça te tente, tu peux me suivre dans la cuisine. On va l'attendre ensemble pendant que je prépare quelques gâteaux pour le Manoir.

— Des gâteaux?

Que dire de mieux pour accueillir Célestin? Sans plus d'explications, il emboîta le pas à Victoire sans hésiter.

Quand Lionel revint pour le repas du midi, il trouva Célestin attablé avec son fils Julien et tous les deux semblaient en grande conversation. De toute évidence, la forge de James O'Connor était au cœur de leur discussion et Julien, tout juste âgé de dix ans, en vantait les mérites à Célestin qui l'écoutait avec attention pour ne rien perdre de tous ces mots qu'il entendait pour la première fois et que son jeune interlocuteur débitait à toute allure.

— Il n'y a pas de forge, chez nous à l'Anse-aux-Morilles, réussit enfin à glisser Célestin, tout étourdi par le verbiage de ce neveu qu'il venait tout juste de connaître. Pour mettre des fers aux pattes de nos chevaux, ceux qui en ont besoin, faut aller au village d'à côté pis moi, je suis jamais allé jusque-là.

— Ben, faut que tu viennes voir ça avec moi, d'abord! J'ai passé tout l'été à travailler avec monsieur James, tu sais! J'ai hâte de plus être obligé d'aller à l'école pour pouvoir travailler avec lui tout le temps...

Ces derniers mots furent lancés avec une œillade de reproche en direction de Victoire qui servait le ragoût. Même l'apparition de Lionel dans l'embrasure de la porte ne fit pas tarir le jeune Julien qui repartit de plus belle à chanter les mérites de la forge.

Un seul regard vers Célestin qui était dos à lui et Lionel reconnut son frère. La ressemblance avec leur père était si frappante qu'il ne pouvait se tromper. Cette carrure des épaules, ces larges mains, ce cou trapu…

Puis, aux quelques mots entendus, Lionel en conclut que Célestin était resté fidèle à lui-même : souriant, serviable, sans aucun doute, mais un peu simple d'esprit.

N'empêche que cet homme-là était son frère et Lionel fut ému de le savoir chez lui, assis à sa table en train d'écouter son fils raconter son boniment habituel sur la forge de James O'Connor.

Pour l'instant, la raison qui avait amené Célestin chez lui n'avait que peu d'importance, les souvenirs accaparant toutes ses pensées.

La dernière fois que Lionel avait vu les jumeaux, ils avaient tout juste cinq ans.

Étourdi par le passage des années, Lionel ferma les yeux une fraction de seconde.

Oui, Antonin et Célestin venaient d'avoir cinq ans et ils étaient blottis contre leur sœur Gilberte, tous les trois assis à même le plancher dans le corridor des chambres de la maison des Bouchard et de l'autre côté de la porte fermée devant eux, leur mère, Emma, était en train de mourir.

Voilà l'image indélébile que Lionel avait gardée de la maison paternelle et de ses jeunes années : une famille en larmes traversant douloureusement la nuit où leur mère allait mourir. Pour le reste ou presque, c'était plutôt vague faute d'y avoir souvent pensé depuis les dernières années.

Lionel secoua la tête en ouvrant soudainement les yeux. Le souvenir qu'il gardait de sa mère avait toujours été douloureux et de voir son jeune frère, là devant lui, venait de raviver cette douleur, malgré la joie qu'il ressentait en ce moment.

Lionel fit un pas vers la table.

— Célestin ? C'est bien toi, n'est-ce pas ?

Le solide gaillard qui ne l'avait pas entendu entrer se tourna aussitôt vers Lionel. Le temps d'ajuster ses souvenirs à son tour, tout en fronçant les sourcils pour aider la mémoire, et Célestin se détendit pour afficher rapidement un sourire sincère.

Bien sûr qu'il se souvenait de Lionel !

C'était lui, en compagnie de Mamie, qui avait fabriqué une chaise longue pour que leur mère puisse se reposer dans la cuisine en leur compagnie ou encore sur la galerie quand le temps le permettait ! Et si Célestin se souvenait de ce détail avec autant de précision, c'est qu'Emma lui demandait souvent de venir s'installer avec elle sur la chaise. À lui et aussi à Antonin.

— Pour que je me sente moins seule, leur disait-elle avec un petit clin d'œil.

C'était là un des rares souvenirs que Célestin avait gardé de sa mère, d'ailleurs.

Il était déjà debout et il tendait la main à Lionel.

— C'est ben ça, articula-t-il finalement. Je suis Célestin. Tu te rappelles de moi ?

— C'est sûr. Je me souviens d'Antonin aussi.

La mention du nom de son frère et le fait que Lionel ne les ait pas oubliés fit sourire Célestin.

— Il est marié, Antonin, ajouta-t-il avec une visible fierté comme si c'était lui qui venait de convoler en justes noces. Avec Annette, la fille de Baptiste. Pis Gilberte est pas venue au mariage. C'est pour ça que je suis ici.

Lionel fronça les sourcils devant cet emballement un peu enfantin qui, au final, ne disait pas grand-chose.

Néanmoins, il esquissa un sourire indulgent.

— Et si tu reprenais tout ça depuis le début, mon Célestin ? Pour que je comprenne ce qui t'amène ici.

Instinctivement, Lionel avait pris le ton qu'il employait avec les enfants trop jeunes pour comprendre ce qu'il avait à leur dire pour aussitôt se reprendre. Pour être venu tout seul jusqu'ici, Célestin n'était pas tout à fait un enfant.

— Si je comprends bien, ajouta Lionel, voyant que Célestin cherchait péniblement ses mots, si je comprends bien, c'est Gilberte qui t'amène ici. Tu veux la rencontrer, c'est bien ça ?

Le soulagement de Célestin fut instantané quand il comprit que Lionel avait réussi à suivre sa pensée et le sourire qu'il eut fut à l'avenant.

— C'est en plein ça ! Je veux voir Gilberte. Depuis le temps qu'elle est partie, je m'ennuie.

— C'est vrai que ça fait quelques années qu'elle est partie.

— Ouais, pas mal d'années, tu veux dire. Elle écrit des lettres, elle fait des belles cartes pour Noël, mais je m'ennuie pareil. Pis là, ça serait important qu'elle vienne à la maison. Pour Mamie.

Une lueur d'inquiétude traversa le regard de Lionel qui s'était installé à la table, devant Célestin. Fourchette en suspens devant lui, il fixait son frère.

— Qu'est-ce qu'elle a, Mamie ? Elle est malade ?

— Ben non ! Elle entend pas grand-chose pis faut crier pour qu'elle comprenne, mais elle est jamais malade, Mamie. Même qu'elle va avoir cent ans.

— Cent ans ?

— En plein ça. C'est à cause de ça qu'il faut que je voye Gilberte. Elle a dit non pour venir au mariage d'Antonin, mais il faut qu'elle soye là pour la fête de Mamie. C'est trop rare pis important, cent ans ! Ouais... c'est ben important une fête comme ça.

Habitué avec ses patients à deviner les choses à travers quelques mots malhabiles, Lionel commençait à entrevoir le projet et à comprendre la présence de Célestin.

— Et c'est à toi qu'on a demandé d'aller prévenir Gilberte, c'est bien ça ?

— Euh... Non...

Célestin secouait la tête, le regard fixe. Lionel allait-il le gronder pour avoir décidé tout seul de se rendre jusqu'à Gilberte ? Il hésita, tritura un coin de la nappe que Victoire avait cru bon de mettre puisqu'ils avaient de la visite et il leva enfin un regard inquiet, bien qu'il fût déterminé à dire la vérité, car c'était là ce que Prudence lui conseillait toujours de faire : dire la vérité.

— Non, c'est pas ça...

Encouragé par la douceur et la patience que dégageait Lionel, Célestin se redressa et sa voix se raffermit.

— Je pense que papa pis Prudence avaient décidé de pas inviter Gilberte, expliqua-t-il, les sourcils froncés sur sa réflexion... Ouais, je pense comme ça, rapport que papa pis Prudence ont pas prononcé le nom de Gilberte quand ils ont faite la liste des invités, tout seuls dans leur chambre, l'autre matin. Mais moi, je les entendais, rapport que ma chambre est juste à côté. Pis si Prudence a pas dit le nom de Gilberte, c'est parce qu'elle a refusé l'invitation pour les noces d'Antonin. Je suis sûr de ça, moi. C'est trop loin, que Gilberte a écrit dans sa lettre qui disait non à l'invitation. Trop loin, pis le petit Germain est trop jeune encore pour un long voyage. Ça fait que, cette fois-ci, Prudence a décidé de pas l'inviter.

Une ombre passa sur le visage de Lionel même s'il n'avait jamais été invité à aucune réjouissance chez les Bouchard depuis le jour où il avait claqué la porte, choisissant les

180

études plutôt que d'aider son père. La déception fut cependant de courte durée. La vie qu'il menait, il l'avait délibérément choisie et il ne regrettait rien. Son attention revint alors à Célestin. Malgré le message légèrement tarabiscoté de son jeune frère, Lionel voyait de plus en plus clairement la situation.

— Mais pourquoi aller voir Gilberte au lieu de lui écrire comme pour le mariage d'Antonin ? demanda-t-il entre deux bouchées. Il me semble que ça aurait été plus simple.

— Parce que c'est plus dur de dire non quand on a quelqu'un dans notre face… C'est ça que je pense, moi, pis c'est pour ça que je veux aller voir Gilberte. Elle a pas le droit de dire non pour la fête de Mamie. Cent ans, c'est trop rare pis trop important.

Maintenant, tout était clair. Lionel esquissa un sourire. Par contre, ça n'expliquait pas la présence de Célestin chez lui. C'est pourquoi il demanda :

— C'est vrai que cent ans, c'est pas banal… Tu as raison, Célestin. Mais pourquoi venir me voir, moi ?

Cette fois, la question était si facile que Célestin se détendit vraiment. Il essuya les quelques gouttes de sueur qui perlaient à son front parce que la conversation jusqu'à maintenant lui avait demandé de gros efforts et il déclara d'un ton assuré :

— C'est parce que je sais pas où elle demeure, Gilberte. Mais toi, tu dois le savoir, rapport que c'est ici qu'elle a dit qu'elle s'en venait quand elle est partie de la maison avec le petit Germain. Pis elle est jamais revenue. Tu le sais-tu où elle demeure Gilberte ?

— Oui.

Tout en répondant, Lionel avait levé les yeux vers Victoire qui le regardait en souriant, puis il revint à Célestin qui, à la suite de sa dernière réponse, avait aussitôt eu un sourire de vainqueur.

— Oui, je sais où elle habite, Gilberte, répéta Lionel.

Pour ensuite préciser :

— Même qu'on va la voir assez souvent, Victoire et moi.

— Ah oui ? Comment ça, tu peux voir Gilberte souvent comme ça ? C'est pas trop loin pour toi ?

— Pas vraiment. En hiver, c'est plus difficile à cause de la neige sur les routes, mais durant l'été, on en profite pour faire des pique-niques.

— Chanceux. Moi j'aime ça, les pique-niques, avec des sandwiches pis de l'orangeade que Prudence achète au magasin général. Pis j'aimerais ça aussi voir Gilberte souvent. Comme toi.

— Et Prudence, elle ?

— Quoi Prudence ? Elle, je la vois tous les jours, argumenta Célestin qui ne saisissait pas du tout où Lionel voulait en venir avec sa question.

— Ça, je m'en doute un peu et ce n'est pas ce que je veux savoir.

— C'est quoi, d'abord ?

— Ce que je veux savoir, c'est comment Prudence va accepter le fait que tu invites Gilberte sans lui en avoir parlé.

— Ah ça ! Pas de trouble avec Prudence. Je suis sûr qu'elle va être contente. Prudence aussi, elle s'ennuie de Gilberte. Elle le dit souvent.

— Mais est-ce que Prudence sait au moins que tu es ici ?

— Ben…

Une question banale, pourtant le regard de Célestin s'était éteint.

— Non, elle le sait pas, avoua-t-il en baissant les yeux.

Brusquement, à cause du questionnement en règle de son frère, Célestin avait l'impression d'avoir fait une grosse bêtise et il détestait cette sensation. Pourtant, il ne voulait rien faire de mal. Bien au contraire ! En fait, tout ce qu'il avait espéré en quittant son village, ce matin en compagnie de Clovis, c'était faire une surprise à Mamie. À ses yeux, la présence de Gilberte à l'occasion de sa fête serait un peu son cadeau à lui. Un vrai beau cadeau parce que Mamie aimait beaucoup Gilberte.

— Je veux juste faire une belle surprise à Mamie, expliqua-t-il enfin. Mais ça va faire comme une surprise pour Prudence aussi. C'est ça que je pense, moi. Pis c'est pour ça que je suis parti sans le dire à personne.

— Si c'est comme ça... On va y aller, voir Gilberte !

Le soulagement de Célestin fut si visible qu'il attira Victoire comme un aimant. Malgré sa simplicité, son nouveau beau-frère lui plaisait vraiment. Délaissant ses chaudrons, elle vint s'asseoir auprès de Lionel au moment où le grand gaillard poussait un long soupir de soulagement avant de lancer, tout heureux :

— Ah oui ? On va voir Gilberte ? Wow ! Là, je suis content, Lionel ! Ben ben content. On y va tout de suite ?

— Non, j'ai du travail. Mais dimanche, on pourrait faire un pique-nique.

— C'est quand dimanche ?

— Dans deux jours.

— Ah...

Encore une fois le regard de Célestin se troubla. Il repoussa son assiette et ce fut comme une déception pour Lionel.

— T'as l'air déçu ?

— Non, c'est pas ça...

— C'est quoi ?

— C'est juste que je pensais revenir à la maison pas plus tard que demain... J'ai peur que Prudence soye inquiète. Pis si Prudence est inquiète à cause de moi, c'est sûr que papa va se fâcher.

— T'en fais pas, Célestin ! On va téléphoner et...

Un grand éclat de rire interrompit Lionel.

— Téléphoner?

Célestin avait envie de se taper sur la cuisse tellement la blague de son frère Lionel était bonne.

— Ben voyons donc! On a pas ça un téléphone chez les Bouchard. C'est bon pour les curés pis les marchands généraux, un téléphone.

— Ça, vois-tu, je m'en doute un peu. Même moi, je n'ai pas le téléphone, fit Lionel en montrant la pièce d'un large mouvement du bras. Mais tu l'as dit: c'est bon pour les marchands. Alors, on va aller chez le marchand général, monsieur Laprise, on va demander une ligne et on va appeler Baptiste à l'Anse-aux-Morilles. Est-ce que c'est encore lui qui est le marchand de l'Anse?

— Ouais... Des fois, c'est lui, mais d'autres fois, c'est Romuald. Lui, c'est son garçon, pis c'est aussi mon beau-frère parce qu'il a marié Marie.

— Alors, on va demander Baptiste ou Romuald. Quand on va l'avoir au bout de la ligne, on aura juste à lui demander de prévenir Prudence.

— Ça se peut, ça?

— Tout à fait! Allez! Finis ton repas, Célestin, et on va y aller ensemble avant que je fasse mes visites de l'après-midi.

Célestin, qui sentait l'appétit lui revenir au rythme où les choses semblaient se placer, avait déjà sa fourchette en main.

— Pis on va faire un pique-nique dimanche? demanda-t-il, la bouche pleine, au risque de se faire réprimander.

Célestin voulait être bien certain d'avoir tout compris.

— Promis!

La réponse de Lionel, articulée sur un ton décisif et accompagnée d'un hochement de tête de la part de Victoire, ne pouvait être plus claire.

Le temps d'avaler sa bouchée et Célestin fit un très large sourire, tant à Lionel qu'à Victoire.

— Ben là, je suis vraiment content! répéta-t-il tout joyeux en s'essuyant la bouche du revers de la manche de son chandail. Personne va s'inquiéter chez nous, papa va pas se choquer après moi, j'vas voir enfin Gilberte, pis j'vas faire un pique-nique… Tout ça en même temps! C'est plein d'agrément de venir de l'autre côté du fleuve. Ouais… Pis toi, Lionel, t'es un frère pas mal fin. C'est juste plate qu'Antonin soye pas là… Ouais, ben plate.

Tout en parlant, Célestin secoua la tête énergiquement tandis que son regard se portait machinalement vers la fenêtre comme s'il allait apercevoir Antonin aussi loin que de l'autre côté du fleuve. Puis, il haussa les épaules et reporta les yeux vers Lionel pour expliquer tout aussi résolument:

— Mais c'est pas de sa faute s'il est pas là, mon frère. Non, monsieur! C'est juste qu'il est marié, astheure.

La promenade jusqu'à Baie-Saint-Paul fut un pur enchantement pour Célestin. Non seulement la perspective de voir enfin sa sœur le rendait-il fébrile au point d'avoir de la difficulté à rester en place, mais l'idée d'un pique-nique en sa compagnie ajoutait au plaisir du moment. Un panier bien garni reposait sur le banc entre Julien et lui, et comme Célestin avait aidé Victoire à le préparer, l'impatience était à son comble. En effet, en plus des habituels sandwiches de toutes sortes, quelques gâteaux bien tentants n'attendaient que l'appétit des promeneurs! Vraiment, il garderait un excellent souvenir de son bref séjour à Pointe-à-la-Truite.

Hier, en compagnie de Victoire, il avait passé un moment au cimetière pour prier sur la tombe de sa mère.

— T'es ben sûre qu'elle est là, ma mère?

Célestin regardait la terre tassée par de nombreux hivers d'un air sceptique. N'ayant jamais assisté à une mise en terre, il entretenait quelques doutes.

— Sûre et certaine, avait répliqué Victoire. Tu sais lire, non ?

— Ben oui... J'ai été longtemps à l'école au bout du rang, tu sais. C'est là que j'ai appris à lire pis Antonin m'a aidé quand c'était trop difficile.

— Alors, regarde sur la croix en bois. Le nom de ta mère est inscrit.

Célestin s'était alors penché et avec une certaine difficulté, car après tout, il n'avait pas vraiment l'occasion de pratiquer la lecture depuis qu'il avait quitté l'école, il avait fini par déchiffrer les lettres.

— Emma Lavoie, épouse de Matthieu Bouchard, avait-il lu lentement.

Puis, sans tenir compte des chiffres qui suivaient puisqu'ils étaient trop gros pour lui, il avait observé d'une voix troublée, sans se redresser :

— Pas sûr d'avoir bien lu, moi là !

Il s'était alors redressé. Une ride zébrant son front, il avait dévisagé Victoire durant un court moment avant de demander :

— Je reconnais le nom de ma mère, ça oui, mais je comprends pas pourquoi le nom de mon père est écrit, lui aussi. Quand je suis parti, hier, il était pas mort.

Avec une patience infinie, Victoire avait donné les explications qui s'imposaient, puis elle avait conduit Célestin à l'autre bout de la paroisse, là où vivaient encore ses grands-parents maternels.

— Va falloir parler fort parce que ton grand-père n'entend plus très bien, avait-elle expliqué au moment où elle s'apprêtait à frapper à la porte.

— Pas de problème avec ça, avait répliqué Célestin en opinant vigoureusement de la tête. Avec Mamie aussi, faut crier pas mal fort. Je suis assez habitué !

La rencontre s'était somme toute bien passée même si sa grand-mère maternelle avait une physionomie plutôt sévère – s'il avait connu le mot, Célestin aurait dit « revêche » ! – qui l'avait passablement intimidé.

Et aujourd'hui, il était en route vers la maison de Gilberte.

Finalement, que du beau et du bon depuis qu'il était à la Pointe !

Célestin poussa un long soupir de contentement. Ne restait plus qu'à découvrir cette fichue maison où restait Gilberte et il pourrait enfin se détendre complètement.

En effet, Lionel avait eu beau lui expliquer qu'elle habitait dans un hôpital, Célestin n'en démordait pas : personne ne pouvait ou ne voulait demeurer dans un hôpital à moins d'être malade. Or, aux dernières nouvelles, Gilberte n'était pas malade et le petit Germain non plus.

— Sinon, Gilberte nous l'aurait écrit, avait-il rétorqué sur un ton boudeur.

Après deux tentatives infructueuses pour expliquer la situation, Victoire avait signifié à Lionel, d'un regard impératif, qu'il ne servait à rien d'insister. Célestin verrait bien par lui-même de quoi il retournait quand il serait sur place.

Ce qu'il fit en écarquillant les yeux quand il comprit que Lionel arrêtait sa calèche dans la cour d'un immense bâtiment de pierres grises qui, quelle coïncidence ! avait justement des allures d'hôpital, du moins comme ceux que Célestin avait déjà observés sur certaines images dans le journal de la ville que son frère Antonin apportait parfois à Prudence.

— Quelle bonne idée, s'était-elle exclamée, la première fois qu'Antonin lui avait tendu un quotidien venu de Québec.

Comme j'ai déjà habité en ville, ça va me faire plaisir d'en avoir des nouvelles de temps en temps.

Ce fut ainsi que l'habitude de voir traîner un journal dans la maison de Matthieu Bouchard avait commencé.

Célestin regarda autour de lui, curieux, tandis que Julien, en vieil habitué de l'endroit, sautait déjà en bas de la calèche.

L'endroit était plutôt joli, Célestin en convint sans hésitation. Il savait apprécier un beau paysage et l'air sentait bon.

Célestin détourna la tête. Entre deux maisons, plus loin sur la rue, il apercevait le fleuve qui scintillait sous le soleil d'automne et de gros arbres en ombrelle dessinaient des ombres mouvantes sur un grand jardin à moitié dépouillé de ses légumes, juste devant lui au bout de la cour. N'empêche qu'en se retournant, Célestin tombait nez à nez avec une bâtisse plutôt terne qui n'avait rien de bien accueillant et cela le fit se renfrogner de plus belle. Gilberte ne pouvait habiter une telle demeure avec plaisir.

— C'est là ? demanda-t-il, sceptique, tout en cherchant Lionel des yeux.

— C'est là !

Réponse laconique qui fit soupirer Célestin de plus belle.

À son tour, Lionel avait sauté en bas de la calèche et il tendait la main à Victoire pour qu'elle puisse le rejoindre.

— Viens, Célestin ! On va passer par la porte de côté.

À bout de ressources verbales, Célestin se leva pour descendre de la calèche et suivre son frère, mais c'était uniquement parce qu'il avait terriblement envie de voir Gilberte et que, visiblement, ça serait ici que tout allait se passer. Mais s'il suivit Lionel et Victoire, il le fit en se traînant les pieds, comme toujours lorsqu'il était déçu ou décontenancé, et un nuage de poussière brunâtre l'accompagna jusqu'à la porte.

N'empêche que la plus décontenancée des deux fut Gilberte.

Elle était à la cuisine en train d'aider quelques religieuses à la préparation des repas du midi qui ne tarderaient pas à être servis.

Son premier réflexe fut de sourire de plaisir quand elle reconnut la voix de Lionel qui l'interpellait depuis la porte. C'était toujours un moment de grâce pour elle quand Lionel et Victoire lui rendaient visite.

De plus, étant donné l'heure où ils arrivaient, probablement qu'il y aurait un pique-nique au programme! Le petit Germain serait fou de joie, lui qui s'extasiait pour un oui et pour un non et qui adorait son oncle Lionel!

C'est donc toute souriante que Gilberte se retourna vers son frère et sa belle-sœur en repoussant sa chaise pour se relever.

C'est alors que Gilberte aperçut Célestin. Son sourire fondit aussitôt et elle laissa tomber le petit couteau qu'elle tenait à la main pour la plaquer aussitôt contre sa bouche comme si elle voulait retenir un cri.

Un regard sur son frère, un seul, et Gilberte avait pris conscience à quel point, en cinq ans, elle s'était ennuyée de sa famille, ennuyée de tous ses frères et sœurs qu'elle avait élevés même si elle n'était guère plus âgée qu'eux. Indéniablement, ils étaient sa famille, le seraient toujours et, d'une certaine façon, ils étaient aussi les enfants qu'elle n'avait jamais eus et qu'elle n'aurait probablement jamais, surtout en vivant ici, enfermée, cloîtrée comme une nonne!

« Loin du monde et de ses tentations », comme elle y songeait parfois avec une pointe d'amertume ironique brouillant la logique habituelle de ses pensées.

Ce fut plus fort qu'elle et Gilberte jeta un rapide coup d'œil tout autour d'elle.

La pièce était grise et sombre, à l'image de la petite chambre qu'elle occupait chaque nuit, des couloirs qu'elle longeait jour après jour, des salles communes qu'elle nettoyait du matin au soir quand elle n'était pas avec Germain.

Gilberte ferma les yeux une fraction de seconde, le temps de se demander ce qu'elle faisait là au lieu d'être avec les siens. L'immensité du sacrifice consenti durant toutes ces années pesa de tout son poids sur ses épaules qui se courbèrent involontairement tandis qu'elle s'était mise à fixer Célestin, les yeux écarquillés.

C'est alors que le nom de Germain revint, s'imposant bien au-dessus de la farandole de ses pensées sombres et négatives, les balayant à grands coups de tendresse et d'amour.

Y aurait-il eu une autre solution pour préserver à la fois la chèvre et le chou? Pour aider le petit Germain tout en permettant à Marie d'être heureuse?

Gilberte y avait longuement pensé durant les nuits et les semaines qui avaient suivi cette décision prise sur un coup de tête sans jamais arriver à trouver une réponse concluante, définitive.

Puis, le tourbillon du quotidien l'avait emportée et quand venait l'heure du repos, elle était désormais trop épuisée pour prendre le temps de réfléchir.

C'est ainsi que les années avaient passé.

Ce fut le jour où elle avait reçu la carte d'invitation pour le mariage d'Antonin que Gilberte avait repensé sérieusement à la vie qu'elle menait.

Était-ce là ce qu'elle attendait de l'existence? Une routine implacable entrecoupée, à l'occasion, de quelques visites trop courtes?

Pas vraiment.

Aurait-elle pu trouver autre chose?

Peut-être bien.

Même si à tous égards, c'était son beau-frère Romuald qui avait enclenché le processus en lui confiant le petit Germain, la rendant en quelque sorte responsable de son destin, Gilberte n'était pas heureuse.

— Je te confie mon fils et tes décisions seront les miennes, avait-il affirmé quand Gilberte avait quitté la chambre où sa sœur Marie dormait après la naissance de Germain.

Gilberte s'en souviendrait toujours : elle avait quitté la pièce comme une voleuse, le nouveau-né pressé contre sa poitrine comme un gredin cache contre lui le butin dérobé et tout le reste avait découlé des quelques mots de Romuald. La traversée vers la Pointe, la rencontre avec Lionel, son diagnostic, la décision qu'elle avait prise, la réclusion ou presque…

Puis, plusieurs années plus tard, il y avait eu la carte d'invitation.

Gilberte gardait une image très précise du matin où elle avait reçu cette carte. Elle était restée immobile durant de longues minutes, la carte d'invitation maladroitement dessinée par Célestin tenue du bout des doigts et de grosses larmes soulignaient les creux de son visage étroit et anguleux.

Si sa vie avait pu être tout autre, et de cela Gilberte n'était pas du tout convaincue, il était certain qu'aujourd'hui, il était trop tard pour en changer.

Revenir à la maison pour les noces d'Antonin était donc impossible.

À cause de Marie.

Depuis qu'elle vivait ici, Gilberte ne lui avait jamais écrit, ignorant les mots à dire et la façon de les dire. Seul Romuald envoyait une lettre qui ne demandait aucune réponse et un peu d'argent chaque année, lors de l'anniversaire de Germain, argent que Gilberte mettait scrupuleusement de côté. Sait-on jamais ce que l'avenir pouvait leur réserver ! Alors, à ses yeux, l'éventualité de se retrouver face à face avec Marie était impensable. Si elle ou Romuald avaient voulu avoir des nouvelles de Germain, ils l'auraient fait savoir, non ?

Alors, dans de telles circonstances, Gilberte aurait-elle pu changer quoi que ce soit à ses décisions ?

Aujourd'hui, elle savait que non, et sachant cela, le sacrifice n'en était plus vraiment un.

Puis, brusquement, elle s'inquiéta.

— Toujours ben pas un malheur, murmura-t-elle d'une voix étranglée, son regard passant convulsivement de Lionel à Célestin.

Pourtant, tout le monde semblait détendu.

— Bien au contraire, confirma aussitôt Lionel. Viens, Célestin, approche un peu et dis à Gilberte pourquoi tu es ici.

Célestin n'eut pas le temps d'ouvrir la bouche que Gilberte, maintenant rassurée, se précipitait vers lui en s'essuyant les mains sur son tablier.

— Mon sacripant, toi ! Viens ici que je t'embrasse !

Célestin détestait les poignées de main, les embrassades, les étreintes en tous genres. De tous les gens qu'il côtoyait, il n'acceptait les accolades que de son frère Antonin.

Et de Gilberte aussi, bien entendu. Comment avait-il pu l'oublier ?

Maintenant que sa sœur le serrait tout contre elle, Célestin se le rappelait fort bien : Gilberte avait beau être minuscule, auprès d'elle Célestin redevenait tout petit et il aimait ça. « Pas mal ça ! » aurait-il dit en toute candeur.

Durant quelques instants, il ferma les yeux sur cette sensation toute simple de bonheur à saveur d'enfance qui venait subitement de l'envahir et il poussa un long soupir de contentement. Tout d'un coup, il n'était plus du tout intimidé. Ni par la pièce pas très accueillante, ni par les deux religieuses qui l'avaient dévisagé intensément quand il était entré, ni par rien du tout.

Gilberte était là, à côté de lui, et c'est tout ce qui comptait.

Jusqu'à ce qu'il repense à ce qui l'avait amené jusqu'ici. Il ouvrit alors précipitamment les yeux.

— Gilberte, lança-t-il en se dégageant de l'étreinte de sa sœur, faut que je te parle. C'est ben important.

Gilberte glissa un regard amusé vers Victoire et Lionel, puis elle revint à Célestin qui avait pris sa mine grave, celle des moments sérieux, les sourcils tellement froncés qu'ils recouvraient pratiquement ses yeux.

À peine quelques mots, quelques instants d'une intensité peu commune, et Gilberte reconnaissait les manies et les usages de ce petit frère peu banal qu'elle avait appris à aimer comme un fils. Elle en fut tout de suite émue.

— Vas-y, mon Célestin, encouragea-t-elle d'une voix douce. Je t'écoute.

— C'est Mamie.

— Qu'est-ce qu'elle a, Mamie ? Elle est malade ?

À ces mots, Célestin poussa un soupir d'exaspération en tapant du pied.

— Ben non, voyons ! C'est quoi votre idée à tout le monde ici de penser que Mamie est malade ? Elle est pas malade, Mamie, elle va avoir cent ans !

— Cent ans ?

— Ben oui, cent ans ! C'est pas croyable, hein ?

— C'est vrai que c'est difficile à croire, approuva Gilberte en souriant.

De toute évidence, Célestin était fier de l'effet de surprise qu'il avait provoqué. Son visage un peu rougeaud avait retrouvé toute sa sérénité.

— Ben c'est ça ! lança-t-il vivement, comme s'il avait peur d'oublier certains mots s'il prenait tout son temps. Prudence a cherché ben comme faut pour savoir la vérité, pis c'est vrai : Mamie va avoir cent ans. Ça fait qu'il faut que tu viennes chez nous ! Pour fêter la fête à Mamie.

— Oh !

Pour une seconde fois en quelques instants à peine, Célestin inspira bruyamment en tapant du pied, signe que son calme apparent était mis à mal. Il avait les narines dilatées, toutes gonflées d'impatience.

— Je te vois venir avec ton « oh ! », lâcha-t-il en braquant les yeux sur sa sœur. Quand tu dis ça, Gilberte, c'est que tu vas dire non. C'est toujours comme ça quand tu vas dire non à quelque chose. Ça, tu vois, je l'avais pas oublié. Pas pantoute ! Pis ça me fait pas plaisir de t'entendre dire ça.

— Ah oui ? Je suis comme ça, moi ? demanda candidement Gilberte pour retarder le moment où, en effet, elle serait obligée de dire non.

— Ben oui. Essaye pas de faire ta maligne avec moi, Gilberte, ta fin finaude, comme tu dis des fois. Je te connais, tu sais. Pis moi, je veux pas que tu dises non. C'est pour ça que Clovis m'a amené sur son bateau.

— Clovis maintenant…

— Ouais, Clovis… Comment c'est que tu veux que je vienne jusqu'ici ? Toujours ben pas en nageant. Non monsieur ! Ici, c'est ben trop loin de l'Anse pis quand les pommes sont arrivées dans les arbres, l'eau est trop froide pour se baigner. C'est Prudence qui le dit. Mais c'est pas ça l'important. C'est la fête à Mamie qui est l'important.

— D'accord avec toi, Célestin. La fête de Mamie est très importante. Mais je vois pas comment je pourrais laisser Germain tout seul ici pour aller…

— Non, Gilberte ! coupa Célestin avec une certaine brusquerie dans la voix, ses larges mains s'ouvrant et se fermant spasmodiquement le long de ses cuisses. T'as pas le droit de dire non. Pas devant ma face comme ça.

Les yeux de Célestin étaient tout brillants des larmes qu'il tentait bien maladroitement de retenir. Il n'avait toujours pas fait tout ce chemin-là, toutes ces démarches-là, pour retourner chez lui bredouille.

Et que deviendrait son cadeau pour Mamie si Gilberte s'obstinait à dire non ?

— Tu peux pas dire non, Gilberte, implora-t-il, alors. Personne peut dire non comme ça, drette dans la face du monde. C'est pour ça que je t'ai pas faite de carte d'invitation. Pour que t'ayes pas la chance de dire non comme tu l'as faite pour le mariage d'Antonin en écrivant des mots sur un papier.

— C'est pas que je voulais dire non, Célestin ! Surtout pour le mariage d'Antonin. Comprends-moi bien. C'est juste que j'avais pas le choix.

— C'est pas vrai, ça ! Je te crois pas. Le petit Germain est pas si petit que tu l'as écrit sur ton papier. Ça se peut pas. Même s'il grandit pas aussi vite que notre avoine, comme Antonin l'a expliqué, ça fait quand même longtemps qu'il est né. Il doit sûrement avoir grandi plus qu'un peu parce que ça fait ben des étés que t'es partie avec lui. Ça fait que le petit Germain, il est pas si petit que ça, pis c'est pas une vraie raison pour dire non. C'est ça que je pense, moi, pis personne va changer mon idée. Non monsieur !

Déconcertée par une si longue envolée de la part de Célestin, Gilberte jeta un regard interdit à Lionel. Il savait, lui, la véritable raison qui la retenait ici, peut-être pourrait-il l'expliquer à leur jeune frère ? Comme il ne répondait pas, lui aussi visiblement embarrassé, Gilberte se tourna alors vers Victoire qui saisit tout de suite son appel à l'aide.

— Et si nous parlions de tout ça en mangeant ? proposa-t-elle en glissant un certain entrain dans sa voix. As-tu oublié, Célestin, qu'un bon pique-nique nous attend dans la calèche ? Regarde Julien ! Il fait le pied de grue sur le bord de la porte ! Je crois qu'il a faim et qu'il s'impatiente.

Le regard de Célestin avait suivi les paroles de Victoire et il fixa le jeune Julien durant un instant. Malheureusement, voir son jeune neveu lui faire une grimace polissonne ne fut pas suffisant pour engendrer un rire. Ni même un sourire.

— Ben moi, j'ai pas faim, soupira-t-il en se détournant. Pis ça me tente plus tellement de faire un pique-nique. C'est quand on est content qu'on fait un pique-nique. Pis là, je suis pas vraiment content.

— Bien moi, je connais quelqu'un qui adore les pique-niques pis je m'en vas le chercher tout de suite, s'entêta Gilberte sans tenir compte des derniers propos de Célestin.

Pas question pour elle de priver Germain de cette petite douceur, lui qui en avait si peu. Ce serait à Célestin de plier.

— En plus, il fait vraiment beau, poursuivit-elle en revenant sur ses pas pour ramasser le couteau tombé et le déposer sur la table. C'est peut-être la dernière chance qu'on a de manger sur l'herbe. Si vous êtes d'adon, ça serait ben agréable de s'installer dans le verger de monsieur Gamache. Il demeure dans le rang Saint-Antoine pis de chez eux, on voit le fleuve pis l'Isle-aux-Coudres. C'est ben beau.

Le temps d'une discussion et elle avait renoué avec d'anciennes habitudes. Mettre Célestin devant un fait accompli était une façon d'agir qui avait souvent fait ses preuves. Même s'il était lent, Célestin comprenait la logique de certaines choses sans difficulté.

— Comme Germain est le plus jeune ici, conclut-elle en se tournant vers son frère, je pense ben que c'est lui qui devrait décider si on va en pique-nique ou pas. Es-tu d'accord avec ça, Célestin ?

Le grand gaillard se dandina un instant.

— Ouais… si on veut.

— Parfait ! Attendez-moi ici, tout le monde, je reviens dans quelques minutes.

Et sans plus attendre, Gilberte quitta la cuisine d'un pas résolu.

Quand elle revint, quelques minutes plus tard, un petit garçon trottinait à ses côtés et ce fut au tour de Célestin de tourner un regard interloqué vers Lionel puis, après, vers Victoire.

Pourquoi n'avaient-ils rien dit?

Décontenancé par la surprise, Célestin revint à Gilberte et au petit Germain qui se tenaient ensemble dans l'embrasure de la porte.

Effectivement, le petit Germain, comme s'entêtait à l'écrire Gilberte, était encore petit, bien plus que tout ce que Célestin s'était imaginé.

De plus, il avait les jambes torses et le bambin semblait avoir de la difficulté à garder son équilibre. Célestin se dit que c'était probablement pour ça qu'il s'agrippait ainsi à la main de Gilberte. À bien regarder, la main aussi avait une allure déconcertante, avec ses doigts tout petits et ronds, écartés les uns des autres comme lorsque lui-même devait compter.

Tout à coup, Célestin se sentit mal à l'aise devant cet enfant particulier qui le dévisageait, bien à l'abri derrière un pan de la jupe de Gilberte. Avec son visage aplati, comme jamais Célestin n'avait eu l'occasion d'en voir un, le petit Germain n'était pas très beau non plus. Moins beau en tout cas que tous les autres enfants de l'Anse, ceux que Célestin connaissait et côtoyait régulièrement puisque c'était lui, maintenant, qui faisait les courses au village, quand Prudence en avait besoin.

C'était donc pour ça que Gilberte vivait dans un hôpital? Parce que le petit Germain avait une maladie en plus d'être un idiot? Parce qu'il fallait sûrement être malade pour avoir les jambes tellement tordues que ça paraissait même sous un pantalon et un visage aussi différent du sien.

Célestin se tourna alors vers Lionel.

— Pourquoi tu l'as pas dit, qu'être idiot c'était une maladie? demanda-t-il d'une voix hésitante, sans savoir s'il était triste à pleurer ou en colère parce qu'il avait l'impression qu'on s'était moqué de lui. C'est pas fin d'avoir rien dit, Lionel. Ça fait comme une mauvaise nouvelle pis moi, j'aime pas ça, les mauvaises nouvelles.

— Je n'ai rien voulu te cacher, Célestin. Pour nous, expliqua Lionel en pointant sa poitrine avant de montrer du doigt Victoire et Julien, Germain est comme il est. Il est né comme ça et on l'aime comme ça. Je… je m'excuse, mais je ne pensais pas que ça serait une mauvaise nouvelle pour toi puisque ce n'est pas une mauvaise chose pour nous.

— Ah non?

À défaut d'une chaise berçante pour soutenir sa pensée, Célestin s'était mis à se balancer sur place, portant lourdement son poids d'un pied à l'autre.

— C'est pas une mauvaise chose d'être comme Germain?

— Non. Même que ce petit garçon-là dépasse, et de loin, tout ce que moi j'avais prédit pour lui.

— Pourquoi d'abord, il vit dans un hôpital? Je comprends pas.

— Parce que c'est ici que Gilberte a trouvé une maison pour lui et pour elle. Et comme Germain n'aime pas vraiment le changement, elle a…

— Ben ça, je comprends, interrompit Célestin en fixant Germain qui était toujours agrippé à la main de Gilberte. Moi non plus, j'aime pas ça quand les choses changent… Ça me fait un peu peur. Comme quand Antonin a dit qu'il avait une amoureuse.

— Tu vois!

— Ben non! Je vois rien… sauf que Germain est pas comme les autres enfants que je connais, pis je sais pas si…

Célestin n'eut pas le temps de compléter sa pensée que Germain lâchait la main de Gilberte. D'une démarche mal assurée, semblable à celle des canards quand ils sortaient de la mare derrière chez lui, il se précipita vers Célestin et, d'un élan, comme s'il avait peur de tomber, le petit garçon entoura sa cuisse de ses deux bras avant de lever vers lui un sourire radieux.

Interdit, Célestin n'osa bouger. En fait, c'est tout juste s'il osait respirer.

C'était la première fois qu'un enfant venait à lui aussi spontanément, venait à lui, tout simplement.

D'habitude, Célestin Bouchard faisait peur aux enfants de l'Anse avec sa voix un peu rauque, sa stature imposante et ses mains aussi larges que le fléau qu'on employait encore parfois pour battre le grain. Même que certaines mères sans scrupule brandissaient son nom comme un épouvantail malfaisant quand la marmaille était trop agitée.

Pourtant, lui, Célestin Bouchard, il aimait bien les enfants et jamais il n'aurait eu l'idée de leur faire du mal.

C'est pourquoi, malgré l'intimité du geste de Germain qui entourait sa cuisse de ses deux bras, Célestin ne bougeait pas.

Par contre, il leva les yeux vers Gilberte qui perçut aussitôt un reflet de panique dans son regard.

— Pourquoi il fait ça, le petit Germain? demanda Célestin d'une voix apeurée. Je le connais pas vraiment, moi. Non monsieur, je le connais pas!

— Je sais, Célestin. Et je sais aussi que t'aimes pas vraiment ça qu'on soye trop proche de toi, qu'on te touche.

— Tu t'en rappelles?

— C'est sûr que je m'en rappelle. Mais Germain, lui, il le sait pas.

— Ouais… C'est vrai…

Célestin jeta un regard inquisiteur teinté d'appréhension sur le gamin qui se cramponnait à lui.

— On se connaît pas, lui pis moi, ça c'est pas mal vrai, marmonna-t-il. Mais ça me dit pas pourquoi il fait ça, par exemple !

— C'est sa façon à lui de dire qu'il t'aime.

— Ah ouais ?

Le regard de Célestin se promena de Gilberte à Germain, puis encore à Gilberte qui ajouta d'une voix très douce, émue :

— Je vis avec Germain depuis qu'il est au monde, tu sais, et si je dis qu'il t'aime, c'est que c'est vrai. Tu dois pas en douter, mon Célestin. Quand Germain va voir quelqu'un comme il fait maintenant avec toi, c'est parce qu'il l'aime. Et ça lui arrive vraiment pas souvent.

— Le petit Germain m'aime ?

La voix de Célestin était empreinte de doute mais aussi d'une grande attente. Cela n'arrivait pas souvent que quelqu'un lui dise l'aimer. Pourtant, Célestin l'avait toujours espéré, d'autant plus maintenant qu'Antonin était amoureux et avait quitté la maison. Depuis le jour des noces, plus personne ne lui disait « je t'aime ».

S'il y avait quelqu'un de sensible à ce genre d'émotion, c'était bien Gilberte, elle qui vivait sa solitude avec beaucoup de mélancolie par moments. Alors, quand elle poursuivit, sa voix n'avait rien perdu de sa douceur et un trémolo se glissa dans ses mots.

— Oui, c'est sûr que Germain t'aime beaucoup, expliqua-t-elle encore une fois, après une longue inspiration. Parce que sinon, il resterait tout près de moi et il pourrait même se mettre à crier si tu t'approchais trop de lui.

— Eh ben…

La voix de Célestin, habituellement fort grave, parut presque éthérée, comme si elle venait de très loin.

— Alors? demanda Gilberte toujours sur le même ton, ne voulant surtout pas brusquer son frère. Qu'est-ce que tu dirais de partir pour le pique-nique, maintenant?

Célestin ne répondit pas. Il était trop difficile d'avoir deux choses en tête en même temps et, pour l'instant, ce grand gaillard de six pieds trois pouces et deux cent quarante livres n'avait d'yeux que pour ce petit enfant qui s'était curieusement agrippé à lui. Il le dévisagea longtemps, très longtemps et, lentement, dans un léger tremblement, il esquissa un sourire à son tour. Subitement, il avait l'impression d'être immense à côté de son jeune neveu et cette sensation le laissait médusé, même s'il la trouvait curieusement confortable.

Célestin prit une profonde inspiration, comme s'il venait de réaliser un bon coup!

Pour la première fois de sa vie, à l'exception des quelques incidents qui l'avaient amené à défendre Antonin quand ils étaient plus jeunes, Célestin avait la certitude qu'ici aussi, il y avait peut-être quelqu'un à protéger parce que, en ce moment, dans la cuisine trop sombre d'un hôpital pas très beau, ce n'était plus lui l'enfant. Il n'était plus celui à qui l'on disait que l'heure d'aller au lit était venue, de ne pas oublier d'enlever ses chaussures quand il revenait des champs ou de changer de vêtements parce que ceux qu'il portait étaient franchement trop sales.

Non, ici, en ce moment, c'était lui, Célestin Bouchard, qui était le plus grand, le plus fort, et, comble de stupeur, il sentait même son cœur battre la chamade quand il regardait le petit Germain qui n'avait toujours pas cessé de lui sourire.

Tout doucement, peut-être parce qu'il sentait la fragilité du petit garçon agrippé à son pantalon, Célestin posa sa grosse main sur sa tête et, maladroitement, du geste de celui qui n'en a pas l'habitude, il ébouriffa les cheveux blonds, un peu filasse.

— Il est gentil le petit Germain, dit-il finalement en reportant les yeux sur Gilberte. Lui, il me fait pas peur. Non monsieur ! Je pense même que moi aussi, je l'aime beaucoup… Ouais, beaucoup.

En disant cela, Célestin regarda l'enfant avant de revenir à Gilberte.

— Je pense aussi que je commence à avoir faim, pas mal faim, même. Alors ? On y va-tu en pique-nique, oui ou non ?

CHAPITRE 7

Un mois plus tard, au village de Pointe-à-la-Truite,
dans la forge de James O'Connor, en octobre 1919

Même s'il était normal que les saisons se suivent inexorablement, depuis quelques années, malheureusement, elles commençaient à se ressembler un peu trop. Du moins au goût de James, car la clientèle se faisait de plus en plus rare et ce qui avait semblé une bonne affaire au moment de l'achat, quelque seize ans auparavant, ressemblait de plus en plus à un boulet à la cheville dont il ne pourrait plus se débarrasser.

Pire ! Il ne pourrait même pas laisser la forge en héritage à son fils même si ce dernier montrait un intérêt certain pour le travail du fer.

Une vraie catastrophe, cet achat !

Voilà ce que James O'Connor pensait de la forge depuis ces derniers mois. L'été s'était terminé et l'automne avait montré ses premières feuilles d'or et de cuivre sans que James change sa perception des choses. Si les touristes avaient repris leurs bonnes habitudes et se présentaient à la Pointe de plus en plus nombreux depuis la fin de la guerre, surtout maintenant que l'épidémie de grippe n'était plus qu'un mauvais moment que tous voulaient oublier, sans être au bord de la faillite, la forge faisait tout juste ses frais, leur permettant, à James et sa famille, de vivre à peine décemment. Comment, alors, voir l'avenir avec optimisme ?

— C'est pas des farces, le nouveau garage de La Malbaie attire déjà plus de monde que ma forge, avait-il expliqué récemment à Lysbeth qui, lasse de voir son mari se morfondre, l'avait pressé de questions. Quand j'entends que les autos sont là pour rester, j'ai bien l'impression que ça pourrait être vrai, malgré tout ce qu'on a pu en penser à leur apparition. C'est rien pour aider nos affaires et c'est pas comme ça que notre fils va pouvoir penser à fonder une famille.

— Et à son âge, ça serait normal d'y penser, avait laissé échapper Lysbeth bien malgré elle et sur un ton un peu sec.

À ces mots, James avait jeté un regard noir à sa femme. Lui aussi, il y pensait. Son fils John, que plus personne n'appelait Johnny Boy sauf Lysbeth et lui, parfois, dans l'intimité de leur foyer, courtisait une jeune fille du village depuis quelques années déjà. Une gentille fille qui, cela va sans dire, serait un jour une bonne épouse pour lui. Mais comment songer à s'établir dans la vie quand la forge, de toute évidence, ne suffirait pas à faire vivre deux familles ? Une bouche de plus à nourrir, avant que ça ne devienne deux ou trois, et ce serait problématique.

En effet, cet été, certains touristes de Québec étaient venus jusqu'ici en voiture et le besoin en essence, en réparation de pneus, en changements de courroies était plus pressant que celui d'un fer à cheval que l'on devait remplacer ou celui de la remise en état d'une calèche ! Quant aux Américains et aux Canadiens plus éloignés, ils venaient toujours par bateau et les moyens de transport terrestre ne les intéressaient pas, sauf pour louer les services d'un chauffeur qui, eux aussi, optaient de plus en plus pour les automobiles.

— Ça attire la clientèle, la chance de se déplacer en auto !

D'où le visible ralentissement du travail à la forge.

C'est ainsi que James, n'ayant jamais vraiment aimé le froid et l'hiver, se surprenait à attendre la fin de l'automne avec impatience. Avec la neige, les carrioles ressortiraient inévitablement des hangars ou du fond des granges parce que les routes enneigées ne permettaient pas le passage des automobiles, et qui disait carriole disait aussi patins à limer, à réparer, à solidifier et chevaux à ferrer. La forge reprendrait peut-être du service de façon plus régulière, James pourrait ainsi espérer certains profits et par la suite permettre à son fils de poursuivre quelques études à Québec, question de se trouver un bon métier. Que pouvait-il lui offrir d'autre dans les circonstances actuelles ? Et c'était sans compter le petit Julien qui ne jurait que par la forge ! Comment lui dire de regarder ailleurs parce qu'il n'y avait plus d'avenir à travailler le fer ?

James poussa un soupir de découragement, n'ayant pas le cœur de faire le point avec qui que ce soit.

Si durant quelques années, James avait entretenu le rêve de voir son fils et Julien s'associer pour mener à bien les destinées de la forge, il n'y croyait plus du tout. Ça aurait été bien mal aimer ces deux garçons que de leur proposer de prendre sa relève.

Pourtant, Dieu lui était témoin qu'il en avait assez de travailler de l'aube au crépuscule sans répit, les heures d'attente à ne rien faire étant encore bien pires à supporter que celles mises à travailler réellement.

— Si au moins Lysbeth avait recouvré complètement la santé, murmura-t-il en finissant de ranger ses outils avant de regagner la maison, on pourrait penser à retourner en ville… Peut-être.

James regarda tout autour de lui, accablé, déçu de voir que ce projet auquel il tenait tant n'avait pas donné les résultats escomptés.

En effet, s'il avait choisi un jour de s'installer ici, c'était en grande partie pour Lysbeth qu'il l'avait fait, rempli d'espoir.

Il l'avait fait aussi pour John, ne l'oublions pas, parce que le gamin qu'il était à cette époque-là avait appris à aimer la vie à la campagne.

Pourtant, à l'arrivée de Johnny Boy à la Pointe, rien ne laissait présager l'éventualité d'un tel changement.

— Le temps que mommy se remette, avait promis James à son fils, alors que le petit garçon était éperdu de chagrin de savoir sa mère malade et inquiet de se voir relégué si loin de leur maison et de tout ce qui était sa vie.

Le sachant, James avait alors ajouté, se voulant rassurant :

— Quelques semaines, pas plus !

Hélas, malgré la promesse et en dépit de toutes leurs attentes, le séjour s'était prolongé !

Mais comme on le dit : à quelque chose malheur est bon ! Ce fut ainsi qu'en quelques mois à peine, le jeune Johnny avait changé son fusil d'épaule. De nouveaux amis, Lionel, Albert et Victoire s'occupant de lui avec affection, avaient suffi ! Désormais, il ne jurait plus que par la campagne.

— Et tant pis pour les images qui bougent, avait-il fort sérieusement déclaré à James, faisant ainsi référence aux cinémas qui commençaient à apparaître dans les villes, au grand désespoir des curés qui y voyaient une occasion supplémentaire de péchés. On ira voir les p'tites vues quand ça adonnera. En attendant, ici aussi, tu sais, il y a plein de choses qui bougent.

Du bras, l'enfant avait alors montré le fleuve et le ballet incessant des bateaux. Puis, un peu plus tard ce même jour, il avait ajouté pour convaincre son père que la vie à la campagne avait aussi plein d'agréments :

— Ici, daddy, ça sent meilleur qu'à Montréal, avait-il souligné, alors que tous deux marchaient le long de l'avenue principale du village. Il n'y en a pas, des chats morts dans les ruelles !

Que dire de plus? La décision de rester à la Pointe s'était prise ce jour-là.

Il avait fallu plus d'un an pour que Lysbeth soit déclarée en rémission et c'était bien parce qu'elle partait pour la campagne que le médecin avait accepté de la libérer du sanatorium où elle était hospitalisée. Une lettre du docteur Lionel Bouchard avait grandement aidé en ce sens.

Lysbeth avait eu des larmes de bonheur dans les yeux en apprenant la nouvelle de son départ pour Pointe-à-la-Truite; le jeune John avait poussé des cris de joie quand il avait compris qu'il resterait définitivement au village; et James avait troqué, un peu perplexe, un métier de débardeur qu'il aimait vraiment contre celui de forgeron et maréchal-ferrant qu'il ne connaissait pas.

Mais que n'aurait-il pas fait pour que sa famille soit à nouveau réunie? Et soyons francs: lors de son premier séjour à la Pointe, la forge d'Albert Lajoie avait fait renaître en lui quelques souvenirs de son enfance en Irlande, des souvenirs de sa famille disparue trop vite, autant d'images particulièrement heureuses. Alors, voir le local mis en vente et s'imaginer en être l'unique propriétaire, cela l'avait aidé à faire germer l'idée de s'installer à la Pointe. Une idée somme toute plutôt séduisante!

Comme James était vif, costaud et que le travail ne lui avait jamais fait peur, en quelques mois à peine, il connaissait déjà pas mal de ficelles du métier. Peu de temps après, Albert Lajoie décédait et ce fut ainsi que James O'Connor avait définitivement pris sa place à titre de forgeron de Pointe-à-la-Truite.

Et sa place tout court dans le village, s'y faisant rapidement de bons amis.

N'empêche que c'est avec un pincement au cœur que James avait quitté ses compagnons de travail et autres amis de Montréal, tous ceux qu'il considérait comme étant sa famille puisqu'il était orphelin depuis l'âge de cinq ans.

— Promis, je reviens vous voir régulièrement! avait-il juré, au matin de son départ définitif, confiant à Donovan la vente de la maison de Lysbeth. Et vous pourrez nous rendre visite durant l'été! C'est un très beau village, vous savez!

Malheureusement, les promesses de se revoir étaient restées lettre morte, personne n'ayant ni le temps ni l'argent pour entreprendre un tel voyage. Hormis un séjour éclair pour signer l'acte de vente de la maison chez un notaire, James n'était jamais retourné à la ville.

Plusieurs années plus tard, quand il avait appris le décès de Ruth, l'épouse de son grand ami Donovan, elle était déjà en terre depuis de nombreux mois, victime elle aussi de la grippe espagnole qui sévissait.

La déception de James, ce jour-là, avait été à la hauteur de son chagrin. À peine le temps de lire la lettre que, fébrile, il cherchait déjà son vieux sac de voyage.

Puis, la sagesse et le bon sens avaient repris leur place. Même si James avait appris la nouvelle plus tôt, même s'il avait eu une fortune à sa disposition pour voyager rapidement, jamais il n'aurait pu se rendre à Montréal, car la grippe espagnole faisait toujours des ravages, tuant les gens par centaines, chaque semaine.

James avait cependant pleuré le décès de Ruth comme on pleure la perte d'une grande sœur.

Puis, la vie avait continué.

Aujourd'hui, même s'il ne regrettait rien, il lui arrivait de plus en plus souvent d'avoir la nostalgie d'une vie un peu plus trépidante, dans une métropole comme Montréal.

Il avait repris sa vieille habitude de dévorer le journal du samedi matin parce qu'il venait de la ville; il rêvait de cinéma et de théâtre, comme on en trouvait en ville; et il se demandait si la cuisine de la taverne de Joe Beef était toujours aussi bonne.

Mais que pouvait-il faire d'autre que ce qu'il faisait déjà? Ne restait, en fait, qu'à travailler pour améliorer leur sort et espérer peut-être s'en sortir un jour.

Pourvu que la clientèle lui revienne avec une certaine fidélité, ce serait peut-être envisageable parce que les économies qu'il avait réussi à accumuler du temps où il était débardeur au port de Montréal n'étaient plus que le vague souvenir d'une époque plus facile, celle où Lysbeth n'était pas encore malade. Quant à l'argent de la vente de la maison de cette dernière, un petit cottage situé à Griffintown dans l'ouest de l'île de Montréal, il avait servi jusqu'au dernier sou pour acheter la demeure d'Ernestine, la mère de Victoire, chez qui ils habitaient depuis quelques années au moment de son décès. En agissant ainsi, ils avaient évité bien des tracas, car en plus de Victoire, Ernestine avait laissé de nombreux fils, donc de nombreux héritiers.

Néanmoins, aujourd'hui, James se demandait s'ils avaient bien fait d'acheter cette maison. Depuis quelques mois, c'était cet éternel questionnement qui l'accompagnait, alors qu'il retournait chez lui à la fin de la journée. Un questionnement qui virait régulièrement au tourment à l'instant où il arrivait devant la vaste demeure.

James s'arrêta un moment avant de descendre la petite côte en gravier qui menait à la longue galerie ceinturant la maison.

Cette maison, bien qu'en excellent état, était beaucoup trop grande pour leurs modestes besoins à Lysbeth, John et lui. Et même si son fils s'y installait avec sa femme un jour, ça resterait trop grand.

Des familles de dix-huit enfants, il y en avait de moins en moins!

Pourquoi alors avoir acheté cette bâtisse et avoir ainsi dilapidé le bon argent qu'il leur restait encore à ce moment-là ?

James l'ignorait.

Avoir connu l'avenir, avoir su à quel point il s'assombrirait, il aurait plutôt envisagé une location à long terme, ce qui l'aurait mis à l'abri des tracasseries au moment du décès d'Ernestine, et maintenant, il serait plus libre.

En effet, si la santé de Lysbeth laissait toujours à désirer, nécessitant repos, bonne alimentation et grand air, James osait croire qu'ils pourraient tout de même envisager un déménagement.

Montréal ne serait peut-être pas la solution rêvée, d'accord, à cause de sa population de plus en plus dense et de la promiscuité qui y régnait, mais pourquoi pas Québec ? C'était une ville charmante, à entendre ceux qui la connaissaient et selon le souvenir que James en gardait. De plus, on y trouvait de vastes parcs et du grand air à revendre.

Exactement ce dont Lysbeth avait besoin.

C'était aussi une ville suffisamment importante pour que James s'y trouve un emploi. N'importe quoi, il n'était pas capricieux, et bien que l'âge l'ait rattrapé lui aussi, ses cheveux blancs comme neige en faisaient foi, il était toujours en excellente santé et il n'avait rien perdu de la force physique de ses jeunes années. Le marteau et l'enclume, même à petites doses, avaient fort bien entretenu ses muscles ! De toute façon, pour le bien-être de Lysbeth et l'avenir de John, James était prêt à bien des sacrifices et, à ses yeux, ces quelques sacrifices se résumaient à un certain nombre d'années supplémentaires à travailler comme un forcené. Ce qui, finalement, ne serait pas grand-chose s'il avait la chance de vivre tout ça en ville !

La ville !

James en rêvait, le jour comme la nuit ! Il alignait consciencieusement les raisons de partir et les projets envisageables,

les envies de sortie et les perspectives de travail. Il s'amusait même parfois à tout mettre sur papier, s'apercevant, au bout du compte, qu'il n'aurait pas le choix de revenir à la case départ : pour rejoindre la ville, il devrait vendre ce qu'il avait ici.

Et qui, grands dieux, avait besoin aujourd'hui d'une maison aussi grande que la sienne et d'une forge qui faisait tout juste ses frais ?

Il y avait fort loin de la coupe aux lèvres, James en était conscient, et tant qu'il serait propriétaire de la forge et de la maison, il n'aurait d'autre choix que de remiser ses aspirations et ses bouts de papier !

James reprit sa marche en direction de la maison, les yeux au sol et les épaules voûtées. Pourtant, lorsqu'il arriva devant la porte, il se redressa par habitude et tout aussi machinalement, il esquissa un sourire pour que Lysbeth ne se doute de rien. Partager avec elle le fait que les temps étaient difficiles, c'était une chose normale pour le couple uni qu'ils avaient toujours été. Savoir que lui-même en avait assez, qu'il se sentait prisonnier d'une situation qu'il avait malheureusement façonnée de ses propres mains, c'était tout autre chose.

Une autre chose qu'il n'était pas encore prêt à partager avec qui que ce soit.

Et il espérait sincèrement qu'il n'aurait jamais à le faire.

— Lysbeth ! Je suis de retour, lança-t-il comme il le faisait tous les soirs, secouant bruyamment ses pieds sur la catalogne de l'entrée... Ça sent pas mal bon, ici ! Qu'est-ce que tu nous as préparé pour souper ?

Ce que James ignorait, cependant, c'était que le jeune John en était arrivé au même point que son père. Il n'était pas aveugle, loin de là, et il était conscient que la forge rapportait de moins en moins, malgré l'affluence des touristes qui avait repris, surtout l'été dernier où ils avaient déambulé, nombreux, dans les rues du village. À entendre la mère Catherine, toujours au poste malgré son grand âge, la saison qui s'achevait avait été l'une des meilleures.

— C'est pas mêlant, j'ai jamais vu autant de monde en si peu de semaines ! Une vraie folie, ma parole !

Pourquoi, alors, en allait-il autrement pour la forge ?

Cela avait déclenché tout un processus de réflexion chez John. Mais contrairement à celle de James, la philosophie du jeune homme était faite d'optimisme : si les chevaux étaient appelés à disparaître, il fallait s'adapter !

Avait-il le choix ?

Le monde changeait, les habitudes aussi et il ne restait plus qu'à suivre la parade si on voulait survivre !

Par contre, et contrairement à son père, le jeune homme ne voyait pas la forge comme un boulet. Bien au contraire ! Il aimait y travailler et, tout comme James, il se plaisait dans l'atmosphère lourde et chaude qui y régnait. Il avait donc la ferme intention d'y gagner sa vie.

De surcroît, de fort bien y gagner sa vie.

Ainsi, le jour où John O'Connor se présenterait devant le père de Léontine pour demander sa main, et Dieu sait qu'il avait hâte, il le ferait la tête haute, car il aurait l'assurance que leur famille en devenir ne manquerait jamais de rien.

Ce fut ainsi que l'idée germa, à regarder les touristes, à analyser leurs demandes parfois farfelues, à découvrir de toutes nouvelles habitudes.

C'est en les voyant passer tout droit devant la forge, sans s'arrêter, les bras chargés de couvertures de laine, de petites sculptures en bois, de courtepointes, de poteries colorées et quoi encore, que l'idée lui était venue.

Il l'avait attrapée au vol, analysée sous toutes ses coutures, décortiquée dans les moindres détails et finalement, il l'avait retenue.

Oui, John O'Connor avait sa petite idée sur la façon de rentabiliser la forge, mais pour cela, il lui fallait convaincre son père de lui laisser toute latitude durant l'hiver qui commencerait bientôt. Tout comme il l'avait fait à ses débuts, alors que Johnny Boy était trop jeune pour aider efficacement son père, James devrait voir au roulement de la forge tout seul. Pendant ce temps, et sans vraiment savoir s'il avait raison de penser de la sorte, John préparerait à sa façon la prochaine saison touristique.

Girouettes, ustensiles et objets de décoration... Les touristes semblaient vouloir à tout prix repartir avec des souvenirs ?

Alors, pourquoi pas des souvenirs en fer forgé ?

En attendant la prochaine saison touristique, John ne chômerait pas, loin de là. Il lui fallait une multitude d'objets à offrir, tous plus attirants les uns que les autres. Cependant, seul l'avenir pourrait répondre pertinemment à toutes les interrogations qui s'imposaient impitoyablement à lui et ainsi arriver à calmer les inquiétudes qui engendraient, trop souvent hélas, de longues nuits d'insomnie.

Oui, seul l'avenir pourrait dire si John avait passé des mois à travailler en vain ou s'il avait eu raison de croire en sa vision. S'il avait vu juste en fonçant droit devant, oubliant le passé et misant tout sur ce qui n'était pour l'instant qu'un simple mirage.

Par la suite, dans quelques années, si tout se passait comme John l'espérait, Julien pourrait enfin se joindre à lui et la forge deviendrait un incontournable pour tous les touristes de passage.

On en parlerait jusqu'en ville, rien de moins !

De Québec à Montréal, en faisant un détour par New York, Boston, Providence, tous les touristes de passage voudraient venir à la forge de Pointe-à-la-Truite !

Voilà ce dont discutaient John et Julien quand l'occasion se présentait et qu'ils étaient seuls tous les deux.

En effet, malgré la différence d'âge entre l'homme et le jeune garçon, soit plus de quinze ans, il leur arrivait souvent de discuter de l'avenir, la forge que James avait achetée étant le lien qui les unissait depuis tant d'années. Puisqu'elle avait déjà appartenu au premier mari de Victoire, c'est à ce titre que Julien se sentait concerné. Mais aussi et surtout parce qu'il aimait beaucoup l'endroit.

Voilà pourquoi Julien espérait s'associer à John.

Bien sûr, à onze ans, il avait encore le temps de changer d'idée. N'empêche qu'il y croyait, à cette association, et la vision qu'il avait de son avenir passait nécessairement par celui de John O'Connor.

Dans un premier temps, bien sûr, John devait faire la preuve que la forge était là pour rester. Ce serait important aux yeux des parents de Julien. Victoire et Lionel n'entendaient pas à rire quand la discussion des études de Julien se retrouvait sur le tapis. Les rendements de la forge seraient même de la toute première importance, si Julien voulait que ses parents prêtent une oreille attentive à ses projets, car tous les deux, ils tenaient mordicus à ce que leur fils fasse de grandes études.

Ce qui, en contrepartie, le laissait assez froid, il faut l'avouer.

Par contre, une fois le sort de la forge scellé dans des perspectives intéressantes, et Julien croyait fermement que ce jour-là finirait par arriver et peut-être plus vite qu'on l'espérait, il devrait pouvoir joindre ses efforts à ceux de John sans trop de problèmes. Mis devant le fait, ses parents accepteraient probablement qu'il laisse tomber les études, car à leurs yeux, et ils l'avaient souvent répété : dans la vie, il était important, voire essentiel, de faire un métier qui nous plaisait.

Et ce qui plaisait à Julien, c'était justement la forge!

CHAPITRE 8

Quelques mois plus tard, sur la Côte-du-Sud,
chez les Bouchard, en mars 1922

Mamie s'était éteinte deux ans après la célébration de son centenaire, événement de grande magnificence, s'il en fut un dans les annales de l'Anse-aux-Morilles. Une journée d'exception, aux dires de tous, où la vieille dame, tout en beauté dans sa robe bordeaux des grandes occasions, avait rayonné comme une reine au milieu de tous ses sujets.

Un soleil digne de l'été, une brise rappelant le printemps et le flamboiement d'une journée d'automne remarquable avaient tissé la trame de cette occasion mémorable où le village au grand complet s'était égaillé sous les pommiers lourds de fruits bien rouges, comme des sapins décorés à l'avance.

En effet, au grand dam de Matthieu, d'une presque parenté à un voisin trop proche pour être mis à l'écart, d'une connaissance de longue date à un arrière-petit-neveu qu'on ne doit pas oublier, la liste des invités s'était allongée jusqu'à couvrir deux feuilles de papier et, finalement, toutes les brebis de la paroisse du curé Bédard, à l'exception de quelques rares personnes récemment établies dans la région, avaient fait les frais d'une tenue de circonstance pour venir célébrer les cent ans de Mamie dans le verger des Bouchard du troisième rang.

— Te rends-tu compte, Prudence? s'était exclamé Matthieu, effaré et complètement dépassé par l'ampleur que prenait l'événement, te rends-tu compte qu'on va être pas mal plus que cent têtes de pipe à piétiner mon verger ?

Les yeux exorbités, il regardait les deux feuilles couvertes des noms soigneusement colligés par Prudence.

Cette dernière, qui s'y était faite petit à petit, et qui, avouons-le franchement, s'y attendait un peu, n'avait même pas tourné la tête vers lui pour rétorquer :

— Oui. Pis après ?

— Comment ça, pis après ? Ça a pas d'allure de penser de même ! C'est juste ça que j'ai à te répondre, ma pauvre femme. Comment c'est qu'on va faire astheure pour nourrir tout ce monde-là ? J'ai pas les moyens de…

— Arrête de t'inquiéter, tout est sous contrôle. Trouve-moi juste assez de planches pis de trépieds pour faire des tables de fortune pis je m'occupe de tout le reste.

— Tout le reste, tout le reste…

Dépassé par une situation qui n'aurait jamais dû déraper à ce point, choqué de voir que ses avertissements n'avaient servi à rien, Matthieu voulait au moins avoir le dernier mot dans cette conversation.

— Pis les chaises, elles ? avait-il demandé de cette voix grave un peu menaçante qui précédait habituellement ses colères. Qu'est-ce qu'on va faire pour assire tout le monde ?

— Chacun va apporter sa chaise.

— Ah ouais ?

Matthieu avait de la difficulté à se figurer que tout un chacun se promènerait le long des rangs avec une chaise sur le dos ou à imaginer une procession de charrettes bringuebalantes, transportant des gens debout à côté de leurs chaises de cuisine, mais bon, puisque Prudence le disait…

— Pis pour le manger ? avait-il répété, se croyant habile en faisant ainsi dévier la discussion. Comment tu vas réussir à…

— Tout le monde fait sa part, avait tranché Prudence sans même relever les yeux vers son mari.

Matthieu avait eu, à ce moment-là, la sensation fort désagréable que la situation était en train de lui échapper complètement, si jamais elle lui avait un tant soit peu appartenu.

— Pis s'il pleut ? avait-il ajouté dans un de ses rares éclairs d'imagination que seule l'impatience arrivait parfois à lui donner.

— On remet ça au lendemain, avait nonchalamment répliqué Prudence.

— Pis s'il pleut le lendemain ? s'était entêté Matthieu.

Cette fois, Prudence avait senti la moutarde lui monter au nez. Elle avait bien assez de voir à la gestion de cette réception gigantesque sans avoir en plus à négocier avec Matthieu qui n'y connaissait rien en matière d'organisation. Pour planifier le roulement d'une ferme, d'accord, on pouvait compter sur lui, mais pour le reste…

— On va s'installer dans la grande salle de l'école du village, avait-elle alors rétorqué sèchement.

Et, prévoyant la question suivante, elle avait ajouté sur le même ton :

— Pis c'est déjà arrangé avec les marguilliers pis les commissaires d'école, au cas où tu te poserais la question. Mais tu t'en fais pour rien, il pleuvra pas une goutte…

— On dit ça, ouais…

— Tout est sous contrôle, que je te dis. Maintenant, ouste, sors de ma cuisine, j'ai pas de temps à gaspiller en placotage inutile. Occupe-toi des tables pis moi, avec Marie, Hortense pis les jumelles, je m'occupe de tout le reste.

Quand Prudence prenait cette voix un peu trop haute, celle qui montait impatiemment dans les aigus, Matthieu savait pertinemment qu'il ne devait pas insister. Il avait donc quitté la cuisine sans demander son reste, en grommelant, et malheureux comme les pierres, car il voyait en pensée son petit pécule, son minuscule pécule d'économies, fondre comme neige au chaud soleil de mars.

Prudence avait beau dire, il était persuadé qu'il n'y échapperait pas : une bonne centaine de personnes, ça devait manger en s'il vous plaît !

Heureusement, ses inquiétudes furent tout à fait inutiles, car sa petite fortune resta bien à l'abri dans une poche d'avoine sous son matelas. En fait, ce fut Mamie elle-même qui délia les cordons de sa bourse, car, puisque la fête prenait une envergure hors du commun, elle avait été mise au courant de ce qui s'en venait.

— Je voudrais surtout pas que la pauvre vieille nous pique une crise d'apoplexie juste à voir tout le monde qui va être là. Aussi ben la prévenir, avait jugé Prudence qui trouvait que la vieille dame semblait de plus en plus fragile.

Ce fut ainsi que Mamie, une fois mise au fait de ce qui se préparait pour elle, avait décidé d'intervenir.

— Je le vois ben, chère, comment c'est que tu te démènes pour moi, avait-elle décrété, un matin que les deux femmes étaient seules à la cuisine. T'as pas en plus à faire les frais de cette fête-là ! C'est déjà ben assez fin d'avoir pensé à organiser quelque chose. Tiens, prends ça, pis je veux pas d'ostination !

Mamie avait alors tendu son petit sac de velours noir, tout élimé, dans lequel elle gardait ce qu'elle appelait sa menue monnaie. Un petit sac que Prudence avait souvent vu, car il suivait la vieille dame un peu partout dans la poche de son tablier.

Émue, Prudence n'avait pu que tendre la main pour le recueillir avec un certain respect. Elle savait fort bien que Mamie y tenait comme à la prunelle de ses yeux.

— Merci.

Devant ce mot de gratitude, la presque centenaire avait épousseté l'air devant elle du bout des doigts, comme si le fait de confier son précieux sac était là un geste banal, puis elle avait précisé :

— Pis tu pourras le garder, mon p'tit sac ! J'en aurai plus besoin, chère !

Ce fut à ce moment-là que Prudence avait pris conscience à quel point Mamie était devenue une très vieille personne, et elle s'était rapidement détournée pour que celle-ci n'aperçoive pas les larmes qui perlaient à ses cils.

Rassuré par cette bonne intention qu'il qualifia de normale dans les circonstances, Matthieu avait donc accepté la fête avec un peu plus d'indulgence et finalement avec une certaine fierté quand il avait vu l'ambiance festive et détendue qui régnait chez lui en ce samedi idyllique et mémorable.

Parce que bien entendu, comme l'avait prédit Prudence, il faisait un temps splendide et tout ce beau monde s'était retrouvé chez lui ! À croire que sa deuxième épouse avait une connexion directe et personnelle avec le paradis !

En fait ne manquaient à l'appel que Lionel et Gilberte.

Le premier, c'est à peine si on avait entendu son prénom. Prudence l'avait prononcé comme par inadvertance, mais avait aussitôt jugé plus sage de ne pas le répéter quand Matthieu avait levé les yeux vers elle.

Jamais colère n'avait été aussi visible sans qu'aucun mot ne soit prononcé.

Quant à Gilberte, sa réponse avait été amenée jusqu'à la ferme par un Célestin déçu, certes, mais compréhensif et qui en avait long à raconter.

— C'est à cause de Germain, avait-il expliqué, après avoir narré par le menu détail le voyage qui l'avait mené depuis l'Anse-aux-Morilles jusqu'à Baie-Saint-Paul. C'est vrai que Germain est encore pas mal petit. Même que Gilberte a dit qu'il serait petit durant toute sa vie… Ouais, c'est de même qu'elle a dit ça : Germain va rester un p'tit garçon durant toute sa vie ! C'est ça, sa maladie, à Germain, rester p'tit. Pis comme il va y avoir plein de monde pour la fête de Mamie, ça pourrait y faire peur, à Germain. Oui monsieur ! C'est mieux qu'il vienne pas.

Par contre, quelques jours avant le fameux samedi, Mamie avait reçu une jolie carte faite par Gilberte où elle lui écrivait qu'elle serait présente en pensée et, en guise de présent, elle joignait à la missive une belle image de la Vierge Marie entourée de ses anges et tenant dans ses bras un Enfant Jésus tout joufflu.

— C'est ben assez pour me réjouir, avait souligné Mamie avec ferveur, tout en appliquant la carte et l'image sur son cœur. Pis j'ai jamais vu une belle image de même. Jamais ! M'en vas la garder dans ma poche, tiens ! Ça va me porter bonheur.

Était-ce grâce à cette image que Mamie avait eu le temps de célébrer ses cent deux ans et que, quelques jours plus tard, elle s'était éteinte durant son sommeil, tout doucement et sans la moindre souffrance ? Prudence osa croire que oui et, malgré une tristesse de bon aloi, elle ne put s'empêcher de penser qu'à cet âge vénérable, la pauvre vieille dame n'avait plus grand-chose à attendre de la vie.

Comme Mamie l'avait elle-même répété à quelques reprises, ces derniers temps : ne manquait plus que la présence de son défunt mari pour que son bonheur soit complet.

— Surtout après une belle fête comme ça, n'avait-elle pas oublié de rajouter la dernière fois qu'elle en avait parlé, les yeux brillants de tous les souvenirs qu'elle en gardait, même deux ans plus tard. Après le jour de mes noces, cette fête-là a été le plus beau jour de ma vie, je pense ben. Pis ça, chère, c'est grâce à toi !

Le lendemain matin, surprise de voir que Mamie n'était pas déjà à la cuisine quand elle était descendue, Prudence s'était dirigée vers sa chambre située au pied de l'escalier. C'est là qu'elle avait trouvé la vieille dame, endormie pour toujours, l'image pieuse offerte par Gilberte glissée sous son oreiller.

Les funérailles avaient probablement attiré autant de gens qu'il y en avait eu à sa fête. Ce fut donc entourée de tous ceux qu'elle avait côtoyés et aimés tout au long de sa vie que celle que le curé Bédard s'était entêté à appeler Marie-Anna Cloutier tout au long du sermon avait rejoint sa dernière demeure. Comme l'automne se faisait proche parent de l'hiver au moment du décès, le cercueil avait été déposé dans le caveau du cimetière en attendant le printemps. Quand la terre serait de nouveau meuble, Mamie rejoindrait enfin son cher mari lors d'une brève cérémonie qui se déroulerait en toute intimité.

Elle avait bien vécu, elle avait été heureuse et la mort ne lui faisait pas peur, Mamie l'avait elle-même souligné à plusieurs reprises. Alors, au soir de ses funérailles, le repas n'avait pas été particulièrement larmoyant. Juste un peu triste. On se disait qu'en mai prochain, on aurait l'occasion de parler d'elle encore une fois.

Ce que les Bouchard ne savaient pas, par contre, c'est qu'au printemps suivant, ce serait quatre cercueils qu'ils mettraient en terre en même temps. Matthieu se verrait donc dans l'obligation d'acheter un lot au cimetière, un lot suffisamment grand pour que ses nombreux fils et leurs épouses, ainsi que Gilberte, toujours célibataire, puissent avoir droit, eux aussi, au repos éternel, non loin les uns des autres.

En effet, comme Emma avait été enterrée à la Pointe, dans le lot familial de ses parents à elle, Matthieu n'avait jamais senti le besoin de se procurer un espace au cimetière paroissial de l'Anse-aux-Morilles. Il y pensait, certes, mais reportait toujours la corvée à plus tard. Après tout, ils étaient tous en bonne santé.

Un accident mit un terme à cette négligence.

À quelques jours de Noël, en 1921, à quarante-quatre ans et alors qu'il était marié depuis moins d'un an, Louis Bouchard, quatrième fils de Matthieu Bouchard, revenant du magasin général, fut, au cœur du village, piétiné à mort par un cheval qui s'était affolé par ce jour de grand vent. Ce fut même sous les yeux affolés de son frère Antonin qu'il rendit l'âme.

Matthieu, accompagné de Prudence, n'avait eu d'autre possibilité que de se présenter au presbytère afin d'y rencontrer le curé Bédard pour discuter avec lui de l'achat d'un lot.

— Et ça serait bien de penser à une pierre tombale de belle dimension, avait suggéré le vieil homme. Sinon, avec la famille que vous avez, on finirait par ne plus s'y retrouver.

— Pour le moment, on parle toujours ben juste d'un de mes garçons, avait ronchonné Matthieu, beaucoup plus bouleversé qu'il ne voulait le laisser paraître et peu disposé à trop dilapider ses avoirs.

Matthieu avait bien assez de son chagrin pour occuper ses pensées et il n'avait surtout pas l'intention de s'encombrer l'esprit de tracasseries monétaires.

— Pour astheure, avait-il ajouté en guise de conclusion, avec juste un mort, on risque pas de se tromper. Une croix en bois avec notre nom de famille dessus, ça devrait suffire. Ça fait que pour la pierre tombale, on verra plus tard.

Malheureusement, ce plus tard arriva nettement plus tôt que tout ce que Matthieu aurait pu imaginer ou souhaiter.

Noël était à peine passé et la tristesse de la mort de Louis à peine estompée quand leur parvint un télégramme envoyé depuis Rimouski. Clotilde Bouchard, enseignante à l'école de rang de Neigette, était décédée dans l'incendie qui avait ravagé la petite école dont elle était responsable. Le froid sibérien avait probablement poussé l'institutrice à trop charger le poêle à bois de la classe avant de monter dormir dans son petit appartement à l'étage de l'école. À première vue, un feu de cheminée avait embrasé le toit avant d'atteindre tout le bâtiment. Faible réconfort, tant pour la famille que pour les élèves : de toute évidence, mademoiselle Clotilde dormait profondément au moment du sinistre, elle n'avait donc pas souffert.

La plus éplorée, dans ce drame, fut sans nul doute sa sœur jumelle, Matilde. Ce fut même une vraie pitié de la voir s'étouffer dans ses sanglots au matin des funérailles.

Sans en venir aux larmes, car monsieur le curé n'arrêtait pas de dire que la vie après la mort était plus belle que celle sur la Terre, Célestin n'en fut pas moins bouleversé par ce décès. En effet, voyant le cercueil de sa sœur être glissé dans le caveau tout à côté de celui de son frère Louis, Célestin avait compris qu'Antonin, même s'il était son jumeau et qu'il lui avait juré une fidélité à toute épreuve, pourrait, lui aussi, partir bien avant lui.

Dans une telle éventualité, la perspective d'une vie meilleure pour son frère ne suffirait pas à le consoler, Célestin en était convaincu.

Cette prise de conscience rendit Célestin songeur durant de nombreux jours. Il revendiqua l'usage exclusif de la berceuse abandonnée par Mamie et, du matin au soir, il se berça.

Pour une fois, Matthieu laissa faire et ne haussa pas le ton. On était en plein hiver et le travail était moins lourd. Célestin pouvait donc se bercer autant qu'il le voulait !

Le chagrin avait probablement rendu Matthieu beaucoup plus tolérant même si personne ne l'avait vu verser de larmes. Pas plus Prudence que les autres, d'ailleurs.

Le coup de grâce fut donné à Matthieu au début du mois de mars quand, sans avertissement aucun, Marie rendit l'âme à son tour.

Pourtant, rien ne laissait présager qu'elle fût malade.

Cette mère de famille nombreuse était à préparer le repas, selon les dires de son mari qui ne travaillait pas ce jour-là puisqu'on était dimanche, quand elle annonça qu'elle ne se sentait pas très bien. Elle eut tout juste le temps de glisser un dernier regard vers son mari avant de s'effondrer lourdement sur le plancher de bois verni, foudroyée par ce que le médecin appellerait plus tard une embolie.

— C'est traître, cette maladie-là. On ne la voit jamais venir !

Marie Bouchard avait à peine quarante et un ans et n'avait jamais été malade auparavant. Elle laissait pour la pleurer un mari éploré et treize enfants désemparés, dont le petit Germain qui ne l'avait jamais connue.

Tout comme aux décès de Louis et Clotilde, Matthieu resta stoïque aux yeux de tous. Pas de larmes, pas de sautes d'humeur, pas d'esclandres. Il se contenta d'afficher une austérité qui lui ressemblait. Quand donc avait-on vu Matthieu Bouchard sortir de sa réserve sinon pour piquer une bonne colère souvent justifiée ?

Pourtant, à quelques années de là, Prudence dirait que si un jour dans leur vie tout avait basculé, ç'avait été celui où son mari avait appris le décès de sa fille Marie. Pourquoi elle plus que les autres ? Prudence n'en avait pas la moindre idée, mais une chose était sûre, cependant : à partir du moment où Matthieu Bouchard avait appris le décès de sa fille Marie, il n'avait plus jamais été le même.

Néanmoins, au quotidien et pour le travail de la ferme, tout était identique. Le printemps serait bientôt là, les animaux commençaient à mettre bas et il fallait remettre en état les outils et les instruments aratoires. Matthieu, tout comme les autres, ne faiblissait pas à la tâche. Avec une paire de bras en moins, ceux de Louis, il ne pouvait ralentir la cadence malgré les soixante-dix ans qu'il accusait, une démarche plus lourde, une chevelure clairsemée et des doigts noueux le proclamant éloquemment.

Par contre, et fort curieusement d'ailleurs, quand vint le temps de monter jusqu'à l'érablière, il exigea d'y aller seul.

— C'est pas trop dur comme ouvrage, expliqua-t-il à Marius qui s'offrait à l'accompagner, pis ici, il y en a assez à faire pour toutes vous accaparer, toi pis tes frères.

Occupée à se changer les idées avec le journal qu'Antonin lui avait apporté, et Dieu sait qu'il y avait un tas de mauvaises nouvelles sur lesquelles s'apitoyer en ce samedi après-midi, comme cet autre incendie venu frapper la ville de Montréal, rasant l'hôpital des Invalides, à deux semaines à peine de celui qui avait détruit l'hôtel de ville, Prudence ne s'était pas immiscée dans la conversation entre Marius et son père.

En fait, c'est à peine si le bruit des voix la rejoignit tant elle était concentrée sur sa lecture. Pourtant, elle aurait dû s'inquiéter de ce désir de solitude, surtout pour le travail. Ça ne ressemblait pas à Matthieu, une telle envie de réclusion, tout comme elle aurait dû être alarmée par le manque de réaction de Matthieu lors des différents décès survenus récemment. Trois en quelques mois, si on faisait abstraction de Mamie, c'était du jamais vu à l'Anse. Au village, Prudence avait même entendu le mot « châtiment » dans la bouche d'un paroissien qui parlait justement de la famille Bouchard.

— À croire que le Bon Dieu leur en veut personnellement, avait ajouté cet impudent. Je sais pas trop ce qu'ils ont fait pour mériter d'être punis comme ça…

L'ayant entendu par inadvertance parce qu'elle était cachée derrière une étagère de conserves, Prudence avait dû se pincer les lèvres pour ne pas répliquer.

Alors, oui, devant tous ces faits, Prudence aurait dû être plus vigilante. Un homme ne perd pas trois de ses enfants en si peu de temps sans en subir le contrecoup.

Mais Prudence ne l'avait pas fait. Non par manque de compassion, ni d'amour, car elle était encore très attachée à son mari, mais bien par habitude. Matthieu détestait que l'on se mêle de ses affaires, n'est-ce pas ? Prudence l'avait compris et accepté depuis fort longtemps. Alors, elle n'avait rien dit parce qu'elle n'avait pas cru bon de dire quoi que ce soit.

Puis, à bien y penser, chacun avait le droit bien légitime de vivre sa peine comme il l'entendait.

Ce ne serait que beaucoup plus tard, alors que Prudence aurait la certitude que les malheurs étaient enfin derrière eux et que la vie recommencerait à se faire plus douce, oui, ce serait ce jour-là que le souvenir de ces événements en apparence inoffensifs la frapperait de plein fouet.

TROISIÈME PARTIE

Été 1923 ~ Printemps 1929

CHAPITRE 9

À Québec, au Petit Séminaire,
en septembre 1923

Julien n'y avait pas échappé !

Il avait eu beau protester, tempêter, bouder et même pleurer, rien n'y avait fait. En septembre 1921, comme décrété par ses parents, il avait fait son entrée à titre de pensionnaire dans un collège d'enseignement classique, en l'occurrence le Petit Séminaire de Québec.

Adieu veaux, vaches, cochons, couvées, malgré l'évidence d'un renouveau rentable à la forge du village, deux étés de profits, ce n'était pas rien, Lionel et Victoire s'étaient montrés inflexibles.

— Tu iras travailler à la forge quand tu auras fini tes études, avait précisé Victoire.

— Sûrement pas avant, avait renchéri Lionel, sérieux et tranchant comme rarement Julien l'avait vu.

Et d'une seule voix, ses parents avaient ajouté :

— Et la forge, c'est uniquement si ça te tente toujours, bien entendu. Parce que le collège va sûrement t'ouvrir des tas d'horizons !

Nul doute que les parents de Julien espéraient qu'il changerait d'idée en cours d'études et, à mots couverts, ils lui avaient fait comprendre qu'ils souhaitaient que son ambition s'élève un peu plus haut pour déborder des murs d'une forge de village. À leurs yeux, ce n'était pas une vie de vouloir travailler le fer jusqu'à la fin de ses jours, et ce, même si Victoire n'avait jamais désavoué le métier de son premier mari et ne le ferait jamais.

— Il fut un temps où on y gagnait bien sa vie, je l'admets, et si les choses n'avaient pas changé, on pourrait en discuter. Mais aujourd'hui…

— Tu pourrais être médecin comme moi, avait suggéré Lionel dans la foulée des propos de son épouse, le regard brillant d'un espoir fort justifié, lui qui n'avait qu'un fils unique. Pourquoi ne prendrais-tu pas ma relève, fiston? Une clientèle déjà montée, ça ne se refuse pas!

— Et me faire réveiller en pleine nuit pour un accouchement ou un mourant? avait alors argumenté Julien. Non merci! Pas pour moi.

— Peut-être pourrais-tu songer à être notaire, alors? avait proposé Victoire. Justement, maître Labonté me disait l'autre jour qu'il espérait que…

— Et passer ma vie le nez dans de vieux documents poussiéreux? avait riposté le jeune garçon avec une célérité qui frôlait la précipitation. Pas question.

— Bien tu feras ce que tu veux quand tu auras l'âge de décider par toi-même, avait conclu Victoire, exaspérée par tant de mauvaise foi. En attendant, jeune homme, tu vas au collège. Point à la ligne.

C'est donc la mort dans l'âme que Julien avait fait ses adieux à John O'Connor, qui avait le vent dans les voiles, au grand soulagement de son père.

— Crains pas, Julien. Tu auras toujours ta place ici avec moi. Surtout qu'avec l'été qu'on vient de passer, on dirait bien que la situation va en s'améliorant. Les touristes ont tout acheté ce que j'ai produit l'hiver dernier! Tout, jusqu'au dernier morceau! Si ça continue comme ça, avec mon père qui vieillit, c'est sûr que d'ici quelques années, on va avoir besoin d'un associé! En attendant, j'espère que tu pourras venir à mon mariage.

— Pourvu que tu fasses ça juste l'été prochain ou peut-être durant le temps des fêtes…

L'amertume et le désespoir de Julien s'entendaient nettement jusque dans le silence entre les mots!

— Sinon, oublie-moi! Pour les prochaines années, je suis condamné à vivre en ville parce que l'école est beaucoup trop loin pour revenir régulièrement. Une vraie prison, oui!

Le pauvre Julien qui n'avait jamais aimé les études en eut pour son rhume! Latin, grec, mathématiques et chimie se succédaient sans répit, avec leur lot de leçons et de devoirs. Sans compter l'algèbre, l'anglais et la géographie.

— De quoi devenir complètement fou! grommela-t-il, envieux, le regard fixé sur tous les passants qui traversaient la Place de la Cathédrale, car ils avaient droit, eux, à une liberté totale et inconditionnelle.

Profitant d'un des rares moments de liberté accordée aux étudiants, Julien était assis sur le large rebord d'une des lucarnes du dortoir et il regardait les passants qui déambulaient sur la Côte de la Fabrique et sur la Place, devant lui.

L'automne était splendide de douceur et d'arbres colorés, les vitrines des boutiques rivalisaient d'audace pour attirer les curieux et l'envie de s'évader se faisait chaque jour un peu plus violente dans le cœur de Julien.

Ce dernier détourna la tête pour regarder autour de lui. L'enfilade des lits en vis-à-vis, tous identiques, aux couvertures militairement tendues, lui arracha un soupir à faire frémir les murs. Et dire qu'il lui restait encore un minimum de trois ans, dans le meilleur des cas, à survivre dans cet endroit qu'il détestait.

— Dans cet enfer, murmura-t-il, fermant les yeux.

Exaspéré par la longueur de cette ligne du temps qu'en imagination il voyait clairement s'allonger à l'infini devant lui, Julien revint précipitamment à la fenêtre. Au moins, durant quelques minutes chaque jour, pouvait-il s'évader en pensée et rejoindre les promeneurs partis à la découverte de la ville.

En effet, sa curiosité n'avait que l'imagination pour bien le servir, car, malheureusement, à l'exception de quelques visites à la librairie Garneau qui avait pignon sur rue de l'autre côté de la Place de la Basilique, sur la rue De Buade, bien rares étaient les sorties.

Et encore!

Le temps leur était rigoureusement compté quand les élèves avaient l'ultime permission d'aller à la librairie pour chiner en groupe, en troupeau comme disait Julien, à la recherche de quelques bonnes occasions, tant pour les objets du culte que pour les livres pieux, les seuls autorisés à l'intérieur des murs du Séminaire. Ajoutées à cela de misérables promenades, toujours en troupeau, à l'intérieur des murs de la ville fortifiée pour illustrer un cours d'histoire, ou l'obligation d'assister à la messe à la basilique tous les dimanches matin, et le compte était bon pour les escapades à l'extérieur des murs du Séminaire.

La pratique des sports, dans la cour intérieure de ce même Séminaire, faisait office de loisirs. Par contre, jouer au hockey sur glace ou au ballon contre des séminaristes empêtrés dans leurs robes longues, ce n'était pas du tout ce que Julien appelait du sport!

Et quand le temps se faisait capricieux?

C'est alors que le grand buffet de la salle de récréation ouvrait toutes grandes ses portes sur un assemblage disparate de casse-tête aux images pieuses, d'échiquiers balafrés par trop d'usage et autres jeux de société plutôt calmes et silencieux.

Voilà, en cas de pluie, ce qui prenait ennuyeusement la relève pour occuper les garçons. Rien de bien attirant pour un jeune homme tel Julien, habitué de vivre au grand air et grand amateur de travaux manuels et d'efforts physiques.

Un autre soupir ponctua l'observation de Julien.

Si au moins, à l'occasion, ils avaient pu aller au Théâtre Empire pour se changer les idées, un théâtre dont Julien pouvait contempler la marquise, d'où il était assis.

Mais non !

Le théâtre, le cinéma et les différentes présentations sportives n'étaient pas conçus pour des jeunes gens de bonne famille, comme ceux qui fréquentaient le Séminaire !

— Vous ne voudriez pas que l'on vous compare à quelques personnes aux mœurs douteuses, ou, pire encore, que l'on vous y associe ! Priez le Seigneur de vous garder à l'abri de toutes ces tentations et remerciez-Le de vous avoir donné de si bons parents !

Même assister aux tournois de curling organisés parfois sur les glaces du fleuve n'était pas autorisé par la direction du Séminaire !

— Ce ne serait pas digne de vous, chers élèves !

Que du blabla aux oreilles de Julien qui avait l'impression de faire son temps comme un prisonnier doit purger sa peine.

En un mot, Julien se morfondait depuis le tout premier jour de son internat et cet ennui allait toujours croissant. Il s'ennuyait de son village, de sa maison, de ses amis, de John O'Connor et de James.

Et pourquoi pas, malgré tout, de ses parents.

Alors, pour leur prouver qu'ils pouvaient lui faire confiance, tout au long de sa première année au Séminaire,

Julien avait travaillé d'arrache-pied et il avait terminé ses Éléments latins avec une mention plus qu'honorable.

Après cela, dans le train qui le ramenait jusqu'à Baie-Saint-Paul, où son père devait venir le chercher en fin de journée afin de le ramener enfin à la maison pour les vacances d'été, le jeune garçon avait échafaudé plans et projets. Avec de telles notes, peut-être bien que Lionel et Victoire se montreraient magnanimes. Peut-être bien qu'ils se laisseraient fléchir et consentiraient enfin à ce que leur fils travaille à la forge sans devoir passer par la Syntaxe, la Méthode, la Versification et tout le reste, un reste qui pouvait s'avérer fort long s'ils exigeaient qu'il poursuive ses études jusqu'en Philosophie II ! N'ayant à ce moment-là terminé qu'une toute petite année d'études sur huit, Julien en avait grincé littéralement des dents !

D'où l'idée d'épater ses parents par ses notes pour les amadouer.

En effet, en terminant sa première année de collège dans les tout premiers de la classe, Julien osait espérer que ses parents verraient dans ce geste une preuve de maturité. Peut-être bien que ça suffirait pour gagner leur confiance et que, par la suite, ils le jugeraient suffisamment sérieux pour prendre ses propres décisions.

Rejoindre John à la forge étant celle qui lui faisait battre le cœur d'espoir !

De toute façon, de quoi avait l'air leur famille, maintenant qu'il vivait au bout du monde une large partie de l'année, ne revenant chez lui qu'à Noël, à Pâques et pour les vacances estivales ? N'avaient-ils pas, tout comme lui, l'envie de revenir à quelque chose de plus convivial, de profiter du plaisir quotidien de se rencontrer et de discuter ensemble ?

Les quelques heures de transport entre Québec et Baie-Saint-Paul furent trop courtes pour songer à tous les projets que Julien avait à cœur de réaliser.

Mal lui en prit, car la déception n'en fut que plus grande quand il comprit que ses notes, de toute évidence, ne suffiraient pas pour changer la donne!

Bien au contraire!

Le premier repas à trois était à peine terminé que Victoire et Lionel lui faisaient miroiter mille et une professions libérales!

Vétérinaire, médecin, sait-on jamais, Julien pourrait changer d'idée, avocat, architecte, ingénieur…

C'est tout juste s'ils ne le voyaient pas premier ministre du Canada!

— Profites-en, Julien! Si tu savais comme j'aurais voulu être à ta place quand j'étais jeune. J'aurais tellement préféré aller au couvent plutôt que d'aider ma mère à élever une bande de frères plus ou moins reconnaissants!

— Et moi, donc! Si j'ai fait des études avancées, laisse-moi te dire que c'était dans des conditions nettement plus difficiles que les tiennes, malgré toute l'aide que James m'a apportée.

— Et tu as de si bons résultats! Preuve, s'il en fallait une, que tu es plus que doué pour les études. Qui l'aurait cru, du temps où tu étais encore à l'école du village?

Devant la mine découragée et sinistre de Julien, Lionel avait même ajouté en haussant le ton:

— Ces jeunes d'aujourd'hui! Ils ont tout cuit dans le bec et ne savent pas l'apprécier. Fais-nous confiance, Julien. Nous sommes tes parents et nous savons ce qui est bon pour toi. Un jour, tu sauras nous remercier.

Ces quelques mots de son père, livrés sur ce ton docte et sévère qui ne laissait place à aucune riposte, avaient clos une discussion qui autrement aurait risqué de s'enliser.

Les notes de la deuxième année passée au Séminaire avaient été à l'avenant de la déception de Julien. Si elles n'étaient pas mauvaises en soi, elles ne flirtaient plus du tout avec la perfection.

Qu'à cela ne tienne, l'entêtement de Victoire et Lionel persista.

— Tu feras mieux l'an prochain! avaient-ils affirmé au mois de juin précédent, quand Julien était retourné chez lui.

Le temps d'aider occasionnellement John avec son commerce rattaché à la forge; de renouer avec quelques amis; d'aller à la pêche deux ou trois fois avec les jumeaux de Béatrice qui étaient ses cousins et un autre été était déjà chose du passé.

Quelques jours auparavant, Julien avait donc repris le chemin de l'école à reculons et, en ce moment, après le temps obligatoire consacré à l'étude et avant le tintement désagréable de la cloche annonçant le souper, il était assis sur le rebord d'une fenêtre à soupirer après une liberté qui n'était pas pour demain.

Si au moins, comme plusieurs de ses camarades, il avait pu retourner chez lui tous les soirs, la vie lui aurait semblé moins pénible.

Même sans la forge!

Julien en soupira d'envie.

Externe!

Voilà où ses nombreuses heures de réflexion l'avaient finalement conduit. Être externe lui paraissait comme étant la solution possible à tous ses maux, et le peu de liberté qu'il y gagnerait suffirait, probablement, à faire accepter de bonne grâce les nombreuses charges d'étude et de devoirs qui s'annonçaient en cette troisième année au Séminaire.

Mais où aller ? Chez qui habiter ?

Julien ne voyait pas.

Il avait beau passer en revue tous les gens qu'il connaissait, il ne voyait toujours pas. Il avait l'impression de tourner en rond sur la place centrale de son village, devant le magasin général, car actuellement, tous les visages de ceux qu'il côtoyait depuis la naissance tourbillonnaient sans relâche dans son esprit.

Qui donc, originaire de la Pointe et ayant la confiance de ses parents, habitait maintenant à la ville ou y connaissait quelqu'un qui aurait pu l'héberger ?

Ce fut au moment de se glisser sous les draps que les noms de Clovis et Léopold se frayèrent un chemin jusqu'à son esprit.

Comment se faisait-il qu'il n'y ait pas pensé avant ?

Bien sûr que les Tremblay, père et fils, sauraient l'aider, car eux venaient à Québec régulièrement, et ce, depuis de nombreuses années.

De plus, et ce n'était surtout pas négligeable, leur aide serait reconnue comme valable puisque Clovis était un bon ami de son père et qu'entre Alexandrine et sa mère, Victoire, il existait depuis toujours une relation quasi fraternelle.

Voilà à qui Julien devait s'adresser.

S'il y avait quelqu'un susceptible de l'aider, c'était Clovis, puis si les Tremblay pouvaient trouver quelqu'un pour l'accueillir, il était pratiquement certain que ses parents accepteraient leur proposition. Du moins, Julien arriva-t-il à s'en convaincre sans trop de difficultés.

La lettre fut écrite dès le lendemain et confiée à un ami qui verrait à la poster pour lui. En effet, passer par le directeur pour envoyer sa lettre, comme stipulé dans le règlement, risquait de faire des vagues puisque le courrier en partance était scruté à la loupe.

— Pour corriger les fautes, alléguait-on.

Jérôme, un des rares camarades de Julien, accepta la corvée sans hésitation.

— Compte sur moi, c'est comme si c'était déjà fait !

La réponse se fit attendre trois bonnes semaines et, contrairement à ce que Julien avait prévu, elle arriva sous la forme d'une visite qui surprit et inquiéta le jeune homme quand il comprit que le recteur qui venait d'apparaître de l'autre côté de la porte de sa classe était là pour lui. En effet, le père Delisle, que tous craignaient au même titre que les flammes de l'enfer, venait le chercher, lui, Julien Bouchard, pour le mener au parloir.

— Votre père vous y attend.

En plein milieu de semaine, cela pouvait effectivement inquiéter n'importe qui ! Tous les garçons de la classe regardèrent Julien disparaître au bout du long corridor avec une interrogation au fond du regard.

Que se passait-il donc dans la vie de Julien Bouchard ?

L'interpellé n'était pas moins inquiet.

Ou un malheur était arrivé chez lui, un malheur suffisamment grand pour qu'on veuille le lui annoncer de vive voix, ou alors la teneur de la lettre envoyée chez Clovis Tremblay s'était faufilée jusqu'à ses parents, suscitant leur courroux, et lui, pauvre garçon, s'apprêtait à essuyer les foudres paternelles.

Quoi d'autre puisque ce dernier, tout occupé soit-il, s'était donné la peine de se déplacer jusqu'à Québec ?

Julien entra dans le parloir sur le bout des pieds. Il fut légèrement soulagé quand il constata que son père ne semblait pas en colère ou particulièrement triste. Par contre, il était visible que cet homme-là était fatigué. Assis à une table, il semblait contempler un tableau sur le mur devant lui. Quand il entendit des pas, il tourna la tête vers Julien et il esquissa un sourire un peu las.

— Clovis nous a parlé, fit-il en guise de préambule tandis que son fils prenait place devant lui en retenant son souffle.

C'était donc ça !

Julien n'osa répondre. Il avait la gorge serrée et le cœur gros. S'il était prêt à essuyer une bonne remontrance – parfois il le méritait bien –, la fatigue ou la déception de ses parents, par contre, l'avaient toujours décontenancé. En ce moment, il constatait que Lionel avait les traits tirés et les yeux cernés, et ça le peinait.

— Et ? arriva-t-il enfin à articuler péniblement.

— Et on en a discuté, ta mère et moi. Peut-être avons-nous une solution…

— Ah oui ?

Le cœur de Julien se mit à battre la chamade dès que son père prononça le mot « solution ».

Auquel mot il avait ajouté un « peut-être », lourd de conséquences mais riche de promesses aussi.

— Et c'est pour me dire ça que tu as fait toute cette route ?

— Oui. C'est pour toi que je suis ici. Je crois que nous avons à parler entre hommes, fiston.

Quand son père l'appelait « fiston », c'est que l'instant était à l'émotion ou, à tout le moins, de grande importance.

Malgré la tension qu'il sentait battre au rythme de son cœur affolé, balançant entre l'espoir, la crainte et la curiosité, Julien se fit attentif.

— Voilà…

Lionel était tout autant ému et les mots se faisaient capricieux, comme souvent quand venait le temps de parler de ses sentiments. Lionel était conscient de cette lacune. Si Victoire trouvait toujours le mot juste et la bonne attitude, lui se sentait balourd et il s'en voulait d'être aussi maladroit. Que son fils qu'il aimait plus que tout au monde ait pu être à ce point malheureux dépassait tout entendement. Lionel n'inventait rien, n'exagérait même pas. Cette désillusion suintait de toutes les phrases, de chacun des mots de cette lettre que Clovis lui avait remise, ne sachant trop ce qu'il aurait pu en faire d'autre.

Lionel ne comprenait pas.

Pourquoi Julien n'avait-il rien dit, rien montré de plus qu'une certaine lassitude devant les études? Pourquoi avoir agi ainsi? Julien avait-il peur d'eux? Pourtant, Victoire et lui n'étaient pas obtus et ils auraient compris. Mais s'en tenir au simple déplaisir ressenti devant l'école et ses charges était tellement récurrent dans le vocabulaire de Julien que Victoire et lui n'en tenaient plus compte depuis longtemps. À leurs yeux, ça ne justifiait pas un laisser-aller total.

Alors, que Julien n'aime pas l'école était une chose, un fait admis qui ne les influençait guère. Mais qu'il y soit malheureux comme les pierres, ce n'était plus du tout pareil. C'est pour cela que Lionel s'était déplacé. Julien devait comprendre que chez lui, il était aimé sans condition et qu'à l'avenir, il devrait avoir suffisamment confiance en eux tout comme en lui pour oser dire la vérité, toute la vérité.

N'empêche que par lui-même, Julien avait cherché à trouver une solution, et c'est de cela aussi que Lionel voulait parler. À cet égard, Victoire et lui étaient fiers de leur garçon.

— Tu aurais dû être clair et précis quand tu nous laissais entendre que les études et toi, ça faisait deux, commença-t-il. Ça, vois-tu, ça fait tellement longtemps qu'on le sait, ta mère et moi, que ça nous laisse un peu indifférents, j'en conviens. Par contre, cette fois-ci, il y a plus... Oui, tellement plus...

Lionel observa un court silence, le temps de rassembler ses idées et de les accorder avec les émotions qu'il sentait battre dans sa poitrine, lui aussi.

— Voilà, répéta-t-il comme un tic nécessaire à tout dialogue émotif.

Conscient de ce travers, Lionel glissa un sourire contrit vers son fils.

— J'aimerais mieux que tu sois malade, expliqua-t-il à la blague, espérant ainsi détendre l'atmosphère. Il me semble que les mots pour te parler me viendraient plus facilement… Bon… Sache que nous t'aimons plus que tout, Julien. Tu as été la plus formidable surprise de ma vie et de celle de ta mère aussi, et nous t'aimons sans condition. J'espère que tu n'en as jamais douté.

— Bien sûr que non.

— À la bonne heure ! J'espère aussi que tu saisis que ça ne veut pas dire que nous devons nous plier à tous tes caprices. Ça aussi, j'espère que tu le comprends.

— Bien sûr, papa.

— Tant mieux !

Lionel avait l'air sincèrement soulagé. À la lumière de la lettre que son fils avait envoyée, il avait entretenu la crainte de se retrouver devant un jeune buté et colérique, incapable de comprendre le bon sens. Si Julien avait voulu faire saisir à ses parents l'urgence de ses sentiments à l'égard de la situation qu'il vivait, il n'aurait pu mieux choisir ses mots que ceux employés dans cette lettre qu'il avait d'abord adressée à Clovis. Une lettre qui ressemblait en quelque sorte à un appel au secours.

— Dorénavant, essaie d'être un peu plus limpide quand tu veux faire passer un message, précisa alors Lionel. Comme tu l'as fait dans ta lettre. Là, c'était très clair ! Si tu nous avais parlé sur ce ton pour expliquer réellement ce que tu ressentais, je ne serais pas ici. Tu peux tout nous dire, tout nous confier, Julien. Jamais, tu m'entends, jamais nous te ferons le reproche de quoi que ce soit tant que tu auras l'honnêteté de nous parler franchement… Pas besoin d'intermédiaire, nous t'aimons suffisamment pour prendre le temps de t'écouter et de regarder lucidement une situation avec toi.

Le message de son père avait le mérite d'être clair. Penaud, Julien baissa la tête.

— D'accord, papa.

— Maintenant, la solution possible…

Quand Julien releva la tête, son regard brillait de plaisir anticipé, et quand il retourna dans sa classe, une quinzaine de minutes plus tard, il n'arriva pas à camoufler son contentement : un large sourire illuminait son visage habituellement plutôt morose.

Ne restait plus, pour Lionel, qu'à voir par lui-même l'endroit où son fils habiterait et à s'entendre avec les gens qu'il côtoierait, des gens qu'il connaissait peu puisque leur vie respective au village ne leur avait donné l'occasion que de se croiser.

Bien entendu, Lionel n'avait pas parlé à tort et à travers, et une première entente avait déjà été conclue.

Quelle merveilleuse invention que le téléphone, n'est-ce pas ?

L'appareil, récemment installé chez lui dans la petite pièce du rez-de-chaussée qui servait de salle de consultation à Lionel, avait permis à celui-ci de joindre directement Paul Tremblay, un des fils de Clovis, son bon ami. Selon les dires de Clovis, il s'avérait que ce Paul, architecte établi à Québec, avait justement une chambre à louer.

— La maison était parfaite pour y installer son bureau, avait expliqué Clovis, et c'est pour ça que Paul l'a achetée. Mais le logement à l'étage est beaucoup trop grand pour une personne seule ! C'est comme ça que notre fils a eu l'idée d'offrir quelques chambres en location puisqu'il n'est toujours pas marié. « Pas le temps », nous dit-il chaque fois que sa mère sonde le terrain… Tout ça pour dire qu'un certain Réginald, charmant garçon et célibataire lui aussi, occupe une de ces chambres depuis quelques années déjà. L'autre est vacante. Si ça t'intéresse, je peux te donner son numéro de téléphone !

Comme garantie de moralité, Lionel ne pouvait trouver mieux, et c'est ainsi qu'à cette heure précise, Paul l'attendait pour lui faire visiter la chambre qu'il comptait lui louer pour son fils Julien.

— Te rends-tu compte, Paul ?

Planté au beau milieu de la pièce, les poings sur les hanches, Réginald examinait scrupuleusement la pièce qui serait bientôt occupée.

— On va avoir un p'tit gars avec nous autres ! ajouta-t-il dans une expiration extatique, les deux mains pressées contre sa poitrine. J'en reviens juste pas !

Pirouettant sur lui-même, Réginald jeta un dernier coup d'œil critique sur la chambre qu'il venait de réaménager au grand complet, puis il se tourna vers Paul qui souriait comme s'il se moquait de lui.

— Tu peux bien rire, Paul Tremblay. Avoue que c'est moi qui avais raison. Tu voulais toujours ben pas qu'un enfant se contente de tes vieux meubles poussiéreux, tout sombres, pis de tes tentures à fleurs ! lança-t-il sur le même ton de reproche qu'il avait utilisé le jour où il avait appris que le fils du médecin de la Pointe s'installerait chez Paul. Voyons donc ! C'était pas un décor pour un enfant.

— L'enfant, comme tu dis, a quand même quinze ans. C'est plus tout à fait un gamin ! Faudrait pas l'oublier.

— Pis ça ? Quinze ans, c'est pas ben vieux. Pis c'est pas une raison suffisante pour l'enfermer dans une chambre qui ressemblait à un vieux débarras.

— Tu penses pas que tu exagères un peu ?

— À peine, mon pauvre Paul, à peine. Avoue que c'est mieux. Non ? Tu m'as laissé aller pis regarde ce que ça donne !

Paul se souvenait que le jour où Réginald avait pris la décision de modifier la chambre, lui-même était sorti de la pièce en levant les bras au ciel, pour la forme. Uniquement pour la forme parce qu'il savait pertinemment que Réginald saurait y faire pour aménager une chambre susceptible de plaire à un jeune homme de l'âge de Julien.

Le résultat était spectaculaire. La pièce, d'un esprit typiquement anglais, avait tout pour plaire. Avec ses boiseries sombres et son papier peint clair, à carreaux, cette chambre était masculine sans être austère.

En fait, depuis qu'il habitait ici avec lui, au fil du temps Réginald avait complètement transformé le logement vieillot et trop sombre en un agréable logis clair et confortable.

Exactement comme celui que Paul avait si souvent imaginé dans ses rêveries les plus folles. Même la cuisine avait eu droit à une transformation majeure quand Réginald avait compris que cuisiner faisait partie des plaisirs de la vie pour son nouveau propriétaire. Ainsi, désormais, celui-ci pouvait concocter mille et un petits plats avec plaisir et aisance, petits plats qu'ils dévoraient à deux par la suite et que Paul partageait également avec ses sœurs, installées, comme prévu, sur la Troisième Avenue, dans Limoilou.

— J'en fais toujours trop, expliquait-il invariablement quand il débarquait sans préavis dans le quatre et demi flanqué d'un minuscule jardin, les bras chargés de victuailles. Tant qu'à tout perdre, j'aime mieux partager !

— Tu pourrais tout simplement le manger, répliquait alors malicieusement Justine.

— Je déteste manger deux fois la même chose dans une semaine et tu le sais. Allons ! Faites-vous pas tirer l'oreille. C'est pour vous deux.

Une belle façon d'aider Marguerite et Justine sans blesser leur amour-propre. Tout le monde le savait, personne n'en parlait et les relations étaient à leur meilleur entre eux, ceci incluant Réginald, cela va de soi. Car Paul était régulièrement accompagné de son pensionnaire, Réginald, et pas un autre, quand il venait voir ses sœurs ou qu'il les invitait au cinéma ou au théâtre. Justine et Marguerite avaient fort bien deviné ce qui unissait leur frère à Réginald, certains regards étaient trop éloquents pour les ignorer, mais elles n'en parlaient pas. Ni entre elles ni avec eux.

Qu'auraient-elles eu à dire de toute façon?

On ne parle pas d'un sujet comme celui-là sans bafouiller et sans se mettre à rougir comme une tomate. Par contre, ils aimaient se retrouver les uns les autres, et c'est pour cela qu'on pouvait les voir régulièrement ensemble puisque chacun y trouvait son profit. Le joyeux quatuor ne suscitait ni remarques déplaisantes ni regards déplacés, ce qui arrangeait tout le monde, à commencer par Paul.

Jamais la vie n'avait été plus belle pour lui.

Fini les cauchemars et la culpabilité! Réginald était à la fois l'ami, le frère et l'amant.

À quarante-trois ans, Paul était enfin heureux et il ne se gênait surtout pas pour le répéter à Réginald, quand ils se retrouvaient dans l'intimité, loin des oreilles indiscrètes.

— Te rends-tu compte de la chance qu'on a, toi et moi? faisait-il parfois remarquer à Réginald.

— Oh oui, j'en suis conscient... Pis en plus, on s'aime. C'est pas juste une question d'accommodement.

— Oui... En plus, on a le droit de s'aimer, t'as bien raison. Finalement, personne n'a trouvé quoi que ce soit à redire au fait que tu habites ici, avec moi.

— C'est ben certain! Je suis juste ton pensionnaire, Paul. Faudrait pas l'oublier.

Quand il prononçait ces mots-là, Réginald parlait toujours d'une voix précieuse, un peu moqueuse. Le fait de vivre avec Paul n'avait pas changé sa façon d'être, exubérante et extravertie. C'est ce qui faisait sa réputation, en plus de la rigueur de ses choix et de son goût sûr. Les clients se bousculaient pour l'avoir comme vendeur et conseiller à la compagnie Paquet qui, depuis quelques années, l'employait au rayon de la mercerie pour hommes. Réginald, c'était la bonne humeur incarnée. C'était surtout l'exagération en tout et, curieusement, ce trait de caractère plaisait autour de lui. C'est pourquoi, en conclusion aux dialogues concernant leurs voisins, Réginald ajoutait toujours, les deux bras lancés au ciel :

— De quel droit les voisins pourraient-ils critiquer ta décision de prendre des pensionnaires, je me le demande un peu ? C'est pas de leurs affaires.

Un regard empreint de complicité accompagnait souvent ce genre de conversation, un peu comme celui que Paul et Réginald venaient d'échanger alors qu'ils attendaient la venue imminente de Lionel.

— En effet. Ma petite ruse a fonctionné comme je l'espérais. On vit ensemble et personne n'y trouve à redire !

— Pis en plus, il va falloir qu'on s'occupe d'un jeune !

— Je te le répète, Réginald, ce n'est plus un enfant. C'est un garçon de quinze ans qui doit bien ressembler à tous les jeunes de son âge. Faut surtout pas lui donner l'impression de le surveiller même si c'est ce que j'ai promis à son père.

— Ben d'accord avec toi. N'empêche…

Songeur, Réginald replaça le plaid écossais qui garnissait le pied du lit, le lissa de la main pour effacer un pli qu'il était probablement le seul à voir.

— N'empêche quoi ?

Réginald se tourna vers Paul, le dévisagea un moment avant d'ajouter sur un ton mi-badin, mi-sérieux :

— N'empêche que j'aurais aimé ça, avoir des enfants. Je... Mon doux Jésus! M'entends-tu parler, moi là? Jamais j'aurais dit ça à quelqu'un d'autre que toi, mais astheure que c'est dit, je le répète: j'aurais vraiment aimé ça, avoir des enfants. Ça fait que, viens pas gâcher mon plaisir, icitte, toi! Le jeune Julien qui nous tombe du ciel, c'est un peu comme un cadeau dans ma vie. C'est ça que je veux dire. Juste ça.

— Confidence pour confidence, moi aussi j'aurais aimé avoir une famille.

— Bon, tu vois!

Au moment où Paul serrait la main de Réginald dans un geste affectueux alors que celui-ci lui renvoyait un regard qui n'avait plus rien de factice, on entendit la sonnette d'entrée émettre un drelin impérieux.

Paul sursauta, Réginald porta une main à son cœur et battit des paupières avant de s'éventer vigoureusement des deux mains.

— Mon doux Jésus! Ça y est, v'là le père! Je suis tout énervé, moi là, ça n'a pas de bon sens. Qu'est-ce qu'il va penser de nous autres, hein? J'espère qu'on va y plaire... Va répondre, Paul, vas-y, parce que moi j'ai les jambes en guenilles...

Néanmoins, Réginald emboîta le pas à Paul, curieux de rencontrer ce Lionel Bouchard, mais inquiet de l'opinion qu'il pourrait se faire de lui. Une fois arrivé sur le seuil de la porte, Réginald se retourna, admira la pièce une dernière fois, visiblement fier de son œuvre, puis, dans un sursaut d'incertitude, il lança par-dessus son épaule et d'une voix assez forte pour rejoindre Paul qui était déjà à l'autre bout du couloir:

— Penses-tu qu'il va au moins aimer la chambre, le père de Julien? Un docteur, on rit plus! Ça doit être ben exigeant, un homme comme ça.

Pourtant, Lionel n'avait rien d'un capricieux.

Il apprécia la chambre en disant que celui qui ne l'aimerait pas serait un fameux difficile. À ces mots, Réginald ne put se retenir et il se mit à battre des paupières en rougissant.

Plus tard, quand Lionel compara favorablement le morceau de gâteau que Paul tenait à lui offrir à ceux de sa Victoire, une cuisinière chevronnée dont les talents débordaient largement des limites du village de la Pointe, ce fut au tour de Paul de rougir de plaisir, tout confus.

L'entente fut donc conclue dans l'heure, un chèque faisant foi du sérieux de la chose puisqu'il couvrait les frais de toute une année.

Quelques minutes plus tard, Lionel quittait l'appartement pour rejoindre le taxi qui l'attendait devant la porte.

Ce jour-là, comme souvent d'ailleurs, ce fut à Réginald d'avoir le dernier mot tandis qu'à la fenêtre, Paul et lui regardaient le taxi qui s'éloignait en descendant vers le chemin Sainte-Foy.

— Je pensais jamais qu'un jour je serais heureux autant que ça, souligna-t-il un peu évasivement.

Paul aussi était heureux. Moins expansif que son compagnon, il manifesta son bonheur en glissant sa main dans celle de Réginald au moment où celui-ci ajoutait, d'une voix sobre, presque sévère :

— Sais-tu à quoi je pense, des fois ?

— Non.

— Je pense que j'aimerais ça inviter mon père à venir ici.

Paul tourna un regard intrigué vers Réginald. Il savait fort bien que son ami ne portait pas particulièrement son père dans son cœur.

— Ton père ? demanda-t-il sur un ton surpris.

— Oui, mon père. Pas pour le plaisir de le voir, parce que j'aurais aucun plaisir à revoir cet homme-là.

— Pourquoi d'abord?

— Ça serait juste pour lui montrer que finalement, il s'en est pas trop mal sorti, son tata de fils.

Sur ces mots, Réginald prit une profonde inspiration avant de lancer:

— Ouais, grâce à toi, Paul, je m'en sors pas mal bien. Comme quoi, quand on le veut vraiment, le bonheur peut être à la portée de tout le monde.

CHAPITRE 10

Sur le fleuve, en direction de la rive nord,
en octobre 1923

Malgré un thermomètre qui chutait de plus en plus rapidement et un vent du nordet pas très agréable, Célestin avait tenu bon : il voulait aller à la Pointe et personne ne se mettrait en travers de son chemin.

— Non monsieur ! Ça fait trop longtemps que j'attends. Je passerai pas un autre hiver sans voir Gilberte.

C'est ce qu'il avait déclaré à Prudence, ce matin avant de quitter la maison.

— Je l'ai vue juste une fois, ma sœur, depuis qu'elle vit dans son hôpital. C'est pas assez, je pense. Ça fait déjà quatre étés que je l'ai pas vue, pis je trouve ça long, avait-il précisé en repliant le pouce pour montrer ses autres doigts. Oui monsieur ! Je trouve ça pas mal trop long. Ça fait que j'y vas parce qu'à cause du p'tit Germain, Gilberte, elle, peut pas venir jusqu'ici pour me voir.

Sans la moindre hésitation, Prudence lui avait donné sa bénédiction. Tant pis pour le temps frais et venteux, avec Lionel, Victoire et Gilberte sur l'autre rive, Célestin ne courait aucun danger.

— Ça a plein de bon sens, ce que tu dis là, avait-elle approuvé en hochant la tête.

D'un simple regard, Prudence avait compris que, malgré son air un peu fanfaron, la réponse qu'elle venait de faire soulageait Célestin. Néanmoins, il avait demandé :

— Vous serez pas inquiète ?

— Pourquoi ? T'es déjà allé voir Gilberte, pis tu nous es revenu d'un seul morceau. Je vois pas pourquoi je m'inquiéterais cette fois-ci.

L'image de lui-même en plusieurs morceaux avait bien fait rire Célestin, et c'est donc le cœur léger qu'il était parti à l'aventure, comme il l'avait souligné lui-même.

— J'aime ça, des fois, faire une aventure, avait-il expliqué fort sérieusement. Ouais, c'est plein d'adon en autant que ça revient pas trop souvent... Ça fait que je vous dis bonjour, Prudence. On se revoit un autre tantôt. Si Clovis est là, comme de raison.

Clovis n'était pas là, mais Léopold y était, lui, en compagnie de quelques marins qu'il engageait au besoin. Une heure plus tard, Célestin se retrouvait au beau milieu du fleuve, bien à l'abri dans la cabine de pilotage parce qu'il avait les pieds toujours aussi ronds et que le tangage l'incommodait tout autant que lors de sa première traversée.

— Ça va moins tanguer, tu vas voir, avait expliqué Léopold d'une voix rassurante. Maintenant, on a un bon moteur qui fonctionne au pétrole. C'est plus stable qu'avec les voiles pis moins malcommode que le charbon.

N'empêche que Célestin avait jugé plus prudent de ne pas s'aventurer hors de la cabine.

La traversée se fit sans encombre et, comme Célestin se souvenait fort bien de la maison jaune, il retrouva facilement son chemin.

Victoire s'exclama de plaisir quand elle ouvrit la porte et qu'elle découvrit le grand gaillard un peu gêné, triturant sa casquette comme la première fois qu'il était venu.

— Quelle belle surprise !

Lionel aussi fut de toute évidence très heureux de revoir son frère même si malheureusement, cette fois-ci, il ne pourrait le conduire lui-même à Baie-Saint-Paul.

— Mais on va trouver quelqu'un, crains pas !

Quant à Célestin, une fois rassuré sur le fait qu'il pourrait rencontrer Gilberte, il fut bien surpris de constater que le jeune Julien n'était pas là.

— Parti étudier en ville ? demanda-t-il les yeux tout écarquillés. Je comprends pas, Lionel. Pourquoi il a besoin d'étudier comme ça, Julien ? Ça existe, une école pour apprendre la forge ?

L'explication fut succincte, un peu obscure, mais au ton employé par Lionel pour la donner, Célestin n'insista pas. La voix de Lionel ressemblait trop à celle de son père Matthieu quand il s'impatientait. De quoi ôter toute envie de poursuivre cette discussion. De toute façon, Célestin n'avait pas tellement bien compris pourquoi Lionel accordait autant d'importance à faire de longues études et il trouvait le sujet passablement assommant.

— Pis toi, Lionel, tu la vois encore souvent, ma sœur Gilberte ?

On parla donc de Gilberte et du petit Germain qui s'était quand même décidé à grandir un peu, selon les dires de Victoire.

— Il ne sera jamais grand et costaud comme toi, c'est évident, mais quand même… C'est que ça lui fait déjà neuf ans, tu sais !

Célestin regarda ses deux mains posées à plat sur la table, essayant de compter mentalement et de se figurer à quoi Germain pouvait bien ressembler aujourd'hui, alors qu'il avait en âge presque tous les doigts de ses deux mains.

Malheureusement, Célestin ne gardait aucun souvenir précis d'Antonin et lui au même âge.

— C'est grand comment, Victoire, avoir neuf ans? demanda-t-il, perplexe, en levant les yeux. Parce que moi, je vois rien dans ma tête.

En fait, la seule image qui lui venait à l'esprit, qu'il ait les yeux ouverts ou fermés, d'ailleurs, c'était celle d'un bambin tout souriant agrippé à son pantalon.

Finalement, le lendemain matin au déjeuner, Victoire annonça que ce serait elle qui accompagnerait Célestin jusqu'à Baie-Saint-Paul.

— Avec Gonzague Gendron. Tout est réglé.

Célestin fronça les sourcils.

— C'est qui, lui? Parce que moi, j'aime pas ça les étrangers, non monsieur!

— Si je te réponds que c'est un ami à moi et Lionel, est-ce que ça suffit pour te rassurer?

— Un ami? Quelle sorte d'ami?

La méfiance de Célestin était palpable.

— Un ami qui a l'âge de ton frère Lionel, expliqua patiemment Victoire. Il vient souvent nous voir avec sa femme Louisa. C'est lui qui s'occupe du bureau de poste et du comptoir de la banque. Même que c'est lui qui conduit parfois ton frère pour aller voir un malade quand celui-ci habite trop loin.

— Pourquoi Lionel y va pas tout seul, voir ses malades?

Célestin se grattait la tête en fixant Victoire.

— Je comprends pas. Il a un cheval, Lionel, pis une calèche. C'est pas assez pour aller voir un malade?

— Parfois, oui. Mais parfois, Gonzague conduit Lionel parce que lui, il a une voiture automobile et que c'est plus rapide.

Aux mots « automobile et rapide », Célestin se mit à secouer vigoureusement la tête avec contrariété, comme si Victoire venait de prononcer une énormité.

— Plus rapide ? Ça se peut pas, décréta-t-il avec l'aplomb d'un expert en la matière.

Célestin était catégorique. Il picochait la table avec son index pour donner plus de poids et d'importance à ses propos, comme il avait vu son père le faire tant et tant de fois quand il cherchait à imposer son point de vue.

— Non, ça se peut pas, Victoire, répéta Célestin. Je connais ça, moi, les voitures automobiles, pis je dis que ça se peut pas. J'en ai vu une au village chez nous, une voiture automobile, pis ça a pris pas mal de temps pour que le moteur se décide à partir. Ouais monsieur, pas mal de temps. Même que tout le monde riait dans la rue tellement c'était long. Ça fait que, une voiture automobile, ça peut pas aller plus vite qu'un cheval. Non monsieur ! Avec un cheval, on a juste à faire claquer les rênes sur son dos pis il se met à galoper. Ouais, je sais ça, moi. Pis il y a personne qui va venir changer mon idée.

Cette réponse était tellement simple et logique que même une Victoire plutôt bavarde en resta bouche bée.

— Ben là, tu m'en bouches un coin, mon Célestin, avoua-t-elle finalement avec un sourire amusé sur les lèvres. Alors, on va dire que même si ce n'est pas plus rapide en automobile, c'est plus confortable. Disons aussi que pour une femme comme moi, faire une longue route avec un cheval, toute seule, ça pourrait être dangereux. Je n'ai pas la force d'un homme pour tout bien contrôler et je suis moins jeune que je l'ai déjà été. Tout ça pour dire que j'aime bien le confort d'une automobile, et comme notre ami Gonzague allait à Baie-Saint-Paul, il a accepté de nous y conduire.

— Pas sûr, moi là, d'avoir compris.

L'assurance de Célestin avait fondu, diluée dans une bonne dose de scepticisme, parce que ce qu'il avait compris semblait trop énorme.

— Tu peux-tu répéter, Victoire ?

— Je dis tout simplement que demain, toi et moi, on va voir Gilberte à Baie-Saint-Paul dans l'automobile de Gonzague Gendron.

Célestin avait donc bien compris. Il prit une longue inspiration pour calmer son cœur en émoi.

— Moi ? Moi, Célestin Bouchard, je vas faire un tour dans une voiture automobile ?

— Oui. C'est exactement ce que j'ai dit. Toi, Célestin Bouchard, tu vas faire un tour dans une automobile.

— Ben là, Victoire, c'est pas pareil.

Célestin était tout excité. Une bonne rougeur lui était montée au visage et il tapait la table à petits coups rapides.

— C'est ben certain que c'est un vrai ami, le Gonzague, pour nous amener dans sa voiture automobile, comme ça. T'aurais dû le dire avant ! C'est mon frère Antonin qui va être surpris quand il va apprendre ça ! Oui monsieur ! Pour une fois, c'est moi, Célestin, qui vas être le premier pour quelque chose !

Célestin était non seulement excité mais tout à fait ravi par la bonne occasion qui se présentait à lui.

Il leva les yeux vers la fenêtre de la cuisine pour tenter d'apercevoir l'autre rive qu'il devina, cette fois, au clocher qui se démarquait contre le bleu du ciel.

Là-bas, c'était chez lui. C'était le village où habitait son frère Antonin qui n'avait jamais voyagé dans une voiture automobile. Jamais. Célestin le savait parce qu'Antonin n'avait jamais parlé de ça.

Le grand gaillard poussa un profond soupir de contentement avant d'esquisser un très large sourire de fierté à la pensée qu'il aurait des tas de choses à raconter quand il serait de retour à l'Anse.

Décidément, venir à la Pointe était toujours aussi plaisant. Plus encore, peut-être, que lors de son premier voyage !

Il fit la route entre la Pointe et Baie-Saint-Paul le nez à la fenêtre. Comme le vent était vraiment froid, ce matin-là, Célestin fut très content d'être à l'intérieur, protégé des intempéries.

— C'est pas mal plus pratique qu'une calèche ou une charrette, je pense. Même si ça va pas vraiment plus vite. Ouais… Va falloir que je parle de ça à mon père pis Marius. Ouais monsieur !

La vue de l'hospice le déprima tout autant que la première fois, et quand Gilberte se précipita vers lui pour le serrer contre elle avec affection, Célestin la trouva amaigrie, presque fragile.

— T'es rendue ben p'tite, Gilberte ! constata-t-il sur un ton contrarié. T'es comme mon ancien chandail qui me faisait pus pantoute quand Prudence l'a lavé à l'eau chaude ! Pis toi, en plus, j'ai peur de te casser ! avoua Célestin en reculant d'un pas. T'es-tu malade, Gilberte ?

— Mais non, gros bêta ! Inquiète-toi pas pour moi. Je suis un peu fatiguée, c'est vrai, mais pas malade. Attendez-moi ici, je vais aller chercher Germain. Tu vas voir, Célestin, il a grandi pis il a pas mal vieilli. En plus, maintenant, malgré ce que tout le monde pensait, il a commencé à parler ! Je suis vraiment fière de lui !

Quelques instants plus tard, Germain entra seul dans la cuisine, sans tenir la main de Gilberte.

Effectivement, il avait grandi, un peu, et il avait beaucoup changé même s'il avait gardé ses jambes tordues et son visage aplati. Célestin remarqua aussitôt qu'il marchait toujours en se dandinant comme un canard. Mais ce qui l'épata le plus fut de voir que Germain semblait le reconnaître.

En effet, dès qu'il aperçut le grand gaillard, Germain afficha un large sourire et le pointa du doigt en disant :

— Le géant ! C'est le géant, maman.

Maman…

Célestin fronça les sourcils. Cela faisait curieux à entendre, mais Germain semblait penser que Gilberte était sa mère. Mais alors que Célestin allait le faire remarquer, Germain marcha jusqu'à lui avec une assurance qu'il aurait pu lui envier, et d'autorité, il prit le grand gaillard par la main.

— Ami le géant, répéta-t-il, toujours aussi souriant et regardant à tour de rôle Victoire et Gilberte.

Cette dernière éclata de rire.

— Je comprends maintenant !

Tout en parlant, Gilberte avait tourné les yeux vers Célestin.

— Écoute ça, Célestin, c'est une belle histoire que je viens juste de comprendre… Quand Germain a commencé à parler, le premier mot qu'il a dit c'était « géant ». Si je me rappelle bien, c'était pas très longtemps après ta première visite. Pourtant, jamais j'ai pensé que c'était toi, le géant. C'est sûr que t'es grand, pis fort, mais je pensais plutôt que Germain voulait l'histoire du géant d'un des livres que je lui lisais, le soir, quand il était petit. Mais chaque fois que je sortais le livre en disant qu'on allait lire le livre du géant, il secouait la tête comme pour dire non. Maintenant, je comprends que c'est à toi qu'il pensait.

— Ben voyons donc… Il pense, lui ? Comme moi ?

— Oui, Germain pense. Il a une bonne mémoire aussi et il sait réfléchir.

— Ah ouais… Il réfléchit ? Moi aussi, des fois, je réfléchis même si je trouve ça pas mal difficile.

— Germain aussi trouve ça difficile, tu sais. Je le vois dans sa face pis dans ses yeux. Mais je sais qu'il réfléchit souvent, un peu comme tout le monde.

— Eh ben... Comme ça, Lionel s'est trompé.

— Pourquoi tu dis ça ?

— Parce que chez nous à L'Anse, le monde dit souvent que les idiots, ça sait pas réfléchir ! « Arrête de faire l'idiot pis réfléchis, un peu ! » Ouais, c'est de même que le monde me dit ça, des fois. Ça fait que Germain est pas un vrai idiot, comme Lionel avait dit... Pis s'il se rappelle de moi, comme tu dis, Gilberte, ça veut-tu dire qu'il m'aime encore ?

— Ça, c'est certain.

La réponse de Gilberte était on ne peut plus catégorique et une lueur de soulagement éclaira le regard de Célestin.

— Ben tant mieux parce que moi aussi je pense souvent à lui, annonça-t-il en bombant le torse, une main posée sur la tête de Germain, dans un geste à la fois possessif et affectueux. Ouais, pas mal pas mal souvent à part de ça. Pis j'en parle aussi. Avec Prudence, pis avec les autres comme Antonin, Marius pis Hortense. Tout le monde chez nous à l'Anse le sait, astheure, que je connais Germain. Même Romuald le sait, pis je pense que ça lui fait plaisir. Ouais, c'est ce que je pense, moi, parce que Romuald vient les yeux toutes brillants quand je parle de Germain.

La mention du nom de son beau-frère Romuald, le père de Germain, troubla Gilberte. Ainsi donc, on parlait de Germain même devant lui ?

Le cœur de Gilberte se mit à battre à tout rompre.

Est-ce que ça voulait dire qu'elle pourrait retourner chez elle ?

Gilberte osait à peine respirer, de crainte de voir ses beaux espoirs s'envoler.

Combien de fois avait-elle imaginé son retour à l'Anse? Elle n'aurait su le dire tellement il y avait eu de soirs où, seule dans sa chambre avec Germain qui dormait profondément dans un petit lit à côté du sien, elle revoyait en pensée le sourire de Prudence et sentait la poignée de main ferme de son père. Elle entendait les cris de joie d'Antonin et de Célestin et s'imaginait être assise autour de la table familiale avec eux.

Puis, invariablement, la tête cachée sous l'oreiller, Gilberte se mettait à pleurer, sachant son retour impossible.

Parce qu'à l'Anse, il y avait aussi Marie et Romuald, et qu'au jour de la naissance de Germain, Romuald avait décidé qu'il valait mieux, pour Marie, éloigner le bébé.

Par contre, l'an dernier, Marie était morte, laissant son mari anéanti.

Gilberte s'en était tellement voulu d'avoir osé penser qu'ainsi, elle aurait peut-être la chance de retourner chez elle. Peut-être même pourrait-elle aider Romuald? Mais chaque fois qu'une telle pensée traversait son esprit, Gilberte se sentait coupable.

Quelle sorte de cœur avait-elle donc pour vouloir profiter d'un malheur pareil pour améliorer son sort?

Puis, Prudence avait envoyé une lettre.

« Je ne sais pas si Romuald va s'en remettre, lui avait-elle écrit, peu après le décès de Marie. C'est une pitié de le voir au magasin, les yeux pleins d'eau pour un oui comme pour un non. Si Romuald travaille, c'est juste parce qu'il a pas le choix, avec toutes les bouches qu'il a à nourrir. Pis le magasin peut pas fermer comme ça, pas dans un village aussi gros que l'Anse. Avec Baptiste qui en mène pas large à cause de son asthme, Romuald doit continuer. Mais c'est ben difficile pour lui. Même qu'Antonin a laissé son travail ici, à la ferme, pour donner un coup de main à Romuald parce que le pauvre homme y arrive pas tout seul. »

Gilberte avait alors oublié ses rêves de retour. Romuald n'avait surtout pas besoin de revoir son fils dans de telles circonstances.

Les mois avaient passé et voilà que, maintenant, Célestin laissait entendre que...

Mais alors que Gilberte allait poser quelques questions sur la vie au village, sur la vie de Romuald depuis le décès de Marie, Célestin baissa les yeux sur le petit garçon qui lui serrait le bout des doigts et ajouta :

— Pis Germain aussi, je pense qu'il me connaît. C'est pas mal correct de même. Ouais monsieur ! Pas mal correct.

Ces quelques mots eurent l'heur de permettre à Gilberte de se ressaisir. Valait mieux ne pas entretenir de rêves inutiles ni poser trop de questions qui pourraient la laisser encore plus meurtrie. Germain serait toujours Germain et leur vie à tous les deux était ici, à Baie-Saint-Paul.

Qu'avait-elle osé croire ?

Gilberte inspira profondément tandis que Célestin regardait autour de lui, l'air navré. La cuisine de l'hospice était aussi sombre et laide que le souvenir qu'il en avait gardé.

Oui, en ce moment, Célestin se tenait dans une grande pièce grise et blanche, pas vraiment jolie ni très chaleureuse, et ça le rendait mal à l'aise.

Non, en fait, ça le rendait triste.

Comment Gilberte pouvait-elle être heureuse ici ?

Célestin en soupirait de découragement quand son regard buta sur quelques religieuses en train de préparer des plateaux de repas.

Bien qu'affairées, les femmes en robes noires le reluquaient sans vergogne. Bien sûr, Célestin Bouchard était grand et gros et sa voix portait bien. Ce n'était pas la première fois qu'on le lorgnait ainsi, il avait l'habitude.

Mais ce matin, allez dire pourquoi, le geste l'incommodait.

Agacé, Célestin revint alors à Gilberte.

— Y a-tu ça, un salon, dans ton hôpital? demanda-t-il sur un ton rempli d'impatience et d'espoir entremêlés. Parce qu'ici, dans ta cuisine, c'est pas tellement fait pour de la visite. Non monsieur! C'est Prudence qui dit ça: ça prend un salon pour la visite, pis Victoire pis moi, on est de la visite.

À cette question, Gilberte répondit en ouvrant tout grands les bras pour embrasser le vide autour d'elle.

— Ben non, mon Célestin. C'est un peu plate à dire, mais j'ai pas ça, moi, un salon pour la visite.

— Ben ça marche pas d'abord!

Célestin jeta un regard furieux vers les religieuses qui continuaient de le fixer. De toute évidence, sourire en coin, elles suivaient la conversation avec beaucoup d'attention et, subitement, Célestin eut l'impression qu'on se moquait de lui.

— Comment tu penses qu'on peut parler tranquille avec du monde qui surveille tout ce qu'on dit? lança-t-il à haute voix et reportant les yeux sur sa sœur.

— Célestin! Voyons donc, sois poli! On dit pas des choses comme ça!

— Pourquoi? Si c'est vrai, on peut le dire, s'entêta Célestin. C'est Prudence qui parle comme ça, pis moi je pense comme elle. C'est pas une vraie maison, ta maison, Gilberte. C'est juste un hôpital, pis les hôpitals, c'est pas fait pour demeurer dedans tout le temps. C'est ça que je pense, moi.

À son tour, Gilberte promena les yeux sur la vaste cuisine.

— C'est un peu vrai. T'as ben raison, Célestin, concéda-t-elle à mi-voix, comme si elle avait peur que ses mots tombent dans des oreilles indiscrètes. Ici, c'est pas une vraie maison.

La pauvre Gilberte avait l'air sincèrement désolée. Tant pour elle, obligée de vivre dans cet hôpital jour après jour, que pour les quelques visiteurs qu'elle recevait à l'occasion de bien piètre façon.

— Malheureusement, expliqua-t-elle enfin, j'ai pas trouvé quelque chose d'autre pour pouvoir rester avec Germain. Y avait juste ici que je pouvais m'installer pour être tout le temps avec lui pis m'en occuper comme je le voulais. T'aurais pas voulu que je le laisse tout seul, hein ?

— Ben non. Pis c'est pas ça pantoute que j'ai dit. Ce que je dis, c'est que pour astheure, tu pourrais t'en aller.

Pour la seconde fois, Célestin jeta un long regard critique tout autour de la pièce.

— Ouais, c'est ça que je dis, moi : tu pourrais partir. Germain, même s'il est pas très grand, il a vieilli. C'est toi qui l'as dit t'à l'heure, Gilberte. Ça fait qu'il pourrait vivre dans une vraie maison, maintenant.

— Il pourrait, oui. T'as ben raison, Célestin. Mais j'ai pas ça, moi, une autre maison.

— T'as juste à en acheter une, Gilberte, proposa Célestin en haussant négligemment les épaules devant ce qui lui apparaissait comme d'une telle évidence…

— Minute, toi là ! Pour acheter une maison, ça prendrait des sous, objecta Gilberte. Beaucoup de sous. Pis j'ai pas ça… Pis quand ben même j'aurais assez d'argent pour acheter une maison, faudrait que je travaille pour gagner notre vie, à Germain pis moi. Qu'est-ce que je ferais de Germain quand je serais au travail ? Même s'il a vieilli et qu'il parle, Germain a tout le temps besoin de quelqu'un pour le surveiller. Non, non, ça marche pas, ton affaire.

— Je comprends pas, Gilberte. Ici aussi, tu travailles, non ? Pis beaucoup, à part ça, parce que t'as dit que t'étais fatiguée. T'aurais juste à faire pareil ailleurs.

— Mais ailleurs, j'aurais pas des religieuses autour de moi pour voir à Germain quand j'en aurais besoin.

— Ben je serai là, moi.

Était-ce la chaleur de la main de Germain contre la sienne qui avait dicté ces quelques mots à Célestin? Il n'aurait su le dire et encore moins l'analyser, mais c'était là, en lui, comme un besoin irrépressible qu'il n'avait pas envie de comprendre.

Soudainement, ce petit garçon, ce petit Germain qui levait les yeux vers lui, Célestin n'avait plus envie de le quitter.

Alors, il expliqua à l'intention de Gilberte qui le dévorait des yeux, visiblement en attente de quelque chose:

— Des fois, quand tu irais travailler, je pourrais m'occuper de Germain. Pis des fois, c'est moi qui irais travailler pour gagner les sous pendant que toi, tu t'occuperais de Germain. Ça se peut-tu, ça? Je suis capable de travailler pour gagner des sous. Je le sais parce que je le fais, des fois, pour les voisins. Je suis grand pis fort, moi. Des fois, ça rend service au monde, être grand pis fort. Pis les sous, je pourrais te les donner à toi au lieu de les donner à papa. Les sous, moi, je comprends pas trop comment ça marche. Mais toi, Gilberte, tu dois bien le savoir, non?

Durant toute cette conversation, Victoire s'était tenue à l'écart. Après tout, ce qui se disait depuis quelques minutes, entre le frère et la sœur, ne la regardait pas vraiment. Sauf que par ses dernières questions et sa prise de position assez catégorique, Célestin rejoignait si bien ce qu'elle pensait de la situation de Gilberte que ce fut plus fort qu'elle.

Victoire fit un pas en avant et, sans hésiter, à la suite de la dernière proposition de Célestin, elle enchaîna:

— Quelle bonne idée!

Gilberte et Célestin se tournèrent en bloc vers elle. Si Célestin était tout sourire de voir qu'on l'approuvait, Gilberte, elle, semblait désemparée.

— Ben voyons donc, Victoire. Vous pensez pas vraiment ce que vous venez de dire?

— Et comment! Non seulement je pense que c'est une bonne idée, je l'endosse à cent pour cent! Il est temps de regarder devant, Gilberte. Pour toi, bien sûr, parce qu'il serait grand temps de revenir vivre dans le monde! Mais pour Germain aussi. Je pense que pour lui, il serait plus que temps de connaître autre chose que ce vieil hospice tout gris.

— Vous avez raison, Victoire, je le sais ben. Mais comment c'est que je vais pouvoir réussir à...

— On verra au comment plus tard, trancha Victoire, enthousiaste. Pourvu qu'on soit d'accord sur le pourquoi, le reste viendra bien tout seul en temps et lieu.

— Ben voyons donc, n'arrêtait pas de répéter Gilberte en se tordant les mains, tandis que Germain restait accroché à celle de Célestin. Je peux pas m'en aller comme ça, juste sur un coup de tête.

— Tu es bien entrée ici sur un coup de tête, je ne vois pas pourquoi tu ne partirais pas de la même façon.

— Pour aller où?

— Chez nous pour commencer.

Victoire était tout feu tout flamme.

— La maison est grande. On peut bien accommoder quelques personnes de plus, le temps que tu...

— Mais vous savez que je veux pas être une charge pour personne, interrompit la pauvre Gilberte, visiblement dépassée par la tournure que prenait cette banale visite. Me semble qu'on en a déjà parlé, non?

— On en a parlé, oui, tu as raison. Mais en attendant de trouver autre chose, tu peux bien accepter mon offre, maintenant que Célestin, lui, t'offre son aide... Dis oui, Gilberte! Pour une fois, juste pour une fois, pense à toi. De toute façon, Germain ne serait pas malheureux lui non plus. Et comme je viens de le dire: on verra au reste plus tard.

Quand Gilberte reparlerait de cette journée, elle dirait qu'elle avait été emportée dans un tourbillon sans aucune possibilité de retour en arrière. L'envie de partir existait en elle depuis beaucoup trop longtemps pour ne pas s'accrocher au moindre espoir et y croire de toutes ses forces.

Même si cet espoir était ténu parce qu'il s'appelait Célestin et, comme Gilberte le savait depuis très longtemps, qu'il avait le raisonnement d'un petit garçon.

La supérieure, mise au fait de la proposition, eut un regard de connivence rempli de gratitude à l'intention de Victoire.

— Finalement, je pense que c'est une bonne décision, approuva-t-elle.

Quelques mots d'encouragement qui sonnèrent comme une sorte de reproche aux oreilles de Gilberte.

— Ah oui? Vous trouvez que c'est une bonne idée? On dirait que vous êtes contente de me voir partir…

— Ne me prêtez pas d'intentions malveillantes, Gilberte, interrompit la religieuse d'une voix douce. Je vous aime et vous le savez. Tout comme vous savez que j'ai fort apprécié le travail que vous avez fait chez nous. Cependant, tout comme Victoire, je crois que Germain est prêt à prendre son envol. Allez, Gilberte, regardez-le! Il n'a rien à voir avec les autres patients!

Parler positivement de Germain, c'était le baume sur toutes les blessures. Gilberte esquissa un sourire de fierté.

— C'est vrai que Germain semble plus intelligent que certains autres.

— Alors? Qu'est-ce que vous attendez?

On trouva une vieille valise où Gilberte empila ses maigres effets aux côtés de ceux de Germain. Puis, elle fit ses adieux, toute surprise de sentir son cœur battre de plaisir aussi fort et aussi facilement.

Gilberte Bouchard quittait presque dix ans de sa vie sans le moindre regret. Plus, elle était heureuse comme elle ne se souvenait pas l'avoir été !

Au bout du compte, malgré les objections et les tergiversations, la décision avait été prise tellement rapidement que non seulement Célestin en semblait tout étourdi mais Gilberte aussi.

— T'es ben certain que tu regretteras pas ta décision, mon Célestin ?

Assise dans l'automobile de Gonzague Gendron, Gilberte parlait tout en regardant par la vitre de la portière, émerveillée de voir le paysage défiler à ses côtés. À l'autre portière, Célestin en faisait tout autant, se contentant de détourner la tête pour fixer la nuque de monsieur Gonzague quand il avait besoin de réfléchir. Entre Gilberte et lui, le petit Germain dormait profondément.

— Parce que tu penses que je pourrais regretter ?

Subitement, Célestin semblait ébranlé. Et si Gilberte avait raison ? Le temps de s'imaginer retourner chez lui où il ne voyait plus son frère tous les jours, le temps d'entendre la voix impatiente de son père parce qu'il trouvait que son fils Célestin ne travaillait pas toujours assez vite, le temps de se répéter les quelques derniers mots de Gilberte, et Célestin se mit à secouer la tête.

— Non, je regretterai pas, Gilberte, fit-il avec conviction. Je me suis trop ennuyé de toi pour regretter d'être avec toi. Oui monsieur ! Maintenant, c'est fini, m'ennuyer de toi, pis c'est une bonne affaire, ça. Une vraie bonne affaire.

— Oui, mais Prudence, elle ? Et papa ? Et Antonin ?

Un dernier soubresaut de réflexion. Une seconde mise au point sur ce qu'était devenue sa vie, puis Célestin tourna la tête vers sa sœur.

— Antonin, je le vois pas mal moins souvent, expliqua-t-il. Je me suis habitué de pas voir mon frère tous les jours. Oui, je me suis habitué.

Célestin prononça ce dernier mot en détachant bien les syllabes.

— C'est Prudence qui dit ça comme ça, pis je pense comme elle. Ça m'a fait peur de savoir qu'Antonin avait une amoureuse, pis je me suis habitué… Ouais monsieur! Il a deux garçons, maintenant, Antonin. Il a plus ben ben le temps de venir me voir.

Sur ce, Célestin pencha la tête vers Germain.

— Astheure, moi aussi, m'en vas être occupé avec Germain.

Tout en parlant, Célestin opinait vigoureusement de la tête.

— Ouais monsieur! M'en vas être occupé comme Antonin avec ses garçons. Pis Prudence, elle, j'irai la voir dans le bateau de Léopold. Ouais. C'est pratique un bateau pour aller à l'Anse… Astheure, c'est à mon tour de faire ma vie, Gilberte. Ouais… C'est comme ça que je vas le dire à Prudence, à papa pis à Antonin: Célestin Bouchard a décidé de rester ici à la Pointe pour faire sa vie avec Gilberte pis Germain.

Gilberte comprit alors qu'il n'y avait rien à ajouter. Un vertige à l'estomac lui fit fermer les yeux et elle poussa un très léger soupir en se disant, comme le répétait souvent la supérieure de l'hospice: «À la grâce de Dieu!»

De son côté, toute inquiétude disparue, Célestin était ravi, heureux comme pas un de savoir que Gilberte et Germain revenaient avec eux, émerveillé encore une fois par le confort et la vitesse de l'automobile de monsieur Gonzague.

— Oui, oui, la vitesse, murmura-t-il pour lui-même. C'est Victoire qui avait raison… Pis demain, m'en vas toute raconter ça à Prudence pis à Antonin. Oui monsieur!

À moins de cent milles de là, dans la ville de Québec, dès le lundi suivant, Julien passait par les mêmes émotions ou presque.

Lui aussi, il allait faire sa vie !

Tout avait commencé par une demande sibylline de la part de Paul. En effet, avant que Julien parte pour l'école, ce matin-là, Paul avait annoncé qu'il aurait besoin de lui et de Réginald en fin de journée.

— Pour quoi faire ?

— Pour m'aider à faire un choix.

— Un choix ? Quelle sorte de choix ?

— Quelque chose d'important, c'est bien certain. Sinon, vois-tu, je n'aurais pas besoin de vous deux.

Constatant qu'il était impossible de faire parler Paul qui semblait s'amuser à ses dépens, Julien quitta la maison pour prendre le tramway en direction de l'école, tourmenté par la curiosité.

Inutile de dire que, ce jour-là, l'attention prêtée aux cours fut de piètre qualité. Le tintement de la cloche signifiant la fin des classes n'avait pas encore fini de sonner que Julien était déjà dans l'escalier menant à la cour de récréation.

Il entra en trombe dans le logement, surpris de voir que Paul était déjà là à l'attendre, alors qu'habituellement, à cette heure-ci, il était encore en bas devant ses plans.

— Et maintenant, jeune homme, on descend chercher Réginald à la compagnie Paquet, annonça Paul dès que ce dernier eut mis un pied dans le corridor.

Une demi-heure de marche d'un bon pas et ils rejoignaient Réginald sur la rue Saint-Joseph, en face du grand magasin. Pas plus que Julien, le vendeur d'habits pour hommes ne savait ce que Paul tramait.

— Et maintenant, suivez-moi ! lança ce dernier qui semblait s'amuser comme un enfant.

— Ben là, soupira Réginald d'un ton geignard tout en emboîtant le pas à Paul. Veux-tu ben me dire, Paul Tremblay, ce que tu manigances?

— Donne-moi encore quelques minutes et tu vas tout comprendre. Tu devrais être content. Oui, vraiment content. Depuis le temps...

Ils remontèrent la rue de la Couronne, tournèrent sur la rue Dorchester et, après un court moment, Paul s'arrêta si brusquement que Réginald buta contre lui.

— Ben voyons donc, toi! Qu'est-ce qui te prend, d'arrêter comme ça sans prévenir?

— C'est ici!

Réginald et Julien scrutèrent aussitôt les environs avec beaucoup d'attention, tout aussi curieux l'un que l'autre. Après tout, c'était plutôt inhabituel pour ne pas dire inusité que Paul s'amuse à leur faire des cachotteries.

Il y avait des commerces, bien sûr, c'était la rue pour cela. Saint-Joseph et Dorchester étaient les artères commerciales de la ville. Le commerce de détail. Il y avait aussi quelques hôtels, habituellement fréquentés par les vendeurs itinérants, puis, un peu plus loin, on apercevait la marquise ou l'enseigne d'un bar, de deux ou trois restaurants...

— Tu veux nous emmener manger au restaurant? demanda alors Julien, avec une pointe d'agacement dans la voix parce qu'il ne comprenait pas qu'on puisse recourir à autant de simagrées pour un simple repas.

— Pas du tout...

Plus le temps passait, plus Paul avait l'air de beaucoup s'amuser, ce qui n'était rien en soi pour calmer l'exaspération de Julien.

— Regardez comme il faut!

Pour la seconde fois, Réginald et Julien scrutèrent à la loupe les abords de la rue fréquentée.

Ce fut Réginald qui, le premier, eut l'intuition de ce que Paul tramait depuis le matin.

— Pas Chez Joseph de Varennes, toujours ben? demanda-t-il à mi-voix tout en se tournant vers Paul.

— Hé!

— Ben voyons donc, toi...

Jamais Réginald n'avait battu des paupières avec autant de conviction lorsqu'il reporta les yeux sur la bâtisse qui leur faisait face.

— Ben voyons donc, répéta-t-il en se ventilant maintenant avec les deux mains.

— Pourquoi pas?

Réginald poussa un bruyant soupir comme il aurait pu le faire devant un enfant particulièrement obstiné.

— Parce que c'est ben que trop cher, Paul Tremblay. Combien de fois on en a parlé? Faut-tu que je te fasse un dessin pour que tu comprennes?

— Et si je dis qu'on a les moyens.

— Ben là...

Réginald était à court de mots tandis que Julien, passant de l'un à l'autre, de Paul à Réginald, tentait de suivre une conversation qui lui semblait plutôt mystérieuse. En fait, il ne comprenait pas du tout de quoi parlaient les deux hommes.

Et comme à quinze ans la patience n'est pas la vertu dominante...

— Allez-vous finir par me dire ce qui se passe?

C'est alors que Paul tendit le bras.

— Regarde, Julien! Juste de l'autre côté de la rue.

Ce dernier leva les yeux.

Sur un panneau, comme dit par Réginald quelques instants auparavant, un certain Joseph de Varennes annonçait les services et les biens vendus chez lui. C'est à ce moment-là que tout devint limpide pour Julien.

« Joseph de Varennes, bicyclettes, bijoux et automobiles »

Par acquit de conscience, Julien relut l'affiche, son incrédulité n'ayant d'égal que la surexcitation qui le gagnait.

Paul ne pouvait avoir envie d'une bicyclette ou d'un bijou, n'est-ce pas ? Ne restait donc que l'automobile.

Peut-être...

Oui seulement peut-être parce qu'aux yeux de Julien, cela semblait trop gros, trop invraisemblable.

Il n'y avait que les riches pour avoir les moyens de s'acheter une automobile. Tout le monde savait ça ! Bien que... Paul semblait à l'aise, non ?

Julien se tourna aussitôt vers celui qui avait littéralement changé sa vie en acceptant de l'héberger chez lui et il demanda :

— Vous êtes pas sérieux, Paul ? Pas une automobile...

— Je suis on ne peut plus sérieux. J'ai un commerce florissant, de nombreux clients, des sœurs qui ont eu l'idée saugrenue de s'installer à l'autre bout de la ville dans Limoilou et j'ai aussi des parents qui habitent un peu loin. Pourquoi, alors, me priver de ce petit luxe que j'ai les moyens de m'offrir ? De nous offrir ?

— Ben ça alors...

Julien, tout comme Réginald, n'en revenait tout simplement pas.

— Une automobile ? Vous, Paul, vous voulez acheter une automobile ? demanda-t-il encore, question d'être bien certain qu'il ne fabulait pas.

— En plein ça !

— Ben qu'est-ce que vous attendez, d'abord ?

Julien en trépignait d'impatience.

— Dépêchez-vous, vous deux ! J'ai hâte de voir ça ! On rit plus ! Une automobile ! On va avoir une automobile !

Quelques jours plus tard, tout excités, les trois compères se présentaient à nouveau chez Joseph de Varennes pour chercher l'auto. Paul eut droit à un bref cours de conduite et on lui enseigna les rudiments de l'entretien que nécessiterait son nouvel achat.

Les mains crispées sur son volant, Paul arriva à ramener son monde à la maison. Réginald poussa plus de cris de peur qu'il n'en avait poussé de toute sa vie et Julien, cantonné à l'arrière, n'avait pas assez de ses deux yeux pour observer les passants envieux qui les regardaient rouler bien lentement le long des rues.

En moins d'un mois, Julien savait ce qu'il voulait faire de son existence.

Il n'y avait plus aucun doute pour lui. En quelques semaines à peine, ce qui pouvait passer aux yeux de certains comme une lubie qu'il abandonnerait rapidement était devenu pour lui une véritable passion, tout comme la forge l'avait déjà été et aurait continué de l'être si les choses n'avaient pas tant évolué au fil des années!

Les doutes et les questionnements suscités par ses parents étaient maintenant très loin derrière lui. Cette fois, personne, pas plus son père et sa mère que qui que ce soit d'autre, ne se mettrait en travers de sa route.

Julien en était convaincu: il serait mécanicien, envers et contre tous.

Cela faisait deux nuits maintenant qu'il passait à aligner des projets et des perspectives sur papier.

Et dans l'ébauche de son avenir, la forge de John O'Connor avait une place de choix, car désormais, dans l'esprit de Julien, le grand bâtiment aurait deux vocations.

En effet, en plus du fer forgé de John et de James qui se vendait fort bien quand venait la saison touristique, il y aurait un garage à Pointe-à-la-Truite!

— Ouais monsieur, comme le dirait un jour Célestin, impressionné et très fier de voir que son neveu pouvait tout réparer ou presque.

Mais en attendant ce jour béni, passant une partie de ses soirées le nez sous le capot de la Ford de Paul à tenter de comprendre les mécanismes de ce moteur, Julien accumulait les arguments pour convaincre John et James de la faisabilité de son projet. Rentabiliser tout l'espace de la forge en était le fer de lance.

À la place des calèches et autres fers à cheval, on réparerait des autos.

Quoi de mieux pour regarder l'avenir avec assurance ? À moins d'être complètement borné ou aveugle, il n'y avait aucun doute que les autos étaient là pour rester.

En pensée, Julien voyait une belle affiche qui, curieusement, ressemblait comme une jumelle à celle de Joseph De Varennes.

« O'Connor et Bouchard, fer d'ornement et garage »

Et plus bas, en petites lettres, Julien ajouterait : essence et mécanique.

Julien la voyait tellement bien, cette affiche, que la veille, il s'était amusé à la dessiner. Le résultat, en blanc, noir et rouge, avait fière allure. Il l'imaginait déjà battre mollement au vent sur la devanture de la forge, tenue par une hampe comme un drapeau, entre la pompe à essence et la porte d'entrée...

Oui, cette fois, et Julien en était persuadé, ça devrait suffire pour convaincre ses parents et James O'Connor que la vocation de la forge allait bientôt changer.

Et si on lui reparlait d'école ?

Julien esquissa une moue avant de refaire un large sourire.

Eh bien, si on lui parlait d'études, il répondrait « cours de mécanique » et tout le monde serait content !

CHAPITRE 11

Six ans plus tard, mardi 22 octobre 1929,
sur la Côte-du-Sud

À cinquante-quatre ans, Marius en avait plus qu'assez de toujours devoir s'en remettre à son père pour la moindre décision. D'autant plus qu'en vieillissant, Matthieu Bouchard était de plus en plus taciturne, inquiet pour l'avenir, alors que selon ses dires tout coûtait de plus en plus cher sans nécessairement apporter des résultats convaincants.

C'est pourquoi, depuis quelques années déjà, il prenait un temps infini à se faire à l'idée du moindre changement, au grand désespoir de Marius qui avait accepté de seconder son père quand il était tout jeune encore et qu'il avait des projets plein la tête.

À la défense de Matthieu, comme l'avait déjà fait remarquer Prudence, au moment où Hortense lui faisait part de certaines doléances, il fallait cependant ajouter qu'il n'avait pas eu une vie facile.

— C'est comme si tu t'étais retrouvée toute seule quand tes enfants avaient à peine l'âge d'aller à l'école, avait-elle souligné, faisant ainsi référence au décès d'Emma, la première épouse de Matthieu. Pas sûre, moi, que tu serais pas restée marquée par un aussi gros malheur que celui-là. Pis en plus, il a même pas pu connaître sa fille Béatrice.

— Ouais, vu de même…

— Plus tard, avait enchaîné Prudence sans permettre à Hortense de poursuivre sur sa lancée, c'est trois de ses enfants qui sont partis durant la même année. Te rends-tu compte ? Pas un, pas deux, trois ! Tu serais-tu prête, toi, à voir s'en aller trois de tes enfants quasiment en même temps, même si aujourd'hui, ils sont rendus presque des adultes ?

— Ben non… Vous le savez ben que je pourrais pas passer au travers de ça sans y laisser des plumes !

— C'est en plein ce que je dis… À cause de tout ça, en plus du travail dur dans les champs pis celui pas plus facile avec les bêtes, Matthieu a perdu une couple de plumes en cours de route, comme tu le dis si ben. Ça l'empêche pas de toutes vous aimer à sa manière. C'est ça que je pense, moi, pis je le connais ben. Gêne-toi surtout pas pour le répéter à ton mari… Me semble que je le trouve un brin à pic, depuis quelque temps, le beau Marius !

Prudence n'avait pas tort en disant cela ! Mais si Hortense comprenait fort bien le point de vue de sa belle-mère, Marius, lui, l'entendait d'une tout autre oreille.

— Pis ça te suffit à toi, Hortense, de te dire que le pauvre vieux a eu la vie dure pour toute lui pardonner ?

— Ben là…

— Ben pas moi ! avait tranché sèchement Marius. Nous autres avec, on a une vie pas facile, entassés les uns sur les autres, comme du bétail ! Pis on se plaint-tu ? Non ! Toi comme moi, on n'a jamais levé le ton. N'empêche que j'aimerais ça des fois, avoir une maison ben à moi. On achève d'élever notre famille, calvaze, pis on reste encore chez les parents. C'est pas normal pantoute. Pas dans mon idée à moi, en tout cas.

— Celle-là, tu l'as sur le cœur, hein, mon Marius ?

— Comment veux-tu que je le prenne autrement ? Chaque fois que j'essaye d'en parler avec le père, il me revire comme un malpropre… Calvaze de calvaze! Me semble que je me suis assez esquinté sur sa ferme pour mériter au moins un peu de respect, un peu de considération. Ça fait depuis l'âge de dix ans que je travaille avec lui!

— C'est vrai que tu te donnes pas mal fort. Je t'ai jamais vu compter ton temps.

— Ouais, comme tu dis… Du temps, calvaze, j'en ai mis pour deux! Pis je te ferais remarquer que de toutes mes frères qui ont travaillé icitte, sur la ferme, je suis le seul à être encore là. Faut dire que le caractère du père fait rien pantoute pour donner le goût de rester! Malgré ça, moi, je suis encore là. Fidèle au poste, comme ils disent! Me semble que juste pour ça, le père pourrait avoir un peu de reconnaissance, pis me prêter l'argent que j'aurais besoin pour construire ma maison. J'y demande pas de me la donner, sa maudite argent, je veux juste qu'il m'en prête un peu.

— Vu de même, t'as pas tort, c'est vrai. Pourtant…

Hortense semblait hésitante.

— Tu seras peut-être pas content de ce que j'vas dire, pis je veux que tu soyes sûr que je comprends ce que tu ressens, mais quand ton père dit que toute ce qui est icitte t'appartient un peu, me semble que c'est une manière de dire qu'il apprécie ce que t'as faite, non?

— Peut-être ben… Mais moi, c'est pas ça que je veux, Hortense. La maison du père, même s'il me la donnait en héritage, ça resterait toujours ben la maison du père. Dans ma tête, en tout cas. Je serais jamais capable de la voir comme la mienne. Surtout si Prudence est icitte pour y rester, comme Mamie l'a fait durant ben des années. Dans un sens, elle aurait le droit pis à l'âge qu'elle a, la Prudence, c'est comme rien qu'elle va survivre au père. Te rends-tu compte, Hortense? Cette femme-là, c'est tout juste si elle a dix ans de plus que moi, calvaze!

— T'exagères pas un p'tit brin, toi là ?

— À peine.

— Ouais, vu de même… Veux-tu que je te dise de quoi, Marius ? Je trouve que c'est dur de s'y retrouver dans tout ça. Ouais, ben dur ! D'un bord, y a ton père qui pourrait pas en faire plus que ce qu'il fait là, à son âge, pis qui pense ben faire en gardant l'argent qu'il a réussi à mettre de côté. Comme il dit, on connaît pas l'avenir, pis j'y donne pas tort là-dessus. Pis de l'autre bord, y a toi qui as pas tort non plus. C'est vrai qu'avoir notre maison, ça serait ben agréable, pis c'est vrai, avec, qu'on l'aurait pas volée ! Toi comme moi, on a passé notre vie à entretenir le bien d'un autre.

— Bon ! Enfin quelque chose de raisonnable !

— Pauvre Marius ! C'est pas parce que c'est raisonnable de penser de même que ça va changer la situation.

— C'est ce que tu penses ?

— Comment penser autrement, Marius ?

— Ben regarde-moi ben aller, Hortense ! Mon père, c'est comme un vieux clou rouillé ! À force de piocher dessus, il va finir par céder…

— Ou ben, il va casser, Marius ! Fais ben attention à ce que tu vas dire. Ton père est plus ben ben jeune.

— Ouais, pis ? Il est faite fort, crains pas ! De toute façon, il a passé sa vie à discutailler sur à peu près toute ce qu'on disait. Une discussion de plus ou de moins, ça devrait pas faire une grosse différence pour lui.

— Si c'est ce que tu penses… Après toute, tu le connais plus que moi.

C'est ainsi, à partir de ce beau jour de septembre, doré comme l'avoine du champ en arrière de la maison et odorant de toutes les pommes du verger où on avait fêté Mamie, que Marius commença ce qu'il appelait dans l'intimité de leur chambre « sa cabale ».

Le lendemain, à voix basse, il confiait à Hortense :

— Il a pas dit un « non » ben net, ben frette comme il fait d'habitude.

— C'est peut-être bon signe.

— Peut-être… On verra ben.

À partir de ce jour, tous les soirs, Marius faisait le point avec Hortense. Et s'il le faisait ainsi, religieusement tous les soirs, c'était qu'il en parlait obstinément à son père un peu tous les jours.

— À force de le tanner tout le temps avec mon histoire de maison, il va ben finir par céder, tu vas voir !

— J'aime pas ça, t'entendre parler de même. Ça me fait un peu peur.

— Ben voyons donc ! C'est juste du placotage. Ça mange pas le monde, du placotage. Mais si ça peut hérisser le poil du père, par exemple, ça nuira pas à notre cause. Il y a toujours ben une sainte limite à ce qu'un homme peut endurer, hein ? À force de l'achaler, le père va finir par céder. Il aura pas le choix. En attendant, laisse-moi aller pis contente-toi de prier, ma femme. Ça avec, ça pourrait être utile parce que le père a la couenne dure !

Marius ne pouvait si bien dire !

En effet, Matthieu avait la couenne dure et si son fils s'imaginait qu'il céderait à ses arguments, il s'était bien trompé. Matthieu n'avait nullement l'intention de faire marche arrière, ne serait-ce que d'un pas, ne voyant aucune utilité à le faire. Ça aurait été contre ses principes, et des principes, Matthieu Bouchard en avait toute une série à servir en cas de besoin.

L'inutilité d'avoir une seconde maison sur son terrain en faisait partie.

Allons donc !

Pourquoi deux maisons, alors que la première suffisait amplement à leurs besoins ? Les enfants avaient vieilli, la plupart d'entre eux étaient partis faire leur vie ailleurs, comme l'avait si bien dit Célestin, et ceux qui restaient partiraient sans doute bientôt. Seul Gédéon, le fils aîné de Marius, parlait de prendre la relève. L'ancienne maison de Mamie n'avait jamais manqué d'entretien. Elle était aussi solide et propre qu'au matin où Matthieu y avait emménagé avec sa première épouse, Emma.

Que demander de plus ?

Alors, s'il y avait une maison supplémentaire à construire, ça serait peut-être celle de Gédéon, le jour où il se marierait. Et encore ! Malgré ce que Marius semblait penser, Matthieu était loin d'avoir une fortune à sa disposition. Une seule saison catastrophique et le pécule fondrait comme du beurre dans la poêle, Matthieu en était convaincu.

C'est à cela qu'il réfléchissait encore quand Prudence l'interpella.

— Je suis contente de voir que t'as pas grimpé dans les rideaux, souligna-t-elle alors que Matthieu et elle se trouvaient seuls à la cuisine.

Parlant ainsi, Prudence faisait référence à la discussion plutôt froide et cassante que Matthieu et Marius venaient d'avoir en fin de repas. Une discussion à sens unique, finalement, où Matthieu s'était contenté de grogner en guise de réponse.

— Dis-toi ben que c'est pas l'envie de répliquer qui manque ! répondit Matthieu, visiblement exaspéré. Je sais pas trop ce que le diable lui prend, à Marius, d'insister de même, mais c'est pas en me tapant sur les nerfs qu'il va me donner envie de l'écouter. De toute façon, il sait depuis longtemps que je suis contre l'idée d'une autre maison sur le terrain de la ferme. Du moins pour astheure. On en a pas besoin. Il aura beau s'entêter, le Marius, il a pas encore trouvé une seule bonne raison qui viendrait me faire changer d'idée.

Prudence poussa un léger soupir de lassitude tout en retirant les assiettes du souper. Si ce n'était de cette éternelle discussion au sujet de la maison, la vie serait belle et bonne, maintenant que leurs deux filles étaient élevées. L'aînée travaillait comme commis au bureau de poste et la cadette était gouvernante chez le notaire du village. Toutes les deux étaient courtisées par des jeunes gens de bonne famille et on parlait mariage pour l'été suivant. Quant aux garçons de Marius et Hortense, ils n'étaient plus des gamins et ils étaient bien élevés. Eux aussi devraient quitter la maison dans un avenir pas trop lointain. En un sens, Matthieu n'avait pas complètement tort de tenir tête ainsi à Marius. Prudence non plus ne voyait pas l'utilité d'une seconde maison.

— Une autre maison ? Que du tracas inutile, disait-elle parfois en écho aux impatiences de son mari.

C'est pourquoi elle suggéra :

— Pourquoi tu le dis pas clairement ? Depuis le temps que Marius en parle, me semble que tu devrais être plus clair que ça dans tes propos. Ça mettrait peut-être une fin à cette damnée discussion.

Matthieu se contenta de hausser les épaules sans rien dire. Qu'aurait-il pu ajouter que Prudence ne savait déjà ? Pourtant, devant ce silence, Prudence insista.

— J'aimerais ça que tu me répondes, Matthieu. Pourquoi tu dis rien quand Marius te parle de la maison ? Entre piquer une colère qui ferait juste attiser le feu pis une réponse calme mais ferme, me semble qu'il y a tout un monde, non ?

— Non… Pense comme tu veux, Prudence, mais moi j'ai pas l'intention d'embarquer dans le jeu de Marius. On en a déjà trop parlé de cette maison-là. Si on compte bien comme il faut, ça fait des années que ça dure. Continuer d'en discuter, ça serait une vraie perte de temps, pis tu le sais : j'ai toujours haï ça ben gros, perdre mon temps.

— C'est vrai que le sujet a été discuté deux fois plutôt qu'une, concéda Prudence, comprenant qu'encore une fois, il ne servirait à rien d'insister.

— Comme tu dis… C'est pour ça que je laisse Marius gaspiller sa salive sans rien dire. Il va finir par se tanner que je dise rien parce que moi, je changerai pas d'idée. Astheure, Prudence, laisse-moi lire mon journal, pour qu'on ferme l'électricité pas trop tard… Une autre affaire à payer ! Quand je dis que l'argent pousse pas dans les arbres…

À ces mots, Prudence se détourna vivement pour cacher le sourire spontané qui lui montait aux lèvres.

En effet, pour elle, rien n'était plus drôle que de voir Matthieu tenir le journal à bout de bras et essayer de déchiffrer des mots qui, selon lui, étaient écrits de plus en plus petits d'une semaine à l'autre. En ce moment, même un sourire à peine esquissé de sa part risquait de jeter de l'huile sur le feu. Comme chaque fois que Marius revenait sur le sujet de la maison, Matthieu en avait pour une bonne heure à s'en remettre. Durant ce temps, il n'était pas à prendre avec des pincettes. Une heure qu'il utilisait probablement pour ravaler les mots auxquels il avait pensé sans les dire. Par contre, aujourd'hui encore, avec un peu de chance, la colère s'éteindrait d'elle-même. Mais quand Prudence entendit Matthieu se choquer après le journal, ce fut plus fort qu'elle, et elle se tourna promptement vers lui.

Secouant la feuille de papier pour la tendre bien droite devant lui, étirant ses bras au maximum, Matthieu fulminait.

— Batince ! Ils le font exprès, c'est ben certain… Comment c'est que tu peux te tenir au courant des nouvelles de la ville si t'es même pas capable de lire le journal dans le sens du monde ?

Le sujet de la typographie du journal était éculé entre eux et ce fut Prudence qui sentit sa patience mise à rude épreuve. Elle inspira longuement pour reprendre sur elle et décida que pour une fois, au lieu de répéter à Matthieu qu'il devrait demander à Clovis de lui acheter une paire de lunettes de lecture lorsqu'il irait à Québec ou encore demander à Antonin de lui en faire venir par la poste, maintenant qu'il travaillait au magasin général, elle proposerait à Matthieu quelque chose de tellement énorme qu'il choisirait par lui-même de se procurer des lunettes.

— On pourrait peut-être avoir un poste de radio? suggérat-elle, mine de rien, tout en frottant la table avec son torchon. Comme ça, t'aurais plus besoin de lire le journal ou l'almanach pour te tenir au courant des nouvelles. Astheure que l'électricité est rendue ici, me semble que…

Malheureusement, Matthieu n'entendit que les mots sans tenir compte du ton plutôt calme de la voix qui les prononçait.

— T'es-tu en train de virer folle, toi là?

Matthieu malmenait le journal qu'il tentait de replier. Quand il y parvint, il en assena un coup sur la table qui claqua comme une gifle.

— Voir que j'ai les moyens de nous payer une machine de même! Un poste de radio! Pourquoi pas une auto, tant qu'à y être?

Devant tant de mauvaise foi, Prudence se rebiffa.

— Pauvre Matthieu! Toujours en train d'exagérer… J'ai pas dit une auto, bonté divine, j'ai parlé d'une radio. C'est pas le même prix pantoute pis ça t'éviterait de te choquer à tout bout de champ parce que tu dis que les mots sont pas lisibles.

— Je me choquerai ben si j'ai envie de me choquer, gronda Matthieu en inspirant bruyamment.

Prudence avait l'impression d'essuyer toute la rancœur que Matthieu avait gardée en lui depuis fort longtemps, au fil des discussions concernant la maison.

— C'est pas toi qui vas venir me dire quoi faire pis comment le faire, souligna-t-il avec aigreur. Pis j'en ai assez! Quand c'est pas Marius qui me rabat les oreilles avec ses idées de fou d'avoir une maison à lui, c'est toi qui veux une radio! M'en vas aller voir mes animaux, tiens. Eux autres, au moins, ils passent pas leur temps à me chialer dessus.

— Pis en plus, ils sont assez gros pour que tu les voyes, hein, Matthieu?

La réplique avait échappé à Prudence. Au regard que lui lança Matthieu, elle tenta de se racheter illico en changeant de ton pour poursuivre.

— Si tu voulais m'écouter aussi! proposa-t-elle plus gentiment, espérant ainsi voir son mari se détendre. Une paire de lunettes, ça coûte pas tellement cher, mon homme, pis c'est ben efficace pour les mots qui rapetissent.

La réponse de Matthieu fut une chaise bousculée, quelques pas bruyants traversant la cuisine et une porte claquée violemment. Pourquoi répéter qu'il n'était pas notaire pour avoir besoin d'une paire de lunettes? Il ne passait pas ses grandes journées le nez dans la paperasse, lui. Mais ça, de toute évidence, Prudence ne voulait pas l'entendre.

Attristée par la tournure qu'avait prise leur conversation, Prudence arriva à la fenêtre juste à temps pour voir le dos courbé de son mari disparaître derrière la porte de l'étable.

Elle se laissa tomber dans la chaise berçante de Mamie qui était toujours fidèlement installée devant la fenêtre, comme en attente d'une autre vieille à bercer puisque Célestin n'était plus là pour l'occuper.

— Va falloir que je parle à Marius, murmura-t-elle en donnant un coup de talon pour mettre la chaise en branle. Ça n'a pas de bon sens de voir Matthieu comme ça. Un rien le rebiffe. Comme un jeune cheval rétif...

Pourtant, Matthieu n'était plus très jeune. Il avait épaissi, ses gestes étaient plus lents, ses sautes d'humeur plus nombreuses. Cela n'empêchait pas Prudence de l'aimer comme au premier jour. Il avait été un bon mari pour elle, un bon père pour leurs deux filles et dans ses bonnes journées, il était encore d'un commerce agréable. La tendresse avait peut-être remplacé la passion au fil des années, mais Prudence ne s'en formalisait pas. Elle aussi, elle avait vieilli et par moments, elle était plus bourrue.

— Ouais, va falloir que Marius le comprenne, ajouta-t-elle en se relevant pour retourner à l'évier afin de finir la vaisselle. Matthieu est plus très jeune et il a le droit de se reposer. Ça fait des années qu'il s'échine de l'aube au crépuscule, il mérite bien qu'on lui fiche la paix... Ouais, c'est décidé : à partir de maintenant, fini les discussions à propos de la maison. Je veux plus en entendre parler ! De toute façon, tout ce qu'on a, Matthieu pis moi, ça va aller en grande partie à Marius. Sauf quelques bébelles que j'vas donner à mes filles, bien entendu. De le savoir, ça devrait suffire pour calmer les esprits de Marius. Pis si Matthieu parle pas, moi j'vas le faire.

La décision étant prise, Prudence attaqua la vaisselle. Elle oublia Matthieu et sa colère tout comme elle chassa de ses pensées Marius et sa toquade. Pour l'instant, elle ne pouvait rien faire de plus que ce qu'elle venait de décider et plutôt que de continuer à se torturer les méninges, elle se rendit en pensée jusqu'à Pointe-à-la-Truite, le village de son enfance où vivaient désormais Gilberte et Célestin. Ils habitaient depuis quelques années une toute petite maison au cœur du village, avec Germain, bien entendu, qui faisait désormais partie de leur famille.

Prudence poussa un long soupir d'émotion, attendrie par l'image qui s'imposait souvent en boucle dans son esprit, celle de Romuald rencontrant son fils pour la première fois.

— C'est ben dommage que Marie soye pas là, elle avec, avait-il souligné, un trémolo dans la voix, une main maladroite posée sur la tête du jeune garçon qui ne semblait nullement intimidé par lui, comme s'il comprenait d'instinct que cet homme-là ne lui ferait aucun mal. Ouais, c'est ben dommage parce que je pense qu'elle aurait été contente de voir que finalement, notre fils est pas vraiment un idiot comme on nous l'avait dit. Joual vert! Il parle comme toi pis moi, cet enfant-là. Pis poli, à part de ça, vraiment ben élevé! Merci, Gilberte, merci ben gros d'y avoir vu.

Les visites s'étaient faites plus régulières à partir de ce jour-là, au grand plaisir de Prudence qui s'ennuyait énormément de Célestin.

— Je sais pas ce qu'il m'a fait, celui-là, mais depuis qu'il est parti, il y a pas une journée sans que je pense à lui.

— C'est sûr, ça, avait souligné Matthieu, pour une fois d'humeur taquine. Il prend de la place, le Célestin. C'est pour ça qu'on arrive pas à l'oublier!

— Vilain!

N'empêche que Prudence s'ennuyait vraiment. Heureusement, avant la fin de l'été, le grand gaillard avait traversé le fleuve trois fois pour venir les visiter et Prudence, pour sa part, était allée se promener du côté de la Pointe avec ses filles, toutes deux heureuses du voyage et de la chance qu'elles avaient de côtoyer plus régulièrement Gilberte, une inconditionnelle de leurs jeunes années.

Matthieu, de son côté, n'avait jamais rien dit ni rien demandé à propos des voyages de Prudence. Pas plus qu'il n'avait suggéré de l'accompagner, d'ailleurs. Par contre, à sa façon un peu revêche, il avait semblé heureux de revoir Gilberte et Célestin mais sans plus.

Quant au petit Germain, comme il n'était pas son fils...

Puis, l'automne était arrivé avec ses couleurs, ses pommes, ses récoltes abondantes mais aussi avec ses perspectives de contraintes et de confinement, Prudence en prenait cruellement conscience en ce moment.

— Bonyenne que l'hiver va me sembler long, soupira-t-elle en jetant un coup d'œil par la fenêtre au-dessus de l'évier.

L'horizon s'embrasait au fur et à mesure que le soleil descendait pour se retirer jusqu'au lendemain.

— On est toujours ben pas pour faire un détour par Québec à chaque fois qu'on va vouloir aller voir notre monde ! constata-t-elle, les yeux rivés sur le ciel flamboyant. Ça serait bien trop compliqué... Va juste nous rester à espérer le printemps comme jamais ! Bien que, avec le téléphone...

D'où l'agrément d'être la belle-mère de Romuald, marchand général de l'Anse et propriétaire d'un bel appareil en bois verni, avec une manivelle toute rutilante, accroché au mur en arrière du comptoir !

Prudence esquissa un sourire malicieux.

Le temps de finir le rangement tout en savourant l'idée qu'avec le téléphone, si jamais l'ennui se faisait trop grand, elle pourrait y remédier, Prudence jeta un dernier coup d'œil par la fenêtre et réalisa que la nuit était bel et bien tombée.

Et Matthieu n'était toujours pas revenu de l'étable.

— Tu parles d'une bouderie ! D'habitude, ça dure pas aussi longtemps... Faut croire qu'il commence vraiment à avoir l'histoire de la maison sur le cœur !

Cette réflexion eut l'heur de la conforter dans sa décision. Dès le lendemain, elle parlerait à Hortense et ensuite à Marius.

Mais pour l'instant...

Prudence hésita entre le plaisir de lire le journal, pour une fois que Matthieu n'était pas là à récriminer après le coût de l'électricité, et l'envie qu'elle avait de retrouver son homme pour faire la paix.

Le journal l'emporta.

— Le temps de lire les grandes lignes, annonça-t-elle aux murs, pis j'irai chercher Matthieu s'il est pas revenu.

Avec un plaisir chaque fois renouvelé, Prudence déploya les pages du journal sur la table.

Un titre, un autre, quelques lignes lues par habitude plus que par plaisir…

Prudence soupira. Il n'y avait rien de bien intéressant ou de bien nouveau aujourd'hui.

Déçue, elle leva les yeux. Dehors, il faisait nuit, une nuit d'encre sans lune. La ligne de lumière laissée par le soleil avait complètement disparu. Alors, l'envie de retrouver Matthieu se transforma en inquiétude.

— Veux-tu ben me dire…

Habituellement, Matthieu ne s'éternisait pas à l'étable. Surtout le soir. Depuis quelques années déjà, c'était la corvée de Gédéon de voir aux animaux avant la nuit. En cas de besoin, Marius se joignait à lui. Quant à Matthieu, il n'y retournait qu'en cas d'urgence.

Attrapant un chandail au vol, Prudence sortit de la cuisine en coup de vent et se dirigea d'un bon pas vers l'étable. Une ampoule jaunâtre avait remplacé le fanal au-dessus de la porte et cette faible clarté guida ses pas.

— Matthieu? lança-t-elle dès qu'elle entra dans le grand bâtiment qui l'avait toujours intimidée.

Plutôt fonceuse de nature, Prudence n'avait cependant jamais aimé se retrouver dans l'étable. Les bêtes étaient trop grosses, trop massives et elles lui faisaient peur. C'est pourquoi elle se contenta de se répéter sans trop s'avancer vers les stalles qui servaient à un couple de chevaux de trait et aux vaches tachetées de noir :

— Matthieu ?

Nulle réponse, sinon un curieux bruit venant de la laiterie, laquelle, sur la ferme des Bouchard, était curieusement située sur le côté de l'étable et non en façade. Bien que détestant marcher dans l'allée entre les vaches, Prudence s'y dirigea à petits pas prudents, les yeux au sol et en colère contre Matthieu qui, par son silence, l'obligeait à traverser l'étable sur toute sa largeur.

Assis sur un tabouret de traite et penché au-dessus d'une chaudière servant habituellement à recueillir le lait, Matthieu avait de curieux borborygmes.

— Veux-tu ben me dire...

Quand il entendit la voix de sa femme, Matthieu leva enfin la tête. Il avait un teint de cendre et de grosses gouttes de sueur perlaient à son front. Prudence se précipita vers lui.

— Ben voyons donc, mon homme ! Qu'est-ce qui se passe ?

— Je le sais pas trop, articula Matthieu d'une voix essoufflée. On dirait ben que le souper passe pas. J'ai ben mal au cœur, comme un poing icitte, fit-il en se touchant la poitrine. Mais j'ai beau faire des efforts, j'arrive pas à vomir... Me semble que ça me ferait du bien, que ça me soulagerait...

— Ben tu vas venir te soulager dans la maison, Matthieu Bouchard.

De sa voix de supérieure, Prudence prenait la situation en main.

— Il fait trop froid ici pour quelqu'un de malade.

— Je suis pas malade... C'est juste une indigestion.

— Malade ou pas, tu t'en viens avec moi. Appuie-toi sur mon bras pis lève-toi.

Prudence avait présumé de sa force. À peine Matthieu se fut-il redressé qu'il retombait sur son banc qui se renversa.

Au même instant, Gédéon paraissait dans l'embrasure de la porte. Un seul regard et lui aussi se précipitait vers son grand-père.

— Ça sert à rien, il est trop pesant pour toi ou moi, déclara Prudence. Cours, mon gars, cours vite chercher ton père. Pis après tu iras au village chez Romuald pour appeler le docteur de La Pocatière.

Gédéon avait déjà tourné les talons et quelques minutes plus tard, c'est Marius qui arrivait au pas de course, les bretelles de son pantalon lui battant les cuisses.

— Qu'est-ce qu'il a, le père ?

— Je le sais pas. Depuis qu'il est tombé, il dit plus rien… Aide-moi, Marius, aide-moi à le relever pour l'amener dans notre chambre. Pis toi, mon garçon, ajouta Prudence sans lever les yeux vers Gédéon, tu files au village chez Romuald pour appeler le docteur comme je t'ai demandé t'à l'heure.

L'hésitation de Prudence fut à peine perceptible.

— Pis tant qu'à y être, ajouta-t-elle, va voir dans le verre à cennes, dans le coin de l'armoire. Il y a un papier avec un numéro dessus. Appelle donc là avec. C'est un docteur… Il s'appelle Lionel… T'auras juste à y' dire ce qui se passe ici pis, lui, ben, il prendra la décision qu'il voudra.

À suivre…

Tome 4
1931-1939

Ce livre est à toi, papa,
le plus merveilleux conteur que j'ai connu.
Tu as été le premier à éveiller mon imaginaire
aux infinies possibilités des mots.
Tu me manques tellement, tu sais.

GASTON TREMBLAY 1918 – 2014

« Se donner du mal pour les petites choses,
c'est parvenir aux grandes avec le temps. »

SAMUEL BECKETT

« Il y a plus de courage que de talents
dans la plupart des réussites. »

FÉLIX LECLERC

NOTE DE L'AUTEUR

Pour ceux d'entre vous qui sont attentifs à tout ce qui est inscrit dans un livre, vous avez peut-être remarqué que la dédicace est différente de celle que j'avais prévue à la fin du tome 3. C'est tout simplement qu'un grand vent de tristesse a balayé ma vie. Papa est décédé, tout bêtement, des suites d'une chute chez lui.

Banal... À quatre-vingt-quinze ans, on est si fragile...

Il était mon géant, mon ami, mon confident. Il était le plus merveilleux des papas. Sa voix, ses mots, ses rires continuent de résonner à mes oreilles. Aujourd'hui, j'y puise mon réconfort. Par contre, j'ai peur, si peur que le temps, ce vilain traître, arrive à les effacer. Alors, ce livre, tous ces mots que je m'apprête à confier au papier au fil des pages, c'est pour lui, d'abord et avant tout, que je vais les écrire tandis que j'entends encore son rire résonner à mes oreilles.

Parce qu'en fait, c'est beaucoup grâce à lui si, un jour, j'ai eu envie d'écrire...

Nous voici déjà arrivés au tome 4. Le dernier de cette série. C'est fou comme le temps passe vite, n'est-ce pas ? Pourtant, cette année, l'hiver a été plutôt costaud et s'est étiré par les deux bouts. Vous l'ai-je déjà dit ? J'ai horreur du froid, alors j'ai été bien servie, et c'est avec un soupir de soulagement que je peux dire : enfin, voici le printemps ! Le soleil est plus chaud, quand il est là, et je sens sa caresse à travers le lainage de mon manteau. Enfin, les oiseaux ont recommencé à m'éveiller le matin. Il y a surtout ce gros cardinal écarlate, magnifique, qui se perche tout juste devant ma fenêtre...

La nature sort lentement de son hibernation et j'en suis fort aise.

L'écriture reprend donc ce matin, après quelques semaines passées à vivre ma peine. Ma fenêtre est entrouverte sur la brise qui sent la neige fondante, et je recommence à ressentir le plaisir des mots.

Dans le dernier tome, j'ai été surprise de voir que, jour après jour, c'était Célestin qui m'attendait dans mon bureau. Avec une patience fort surprenante, d'ailleurs. J'ai été émue de constater à quel point je me suis vite attachée à ce grand gaillard, comme je l'ai surnommé.

Il y a Paul, aussi, qui m'a causé bien des surprises. Je suis surtout contente qu'il ait enfin trouvé un fragile équilibre dans sa vie. Avec Réginald, il ne doit jamais s'ennuyer même si, à leur époque, certaines vérités devaient rester cachées, rendant le quotidien plus difficile. Plus injuste, oserais-je dire...

Ensuite, il y a John O'Connor, le fils de James et de Lysbeth. Il fonce droit devant vers un avenir qui s'annonce prometteur, d'autant plus que maintenant, il le fait en compagnie du jeune Julien, devenu mécanicien. Victoire et Lionel ont eu beau insister, plaider, menacer, Julien n'a pas plié à leurs arguments. Et il a bien fait ! La forge, devenue garage à temps plein et magasin d'art à ses heures, est désormais le point de ralliement des hommes du village. L'endroit, bruyant de rires et de conversations comme au temps d'Albert, attire de nouveau bien des touristes quand vient la belle saison.

On parlait attelage, chevaux et politique du temps d'Albert. On parle moteur, pneus et politique avec Julien et Johnny Boy qui, curieusement, a retrouvé son surnom depuis que la forge chauffe son âtre pour modeler ses œuvres d'art.

De son côté, Victoire a vieilli, et les heures passées devant ses fourneaux sont devenues pénibles. Le dos, les genoux… C'est qu'elle n'a jamais été mince, la belle Victoire! Mais comme il n'y a personne pour prendre la relève, pas même Béatrice qui pourtant voit ses enfants grandir et qui a déjà affirmé qu'elle aimait cuisiner, Victoire persiste à se lever à l'aube pour remplir toutes les commandes venues d'un peu partout dans la région.

« Pas question que mon nom tombe dans l'oubli, m'a-t-elle souligné l'autre jour en maugréant tandis que, de la main droite, elle frictionnait son genou. J'ai trop travaillé pour ça! Regardez l'auberge, madame Louise! La mère Catherine n'est plus là et sa belle maison est à vendre. Personne d'ici n'en a voulu! Quelle perte pour notre village, pour Pointe-à-la-Truite! Quelle perte pour les femmes, finalement. On est si peu nombreuses à prendre notre place! »

En réponse à sa diatribe, je me suis contentée d'approuver d'un signe de la tête. Elle n'a pas tort! Cependant, malgré cette complicité que je sentais poindre entre nous, je n'ai pas osé lui demander de cuisiner un gâteau juste pour moi, même si j'en salive depuis longtemps! À son âge, elle en fait déjà beaucoup trop. Cependant, je vous jure que je vais profiter d'une de ses petites siestes devenues journalières pour aller fouiner dans son gros livre de recettes françaises. Moi aussi, j'adore le gâteau éponge, tout comme Gilberte. Si je trouve quelque chose d'intéressant, promis, je vous en ferai part.

Avec tous ces personnages, jeunes et vieux, on va poursuivre notre voyage dans le temps. Ils ne le savent pas encore, mais la vie facile des années folles tire à sa fin. S'il fut un moment important dans l'histoire du monde moderne, c'est bien celui de la grande crise de 1929. On en parle encore aujourd'hui. On y revient souvent comme à une référence d'importance, et c'est pourquoi on va s'y retrouver, nous aussi, pour quelques pages encore. D'autant plus que Matthieu semblait bien mal en point quand on l'a quitté, à la fin du tome 3.

Vous en souvenez-vous ?

Malgré son mauvais caractère, je suis vraiment inquiète pour lui, et je veux savoir ce qu'il est devenu.

Voilà, je suis prête…

Je ferme les yeux et je replonge en octobre 1929. Il fait nuit et Gédéon, le fils de Marius et le petit-fils de Matthieu, vient de partir à bicyclette pour le village de l'Anse-aux-Morilles. Il ne s'arrêtera qu'une fois rendu devant la maison de son oncle Romuald, devenu depuis peu le marchand général officiel de l'Anse. C'est de chez lui que Gédéon doit téléphoner de toute urgence au médecin de La Pocatière, comme Prudence le lui a demandé.

Ensuite, il doit téléphoner à un certain Lionel, médecin lui aussi, a-t-il cru comprendre. Gédéon ne le connaît pas, ne l'a jamais rencontré, mais paraîtrait-il que c'est son oncle.

Le voyez-vous, comme moi, roulant le long du troisième rang de l'Anse-aux-Morilles ? Il pédale à perdre haleine, le Gédéon, et il a le cœur en émoi parce que son grand-père ne va pas bien du tout. Oh ! Ce n'est pas que ce grand-père soit particulièrement bienveillant à son égard ou attachant de quelque façon que ce soit. Au contraire, il est plutôt taciturne, et il n'y a que le travail qui semble avoir de l'importance aux yeux du vieil homme bourru. Mais comme sa grand-mère Prudence fait le ballant avec ses rires et sa bonne humeur, le jeune homme pédale comme un fou. Il ne veut surtout pas de changement majeur dans leur vie, car il espère qu'un jour, cette belle grande ferme sera à lui.

Pour l'instant, Gédéon file droit devant. La nuit est sombre. Il n'y a pas de lune, mais le ciel est piqué d'étoiles qui scintillent au firmament comme si elles suivaient le rythme des coassements des grenouilles.

PROLOGUE

À Pointe-à-la-Truite, octobre 1929

Lionel déposa l'acoustique sur sa branche dorée en fixant d'un regard songeur la rue faiblement éclairée par le lampadaire à l'huile, un vieux réverbère que le père Anselme allume religieusement tous les soirs pour l'éteindre ensuite tous les matins, et que le maire du village parle de changer pour un modèle plus récent qui fonctionnerait à l'électricité.

— Pour un village important comme le nôtre, ça serait bien, non ?

Malheureusement pour lui, monsieur le maire se heurte encore à l'entêtement de quelques vieux villageois, dont Clovis et James, qui ne voient pas l'utilité d'un tel changement puisque le père Anselme s'acquitte toujours de sa tâche avec plaisir et empressement, hiver comme été.

— Quand le père Anselme n'y sera plus, on avisera. En attendant, il ne faut pas oublier que tout changement a son prix.

Cette dépense-là fut donc jugée tout à fait inutile par la majorité des villageois lors du dernier conseil de ville.

Lionel poussa un long soupir.

Habituellement, à cette heure-ci, sauf pour un cas d'urgence s'adressant au médecin, c'était Prudence qui appelait pour avoir des nouvelles de Gilberte, de Germain ou de Célestin. C'est pourquoi, il y a quelques instants, dès la première sonnerie, Lionel avait répondu avec empressement. Il aimait bien les appels de Prudence. Ils le rapprochaient de sa famille, de ceux qu'il avait délibérément chassés de sa vie tant d'années plus tôt. Par cette belle-mère à la langue bien pendue et à la bonne humeur inaltérable, une femme qu'il n'avait pas rencontrée souvent et dont il connaissait nettement plus la voix que le visage, Lionel restait en contact avec eux d'une manière indirecte, plutôt discrète. Somme toute, une façon de faire qui lui convenait tout à fait. Ce fut donc avec un éclat de bonne humeur dans le regard qu'il avait repoussé prestement ses dossiers et qu'il s'était levé dès la première sonnerie pour se diriger vers le téléphone en bois verni, accroché au mur extérieur de son bureau.

L'éclat de joie du regard s'était cependant vite éteint devant une voix inconnue.

Lionel avait froncé les sourcils.

En effet, à l'autre bout de la ligne, c'était un jeune homme du nom de Gédéon, apparemment son neveu, qui appelait, tout essoufflé, pour lui annoncer que son grand-père, Matthieu Bouchard, n'allait pas bien.

— On a retrouvé mon grand-père étendu dans l'étable, je pense ben, avait expliqué le jeune homme en haletant. En tout cas, c'est là qu'il était quand je suis arrivé pour m'occuper des vaches. C'est ma grand-mère Prudence qui m'a demandé d'aller appeler dans le téléphone chez Romuald. En premier, fallait parler au docteur de La Pocatière, comme de raison, vu que c'est lui qui demeure le plus proche de chez nous. Pis après ça, fallait que je vous appelle vous. Prudence a été ben claire là-dessus : fallait que je vous appelle sans faute, qu'elle a dit. Pis elle a ajouté que je trouverais votre numéro d'écrit sur un bout de papier dans le p'tit verre à cennes. Elle avait raison. Bon... C'est ça qui est ça... Astheure que mon message est faite pis que vous savez que mon grand-père va pas tellement bien, vous allez m'excuser, monsieur Lionel, mais je m'en vas retourner à la ferme pour voir comment ça se passe là-bas.

Sur ce, le jeune Gédéon avait raccroché sans plus de façon. De toute évidence, il avait été intimidé de parler dans l'appareil, cela s'entendait dans sa voix saccadée.

Lionel soupira une seconde fois en s'arrachant à son observation de la rue sombre et du ciel sans lune. Au même instant, il aperçut Victoire du coin de l'œil. Elle venait de paraître dans l'embrasure de la porte qui séparait la cuisine du salon, alertée probablement par la sonnerie du téléphone. Geste mille fois répété tout au long de sa vie, elle s'essuyait machinalement les mains avec un coin de son tablier qu'elle utilisait depuis toujours comme un torchon.

— T'as ben l'air songeur, mon Lionel. Un patient qui ne va pas trop bien ?

— Peut-être, oui. Si on veut… Par contre, pour tout de suite, je ne peux rien faire.

L'hésitation de Lionel avait été à peine perceptible, un bref silence entre deux mots, sans plus, mais Victoire l'avait ressentie. Elle n'insista pas. Elle savait depuis longtemps que patients et famille de l'Anse-aux-Morilles étaient des sujets dont Lionel préférait ne pas parler, sauf en de rares occasions.

— Si tu le dis, c'est que tu dois le savoir, laissa-t-elle tomber. Si c'est comme ça, je m'en vais retourner dans la cuisine. Encore une petite demi-heure de rangement et la journée va être finie pour moi.

— Dans ce cas-là, je pense que je vais aller prendre une bonne marche jusqu'au quai. Ça va me faire du bien, j'ai eu une grosse journée… Est-ce que je t'ai dit que les jumeaux de Roberte Dufour avaient la coqueluche ?

Tout en monologuant, Lionel était passé de son bureau au salon et, à ces derniers mots, ceux qui racontaient sa journée dans ce qu'elle avait eu de plus banal, Victoire comprit que l'appel reçu venait de l'Anse-aux-Morilles. C'était toujours ainsi que Lionel échappait aux explications, en parlant pour ne rien dire.

— Prends ton temps dans la cuisine, précisa-t-il, et on se retrouve au salon dans une petite heure.

Lionel enfila le manteau qu'il venait de décrocher de la patère, puis, sans attendre de réponse, il ouvrit la porte. Une bouffée d'air frais s'engouffra aussitôt dans le salon. L'été était bel et bien fini.

— Va falloir penser à commander le charbon pour la fournaise, souligna-t-il tout en parlant par-dessus son épaule alors qu'il sortait sur le perron. L'hiver s'en vient. Tu m'y feras penser demain matin. À tantôt, Victoire, je ne serai pas parti longtemps.

Au lieu de le mener au quai, les pas de Lionel, souvent les mêmes, le conduisirent droit au cimetière. Ce soir, il sentait le besoin de penser à sa mère. Une autre façon pour lui de se rapprocher des siens, ces nombreux frères et sœurs qui avaient partagé son enfance. Pourtant, malgré l'attachement qu'il ressentait envers sa mère, Emma, malgré la complicité qui avait jadis existé entre eux, c'était en partie à cause d'elle si, aujourd'hui, le médecin vivait loin de sa famille.

Un long frisson secoua les épaules de Lionel. L'appel reçu tout à l'heure faisait ressurgir des émotions à la fois très tendres mais aussi combien douloureuses.

La mort d'Emma avait tout changé dans sa vie, à commencer par la certitude qu'il devait poursuivre ses études pour tenter d'éviter d'autres drames semblables à celui qui s'était vécu cette nuit-là sous le toit des Bouchard.

Ce faisant, en choisissant de faire sa médecine, il avait dû prendre ses distances vis-à-vis des siens, et ce n'était surtout pas ce que sa mère aurait voulu pour lui, Lionel en était convaincu.

Mais comment agir autrement ?

Lionel poussa le vieux portillon grinçant qui fermait le cimetière et il longea l'allée qui s'ouvrait devant lui pour finalement tourner à sa gauche une fois rendu tout au bout du sentier en gravillon.

La petite croix blanche était toujours à sa place, plantée bien droite à la tête du lot familial des Lavoie, là où Emma avait demandé à être enterrée. Toutefois, peinte et sculptée de nombreuses années auparavant, la croix ne se dressait plus en solitaire. Une pierre tombale en granit, de belle facture, avait été ajoutée l'an dernier au décès d'Ovide Lavoie, son grand-père maternel. Prudence, la sœur d'Emma et la seconde épouse de son père, Matthieu, s'en était occupée.

— Maintenant que mes deux parents sont morts, avait-elle souligné au curé de la paroisse, il est temps de graver leurs noms pour que les générations à venir se souviennent d'eux. Je veux quelque chose de beau, pis de durable, surtout.

— Et pour votre sœur ?

— Emma ?

Prudence avait haussé les épaules avec une certaine indifférence.

— Emma a sa croix, faite par notre père. C'est déjà pas mal, vous pensez pas, vous ? En tous les cas, pour moi, ça suffit. De toute façon, c'est pas à moi de prendre la décision de faire écrire le nom de ma sœur pour la postérité. Ça devrait être à ses enfants. Pis pour l'instant, les enfants n'ont toujours rien décidé.

Cette petite discussion avait eu lieu l'année précédente, et la croix était toujours là.

Mettant un genou en terre devant celle-ci, Lionel suivit le tracé du nom de sa mère du bout de l'index, ému comme il l'était chaque fois qu'il venait ici.

Sa mère, Emma Lavoie, épouse de Matthieu Bouchard, était morte à la fin trentaine en donnant naissance à sa petite sœur Béatrice. Ce bébé était son onzième enfant.

Lionel avait encore aux narines l'odeur métallique du sang qui avait envahi la chambre de ses parents, cette nuit-là. Odeur de vie et de mort entremêlées, à tout jamais inscrite dans ses souvenirs.

C'était cette odeur bien particulière qui avait dicté le chemin à suivre pour le reste de sa vie.

Par réflexe, le doigt de Lionel refaisait sans cesse le tracé du sillon des lettres du nom d'Emma, s'arrêtant brusquement avant de toucher à celui de son père, qu'Ovide Lavoie avait cru bon d'ajouter, espérant peut-être ainsi que son gendre se joindrait à la famille, le jour de son décès. Chaque fois que Lionel frôlait les incisions du nom de Matthieu, ses mâchoires se contractaient.

Ça ne passait pas. Malgré toutes ces années, la dureté des propos de Matthieu, tenus dès le lendemain du décès d'Emma, était toujours aussi douloureuse.

Lionel essuya brusquement son visage, se refusant obstinément les larmes qu'il avait envie de verser.

Jamais il ne pleurerait pour un homme qui avait osé montrer la porte à son fils. Et le chagrin que Matthieu avait pu ressentir à ce moment-là n'avait rien à y voir. Pour Lionel, c'était incontestable : sous quelque prétexte que ce soit, aucun père n'avait le droit de montrer la porte à son fils. Ce faisant, Matthieu avait tout détruit entre eux. Ce fut ainsi que pour Lionel, la haine et la rage au cœur avaient depuis longtemps remplacé la nostalgie des souvenirs rattachés à cette époque où son père parlait de lui avec fierté.

Inspirant profondément pour contrer les émotions grandissantes, Lionel regarda autour de lui, incapable d'oublier la voix de son père quand il parlait de lui, enfant.

En effet, quand il était tout petit, combien de fois Matthieu avait-il encensé son fils aîné en parlant des notes obtenues à l'école?

— Saviez-vous ça? se vantait-il à tout propos, lui qui était plutôt silencieux et d'un naturel maussade. C'est un premier de classe, mon Lionel! Il va aller loin dans la vie, je vous dis rien que ça!

Malheureusement, cette fierté, pourtant bien légitime, s'était arrêtée aux portes de l'école au bout du rang. L'orgueil bafoué de Matthieu avait, sans hésiter, remplacé la fierté ressentie par une colère inextinguible tout simplement parce qu'Emma avait eu l'audace d'aller frapper à la porte du presbytère, quémandant au curé l'aide nécessaire qui permettrait à Lionel de fréquenter le collège.

Matthieu n'avait jamais digéré que sa femme soit allée quêter en leur nom sans lui en parler au préalable. Jamais.

À partir de ce jour, les notes de Lionel n'avaient plus eu la moindre importance, et Matthieu Bouchard n'avait plus adressé la parole à son fils que pour lui donner des ordres quand il revenait passer l'été sur la ferme et qu'il devait prêter main-forte aux inévitables travaux des labours et des récoltes.

Au lendemain du décès d'Emma, le couperet était tombé. L'ultimatum n'aurait pu être plus clair: devant le drame qui frappait la famille Bouchard, ou Lionel quittait le collège pour faire sa part à la maison, ou alors il quittait cette même maison pour ne plus jamais y revenir.

Lionel avait choisi les études, et il avait aussitôt regagné sa chambre au Collège de Sainte-Anne-de-La-Pocatière.

L'année suivante, il partait pour Montréal où il retrouvait James O'Connor qui avait généreusement accepté de l'aider.

Ainsi, Lionel put devenir médecin, grâce à James et Lysbeth, et surtout grâce à son travail acharné. Jamais, par la suite, Lionel n'avait regretté cette décision et chaque fois qu'il assistait une femme en couches, il avait une pensée pour sa mère qui, à son dire, n'aurait jamais dû mourir de cette façon.

— Quand la santé ne le permet pas, vaut mieux espacer les naissances, madame. Et même parfois les interdire.

Voilà ce que le médecin en Lionel pensait très sincèrement, et son attachement à l'Église et à ses rites n'y changeait rien. Alors, il ne se gênait surtout pas pour en parler à ses patientes. Après tout, disait-il sur le ton de la confidence, le curé n'avait absolument pas besoin de tout savoir.

— Il a fait vœu de chasteté, ne l'oubliez pas, disait-il parfois, proposant cet argument ultime pour vaincre les réticences de nombreuses patientes. Il n'a donc pas besoin d'apprendre ce qui se passe dans votre chambre à coucher.

Ce fut donc en l'absence de Lionel que mariages, baptêmes et funérailles avaient ponctué le fil des années chez les Bouchard de l'Anse-aux-Morilles. Sa famille, il ne l'avait retrouvée qu'en s'installant à la Pointe comme médecin, là où vivaient ses grands-parents maternels, Ovide et Georgette Lavoie. Là où vivait aussi sa sœur Béatrice, élevée par Victoire et son mari Albert. Ce fut cette même Victoire, devenue veuve, que Lionel avait finalement épousée et avec qui il avait fondé sa propre famille. Contre toute attente, et malgré l'âge avancé de Victoire, ils avaient eu un fils qu'ils avaient baptisé Julien.

Tout au long de cette réflexion l'amenant au cœur de ses émotions les plus intimes, Lionel n'avait cessé d'effleurer machinalement les lettres du nom de sa mère. Les intempéries en avaient délavé la peinture, et il se promit d'y remédier. Depuis le décès de son grand-père, il semblait bien que plus personne ne voyait à l'entretien du lot.

En accord avec ses dernières pensées, Lionel leva les yeux vers la pierre de granit sombre où luisaient les noms de Georgette, sa grand-mère, et celui d'Ovide, son grand-père.

Le vieil homme lui manquait toujours aussi cruellement.

Pourtant, l'an dernier, Lionel n'avait pas assisté aux funérailles du nonagénaire, et ce geste avait suscité bien des suppositions au village. Après tout, au-delà des liens familiaux, les deux hommes avaient l'air de bien s'entendre, non ? Pourquoi alors Lionel avait-il boudé la cérémonie ? On en avait longuement discuté à mi-voix. Ce que personne ne savait, par contre, à l'exception peut-être de sa sœur Gilberte qui avait gardé pour elle toutes ses réflexions, c'était la hantise que Lionel entretenait à la simple perspective de croiser son père. S'il avait su que ce dernier ne se déplacerait pas pour accompagner Prudence lors des funérailles, Lionel aurait agi autrement.

Mais voilà que ce soir, Lionel avait l'impression que tout était remis en question à cause d'un simple appel téléphonique lors duquel un neveu qu'il ne connaissait pas lui avait appris que Matthieu Bouchard était malade.

À la description faite par le jeune Gédéon, Lionel présumait une attaque cardiaque ou une embolie et, comme on avait parlé du médecin de La Pocatière, il se doutait bien que ce n'était pas pour avoir un avis médical que Prudence l'avait fait prévenir.

La situation devait être grave et, malgré tout ce dont il venait de se souvenir, Lionel sentait grandir en lui l'envie intrinsèque de revenir à ses sources, de revoir son père au moins une dernière fois, espérant que l'oubli et le pardon seraient à portée d'intention de part et d'autre.

Oui, l'envie était là, dévorante, en même temps que la peur lui fouillait les entrailles. La crampe était si réelle que Lionel se tenait à demi penché.

S'il fallait que, tout malade qu'il puisse être, Matthieu Bouchard lui montre encore une fois la porte, Lionel ne pourrait l'accepter.

Le médecin se releva lourdement. Au fil du temps, Lionel avait épaissi et son crâne s'était dégarni. S'il était nettement plus jeune que son épouse Victoire, c'est à peine si, aujourd'hui, il y paraissait.

La nostalgie et la rancœur l'avaient usé avant l'âge.

Le travail aussi.

Revenu au portillon du cimetière, Lionel se retourna une dernière fois. La croix blanche se démarquait sur l'opacité d'une haie de cèdres, comme une invitation à un dernier questionnement, une dernière prière.

— Dites-moi, maman, murmura Lionel, la gorge serrée, est-ce que ça serait possible que papa me montre encore une fois la porte après tant d'années?

L'homme d'âge mûr éprouvait une anxiété d'enfant.

Une dernière prière, implorant sa mère de l'aider, et Lionel quitta le cimetière pour se diriger vers la petite maison qu'il avait un jour habitée et qui, désormais, servait de domicile à Gilberte, Célestin et Germain. Eux aussi devaient être mis au courant du drame qui se jouait peut-être de l'autre côté du fleuve.

Après tout, malgré ce que Lionel avait pu en penser dans un premier temps, Prudence avait agi ainsi, tout simplement pour qu'il puisse prévenir à son tour Gilberte et Célestin. À bien y penser, il n'était peut-être que le messager. Malgré la distance d'un fleuve entre eux, sa sœur et son frère étaient restés proches de leur famille et de leur père. S'ils voulaient se rendre à l'Anse-aux-Morilles, c'était maintenant ou jamais puisque les goélettes commençaient déjà à regagner leurs quartiers d'hiver, très haut sur la plage. Une simple traversée, l'aller-retour se faisant dans la même journée, pouvait se transformer, par la route, en une aventure plutôt longue et inconfortable.

Remontant le col de son manteau pour contrer le petit vent du nord particulièrement agaçant qui venait de se lever, Lionel tourna à gauche en sortant du cimetière. D'un pas lourd, il se dirigea vers la rue principale. La lumière brillait aux fenêtres de la plus petite maison du village, construite en biais avec l'auberge mise en vente l'année précédente. C'était là que Lionel allait retrouver sa sœur Gilberte.

Germain, quant à lui, était déjà prêt à se mettre au lit. Comme tous les soirs, il s'était débarbouillé dès le souper terminé.

Assis bien sagement à la table de la minuscule cuisine, le jeune trisomique écoutait l'histoire que Célestin lui lisait à haute voix, suivant laborieusement du bout de l'index les mots qui s'alignaient sur la page. Malgré la lenteur exaspérante de cette lecture et le manque flagrant d'intonation dans la voix, Germain semblait aux anges! Les yeux tout brillants de plaisir, il buvait les paroles de son oncle Célestin.

Âgé de quinze ans, Germain avait encore l'émerveillement et la curiosité d'un enfant de cinq ans, ce qui faisait dire à Gilberte :

— C'est peut-être ben la plus belle qualité des jeunes comme lui.

Jamais Gilberte ne prononçait les mots « idiot » ou « débile » quand elle parlait de Germain, ce neveu né avec ce que les médecins appelaient « une idiotie mongoloïde », et qu'elle avait pris sous son aile.

— Me semble que le monde se porterait ben mieux si tout un chacun gardait un cœur d'enfant comme mon Germain, analysait-elle quand quelqu'un de bien intentionné la plaignait d'avoir à s'occuper d'un attardé, comme on appelait couramment l'enfant. C'est sûr que c'est pas mal plus exigeant de voir à un jeune garçon comme Germain qui comprend pas toujours ce qu'on attend de lui, je vous l'accorde. Ça prend ben de la patience, ça aussi j'en conviens, pis ben de la débrouillardise par bouttes, mais bonté divine que c'est agréable de l'entendre rire comme un p'tit garçon pour un oui ou pour un non. Pis en plus, il est toujours de bonne humeur, cet enfant-là. Au bout du compte, un dans l'autre, avec Germain pis Célestin qui vivent avec moi, j'aurai eu une belle part dans la vie.

Habituellement, cette analyse faisait taire les curieux, surtout des étrangers, car au village, depuis le temps qu'il s'y promenait, on s'était habitué à voir le curieux trio. C'était surtout l'image projetée par le grand Célestin donnant la main au petit Germain qui attirait les regards et une certaine forme d'attendrissement.

Quand il entendit gratter à la porte, comme le faisait toujours Lionel pour s'annoncer, Germain délaissa aussitôt Célestin et son histoire pour se tourner vers le battant sans fenêtre qui commençait à s'entrouvrir. Il poussa un cri de joie à l'instant où il reconnut Lionel.

— Linel !

Germain avait dépassé, et de loin, le plus probable des pronostics de Lionel et les attentes tout à fait raisonnables de Gilberte. Alors qu'on lui prédisait une vie de reclus, enfermé dans un monde inaccessible, Germain avait appris à parler, à faire des calculs simples, et il exprimait ses idées avec une clarté toute enfantine mais fort compréhensible. Par contre, la prononciation de certains mots semblait hors de portée pour lui. Le prénom de Lionel en faisait partie. Il avait eu beau essayer et essayer, le mot ne franchissait pas le seuil de ses lèvres, « Linel » étant le mieux qu'il ait réussi à articuler. Quant à Gilberte et Célestin, il n'avait pas eu à s'encombrer de pratiques difficiles : Gilberte était devenue tout simplement «maman» depuis toujours, et l'imposant Célestin s'était vu affubler du surnom de «géant», le premier mot que Germain avait réussi à prononcer intelligiblement.

— Linel!

Germain se précipita vers Lionel en se dandinant et il se jeta dans ses bras.

— Viens, Linel, viens t'assire. Mon ami le géant raconte une histoire.

— Pas tout de suite, mon beau Germain. Il faut que je parle à Gilberte avant tout.

Puis, levant les yeux vers Célestin, Lionel demanda:

— Gilberte n'est pas là?

— Ben non, Lionel, Gilberte est pas ici, répondit Célestin en hochant vigoureusement la tête, dans un grand geste de négation. Monsieur le curé avait besoin d'elle pour préparer l'église. C'est la Toussaint bientôt. As-tu oublié ça?

— C'est vrai!

— Bon, tu vois! C'est pour ça que Gilberte est avec monsieur le curé. Pour préparer ses beaux habits de cérémonie. C'est de même qu'elle a dit ça, Gilberte: les beaux habits de cérémonie... ouais. Pis demain, ça va être à mon tour d'aller voir monsieur le curé. Pour installer les décorations dans l'église.

— Parce que c'est toi qui vas faire ça?

Chaque fois que Célestin, un homme plutôt simple d'esprit mais fort comme un ours, annonçait qu'il avait trouvé un petit travail, Lionel mettait toujours un certain doute dans sa voix pour lui demander de répéter, comme s'il avait mal entendu. La fierté que Célestin glissait dans sa redite faisait toujours plaisir à voir et à entendre.

— Oui monsieur, c'est moi qui vas faire ça.

Le grand gaillard avait bombé le torse et son regard lançait des étincelles sous la broussaille des sourcils froncés.

— Tu sauras que c'est parce que je suis grand pis fort que je peux installer les décorations dans l'église. Le plus grand pis le plus fort de toute la paroisse, ç'a ben l'air. C'est monsieur le curé qui me l'a dit, l'autre jour.

— Et monsieur le curé a fort probablement raison… Comme tu vois, c'est très utile d'être grand et fort.

Tout heureux de constater que son frère le médecin pensait comme lui, Célestin afficha un grand sourire.

— C'est ce que je pense moi aussi, Lionel. C'est ben pratique d'être grand comme moi. Pis fort aussi.

— Bon… C'est bien beau tout ça, mais Gilberte n'est toujours pas là. Va falloir que j'y aille parce que Victoire risque de s'inquiéter si je m'attarde trop.

Tandis que Lionel parlait, Célestin jeta un regard à la ronde avant de pousser un bruyant soupir.

— Sais-tu ce que je pense, moi, Lionel? C'est que toutes les maisons devraient avoir un téléphone. Ouais monsieur! Comme ça, t'aurais juste à appeler Victoire pour pas qu'elle s'inquiète pis tu pourrais t'installer pour attendre Gilberte ben tranquillement… Pis moi des fois, quand je m'ennuie trop, je pourrais appeler mon frère Antonin sans avoir besoin de sortir pour aller jusque chez vous. Ouais, c'est ça que je pense, moi, pis y a pas personne qui va venir changer mon idée…

— C'est vrai que ça serait une bonne affaire pour tout le monde. Mais as-tu une petite idée du travail que ça ferait pour les téléphonistes, si toutes les maisons avaient leur propre téléphone?

— Ben quoi? Il y aurait plus de téléphonistes, c'est tout.

Devant cette logique implacable, Lionel esquissa un sourire.

— C'est pas bête, ton affaire.

— Je le sais… Mais c'est quoi tu veux lui dire, à Gilberte ? C'est-tu important ? Je peux peut-être faire le message, vu que toi tu veux partir tout de suite. Chus pas mal bon dans les messages, moi. Oui monsieur ! C'est Gilberte qui le dit, pis Prudence aussi, elle disait ça. Avant, quand je restais encore à l'Anse, je faisais souvent les messages pour tout le monde de la maison. Même Antonin pensait de même, lui avec… Pis ? Veux-tu que je fasse un message à Gilberte ?

En temps normal, Lionel aurait fait confiance à Célestin. Toutefois, ce soir, le message était particulier. C'est donc de vive voix qu'il voulait annoncer à Gilberte que leur père ne se portait pas bien. D'autant plus que les réactions de Célestin n'étaient pas toujours prévisibles. Connaissant l'attachement que le grand gaillard portait à leur père, Lionel préférait que Gilberte soit là quand il apprendrait la nouvelle. Mais à peine Lionel eut-il fait cette réflexion, hésitant un peu sur la marche à suivre, que la porte s'ouvrit sur une Gilberte transie. Repoussant le battant avec son épaule, elle soufflait sur le bout de ses doigts. Cependant, la vue de Lionel dans sa cuisine lui fit rapidement oublier ses frissons et son regret amer de n'avoir mis qu'une veste de laine en partant plus tôt pour le presbytère. Elle entra dans la pièce, toute souriante.

— Regardez-moi qui c'est qui est là ! Qu'est-ce que tu fais chez nous, toi ? Toujours ben pas une mauvaise nouvelle, j'espère ?

La formule était usée d'avoir été banalement répétée au fil des années, surtout depuis que Lionel avait le téléphone chez lui et qu'il servait d'intermédiaire entre les deux rives. Pourtant, ce soir, elle était de circonstance, et Gilberte le comprit à la moue que son frère dessina à la suite de sa question.

— C'est plate à dire, mais ce soir, oui, c'est une mauvaise nouvelle qui m'amène ici, confirma Lionel en soupirant.

— Ben voyons donc, toi !

Fébrile, s'activant machinalement pour évacuer l'inquiétude soudaine qui s'était emparée d'elle, Gilberte enlevait son
chandail, le pendait au clou à côté de la porte, entre ceux de
Célestin et de Germain.

— Qui c'est qui est mort? demanda-t-elle par-dessus son
épaule.

À force d'avoir vu mourir certains de ses frères et sœurs
et celle qu'elle avait toujours considérée comme une grand-
mère et qu'on appelait Mamie, en plus de sa mère alors qu'elle
n'était encore qu'une enfant, aux yeux de Gilberte, une mauvaise nouvelle ne pouvait être qu'un décès. Le reste, tout le
reste de négatif dans une vie, elle avait appris à y faire face
avec détermination. C'était là une philosophie que sa belle-
mère, Prudence, lui avait enseignée et Gilberte y revenait
à la moindre occasion difficile. Ne pas se laisser abattre et
tenter de trouver une solution. Du moins, si une solution était
possible.

— Alors, Lionel? Qui c'est qui est mort?

Maintenant, Gilberte faisait face à son frère, prêt à se
glisser aux côtés de Célestin ou de Germain en cas de besoin.

— Personne.

Spontanément, Gilberte soupira de soulagement. Pas de
mort, donc pas vraiment de problème, n'est-ce pas?

Sur un dernier regard vers Célestin, la petite femme aux
cheveux grisonnants tira une chaise vers elle et s'y laissa
tomber.

— Ben prends le temps de t'asseoir deux menutes, Lionel,
pis viens toute me raconter ça. S'il y a personne de mort, ça
peut pas être si terrible que ça. Pour moi, en tout cas, c'est
tout ce qui compte.

* * *

Tandis que Gilberte et Célestin s'apprêtaient à chercher quelqu'un pour les emmener sur l'autre rive du fleuve le plus rapidement possible, Lionel, quant à lui, n'arrivait pas à se résoudre à les accompagner, Gilberte n'ayant pas réussi à le rassurer sur l'attitude probable de leur père, si jamais celui-ci était encore en état de réagir à la présence de son fils aîné.

Pendant ce temps, Paul Tremblay, architecte de profession, fils de Clovis et d'Alexandrine, analysait le rendement de ses derniers placements. En effet, tôt le matin, son banquier lui avait fait parvenir par coursier le détail des dernières transactions effectuées la semaine dernière. Le tout était accompagné d'une petite note manuscrite.

« Nous avons donc profité de cette flambée des prix et voici les résultats. Sur papier, mon cher Paul, vous êtes un homme riche. »

Effectivement, Paul était tout souriant. Ventes et achats sous la gouverne de son banquier avaient fait grimper en flèche la valeur de ses actions.

— Si ça continue comme ça, murmura-t-il en repliant les feuillets, on va pouvoir aller en France l'été prochain. C'est Réginald qui va être content d'apprendre ça.

En effet, l'envie irrésistible d'un voyage à Paris était la dernière extravagance de son amoureux.

— Me semble que je nous verrais, toi pis moi, sur un gros bateau en route pour les vieux pays, avait-il lancé un certain dimanche matin alors que l'hiver poudrait allègrement sa froidure.

Paul et lui étaient encore à table en train de siroter un café.

— C'est pas mêlant, toute ce qu'on nous montre de ces pays-là dans les revues, c'est beau ! Pis le linge, lui ! Une vraie merveille. Pour un vendeur comme moi, dans la mercerie pour hommes, ça serait un gros plus de pouvoir parler de la mode parisienne à mes clients. En parler avant tout le monde, surtout. Avant les articles de journaux pis les revues. Ça serait pas mal vendeur, ça. Ouais… C'est sûr que ça me vaudrait une augmentation.

Réginald minaudait, regardait le plafond, revenait à Paul qui l'observait avec un petit sourire sur les lèvres, à la fois narquois, tendre et possessif.

— À moins que je leur présente la mode anglaise, avait alors suggéré Réginald qui se parlait tout autant qu'il s'adressait à son vis-à-vis. Le gérant du département s'exprime tellement bien en anglais, ça y ferait peut-être plaisir… Ou encore parler des chaussures italiennes… Ouais, ça c'est une bonne idée. Depuis un boutte, c'est notre sujet de conversation préféré, dans notre rayon, parce qu'on vient justement d'en recevoir quelques modèles. Qu'est-ce que t'en penses, Paul ? On pourrait aller à Rome, aussi. Je lisais justement, l'autre jour dans la gazette du samedi, que…

Battant des paupières et agitant les mains dans tous les sens, comptant sur ses doigts et soupirant d'envie, Réginald ne se possédait plus quand il rêvait tout éveillé d'un voyage en Europe. Et comme Paul ne demandait pas mieux que de faire plaisir à son ami…

— Si je rends tous les contrats en cours avant la fin du mois de juin, analysa-t-il après un dernier coup d'œil au rendement de ses actions, et si je trouve un jeune stagiaire de qualité pour me remplacer sur les chantiers, bien entendu, on pourrait prendre notre été, Réginald et moi. J'aurais juste à vendre une partie des actions et le tour serait joué !

— À qui tu parles de même, Paul ?

De la pièce voisine, Réginald s'inquiétait.

— À personne, Réginald. Je ne parle à personne. Je réfléchis à voix haute.

— Pis à quoi tu réfléchis comme ça ?

— À nos vacances.

Un visage tout souriant, mais curieusement scrutateur en même temps, apparut dans l'embrasure de la porte du bureau de Paul.

— Pis?

— Pis quoi, Réginald?

— Ben voyons donc, toi! Fais-moi pas languir de même… Ça va ressembler à quoi, nos vacances?

— À quelque chose qui devrait te faire plaisir.

— Dis-moi pas que… Oh doux Jésus! Dis-moi pas que t'es d'accord avec moi pis qu'on va aller à Paris?

— Hé!

Il y avait une pointe d'incertitude dans la voix de Paul. Suffisamment perceptible pour que Réginald demande:

— À Londres, d'abord?

À son tour, comme contaminé par l'attitude de Réginald, Paul se mit à minauder, moue et battement des paupières à l'appui. Mais ça ne dura pas. Redevenu sérieux, il planta son regard dans celui de son amoureux.

— Pourquoi pas les deux? suggéra-t-il d'une voix posée. On pourrait y penser.

À ces mots, Réginald s'éventa pour deux.

— T'es pas sérieux, toi là? Paris pis Londres dans le même voyage?

— Tant qu'à être rendu de l'autre bord, aussi bien en profiter. Si c'est financièrement possible, bien entendu.

— Pour me répondre sur ce ton-là, c'est que t'es sérieux… Tu parles d'une nouvelle, toi, à soir. J'en reviens pas.

Réginald se laissa tomber dans le premier fauteuil venu pour se redresser aussitôt tel un pantin saute hors de sa boîte.

— Pis on part quand? Faudrait quand même que je prévienne mon *boss* pis qu'on prépare nos…

— Minute, papillon ! On est juste en octobre, le 14 pour être plus précis. D'habitude, quand on prend des vacances, c'est en été.

— C'est bien que trop vrai…

Réginald eut l'air un peu déçu. Mais ce désappointement ne dura pas. Le sourire lui revint spontanément aux lèvres.

— Sais-tu quoi, Paul ? J'aime ça savoir qu'il va falloir attendre avant de partir. Ça va faire durer le plaisir plus longtemps pis ça va nous donner la chance de bien préparer notre voyage. On rit plus ! On part pour les vieux pays… Ouais, ce projet-là va occuper les longues soirées d'hiver.

Paul posa un regard attendri sur Réginald. Avec les années, leur relation s'était bonifiée. Faite de complicité et de partage malgré de nombreuses différences entre les deux hommes, elle avait apporté la sécurité que Paul avait longtemps recherchée après le décès de son frère Joseph, un décès dont il s'était senti responsable durant de nombreuses années. Réginald, avec sa bonne humeur constante et sa faconde inépuisable, avait apporté la diversion, l'apaisement dont Paul avait tant besoin.

L'exubérance colorée de l'un apaisait les tourments silencieux de l'autre.

— Et moi, j'aime bien quand tu te montres raisonnable comme en ce moment, lui dit-il enfin d'une voix douce. Maintenant, laisse-moi regarder mes papiers. On reparlera du voyage dimanche matin en prenant notre café.

La félicité de Paul fut de courte durée. À peine le temps de refaire quelques calculs, d'être reconnaissant de la clairvoyance de son banquier qui l'enjoignit à ne pas se préoccuper des inquiétudes suscitées par un mouvement de panique à Wall Street dès le jeudi suivant, car selon lui, ça ne durerait pas. Il y eut donc une douce matinée dominicale à consulter avidement les livres de référence que Réginald s'était procurés à la librairie Garneau.

— As-tu vu ça, Paul ? C'est ben beau Montmartre… C'est-tu des pommiers qu'on voit là ? Pis regarde-moi cette photo-là ! Les grands boulevards de Paris sont ben plus beaux que notre Grande Allée… Ouais, ben plus beaux… Par contre, d'un château à l'autre, l'Angleterre me semble ben belle, elle avec. Aussi intéressante que la France, je dirais. Comment ça se fait qu'en France, on voit pas de châteaux comme en Angleterre ? Je comprends pas. Me semble qu'ils sont aussi vieux l'un que l'autre, ces pays-là ! Mon doux Jésus que ça va être difficile de choisir ! Si jamais fallait choisir… À part la langue, je le sais pus pantoute où c'est qu'on pourrait être le mieux, pour nos vacances… Après toute, l'Angleterre fait partie de notre pays elle avec, non ?

— Tout à fait, Réginald. Le roi d'Angleterre est aussi notre roi.

À ces mots, Réginald claqua la langue contre son palais, agacé par le ton légèrement sentencieux employé par Paul.

— Je suis peut-être pas allé à l'école ben ben longtemps, argumenta le vendeur d'habits pour hommes en soupirant, je le sais. Mais c'est juste parce que j'aimais pas ça, tu sauras, pas parce que j'étais pas bon. Je suis loin d'être savant comme toi, c'est un fait, mais je sais quand même que le roi d'Angleterre est aussi notre roi. Pour qui tu me prends ? Même que c'est pour ça, Paul Tremblay, que j'ai dit que ça serait peut-être important d'aller voir son pays… Pour ça, pis pour leurs beaux habits en laine… Oh pis ! On n'est toujours ben pas pour se chicaner pour une niaiserie pareille ! Passe-moi donc le livre avec le dessus en papier glacé, celui qui est à côté de toi, Paul. J'aimerais ça regarder les images de Notre-Dame encore une fois. Cette église-là est ben imposante pis je suis vraiment tenté d'aller la voir. Combien de temps, encore, que ça a pris pour la construire ?

Quelques jours plus tard, le projet de voyage n'était plus qu'un beau rêve évanoui et la petite fortune de Paul se résumait en un cuisant souvenir.

— Ben voyons donc, toi ! Ça se peut pas, ce que t'es en train de me dire là, Paul. Ça se peut juste pas, toute perdre de même en claquant des doigts !

Réginald se tordait les mains de désespoir.

— Moi qui avais commencé à regarder ce que je pourrais ben m'acheter comme vêtements pour faire une croisière, vu qu'il nous reste un peu de linge d'été en vente... Non, non, non, ça se peut pas ! Si des fortunes peuvent se défaire en deux, trois heures, elles peuvent ben se refaire de la même façon, non ? Panique pas, mon beau Paul, panique pas ! Toute va finir par s'arranger, tu vas voir.

Mais rien n'allait s'arranger, comme le disait et l'espérait Réginald. La magie et la facilité des années folles venaient de disparaître abruptement.

En quelques heures, les profits substantiels de la semaine précédente s'étaient envolés et même les capitaux de Paul s'étaient effondrés. Ne lui restaient plus qu'une auto qui commençait à dater et une maison, heureusement payée, qui brusquement lui sembla encore une fois bien trop grande pour leurs besoins, à Réginald et lui.

Devrait-il mettre une affiche à la fenêtre du salon pour annoncer encore une fois qu'il avait deux chambres à louer ?

La réflexion fut courte, très courte.

Une dizaine de jours plus tard, devant quatre contrats annulés, soit un ajout au salon, ou une terrasse, ou encore une baie vitrée qui à bien y penser ne s'avéraient pas de la toute première nécessité, Paul descendit au sous-sol où il retrouva facilement l'annonce en carton fort préparée de nombreuses années auparavant. Après un bref moment d'hésitation qui lui fit battre le cœur, il remonta à l'étage avec l'affiche et il l'installa bien en vue dans une des fenêtres du salon donnant justement sur la rue des Érables, une artère relativement passante.

— Jamais je n'aurais pensé qu'il me faudrait en arriver là.

Le geste en soi ne lui répugnait pas. Paul n'était pas un arrogant, un imbu de lui-même, et avouer publiquement par cette affiche qu'il puisse avoir besoin d'un petit coup de pouce pour joindre les deux bouts ne le contrariait pas.

Il n'était pas le seul à vivre déceptions et inquiétudes, car les temps étaient difficiles pour bien des gens. Il n'y avait qu'à lire les journaux pour le comprendre.

Alors, une affiche de plus ou de moins…

Non, Paul n'en était pas là. C'était la perspective de voir son intimité bousculée qui le préoccupait, et grandement. Avoir osé défier les convenances en invitant Réginald à vivre sous le même toit que lui tenait déjà de l'audace pour un homme tel que Paul, et il avait longtemps hésité avant d'offrir le gîte à Réginald qui lui, à l'opposé, s'était empressé d'emménager chez son amant, abandonnant allègrement logeuse et emploi à Lévis, sur la rive sud. Ce jour-là, Paul avait retiré l'affiche créée quelques jours auparavant, uniquement pour la frime.

Avaient-ils vraiment su jeter de la poudre aux yeux à tous leurs voisins aussi facilement? Avec le temps, Paul avait réussi à s'en convaincre puisque personne dans leur entourage n'avait laissé entendre quoi que ce soit de désagréable à leur endroit. Paul exigeait tout de même de Réginald qu'ils se tiennent à distance l'un de l'autre quand ils se retrouvaient en public.

— Si on agit avec discrétion, affichant une indifférence polie l'un envers l'autre, personne ne se doutera de quoi que ce soit. J'ai une grande maison, j'ai pensé à louer une chambre et il s'avère que c'est toi qui as répondu à l'annonce. Pour les explications à donner, on s'en tient à ça. Comme on va au cinéma avec mes sœurs de façon régulière et que le jeune Julien a habité ici durant deux ans, ça devrait suffire pour donner le change.

Cela faisait des années maintenant que tous les deux s'en tenaient à cela, comme le disait si bien Paul, et il semblait bien que le stratagème fonctionnait.

Par contre, avec des pensionnaires sous leur toit, la discrétion en public ne suffirait plus. Elle aurait aussi ses lettres de noblesse jusque dans les chambres à coucher.

Paul poussa un long soupir de contrariété, de déception. Il avait la désagréable intuition que, dans sa vie, bien des choses seraient à refaire.

Ou à défaire.

Paul redressa l'affiche qui penchait vers la gauche et il sortit du salon. Peut-être bien après tout que personne ne se présenterait à leur porte, intéressé par l'offre d'une chambre à louer.

Paul expira bruyamment. Dans un sens comme dans l'autre, locataire ou pas, il y aurait du négatif au bilan de leur situation.

Le vendredi suivant, au bout d'une semaine au cours de laquelle Paul avait eu l'impression que le temps stagnait à la suite de deux nouveaux contrats annulés, il mit la clé sous le paillasson de son bureau, fit un léger bagage et, après avoir laissé une petite note d'explication sur la table à l'intention de Réginald, il prit la route vers Pointe-à-la-Truite comme on prend la fuite, laissant tout derrière soi avec la désagréable sensation d'être coupable de quelque chose. De quoi? Paul aurait été bien embêté d'avoir à s'expliquer sur ses émotions, mais c'était là, en lui, battant au même rythme que son cœur.

Déception, rancœur, désillusion, inquiétude...

Paul Tremblay avait l'impression de n'être rien d'autre qu'un maelström de sentiments désagréables, de sensations teintées d'ombre.

La route se fit sous les nuages jusqu'à Baie-Saint-Paul. Un vrai ciel de novembre, lourd, sombre, inquiétant surplombait la cime des arbres. Un ciel chargé de pluie qui se mit à tomber dès que l'Isle-aux-Coudres fut en vue, de l'autre côté de la baie. Le vent secouait les arbres, les dépouillant des quelques dernières feuilles colorées qui étaient bravement restées accrochées aux branches, et Paul s'agrippait au volant de l'auto qui tanguait dangereusement vers la gauche, poussée par les bourrasques.

— Comme un bateau, murmura-t-il.

L'image suggérée le fit ralentir puis, brusquement, s'arrêter. Paul éteignit le moteur. D'où il avait stationné la voiture, la vue dominait la baie et plongeait hardiment dans les eaux glauques du fleuve, plus grises encore que le ciel nuageux. Malgré la pluie qui tombait de plus en plus dru, Paul sortit de l'auto et s'approcha du bord de la route, hypnotisé par les moutons blancs que dessinait la houle.

La peur qu'il avait jadis éprouvée à la vue du fleuve s'était atténuée avec le temps. La panique ressentie avait disparu. Il prenait même plaisir, maintenant, à se promener régulièrement tout au long de la terrasse qui bordait le Château Frontenac.

L'eau pouvait être si belle quand le soleil y déposait sa dentelle de diamants.

Comment avait-il pu être insensible à tant de beauté durant toutes ces années?

Oh! Bien sûr, Paul n'allait pas jusqu'à se moquer de la longue et pénible panique qui avait suivi le décès de son frère, noyé lors d'une traversée sur la goélette de leur père, mais les cauchemars ne hantaient plus le sommeil de ses nuits.

Aujourd'hui, Paul ne comprenait plus pourquoi il avait été aussi longtemps marqué par le triste événement, car finalement, il n'avait été responsable de rien. Il était si jeune, à l'époque.

Mais ce matin…

Paul se sentait fébrile et ses mains tremblaient.

Était-ce la seule inquiétude devant un avenir incertain qui déformait tout, qui ramenait la peur jadis vécue?

Peut-être bien, mais la vue de ces remous, de ces vagues immenses que l'on devinait au loin, ravivait en lui un cauchemar qu'il croyait oublié à jamais.

Joseph, son frère Joseph était mort à la fin d'une journée qui ressemblait étrangement à celle-ci. Seuls le bruit de l'orage et l'éclat des éclairs manquaient à l'appel. Et peut-être aussi la voix de leur père qui s'écorchait la gorge à les appeler, Joseph et lui…

Lui qui n'avait rien fait pour aider ce frère qu'il aimait plus que tout.

Paul réprima un long frisson.

Il avait si longtemps porté le fardeau de la culpabilité sur ses fragiles épaules d'enfant que, durant des années, c'était devenu comme une seconde nature pour lui de marcher les épaules courbées et le regard au sol. Jusqu'au jour où Réginald avait croisé sa vie.

Paul resta longtemps immobile à contempler les flots colériques, tout à fait insensible à la pluie qui trempait ses vêtements. De toute sa vie, jamais il n'avait ressenti le besoin de quelqu'un avec autant d'acuité qu'en ce moment.

Et ce quelqu'un, c'était son père.

Cet homme était sans doute le seul à pouvoir vraiment partager sa détresse à travers les souvenirs. Le seul qui pourrait l'aider à guérir tout à fait. Pourtant, jamais ils n'avaient reparlé de ce jour maudit où Joseph avait péri sous leurs yeux. Par pudeur, probablement.

Entre hommes, on ne parle pas vraiment de ses émotions. Il était peut-être temps de le faire.

— Profiter du fait que tout dégringole dans ma vie pour tourner définitivement la page, murmura Paul, les yeux rivés sur le fleuve. Faire le point sur le passé, mais aussi sur le présent en espérant que les parents sauront comprendre.

Ces derniers mots, Paul les avait chuchotés en pensant à Réginald. La présence de son amoureux lui manquait terriblement en ce moment d'intenses émotions, tout comme le secret entourant leur relation lui pesait lourd.

— Oui, il serait temps de faire le point, soupira-t-il. Sur tout ce qu'est réellement ma vie. Et si jamais on ne comprenait pas...

La réflexion de Paul ne déborda pas de cette supposition qui ne reposait sur rien. Jusqu'à maintenant, Réginald avait toujours été le bienvenu chez ses parents. De là à oser croire qu'ils accepteraient spontanément le lien réel qui l'unissait à leur fils...

Reprenant la route, Paul tenta d'imaginer à quoi une conversation à cœur ouvert entre son père et lui pourrait ressembler. Il n'y arriva pas. Clovis Tremblay n'était pas un homme de beaucoup de mots même si tous savaient qu'il était un homme d'émotion.

Quand Paul gara enfin son auto devant la maison familiale, la noirceur était déjà tombée. Un rideau de pluie très fine se mêlait à la brume levée du fleuve et à l'appel lancinant du vent dans les branches pour rendre le paysage lugubre.

Paul afficha tout de même un sourire tout en courant à petits pas prudents vers la maison. Avec un temps pareil, son père devait être assis à un bout de la table, tout près du poêle ronflant, sa vieille pipe en écume à la main et discutant navigation avec son frère tandis que les femmes, sa mère, Alexandrine, et Augusta, l'épouse de Léopold, devaient être en train de préparer le souper. À l'avance, Paul entendait le rire de ses nièces qui l'accueilleraient avec des cris de joie, comme toujours.

Sur ce point, Paul ne fut pas dans l'erreur.

À peine eut-il ouvert la porte sans frapper, comme sa mère avait toujours voulu que ses enfants le fassent quand ils revenaient à la maison, que les deux gamines se précipitaient vers lui les bras tendus. Paul se pencha pour les accueillir. Quant au reste…

— Papa et maman ne sont pas là? demanda-t-il en se redressant, une Rose, ainsi baptisée en souvenir de leur sœur décédée de la grippe espagnole, pendue à son bras droit et une Yolande frisée comme un petit mouton, accrochée à son cou malgré ses vêtements mouillés.

— Non.

Assis au bout de la table, à la place que Clovis Tremblay aurait dû occuper, Léopold lui avait répondu.

Tout comme leur père l'aurait fait lui aussi, il prit le temps de secouer sa pipe contre le rebord du lourd cendrier en verre bleuté avant d'ajouter:

— Les parents sont partis. Ils sont à l'Anse depuis une bonne dizaine de jours. À cause de leur ami Matthieu.

— Matthieu Bouchard?

— En plein ça. Il a eu une attaque.

— Eh ben… Mais qu'est-ce que ça a à voir avec nos parents? À part le fait que c'est un ami et qu'ils pourraient avoir envie de lui rendre visite, il me semble que…

— Il semble bien, interrompit Léopold en reprenant les mots de son frère Paul, il semble bien que les Bouchard n'ont rien à voir avec les Tremblay.

— Qu'est-ce que tu veux dire par là ? demanda Paul tout en déposant la petite Yolande sur le plancher afin de retirer son manteau. J'entends comme un mépris dans ta voix. À t'écouter, on dirait que les Bouchard ne sont pas une belle grande famille comme on a l'habitude de voir dans nos campagnes. Pourtant... À part le grand malheur de perdre sa première femme, Matthieu a ben l'air d'être un bon...

— Je sais pas de quoi il a l'air, rapport que je l'ai jamais vu, coupa une seconde fois Léopold. Moi, c'est plutôt son fils Marius que je rencontre à l'occasion, ou encore Antonin quand j'ai affaire au magasin général, mais à entendre Gilberte en parler, on dirait ben qu'il est pas trop commode, le Matthieu. Ce qui veut dire que si, ici, chez les Tremblay, dans le besoin ou dans le malheur, on a appris à se serrer les coudes, on dirait ben que là-bas, c'est pas pareil. C'est un peu ce que Gilberte a essayé de me dire sans trop que ça paraisse quand elle est venue donner des nouvelles de son paternel, l'autre jour. Toujours est-il que les parents ont décidé de traverser pour aller donner un coup de main à Prudence, la femme de Matthieu, parce qu'il semblerait bien que leur ami va rester paralysé jusqu'à la fin de ses jours pis qu'il fallait toute réorganiser la maison pour lui.

— Ben voyons donc !

— Ouais, c'est comme je te dis. À part Célestin qui était resté de l'autre bord après leur première visite, on dirait ben qu'il y avait personne d'autre pour aider Prudence. C'est pour ça que les parents se sont offerts. Laisse-moi te dire que Gilberte avait l'air soulagée...

Tandis que les deux frères parlaient, Paul s'était approché de la table pour s'asseoir, après un sourire en direction d'Augusta qui continuait de s'affairer au comptoir.

— Quelle raison on peut bien avoir pour ne pas aider ses parents, quand un malheur pareil nous arrive ? demanda Paul en tirant une chaise vers lui pour s'asseoir.

Dans un même geste, il se pencha pour aider la petite Rose à grimper sur ses genoux. Yolande, quant à elle, avait trouvé refuge dans les jupes de sa mère, attirée par les bonnes odeurs qui s'échappaient des chaudrons.

— Trop d'ouvrage, paraîtrait-il, répondit Léopold après avoir tiré longuement sur sa pipe.

— Je comprends pas ça ! rétorqua Paul.

— C'est vrai que c'est dur à comprendre. D'un autre côté, si le bonhomme est aussi marabout qu'on le dit…

Léopold échappa un soupir qui en disait long sur son incompréhension.

— N'empêche que les parents vont devoir revenir bientôt, lança-t-il en guise de conclusion. Que la maison des Bouchard soye prête ou pas ! J'attends juste après eux autres pour remiser la goélette. Faudrait pas que ça retarde. Je suis le dernier de la Pointe à pas avoir rentré son bateau… J'ai laissé un message au magasin d'Antonin pour les parents. Il m'a promis de rappeler demain matin sur le coup de dix heures, pis moi, m'en vas être au magasin général pour prendre son appel. C'est ben pour dire, hein ? Je l'aurais jamais cru, mais finalement, c'est pratique, un téléphone. Bon ! Astheure, à ton tour, mon Paul ! Raconte-moi ce qui t'amène par ici en plein mois de novembre.

Sans entrer dans les détails, Paul parla donc de ce qui avait déclenché son envie de prendre la route par un vendredi midi aussi sombre. Que les temps soient difficiles n'était un secret pour personne et Paul expliqua en gros l'état de sa situation. Tout en préparant le repas, Augusta se glissa dans la conversation et parla à son tour de son frère installé à Montréal qui venait de perdre son emploi et de sa sœur qui était revenue vivre chez leurs parents, le temps que son patron révise ses positions.

— Comme tu vois, Paul, t'es pas tout seul à ronger ton frein. Le chômage, il est partout depuis les dernières semaines. J'en reviens pas de voir comment ça a été vite, tout ça. Un jour tout va bien pis le lendemain, tout dégringole.

— À qui le dis-tu! Heureusement que mon locataire Réginald a gardé son emploi et sa chambre. Ça fait toujours un petit revenu au bout de la semaine. Pas gros, c'est sûr, mais quand même bien utile.

Malgré le passage des années, l'image du fidèle pensionnaire devenu un ami n'avait pas évolué.

— Pour ma part, comme j'ai du temps de libre, j'ai pensé à venir voir les parents. Jaser avec eux de la situation. Comme je viens de le dire, j'ai pas mal de temps à moi! Et comme tu le disais si bien tantôt : chez nous, on a appris à se serrer les coudes, en cas de besoin… Ça fait que me voilà! Par rapport à ce que tu as dit, tout à l'heure, Léopold, profite du fait que je suis là, pour pas mettre trop de pression sur les parents. S'ils veulent rester encore un bout de temps chez Matthieu, libre à eux. Au pire, j'irai les chercher en auto pis je t'aiderai à rentrer ton bateau. Même que si t'as besoin de bras supplémentaires, je pourrais demander à Réginald de venir nous aider.

— Ben on verra à ça demain quand je parlerai au père ou à Antonin. Mais c'est ben correct de ta part d'offrir ton aide de même. D'habitude, depuis les dernières années, c'est Célestin qui me donne un coup de main, mais comme cette année, il est pas là… Astheure, parle-moi donc de Justine pis de Marguerite! Avec la crise, les sœurs ont-elles gardé leur *job*? On sait rien, par ici! Faut dire qu'elles sont pas ben ben portées sur l'écriture! Quand on a une lettre dans le mois, on peut se compter chanceux! Tu devrais leur demander d'être plus régulières. Tu peux pas imaginer à quel point maman est contente quand elle reçoit enfin des nouvelles de Québec!

Le lendemain au réveil, la pluie avait finalement lavé le ciel de sa grisaille et la région offrit ce qu'elle avait de plus beau aux yeux endormis de Paul quand il repoussa la vieille catalogne qui servait de rideau dans son ancienne chambre d'enfant.

Un soleil liquide s'était répandu sur les eaux du fleuve, déposant ainsi une couverture scintillante entre les deux rives. Les goélands volaient paresseusement d'un nuage floconneux à un autre et le vent n'était plus que brise.

La tempête de la veille s'était essoufflée durant la nuit.

Paul descendit aussitôt à la cuisine et il arriva au bas des marches à l'instant où la famille de son frère sortait déjà de table.

— As-tu vu, mon oncle Paul?

Rose se dandinait devant la fenêtre.

— Il y a plein de soleil ce matin! Alors, nous autres, on va finir de vider le jardin. Il reste des panais pis des poireaux. Tu viens nous aider?

Devant la mine tout endormie de son beau-frère, Augusta se sentit le devoir d'intervenir.

— Allons, les filles! Laissez votre oncle se réveiller…

Puis, elle se tourna vers Paul.

— Un thé? Un café?

— Vous avez du café?

De toute évidence, Paul semblait à la fois surpris et ravi.

— En quel honneur? Maman a laissé tomber les traditions?

À ces mots, Augusta éclata de rire.

— Ben voyons donc! Tu connais ta mère! Non, elle, elle boit du thé! Presque toujours. Mais avec un fils qui a passé quelques années en France, guerre ou pas, il a pris l'habitude de boire du café… Ta mère n'a pas eu le choix d'en acheter et elle doit toujours en avoir à la disposition de Léopold. Mais laisse-moi te dire qu'elle l'utilise avec modération. Ici, pour le café, on est comme à la ligue de tempérance ! Elle trouve que ça coûte cher et j'avoue qu'elle a un peu raison. Mais bon… Comme ce matin, on a de la grande visite qui vient de la ville… Alors ? Thé ou café ?

— Si tu me prends par les sentiments… Café !

Paul regarda autour de lui.

— Léopold est déjà parti ?

— Non ! Il voit aux poules. T'inquiète surtout pas, Paul ! Mon mari voulait t'attendre avant de partir… Même s'il n'a rien dit, je pense qu'il aimerait ben ça aller au village avec toi. Dans ton auto !

— Si ça prend rien que ça pour lui faire plaisir… Même si on en a pour quelques minutes seulement… Je vais en profiter pour appeler chez nous. Je ne voudrais pas que mon pensionnaire s'inquiète et ameute tout le quartier parce que je ne suis pas là ! Je vais donc utiliser le téléphone du magasin, moi aussi.

Ce fut donc sous un feu roulant de questions de la part de Léopold qui cherchait à comparer le moteur de l'automobile de Paul avec celui de son bateau que se fit le court chemin entre la maison des Tremblay et le cœur du village.

Par contre, au moment où ils passaient devant l'auberge de la mère Catherine, Paul changea brusquement de sujet de conversation.

— L'auberge est à vendre ? J'en savais rien… Depuis quand ?

— Ça doit ben faire un an. Pas longtemps après la mort de la mère Catherine, on a vu apparaître la pancarte. Son mari est pas mal vieux, tu sais. Il n'a plus la force de voir à un commerce comme celui-là, tout seul.

— C'est vrai que ça doit être exigeant…

— Surtout que c'est pas juste un hôtel avec des chambres. Il y avait aussi une grande salle à manger qui marchait pas mal fort. En été, c'était toujours plein! Fallait même réserver une place quand on voulait manger là.

— À ce point-là?

— À ce point-là!

— Ben dis donc… Mais salle à manger ou pas, avec l'auberge fermée, ça a dû changer l'allure du village durant l'été dernier, non?

— Et comment! J'étais pas souvent là, rapport que moi, l'été, je vis plus sur le fleuve qu'à la maison, mais les parents en parlaient souvent. Sans l'auberge de la mère Catherine, les touristes se sont faits pas mal plus rares… Bon! Nous v'là rendus… Tu m'attends ici ou ben tu rentres?

— Je rentre! Moi aussi, je vais téléphoner chez nous pour que personne ne s'inquiète à cause de mon absence. Et si je me souviens bien, il y a des lunes de miel dans un gros bocal derrière le comptoir. Ça devrait faire plaisir à mes deux nièces préférées!

— C'est sûr que mes filles sont tes nièces préférées! T'en as pas d'autres!

Les deux hommes entrèrent dans le magasin général en riant pour en ressortir quelques minutes plus tard. Léopold avait l'air soulagé.

— Enfin! Il était pas trop tôt! Le temps de passer à la maison pour prévenir Augusta pis j'appareille! À soir, on va souper tout le monde ensemble.

Sans l'ombre d'un doute, malgré tout ce qu'il avait pu en dire la veille, Léopold semblait ravi de prendre le large. Comme l'affirmait parfois leur père en riant, Léopold était de ceux qui avaient de l'eau salée dans les veines, à l'opposé de Paul qui, lui, n'avait jamais eu le pied marin. C'est pourquoi, quand Léopold lui proposa de l'accompagner, Paul rétorqua sans la moindre hésitation :

— Es-tu malade, toi ?

Étonnamment, on aurait dit tout d'un coup que Réginald s'était glissé en lui jusqu'à teinter son timbre de voix qui avait monté d'une octave !

— On ne te l'a jamais dit ? s'écria Paul en levant les yeux au ciel. Papa t'en a pas parlé ? Mais de quoi vous jasez, coudon, à la maison ? Moi et les bateaux, ça fait deux, tu sauras. Ça a toujours fait deux ! Tu ne t'es jamais demandé pourquoi ce n'était pas moi qui avais pris la relève de papa ? Vous n'avez jamais discuté de ça, chez nous ? Je n'en reviens pas ! Tout ça pour dire qu'il n'est pas question que je traverse le fleuve avec toi aujourd'hui ! Ni demain ni la semaine prochaine non plus, d'ailleurs ! Je suis bien uniquement quand j'ai les deux pieds sur le plancher des vaches. Le plus que je peux faire, c'est t'aider à appareiller. Ça, c'est quelque chose que je pourrais faire, en autant que moi, je reste amarré au quai. Je pense bien que j'ai rien oublié de ce que papa m'a appris, quand j'étais plus jeune. Mais après, je vais me contenter de te faire des grands signes avec la main quand tu vas t'éloigner avec ta goélette.

Léopold avait tout simplement voulu tendre une perche à son frère. Sachant pertinemment à quel point il détestait l'eau et tout ce qui s'y rapportait, connaissant aussi le drame qui avait affecté leur famille lors du décès de son frère Joseph dont il ne gardait aucun souvenir, Léopold se contenta d'acquiescer d'un bref hochement de la tête. Malgré un bras en moins, perdu en France au moment de la guerre, le marin dans l'âme avait appris à se débrouiller tout seul. Ce n'était pas une traversée par temps calme qui allait l'effaroucher.

Bien que Léopold fût persuadé que seul un voyage sur le fleuve permettrait à Paul de vaincre ses démons, parce que tout le monde connaissait sa hantise de l'eau, si Paul ne voulait toujours pas briser sa peur, il allait le respecter.

Ce qui fut fait.

Dans l'heure qui suivit, tandis que la goélette s'éloignait vers l'autre rive, Paul retournait à la maison en haut de la falaise, marchant à pas lents vers le cœur du village.

Ce soir, ses parents seraient de retour et cette perspective le remplissait de joie. Sa petite escapade n'aurait pas été inutile. Bien sûr, ni Clovis ni Alexandrine ne pourraient changer grand-chose à la situation. Ses parents n'étaient pas riches et ils ne pourraient l'aider financièrement. Cependant, ils savaient écouter, et c'était peut-être ce dont Paul avait le plus besoin en ce moment. Une oreille attentive. Pour le reste, seul l'avenir pourrait calmer son anxiété et répondre à ses interrogations. Un avenir incertain sur lequel il n'avait pas grande emprise. L'économie allait à vau-l'eau et, malheureusement, il semblait bien que ni le travail acharné ni la bonne volonté ne suffiraient pour l'instant à se porter garants de la réussite.

Seul le temps, peut-être…

Paul marchait les yeux au sol, s'amusant à lancer machinalement quelques cailloux du bout de sa chaussure comme il le faisait enfant.

Il leva la tête à l'instant où il arrivait devant l'auberge; la pancarte « À vendre » le fit ralentir.

Sans aucune chaise sur la galerie pour inviter à la détente et avec son enseigne mal entretenue qui grinçait à cause de la brise de cette belle matinée d'automne, il lui trouva un air triste.

Mais qui donc pourrait s'en porter acquéreur en ces temps d'incertitude économique?

La crise, comme on l'appelait déjà, ne semblait pas un simple incident de parcours. C'était à la grandeur de l'Amérique que les répercussions se faisaient sentir, et cruellement. On en parlait à pleines pages dans les journaux. Alors, devant cet état de choses, où en serait-on, l'été prochain, quand la saison touristique serait de retour ? Y aurait-il suffisamment de visiteurs pour permettre à un éventuel propriétaire d'assumer les frais d'une telle auberge ? L'architecte en Paul évalua rapidement la bâtisse.

Mais peut-être qu'avec une salle à manger ouverte toute l'année…

L'option avait à peine été effleurée que Paul secouait déjà la tête dans un grand geste de déni.

Puis, il haussa les épaules. Mais qu'est-ce que c'était que cette idée folle ?

Lui qui avait souvent rêvé d'un petit restaurant où il n'aurait que le plaisir de cuisiner se permit un soupir de déception. Allons donc ! Quelle drôle de supposition. Comment osait-il se projeter ainsi dans l'avenir ? D'autant plus qu'il n'avait plus un sou d'économie pour acheter quoi que ce soit ! Ça réglait le problème et évitait la moindre tentation !

— Tant pis, murmura Paul en reprenant sa marche, d'un pas qui se voulait déterminé.

N'empêche qu'il se retourna une dernière fois avant d'aborder la courbe qui menait à la côte.

— Dommage, soupira-t-il pour une énième fois tout en fixant l'affiche qui continuait de se balancer mollement, poussée par la brise.

L'occasion aurait été belle.

Le temps d'un regret sincère, de s'imaginer devant les fourneaux et d'entrevoir Réginald à l'accueil et Paul attaqua l'ascension de la côte.

PREMIÈRE PARTIE

Printemps ~ Hiver 1931

CHAPITRE 1

Avril 1931, sur la Côte-du-Sud,
dans la cuisine des Bouchard

Devant la fenêtre qui donnait sur les champs, la chaise berçante de Mamie, après avoir été momentanément celle de Célestin, était devenue celle de Matthieu.

Depuis maintenant plusieurs mois, c'était là, à se bercer devant la fenêtre, que Matthieu Bouchard passait l'essentiel de ses journées, emmuré dans un silence maussade.

En effet, même si le médecin assurait que son patient aurait pu parler, malhabilement soit, mais quand même, depuis son attaque, Matthieu n'avait pas dit un mot.

La famille Bouchard avait donc appris à vivre sur un ton feutré et, n'eût été la bonne humeur de Prudence dont elle usait avec abondance, l'insouciance dont faisaient preuve parfois les fils de Marius, on se serait souvent cru dans une église, tant les voix étaient retenues.

Dans la cuisine des Bouchard, il y avait aujourd'hui un silence forcé tout ce temps où jadis, la voix de Matthieu avait tonné, impérative.

L'attaque de Matthieu n'avait eu finalement qu'une seule bonne issue : à partir de ce jour fatidique, Marius n'avait plus jamais reparlé de son fichu projet d'avoir une maison neuve bien à lui. Un projet qui avait empoisonné l'existence de plusieurs, avouons-le ! Alors, que soit fini le temps des discussions et des rancœurs, des obstinations et des bouderies avait été un soulagement pour tout le monde!

De toute façon, comment aurait-il pu en être autrement? Le gros des économies de Matthieu avait été utilisé pour moderniser la demeure actuelle. Avec un homme de sa corpulence et dont tout le côté droit avait cessé de vivre, des accommodements s'étaient avérés indispensables pour rendre le quotidien plus facile. C'est à cela qu'avaient vu Clovis et Alexandrine lors de leur long séjour, à l'automne 1929. Prudence les en remerciait encore à la moindre occasion.

— Sans eux pis sans la présence de Célestin, bien entendu, je sais ben pas comment je m'en serais sortie! répétait-elle invariablement à chacune des visites de Gilberte, visites qui s'étaient faites nettement plus nombreuses et régulières depuis l'incident qui avait coûté la liberté à son père. On a ben beau savoir que Matthieu a jamais été un homme ben expansif, ben chaleureux envers son monde, c'était pas une raison pour se trouver des tas de prétextes pour pas m'aider. Je suis pas rancunière de nature, tu le sais, ça, Gilberte, n'empêche que je l'ai encore coincée dans le travers de la gorge, celle-là! C'est ben pour dire, hein? C'est ceux qui demeuraient le plus loin qui ont été les plus proches, dans notre malheur.

— Pis c'est la même chose pour moi, avait un jour répondu Gilberte. C'est celui de mes frères que j'ai vu le moins souvent, que j'ai le moins bien connu, qui a été le plus serviable quand j'ai eu besoin d'un coup de main avec Germain. C'est ben pour dire ce que la vie peut nous réserver comme surprise! Ça faisait des années que j'avais pas vu Lionel, pis finalement, c'est lui qui m'a le plus aidée. Avec Victoire, comme de raison.

— Ouais, Lionel… Parlons-en de Lionel!

Le nom de l'aîné de la famille Bouchard revenait souvent dans les discussions entre Prudence et Gilberte.

— Qu'est-ce qu'il attend, lui, pour venir voir son père? Quand j'y parle dans le téléphone, il finit toujours par contourner ma question sans y répondre.

— Ouais... C'est un peu pareil avec moi... Savez-vous ce que j'en pense, moi, Prudence? J'ai l'impression que c'est la peur qui retient Lionel.

— La peur? Ben voyons donc! De quoi pourrait-il avoir peur, grands dieux! Y a pas personne qui va le manger.

— Non, mais papa pourrait lui montrer la porte avec sa main gauche, par exemple. Pis ça, Lionel pourrait pas l'accepter.

L'image était claire et Prudence n'avait eu aucune difficulté à imaginer Matthieu levant sa main valide, l'index pointé... Elle avait alors secoué la tête dans un geste de déni. Matthieu avait beau être devenu un homme aigri, capricieux, encore plus qu'il ne l'avait jamais été durant ses bonnes années, jamais il n'oserait fermer sa porte à un de ses fils. Plus maintenant.

Le temps et la vie avaient bien dû faire leur œuvre, n'est-ce pas?

— Tu veux dire que c'est pour ça que Lionel est jamais venu nous voir, avait quand même ajouté Prudence sur un ton qui n'avait rien d'interrogatif. J'ai jamais osé en parler sérieusement avec lui. Ni en personne ni dans le téléphone. Mais imaginer qu'il porte cette tristesse-là en lui depuis tant d'années... Pauvre homme! Pis ça vaut pour Matthieu aussi. Je suis sûre qu'il regrette son attitude, mais de là à l'avouer...

C'était là le fond de la dernière discussion que Prudence et Gilberte avaient eue en tête-à-tête, l'automne précédent.

L'interminable hiver avait permis à Prudence de méditer la chose longuement et elle attendait avec impatience le retour des goélettes pour remettre le sujet sur le tapis avec Gilberte quand elle viendrait leur rendre visite.

Il y avait de ces choses intimes que Prudence ne pouvait se résoudre à aborder au téléphone.

— On sait jamais qui peut nous écouter sur la ligne! Ce qui se passe chez nous regarde personne d'autre que nous autres, pis c'est pas demain que je vais parler de nos petits secrets dans l'oreille d'une téléphoniste qui nous écornifle! Non monsieur, comme dirait Célestin!

En attendant l'été et le moment où, à deux, elles finiraient bien par trouver l'argument susceptible d'aider Lionel à se décider, Prudence vivait allègrement la période des sucres qui battait son plein, car à son grand contentement, elle était débordée. En effet, cette année, Marius avait eu l'idée d'ouvrir leur cabane aux touristes.

— Avec un peu de publicité dans les journaux, je suis sûr que ça marcherait, avait-il déclaré vers la fin du mois de février, tandis qu'avec sa femme et Prudence, ils discutaient de la saison à venir.

Une contraction des mâchoires de Matthieu, le seul signe qui laissait croire qu'il ne perdait rien des conversations autour de lui, avait amené Prudence à s'objecter. Depuis l'attaque de son mari, elle était la seule à prendre sa présence en considération et sa défense à l'occasion. Après tout, que Matthieu soit infirme ou pas, cette ferme lui appartenait toujours, non?

— Tu penses pas qu'on en fait assez comme ça? avait-elle donc argumenté. Avec la parenté qui manque jamais de venir nous visiter à ce temps-là de l'année, me semble que…

— Vous venez de le dire, Prudence, avait coupé Marius. La parenté! Ça rapporte rien, ça, la parenté. Tandis qu'avec des étrangers… On pourrait leur charger le prix d'un repas, plus la tire, plus le sirop qu'ils achèteraient… Ça commence à faire pas mal, vous pensez pas, vous? J'ai l'impression qu'on passe à côté d'un revenu qui serait le bienvenu... Compte tenu des circonstances...

Compte tenu des circonstances.

C'était toujours en ces termes que Marius rappelait l'incident vasculaire de son père qui avait bouleversé le quotidien de leur famille. Depuis, c'était avec Prudence que se prenaient les décisions puisque Matthieu refusait obstinément de parler.

Ce fut donc Prudence que Marius s'employa à convaincre de la faisabilité de son projet. La chose fut relativement aisée, la perspective d'un léger surplus au budget familial s'occupant commodément des quelques réticences de sa belle-mère.

— Tu vas voir, Matthieu ! Ça va nous aider à mieux nous en sortir.

Ce n'était que par pure politesse, teintée d'un vieux fond d'affection sincère et tenace, que Prudence se faisait un devoir de toujours consulter son mari.

Mais comme Matthieu ne disait jamais rien...

À la fin du mois de mars, Prudence s'était donc remise aux fourneaux, comme au plus froid de décembre, quand elle préparait les victuailles en prévision des fêtes.

Cette fois-ci, c'était pour la « cabane » qu'elle cuisinait. Par contre, le menu ne variait guère de celui du réveillon, à l'exception du dessert, qui se limiterait à une bonne palette de tire sur la neige.

Soupe aux pois, tourtière, jambon... Seule l'omelette au sirop serait faite à la dernière minute.

L'occupation culinaire fut salutaire à Prudence, car le silence de Matthieu lui pesait de plus en plus, surtout depuis ces derniers mois, alors que sa belle-fille Hortense avait rejoint Marius et Gédéon à l'étable et aux champs.

— Pas vraiment le choix, n'est-ce pas ? s'était-elle contentée d'expliquer à Prudence qui semblait ébranlée de la voir déserter la cuisine.

Avec qui allait-elle parler, maintenant ?

Pourtant, Prudence n'avait rien eu à rétorquer. En effet, tous les bras supplémentaires étaient les bienvenus sur cette terre que Matthieu avait si bien su faire prospérer. Même que Gédéon se joindrait à plein temps à ses parents dès le mois de juin suivant, au grand plaisir du jeune homme qui en rêvait et en parlait depuis quelques années déjà. À quinze ans, il jugeait avoir déjà perdu assez de temps sur les bancs de l'école.

— Enfin !

Garçon de peu de mots, à l'image de son grand-père, ce fut là la marque d'appréciation qu'il lança quand on lui apprit l'heureuse nouvelle.

Pour l'instant, s'il avait délaissé l'école, c'était de façon temporaire pour faire les sucres avec ses parents. Ils étaient partis à l'aube, tous les trois, tout de suite après s'être occupés des animaux. Quant à Prudence, stationnée depuis le matin devant le poêle, elle finissait d'assaisonner la soupe qui avait cuit une bonne partie de la journée et qui serait servie à la cabane durant la fin de semaine. Finalement, l'idée de Marius s'avérait une heureuse solution à leurs problèmes d'argent. La réponse enthousiaste des citadins en était la plus belle preuve. Depuis deux semaines, ils se succédaient à la cabane, dans les cris de joie et les rires, comme si par ces temps économiquement difficiles, ce petit loisir était une belle alternative à la grisaille générale. D'où, pour Prudence, la nécessité de passer une grande partie de son temps dans sa cuisine.

— Ça sent tellement bon que je pense qu'on va en garder une bonne chaudronnée pour nous autres, annonça-t-elle en reposant le couvercle sur l'immense marmite de fer-blanc.

Avec mon rôti de porc pis des patates jaunes, ça serait pas mal bon. Qu'est-ce que t'en penses, Matthieu ?

Prudence s'entêtait. Si le médecin disait que le silence de Matthieu n'était qu'une preuve de mauvaise volonté, pris au dépourvu, son mari finirait peut-être par s'échapper et lui répondre.

C'était bien mal connaître Matthieu.

Quand il était revenu à lui, le soir où il avait été malade à s'en arracher le cœur, Matthieu avait été surpris de se retrouver dans son lit.

N'était-il pas supposé être dans la laiterie ? Du moins, c'était le vague souvenir qu'il gardait de sa soirée. Il était à la laiterie et il faisait une indigestion.

Que s'était-il passé ?

À part une incroyable sensation d'épuisement, Matthieu se sentait bien.

Ce fut à ce moment qu'il les avait aperçus.

Dans un coin de la chambre, Prudence, en compagnie de Marius, parlait à voix basse avec le médecin.

Tous les trois, ils avaient l'air de tenir un conciliabule et l'image irrita Matthieu.

Mais qu'est-ce que c'était que cette exagération-là ? Depuis quand avait-on besoin de faire venir un médecin pour une simple indigestion ?

Depuis quand, surtout, avait-on le droit de puiser dans son bas de laine sans sa permission pour faire venir le médecin ? Parce qu'au bout du compte, c'est lui qui allait payer cette visite inutile, n'est-ce pas ?

Ça avait été à l'instant où Matthieu avait tenté de se retourner dans son lit pour leur faire savoir sa façon de penser que sa vie avait basculé. Pourtant, le geste était simple. Matthieu voulait tout simplement se retourner dans son lit et voilà qu'il en était incapable. Devant ce simple geste devenu impossible, il avait alors compris que la présence du médecin n'était peut-être pas si inutile qu'il l'avait d'abord cru.

Son cœur s'était aussitôt emballé et la douleur ressentie plus tôt en soirée, cette incroyable sensation d'avoir le cœur douloureusement coincé dans un étau, s'était réveillée. La sueur s'était remise à couler sur son front et, curieusement, il n'était pas arrivé à l'essuyer. La panique de se sentir prisonnier de son propre corps l'avait fait gémir et fait accourir ceux qui complotaient dans un coin de la chambre.

Ce gémissement avait été le dernier son que Matthieu avait proféré.

Dans l'heure qui avait suivi, le médecin avait été à ses côtés, mais c'est tout ce dont Matthieu se souvenait. Ça, et la peur qui le faisait trembler comme un veau nouveau-né sans qu'il puisse se contrôler.

Le mois suivant avait été le pire qu'il lui ait été donné de vivre. Pire encore que la mort d'Emma, sa première épouse. Pire que les décès de ses enfants. Pire que le départ de Célestin. Pire que tout! Matthieu sentait les forces lui revenir, mais il ne pouvait les utiliser. L'envie de vivre, de bouger, de travailler était toujours là en lui, exigeante, mais désormais, elle était inutile.

Durant les premières semaines, il avait vu parents et amis défiler à son chevet. Quand il en avait assez de tout leur verbiage, il fermait les yeux.

Il avait entendu le bruit des travaux qui transformaient une maison qu'il avait toujours aimée telle qu'elle était. Il s'était contenté de soupirer de rage et d'impuissance. À quoi bon discuter puisqu'il ne pouvait agir?

Ce fut durant cette période-là que l'idée lui était venue.

À défaut d'autre chose, le refus de parler serait son dernier entêtement, la seule liberté qui lui restait. Car désormais, pour le moindre geste, Matthieu avait compris qu'il devrait s'en remettre aux autres.

Quelle humiliation !

Puis était venu le moment où il avait dû tout réapprendre.

Il s'était battu avec une cuillère qu'il devait tenir de la main gauche et il fermait les yeux de désespoir quand on coupait la viande à sa place parce que Prudence refusait catégoriquement qu'il la prenne avec ses doigts.

Le matin où il avait aperçu le fauteuil roulant, dans un coin de la cuisine, il avait détourné la tête pour qu'on ne voie pas l'eau tremblante au coin de ses yeux.

Il n'était plus qu'un corps mort qu'on allait trimbaler dans une chaise sur roues !

Plus d'intimité, plus d'indépendance, plus rien…

Depuis que Prudence le lavait comme un enfant, Matthieu refusait le moindre geste amoureux. Prudence, sa Prudence, celle qu'il avait aimée et désirée au-delà des mots pour le dire et qui le lui rendait bien, avait droit à mieux qu'une moitié d'homme. Car à ses yeux, c'est ce qu'il était devenu : Matthieu Bouchard, celui qui avait pris la vie et le travail à bras-le-corps pour faire d'une terre de roches une belle entreprise capable de nourrir plusieurs générations d'une même famille, n'était plus que l'ombre d'un homme. La seule liberté qui lui était encore permise, la seule que Dieu lui avait laissée, c'était celle de se taire, et il l'utiliserait jusqu'à l'user à la corde.

Ce geste que d'aucuns voyaient comme une autre forme de son entêtement proverbial serait sa dernière fierté.

Et le jour où il en aurait assez, il se laisserait mourir de faim.

À partir de cet arrêt dans sa vie, les prières que Matthieu adressait à Dieu ne furent plus que questionnement.

Pourquoi ?

Pourquoi un tel châtiment? Pourquoi lui? Qu'avait-il fait pour mériter ça? Il avait pourtant la conviction d'avoir été à la hauteur de ce qu'on attendait de lui. Il avait accompli sans la moindre hésitation, et au meilleur de sa connaissance, son devoir de père et de mari. N'était-ce pas ce que le Seigneur lui avait demandé au matin de ses noces?

Quant aux prières adressées à Emma, puisque pour lui, sa première épouse était une sainte femme et qu'elle était sûrement assise à la droite de Dieu, elles revêtaient souvent la forme d'une supplication.

« Je t'en supplie, Emma, ne m'abandonne pas! »

Tous les soirs, Matthieu s'endormait sur ces quelques mots. Tous les matins, il était amèrement déçu de voir qu'il s'éveillait aux premières lueurs de l'aube.

Une autre journée qui serait interminable.

Que fallait-il dire, et sur quel ton le dire, pour qu'Emma comprenne et vienne le chercher?

— Alors, Matthieu? Veux-tu manger tout de suite ou tu préfères attendre que les autres reviennent de l'école et de la cabane à sucre?

Comme s'il allait répondre!

Dérangé dans sa réflexion, agacé, Matthieu remit sa chaise en branle d'un coup impatient du talon gauche. Sans se préoccuper de Prudence, sans même un regard vers elle, le vieil homme garda les yeux fixés sur l'autre bout du champ, là où il verrait apparaître la carriole de ceux qui reviendraient après une belle et bonne journée de labeur dans l'érablière.

Matthieu retint un soupir de déception par crainte que, si elle l'entendait, Prudence ne lui demande des explications même si elle savait qu'il ne répondrait pas.

Matthieu plissa les paupières pour voir le plus loin possible. Les journées avaient commencé à rallonger pour la peine et un dernier rayon de soleil faisait miroiter la neige dans le champ.

Dieu que Matthieu avait aimé cette période de l'année, alors que la nature recommençait à vivre, et voilà qu'elle lui avait été arrachée.

Comme tout le reste.

Par besoin fondamental de sentir qu'il était toujours vivant, Matthieu agrippa l'accoudoir de la chaise berçante avec sa main gauche.

Nul doute, cette main avait gardé toute sa vigueur.

Quant à la droite, elle était posée sur ses genoux, inerte. C'est Prudence qui la posait là, comme par automatisme, chaque fois qu'on l'aidait à s'asseoir dans la chaise, et lui, il ne pensait jamais à la déplacer.

Pourquoi l'aurait-il fait? Sa main droite ne servait plus à rien.

À ses yeux, la vie n'était plus qu'une suite de plaisirs qui lui étaient désormais interdits. Parce que le travail aussi avait été une forme de plaisir pour lui, la période des sucres étant sans contredit ce qu'il voyait jadis comme des vacances.

Aujourd'hui, Prudence lui disait d'en profiter, de voir justement la vie comme des vacances.

— Tu as tellement travaillé dans ta vie! T'as ben le droit de te reposer un peu... Veux-tu le journal?

Mais Matthieu ne voulait pas le journal. Ni un livre ni un jeu de cartes. Il voulait se lever et partir travailler, de l'aube au crépuscule comme il l'avait fait tout au long de son existence. Là, en ce moment, il aurait voulu accompagner ceux qu'il venait d'apercevoir au bout du champ. Tenir les rênes du cheval, l'encourager de ses cris, le cœur et l'âme saoulés de l'odeur sucrée de la cuve remplie de sirop doré. En fermant les yeux, Matthieu avait même l'impression que l'odeur de la sève bouillante lui montait aux narines.

À ce souvenir, une larme imbécile se faufila jusque sur sa joue. Matthieu l'essuya d'un geste brusque.

Heureusement, Prudence lui tournait le dos et n'avait rien vu. Matthieu renifla discrètement, et reporta son regard sur l'immensité du champ.

Lentement, la carriole grossissait en approchant de la maison. Son ombre allongée par le soleil couchant traçait une échancrure dans la neige du sentier. Dans quelques jours, on commencerait à entrevoir des parcelles de terre gorgée d'eau, et le paysage, en une nuit, passerait de l'hiver au printemps.

Sans lui.

À cette pensée, Matthieu détourna la tête.

Comment, comment allait-il réussir à survivre au lieu de vivre durant de nombreuses années encore, car c'était ce que le médecin lui prédisait?

Survivre cloué à une chaise. Qu'elle soit berçante ou roulante n'apportait pas une grande diversion dans sa vie.

Pour l'avoir déjà vécu l'année précédente, Matthieu eut un frisson en pensant à la saison des semailles qui allait bientôt commencer puis à celle des moissons qui suivrait. Tout un été assis sous les pommiers, condamné à regarder les autres vivre et travailler. C'était le plus grand des supplices pour Matthieu, et justement cette saison approchait à grands coups d'ailes de corneilles qui, depuis les derniers jours, se posaient de plus en plus nombreuses sur les fils électriques.

L'hiver, au moins, la vie passait au ralenti pour tout le monde.

CHAPITRE 2

Pointe-à-la-Truite, en juillet 1931,
dans la forge devenue garage et atelier

Combinée à la chaleur de la journée, l'atmosphère de la forge était étouffante. C'est pourquoi, malgré l'avertissement du curé, lors de sa dernière confession, John O'Connor, le fils de James, celui que tout le monde avait recommencé à appeler Johnny Boy, avait retiré sa chemise et il travaillait en camisole. La sueur ruisselait sur son corps et soulignait les muscles saillants de ses bras.

À grands coups de marteau sur l'enclume, dans une gerbe d'étincelles rougeoyantes, il travaillait grossièrement une longue tige de fer sous le regard attentif de son père qui n'avait qu'admiration pour lui.

Son fils, son Johnny Boy!

Ce jeune homme était sans contredit la fierté de leur vie, à Lysbeth et lui.

La fascination que James entretenait pour le travail de son fils n'avait d'égal que l'émerveillement ressenti une fois son travail achevé.

Du temps de James, et pourtant il y avait de cela pas si longtemps, c'étaient les fers des chevaux qu'il travaillait ainsi à longueur de journée, les harnais et les barres des carrioles, pas des girouettes, des barreaux de clôtures ou des sculptures.

Maintenant, Johnny Boy y allait à tous petits coups avec sa masse pour affiler la pointe. Il préparait la flèche d'une girouette en forme de coq. Chauffer à blanc, frapper, plonger dans l'eau, chauffer à blanc... Toujours le même rituel dont le fils de James ne se lassait pas.

Le jeune homme était un artiste accompli, reconnu depuis quelque temps jusqu'à Boston et New York ! Ses œuvres, malgré la crise, rapportaient un salaire suffisant pour faire vivre sa famille, de plus en plus nombreuse, ce dont John tirait une grande fierté.

De son travail comme de sa famille !

Quatre fils et deux filles, plus un septième en route et des œuvres portant sa signature un peu partout en Amérique !

— Une vraie famille d'Irlandais, clamait fièrement James, qui était le plus attentionné des grands-pères.

Si ça n'avait été de la santé de Lysbeth, de plus en plus précaire, une récidive de sa tuberculose étant une chose toujours possible selon Lionel, James aurait été le plus heureux des hommes. Lui, le petit orphelin venu d'Irlande par bateau dans des conditions inhumaines, confié en bas âge à un orphelinat parce que ses parents étaient décédés lors de la traversée, puis adopté par une famille qui n'avait pas su l'aimer à la hauteur de ses attentes, était devenu un débardeur, puis un forgeron apprécié et, aujourd'hui, il était le patriarche d'une belle lignée d'O'Connor.

Malgré le passage du temps, c'est avec émotion que James pensait souvent à ses parents, Mary et John O'Connor, à son frère aîné, David, décédé lui aussi durant la traversée les amenant depuis l'Irlande jusqu'ici, au Canada. Tous les trois, ils auraient été fiers de lui.

Il y avait aussi son ami Donovan, veuf depuis l'épidémie de grippe espagnole, à qui il pensait régulièrement.

Sans compter Edmun, Lewis et Timothy qui lui manquaient terriblement avec leurs blagues, leur musique et leurs danses...

Malgré la promesse de toujours rester en contact, de se rendre visite régulièrement, depuis son arrivée ici à la Pointe, les amis irlandais ne s'étaient jamais revus. Quelques lettres échangées, tristement de plus en plus rares, avaient été le seul lien qui avait perduré entre eux au fil des ans.

James le regrettait amèrement.

Tout comme il entretenait secrètement le regret d'une vie à la ville. Le bruit, les cinémas, les restaurants, la criée près des marchés... L'effervescence des rues lui manquait.

Aujourd'hui, bien sûr, avec son fils bien établi dans la région, avec tous ses petits-enfants qu'il idolâtrait et qui grandissaient à vue d'œil, James n'aurait jamais eu l'idée de retourner s'installer en ville pour de bon. Plus maintenant. Par contre, un petit voyage à l'occasion n'aurait pas été pour lui déplaire. Revoir les amis, aller voir les films dont on parlait dans les journaux, visiter les musées... Mais comment voyager avec une épouse aussi fragile que la sienne sans être obligé de la laisser derrière?

À cela, James ne pourrait jamais se résoudre, il tenait trop à elle.

Alors, pour compenser l'envie de changement, pour combattre l'ennui de ses amis et son besoin de bougeotte, comme le disait Lysbeth en riant, James passait la plupart de ses journées à la forge.

— Entre hommes, disait-il à sa femme, le matin quand il l'embrassait avant de quitter son immense maison qu'il partageait avec la famille de Johnny Boy. J'aime bien passer ma journée entre hommes. Comme du temps où j'étais débardeur.

Lysbeth n'était pas dupe et elle savait à quel point son mari s'ennuyait de tous ses amis, mais elle savait aussi à quel point il admirait le travail de leur fils. Alors, elle le regardait partir avec une infinie tendresse, le cœur attristé de se savoir en partie responsable de son ennui, mais l'esprit rassuré de savoir son homme occupé. En effet, si James passait un bon moment à admirer le travail de leur fils, à se sentir important en lui prodiguant quelques conseils, il aidait aussi à l'occasion le jeune Julien qui utilisait une bonne partie du local pour son garage. Pour un homme de la trempe de James, se sentir utile revêtait une grande importance. En plus de l'essence qu'il vendait aux clients, habile de ses mains, l'esprit toujours aussi curieux malgré son âge, James rendait de bons services au jeune mécanicien qui ne laissait pas sa place quant à la quantité de travail abattu dans une journée.

C'est qu'il n'y avait pas beaucoup de garages dans la région alors que les automobiles se faisaient de plus en plus nombreuses.

Aux dernières nouvelles, ils en parlaient justement dans le journal *Le Soleil* l'hiver précédent, il y avait apparemment près de cent cinquante mille voitures dans la province de Québec. Qui l'eût cru, à peine dix ans auparavant?

C'est pourquoi on n'aurait su dire qui, de Johnny Boy ou de Julien, avait permis au village de ne pas trop ressentir les effets de cette noirceur économique qui planait sur l'Amérique depuis quelques années, mais une chose était certaine : l'ancienne forge d'Albert Lajoie ne désemplissait pas ! Villageois et touristes s'y côtoyaient avec un égal bonheur. On échangeait les potins, on parlait économie, mécanique, famille et politique, on partageait les dernières nouvelles et James servait d'interprète au besoin.

Quant à Victoire, à titre de mère du mécanicien, elle venait y faire son tour quasi quotidiennement, une boîte ou une assiette de biscuits encore tout chauds portés précautionneusement devant elle! Elle avait beau croiser son fils tous les matins au déjeuner, parce que Julien n'était toujours pas marié faute de temps, disait-il, Victoire s'inventait prétexte sur prétexte pour venir faire son petit tour à la forge.

— C'est juste une vieille habitude avec laquelle je renoue, lançait-elle à la cantonade quand elle entrait dans la forge et qu'on interpellait Julien, en se moquant gentiment de celui qui, de toute évidence, avait encore besoin de sa « maman ». C'est ça, bande de sacripants, moquez-vous de nous! Mais rappelez-vous que du temps d'Albert, j'y venais tout aussi souvent et, dans ce temps-là, vous ne vous moquiez pas de lui!

Aujourd'hui, tout comme hier et comme demain probablement, et malgré la grande chaleur et l'humidité qui sévissaient sur la région depuis quelques jours, Victoire avait cuisiné des petits sablés au citron pour les habitués du garage et elle se dirigeait justement vers le bâtiment. Un panache de fumée s'élevant dans l'azur du ciel indiquait que Johnny Boy s'était mis à l'ouvrage lui aussi.

Bien que l'ancienne forge ne soit qu'à quelques pas de sa maison, Victoire s'y dirigeait lentement parce que le pas n'était plus aussi alerte qu'il l'avait été, l'âge et l'embonpoint se faisant sentir. Mais l'œil, lui, restait vif et le rire, facile.

Victoire était surtout heureuse d'avoir ainsi l'occasion de retourner à la forge à volonté. Une forge qui, à ses yeux et malgré sa nouvelle vocation, avait toujours continué d'appartenir un petit peu à Albert. Le fait que James s'en soit porté acquéreur, plusieurs années auparavant, ne changeait rien à sa perception des choses. « L'âme de mon Albert continue de veiller sur tout le monde », pensait-elle, curieusement émue, chaque fois qu'elle pénétrait dans la bâtisse sombre et chaude, hiver comme été. Pour elle, voir son Julien y travailler, c'était un peu comme si la boucle avait été bouclée. Malgré son remariage avec Lionel. Elle n'avait peut-être pas donné d'héritier à son premier mari qui rêvait d'avoir un fils pour qu'il puisse prendre sa relève, mais aujourd'hui, Julien occupait une bonne place dans la forge.

Et Julien, c'était son fils à elle !

Quelle que soit la logique de son raisonnement, Victoire ne s'en souciait guère. Tout son monde était heureux, incluant Béatrice et sa famille, Lionel et les siens, et c'était là l'important. Ses plus chers amis, Clovis et Alexandrine, se portaient bien, tout comme elle, d'ailleurs, l'essentiel était donc préservé.

Elle entra dans la forge devenue garage au moment où son fils s'installait sous les roues d'une automobile soulevée de travers par un curieux levier à manivelle. Julien eut à peine le temps de la saluer d'un mouvement de la main qu'il disparut sous l'auto, porté par une planche sur roulettes qu'il avait lui-même fabriquée.

— Que j'aime donc pas ça quand je le vois couché comme ça sous une auto, soupira-t-elle en approchant de la petite table qui faisait office de pupitre dans un coin de la pièce. S'il fallait que l'auto lui tombe dessus.

— Il y a pas de crainte à y avoir, ma pauvre Victoire ! C'est fait justement pour ça, un cric.

Comme s'il y connaissait quelque chose, le père Anselme, celui qui s'occupait de l'unique réverbère du village, fidèle visiteur à la forge et fameux rapporteur de potins, tentait de la rassurer.

— C'est ben solide, vous savez.

— On dit ça, oui, jusqu'à ce qu'il arrive un accident.

— C'est pour ça que je garde un œil sur nos jeunes, madame Victoire.

Depuis l'autre bout de la pièce, James s'était glissé dans la conversation. Ayant déjà été amoureux de celle qui était la pâtissière de tout le canton, il s'était toujours adressé à Victoire sur ce ton de politesse un peu surannée même s'il avait donné son cœur à sa Lysbeth depuis de nombreuses années déjà.

Selon l'entendement que Victoire avait de la situation, l'intervention de James avait plus de poids que celle du vieux père Anselme qui parlait souvent à travers son chapeau. Si James était là, effectivement, elle savait que son fils serait un peu plus en sécurité, ne serait-ce que pour calmer l'impétuosité de sa jeunesse. Après tout, Julien n'avait toujours bien que vingt-trois ans !

Victoire remercia son vieil ami d'un sourire et repoussa une pile de factures pour déposer son assiette sur la table. Puis, elle souleva la serviette de lin qui protégeait les biscuits.

— Si quelqu'un a faim, j'ai apporté des sablés au citron !

James était déjà à côté d'elle.

— Pour la soupe, c'est ma Lysbeth, annonça-t-il sur un ton gourmand. Pas de doute là-dessus. Pour le rôti, c'est ma belle-fille, elle est la meilleure. Mais pour les desserts, il n'y a que vous, chère Victoire ! Hum ! Que ça sent bon... Je peux ?

— C'est là pour ça ! Allez, pas de gêne, servez-vous... Et vous aussi, Anselme. Approchez ! Il y en a pour tout le monde.

Et elle-même se servit.

Ils étaient là à papoter quand un craquement se fit entendre. Suivi d'un bruit de métal qui tombe. Tout de suite, James pensa à Johnny Boy et à sa tige de fer qu'il était en train de façonner.

Peut-être bien que la flèche était enfin terminée.

En se retournant, James comprit que non.

Tout à son ouvrage, son fils en avait replongé la pointe dans les braises et il la tournait lentement pour la rendre incandescente. De ce côté, de toute évidence, tout fonctionnait normalement et la besogne allait bon train.

James eut aussitôt le réflexe de porter les yeux vers Julien dont on ne voyait qu'une longue paire de jambes qui dépassaient de la voiture. Là aussi, la situation semblait sous contrôle puisqu'on entendait Julien qui sifflait sa bonne humeur tout en travaillant. Pourtant, James fronça les sourcils.

L'inclinaison de l'auto n'était-elle pas différente ?

À première vue, rien n'y paraissait, mais pour un regard avisé comme celui de James qui, au fil des dernières années, avait vu passer tellement d'autos ici…

Son hésitation fut très brève.

Sans vouloir alerter Victoire inutilement, parce qu'il s'inquiétait probablement pour rien, James chaparda un autre biscuit dans l'assiette et se dirigea nonchalamment vers l'auto.

— Ça va, Julien ?

— Ça va…

La voix qui parvenait de sous l'auto semblait caverneuse à cause de la masse de métal qui surplombait Julien.

— C'est bien ce que je pensais, ajouta le jeune homme. Rien de compliqué à régler, mais va falloir que Johnny m'aide un peu en fabriquant une barre pour relier la roue à…

Julien n'eut pas le temps de terminer sa phrase et James n'eut pas le loisir de l'enjoindre de sortir de sous l'auto car il craignait un mauvais alignement du cric. Le craquement se répéta, mais cette fois-ci, il fut accompagné d'un claquement sec et le cric s'effondra, comme replié sur lui-même.

À l'autre bout de la pièce, Victoire bavardait toujours avec Anselme, et Johnny Boy frappait l'enclume…

Personne n'avait pris conscience du drame qui se jouait. Personne sauf James.

En deux enjambées, il fut à côté de l'auto. Les jambes de Julien bougeaient dans tous les sens. Était-il blessé ? Étouffait-il ? Cherchait-il à se dégager ?

Sans perdre de temps à tenter de le rassurer et puisant dans ses souvenirs de débardeur, James banda ses muscles, se pencha et, de toute la force de ses bras, soutenu par une formidable décharge d'adrénaline, il souleva la lourde voiture.

— Sors de là, le jeune, grogna-t-il, la voix haletante. Dépêche-toi, c'est lourd.

Ce furent les dernières paroles de James O'Connor, né à Dublin, Irlande, en 1857, et décédé à Pointe-à-la-Truite, au Canada, en 1931.

Le souvenir de sa vie de débardeur et de forgeron avait faussé la donne. Le vieil homme avait présumé de ses forces et le cœur n'avait pas suivi les muscles. Aussitôt Julien extrait de sa fâcheuse position, c'est James qui s'effondra comme une masse, terrassé par un infarctus.

Mais cette mort ne fut pas inutile.

Julien Bouchard, mécanicien de son métier, fils unique de Victoire et de Lionel Bouchard, ami de longue date de Johnny Boy et garnement curieux que James avait vu grandir à ses côtés dans la forge, avait eu la vie sauve grâce à lui. S'il avait pu commenter, James aurait approuvé et il aurait sûrement dit :

— Julien a encore toute la vie devant lui, tandis que moi, je suis vieux. C'est tout à fait correct comme ça !

Les funérailles eurent lieu le samedi suivant à l'église paroissiale. Tout ce que la région comptait de dignitaires, de cultivateurs et de marchands était présent.

Après tout, le successeur d'Albert avait ferré les chevaux d'un peu tout le monde et réparé bien des carrioles, n'est-ce pas ?

Il y avait surtout que James O'Connor, l'Irlandais, comme on l'appelait encore souvent, avait été un honnête homme et l'ami de plusieurs.

Sa veuve, frêle roseau dans sa robe noire, le visage caché derrière une voilette, était inconsolable. D'une part, elle était soutenue par son fils John qui avait les yeux rougis d'avoir trop pleuré, et de l'autre par Lionel, blême et droit, qui avait vu comme un père en James, au temps où il faisait ses études de médecine à Montréal.

— C'est moi qui devais mourir, pas lui, sanglotait Lysbeth dès que quelqu'un approchait pour offrir ses sympathies. Je suis si fragile de santé! Pourquoi Dieu a-t-Il permis une telle erreur? Une telle injustice?

Personne n'avait d'explication. C'était un accident, bête et stupide, comme le sont souvent les accidents.

Les sanglots du violon de Donovan suivirent l'Irlandais jusqu'à sa dernière demeure, au cimetière de la paroisse. James eut dans la mort ce qu'il avait tant espéré de son vivant, car tous ses amis étaient présents.

C'est Lionel qui avait fait prévenir Donovan.

À la veille des funérailles, l'octogénaire à la tête de neige, toujours droit et fier, était arrivé avec la bande des amis irlandais.

— Mon seul regret, c'est de n'être jamais venu lui rendre visite comme il me l'a tant demandé dans ses lettres, avait avoué Donovan en guise de salutations quand il avait retrouvé Lionel. C'est vrai que la place est très belle, ici.

Tout en parlant, Donovan jetait un regard circulaire autour de lui. D'où les deux hommes étaient installés, sur la longue galerie de l'auberge, le fleuve paraissait immense à côté de ce que Donovan avait l'habitude d'en voir à Montréal. Par cette journée d'été, parfaite de soleil et de brise rafraîchissante, l'étendue d'eau était parsemée de goélettes qui ressemblaient à de petits bouchons colorés qui flottaient au gré des vagues écumeuses.

Le temps d'apprécier la vue et Donovan reporta les yeux sur Lionel.

— Merci de m'avoir prévenu. D'autant plus que Lysbeth est ma cousine. Maintenant, tu vas m'excuser. Je vais porter ma valise à ma chambre.

Pour l'occasion, le mari de la mère Catherine, tout courbaturé par l'âge, avait fait l'effort de dépoussiérer quelques chambres pour loger Donovan et son escorte. Le vieil homme avait peut-être le souhait inavoué de trouver parmi eux un éventuel acheteur pour ce que les gens du village continuaient d'appeler «l'auberge de la mère Catherine».

Le pauvre homme n'en pouvait plus de vieillir seul dans cette immense maison.

James fut porté en terre par le village au grand complet. Il ne laissait que des amis pour le pleurer.

Ce que fit Lionel sans la moindre gêne. À l'église, au cimetière et même le lendemain, chez lui, dans son salon, les larmes coulaient en abondance. Celui que tous connaissaient comme étant un médecin attentionné et dont ils appréciaient la maîtrise en toutes circonstances semblait effondré.

Ce fut justement au lendemain de l'enterrement que Julien osa poser la question.

— Pourquoi avoir tant pleuré, papa? Pourquoi continuer de le faire encore ce matin? Après tout, James n'était qu'un ami.

Lionel ne répondit pas. Les émotions restaient pour lui un monde où la discrétion était maîtresse et les mots pour expliquer ce qu'il ressentait se refusaient à lui, encore et toujours. Les funérailles de James étaient bien le premier événement de sa vie lors duquel Lionel n'avait eu aucun contrôle sur ses sentiments.

Il leva les yeux vers son fils qui, assis sur l'accoudoir d'un fauteuil, semblait en attente d'une explication. Quelques mots seraient peut-être suffisants puisqu'un pied au sol, Julien avait l'allure de quelqu'un qui s'apprête à partir. Malgré cela, malgré tout l'amour que Lionel portait à Julien et la confiance absolue qu'il avait en lui, les mots ne venaient pas.

Les larmes oui, et facilement, mais pas les mots.

Lionel se détourna, le cœur gros, l'esprit encombré de mille et une émotions sans grande cohérence autre que la peine qu'il ressentait.

En lui, il y avait le chagrin dur et sincère pour cet homme merveilleux qui venait de mourir et la colère qu'il ressentait envers lui-même d'être toujours aussi renfermé.

Comment dire à son fils qu'un homme avait pu devenir votre père d'adoption faute d'avoir été aimé par celui qui vous avait donné la vie ?

Comment le dire sans pleurer comme un enfant ?

Lionel ne savait pas.

Quand bien même les mots se seraient présentés à lui sur un plateau d'argent, Lionel n'aurait jamais pu les prononcer. Il avait la gorge trop serrée et il se serait sûrement étouffé dans ses sanglots.

Alors, il resta silencieux, les yeux au sol, essayant tant bien que mal de maîtriser ses pleurs puisque, de toute évidence, ils incommodaient son fils. Pourtant, Lionel aurait tant eu besoin de réconfort.

Au bout d'un moment, il entendit Julien se relever et se diriger vers la porte qui grinça en s'ouvrant. Comme dans un état d'urgence, Lionel leva précipitamment la tête.

— James était comme un père pour moi, arriva-t-il à articuler. Voilà pourquoi j'ai tant de chagrin.

La voix était rauque, les mots, à peine audibles.

Julien hésita un instant avant de refermer la porte sans s'éclipser. Puis, il se tourna lentement vers Lionel qu'il dévisagea intensément.

— Un père? demanda-t-il sans véritablement attendre de réponse.

Julien ne comprenait pas. Lui aussi avait profondément aimé James. En fait, cet homme-là avait été plus présent dans sa vie d'enfant que son propre père ne l'avait été. C'est avec James que le petit Julien passait ses journées, pas avec Lionel. C'est James qui lui avait appris à travailler de ses mains et à être fier du travail bien fait. Pourtant, jamais Julien n'aurait eu l'idée de dire qu'il aimait James comme un père.

Parce que malgré tout, malgré les silences et les absences du médecin, c'était Lionel qui était son père.

— Du vivant de James, reprit-il alors, j'ai toujours eu l'impression qu'il était un ami pour toi. Pourquoi aujourd'hui en faire un père alors qu'il n'est plus là?

Incapable de répondre, Lionel se contenta de hausser les épaules. C'est toute une vie qu'il aurait eu à raconter et il n'en avait pas la force. Ni l'envie.

Devant le geste qu'on pouvait interpréter comme une fuite ou comme un abandon, Julien reprit:

— Si tu as besoin d'un père, je sais que tu en as un, là-bas, de l'autre côté du fleuve. Il est malade. C'est ma tante Gilberte qui me l'a dit. Alors, pourquoi t'inventer un autre père? Je ne comprends pas…

— Y a-t-il quelque chose à comprendre?

— Je ne sais pas. C'est toi qui pourrais peut-être me le dire. Je sais si peu de choses de ta vie, papa.

Encore une fois, Lionel resta silencieux. Seul un discret reniflement troubla le chant des oiseaux qu'on entendait jusque dans le salon, les fenêtres étant ouvertes toutes grandes sur l'été.

— Tant pis, murmura Julien, déçu par le silence entêté de son père.

Alors, il ouvrit la porte pour de bon et, haussant le ton, il ajouta :

— Si maman me cherche, tu lui diras que je suis chez Johnny Boy. Il est pour moi comme un grand frère. Tu devrais comprendre ça, n'est-ce pas ? Et aujourd'hui, mon grand frère pleure la mort de son père. Je dois être avec lui, d'autant plus que si James est mort, c'est un peu à cause de moi. Je... On se reverra plus tard.

La porte se referma doucement sur ces derniers mots.

CHAPITRE 3

Québec, septembre 1931,
au marché Saint-Roch

La beauté d'avoir moins de contrats était de disposer de plus en plus de temps pour cuisiner tout son saoul !

L'envers de cette médaille en apparence dorée était de ne plus avoir les moyens financiers de ses envies culinaires.

Indécis mais pressé par le temps, Paul arpentait le marché Saint-Roch à pas impatients à la recherche d'une suggestion, simple et économique, qui servirait de base pour le souper auquel il avait convié ses deux sœurs.

En effet, coup de pot, la semaine dernière, Réginald avait gagné un petit pécule au bingo des zouaves pontificaux à l'Exposition provinciale. Sans hésiter, il avait généreusement offert cette humble bourse à son ami.

— Tiens, prends ça, mon Paul, pis invite tes sœurs à manger. Ça fait longtemps que c'est pas arrivé.

L'enveloppe de papier kraft contenant quelques dollars avait changé de mains sans plus de cérémonie.

— Ça fait une éternité que t'as pas invité Marguerite pis Justine, avait justifié Réginald, tandis que Paul, ému, glissait l'enveloppe dans une de ses poches. Profites-en ! Je le sais que t'aimes ça ben gros, recevoir tes sœurs… Pis moi aussi.

Réginald parlait d'une petite voix tout excitée, comme s'il vivait à l'avance le plaisir de retrouver les sœurs de son amoureux, la seule famille, en fait, qui ait de l'importance à ses yeux.

— De toute façon, je saurais pas quoi faire avec cet argent-là, ajouta-t-il avec un grand geste théâtral du bras. J'en ai pas vraiment besoin.

C'est ainsi que ce soir, avec Réginald, ils seraient cinq à table puisque Justine fréquentait depuis peu un jeune homme de bonne famille. Du moins, c'est ainsi qu'elle en avait parlé au cours des dernières semaines et, ce soir, profitant de l'occasion, elle le présenterait à son grand frère pour avoir son opinion. Une simple marque de politesse, avouons-le! En fait, que l'opinion de Paul soit positive ou négative, Justine n'en avait cure. Quoi que Paul puisse dire ou penser, elle avait bien l'intention de faire le grand saut, à entendre par là qu'elle inviterait le jeune homme à Pointe-à-la-Truite afin qu'il puisse enfin rencontrer leurs parents.

— Armand Saint-Pierre, qu'il s'appelle, avait précisé Justine, une pointe d'extase dans la voix. Tu vas voir, Paul! Il est tellement gentil. Et serviable aussi. Il est drôle, beau comme un cœur et il a un emploi!

Ce dernier argument étant présenté comme une véritable qualité depuis l'effondrement de la Bourse de New York. En effet, le temps avait beau passer, les mois se succéder et devenir des années, il n'en restait pas moins que le chômage perdurait. Quiconque avait un emploi, aussi précaire ou pénible soit-il, mettait tout en œuvre pour le garder, car c'était devenu une denrée rare!

Paul était le premier à pouvoir le constater.

Depuis deux ans, de façon presque intolérable, l'architecte avait dû se rendre à l'évidence : bien rares étaient les gens qui frappaient à sa porte pour une construction neuve ou même pour un simple agrandissement de leur maison. Les quelques sous que l'on avait ou que l'on gagnait étaient réservés aux nécessités du quotidien. Le reste, babioles, projets et voyages, pouvait bien attendre. Même les vêtements étaient usés à la corde avant que l'on songe à les changer.

Il en allait de même pour Paul.

Les quelques piastres gagnées servaient au grand complet à la vie de tous les jours. Et malheureusement, fréquentes étaient les semaines où ces sous provenaient du travail de Réginald. C'est tout juste si Paul arrivait à les nourrir de façon convenable, Réginald et lui. Même son auto restait la plupart du temps bien à l'abri dans le hangar au fond de la cour, car Paul ne l'utilisait qu'en dernier recours.

C'est ainsi que, par moments, trop souvent à son goût, hélas! les jours lui paraissaient interminables, d'où tout ce temps que Paul passait en partie à l'épicerie J. A. Moisan, sur la rue Saint-Jean, épicerie qu'il connaissait depuis fort longtemps puisqu'on pouvait s'y procurer quelques produits d'importation, introuvables ailleurs. Petites folies qui appartenaient désormais à une autre époque, bien sûr, car aujourd'hui, les denrées fines n'étaient pas ce que Paul venait chercher à l'épicerie. Il n'en avait plus les moyens. Non, ce que Paul espérait trouver, entre les conserves de monsieur Moisan et les bocaux de cornichons, c'était le désennui. Il parlait avec un, discutait avec cette autre et, ainsi, les heures finissaient par passer. Par la même occasion et assez régulièrement d'ailleurs, Paul glanait certains renseignements culinaires dont il pouvait vérifier l'efficacité quand il rentrait chez lui.

Par contre, quand il venait ici, au marché Saint-Roch, ce quadrilatère à ciel ouvert où de simples marquises permettaient de se mettre à l'abri des intempéries et où il déambulait depuis plus d'une heure sans arriver à se fixer sur un menu, il pouvait s'approvisionner à bon compte, directement auprès des cultivateurs. Il fréquentait donc assidûment ce marché relativement récent qui remplaçait le marché Montcalm récemment démoli. Rapidement, Paul s'était ennuyé de l'ancien marché et de ses halles, plus confortables, à son avis, et plus accessibles. Il estimait plus hygiénique d'offrir ses produits sans la poussière des rues et les mouches qui abondaient.

Mais c'était comme pour tout le reste : il n'avait pas eu le choix de s'adapter, comme à tous ces autres changements qui semblaient l'apanage de ce siècle difficile. C'est ainsi que Paul avait transporté les habitudes acquises dans le quartier Saint-Jean-Baptiste vers le quartier Saint-Roch, avec en prime une côte plutôt aride qu'il descendait facilement à l'aller, soit, mais qu'il devait remonter péniblement, les bras encombrés par ses achats. Ce dont il se plaignait régulièrement à l'oreille plus ou moins compatissante de Réginald.

— Ben voyons donc ! C'est quoi ce braillage-là, Paul Tremblay ? Arrête de te lamenter pour rien, ça va juste te garder en forme, avait-il souligné en soupirant, les yeux au ciel, un jour que Paul se plaignait plus fort qu'à l'accoutumée de ne pouvoir utiliser son auto à volonté. Regarde-moi ! Je descends pis je monte cette fichue côte de fou tous les jours pour mon travail, pis c'est comme ça que je garde ma ligne ! Hein que je garde ma ligne ?

Sur ces derniers mots, Réginald avait effectué quelques contorsions, les mains sur les hanches. Probablement satisfait de ce qu'il pouvait constater de lui-même, Réginald avait conclu, en quittant la pièce :

— Faut toujours regarder le bon côté des choses, mon Paul. Toujours !

C'est pourquoi, en ce magnifique vendredi de septembre, avant même le coup de midi, Paul retournait chez lui, chargé comme un âne, pestant contre la côte, bien sûr, mais satisfait de ses achats.

Quoi de mieux, en effet, qu'un bon bouilli alors que les légumes débordaient des étalages et étaient offerts à des prix ridiculement bas, la compétition se faisant féroce? Pourquoi avoir tant hésité?

Poule dodue, morceau de bœuf un peu coriace devenu tendre et savoureux suite à une longue cuisson et lard salé pas trop entrelardé… Ajouter à cela quelques carottes, oignons et navet, un gros chou et des pommes de terre nouvelles, sans oublier, bien sûr, les petites fèves jaunes et des aromates tirés directement d'un petit jardin que Paul entretenait amoureusement dans le fond de sa cour, et le repas serait à la hauteur de ses talents, malgré sa très grande simplicité.

Le pécule gentiment offert par Réginald y avait passé au grand complet!

Paul en salivait à l'avance!

Alors, tant pis pour la multitude de paquets qu'il avait à trimbaler en plus de son habituel panier.

Pour une fois, la journée passa rapidement, cuisine et ménage occupant agréablement tout son temps, puisque Paul avait toujours aimé voir à ces tâches ménagères qui en rebutaient plus d'un.

— Même ranger mon linge est une corvée pour moi, entendait-il régulièrement autour de lui, du temps où il avait des employés à son bureau. Quelle perte de temps que d'accrocher une chemise sur un cintre… Heureusement, c'est ma femme qui s'en occupe pour moi! De toute façon, n'est-ce pas à elle de voir à tout cela?

Paul s'abstenait de tout commentaire. On n'aurait ni compris ni accepté qu'un homme se plaise à toutes ces occupations domestiques, mais c'était un fait: avoir eu la liberté de choisir entre son bureau d'architecture et une cuisine, Paul aurait opté sans hésiter pour la cuisine et tout ce qui allait avec! Incluant l'entretien d'une maison au grand complet, repassage compris!

Consacrée à toutes ces tâches ménagères, la journée précédant le repas fut donc un instant de pur bonheur pour Paul et ce fut ainsi qu'au moment où Réginald revint du travail, en fin d'après-midi, l'appartement embaumait la cire à plancher et les roses que Paul avait déposées dans un vase de cristal sur le guéridon dans l'entrée. Une table avait été dressée avec soin dans la salle à manger et le repas qui mijotait depuis le matin imprégnait chacune des pièces d'effluves qui mettaient l'eau à la bouche.

Réginald avait à peine posé un pied dans l'entrée qu'il prenait une bruyante inspiration toute gourmande, les yeux mi-clos.

Au bruit que faisaient quelques ustensiles entrechoqués, il se dirigea sans hésiter vers la salle à manger. Sourcils froncés, Paul examinait la table.

— Tu t'y es donné, mon Paul! Ça sent ben bon, ici!

Le compliment fit sourire l'interpellé qui se tourna vers Réginald.

— On reçoit à souper! L'aurais-tu oublié?

— Pantoute…

Tout en parlant, Réginald s'approcha de la table. Il prit une serviette de table entre ses longs doigts effilés et le bout de tissu bêtement plié en quatre se transforma comme par magie en une flûte élégante qu'il déposa contre l'assiette.

— Pour une fois que j'ai congé le vendredi soir, je pouvais pas oublier ce souper-là, expliqua Réginald, passant d'une place à l'autre tout en répétant l'opération avec chacune des serviettes… Ça fait une semaine que j'attends que le vendredi arrive… Qu'est-ce qu'on mange pour que ça sente bon de même? On dirait de la soupe.

— Pas besoin de soupe quand on mange du bouilli!

— Du bouilli, miam !

À son tour, Réginald fixait la table d'un œil critique. Il déplaça les verres à eau d'un poil vers la gauche en se disant que, manifestement, il n'y aurait pas de vin pour accompagner le repas.

Disette oblige !

Réginald n'étant pas celui qui buvait le plus, il fit ce constat avec un petit haussement d'épaules indifférent, puis il se tourna vers Paul.

— Mais regarde-moi donc ça, toi ! lança-t-il tout en détaillant son ami qui s'était donné la peine de faire une toilette soignée. T'es ben *swell*, Paul Tremblay !

Ledit Paul se sentit rougir.

— C'est juste pour Justine, expliqua-t-il en tirant sur les manchettes de sa chemise. Je veux qu'elle soit fière de son frère. C'est ce soir qu'elle nous présente son cavalier.

Réginald leva les yeux au plafond en pressant ses mains sur son cœur.

— C'est ben que trop vrai... Armand Saint-Pierre... C'est ben ça, hein ? J'ai-tu hâte un peu d'y voir la binette. Ben si c'est comme ça, mon Paul, ça va être à mon tour de me faire beau... Bien que...

Autant Réginald savait être exubérant, autant il pouvait se calmer rapidement. Comme en ce moment alors qu'il était passé d'un large sourire à une mine sombre en une fraction de seconde. « On dirait une bougie que l'on souffle », constata Paul.

— Mais qu'est-ce qui se passe avec toi ? demanda-t-il aussitôt, sans inquiétude cependant, car il connaissait bien le côté excessif de Réginald. Quelque chose ne va pas ? Une minute, t'as l'air tout content, puis l'instant d'après, on dirait un gars qui a perdu un pain de sa fournée.

— C'est juste que...

— Que quoi?

— Que je sais pas trop si je devrais être là, moi, à soir.

— Comment ça?

Réginald soupira, regarda autour de lui, soupira une seconde fois et revint à Paul.

— Parce que pour un étranger comme le cavalier de Justine, je suis juste un locataire, moi, ici, expliqua-t-il. On invite-tu ça à manger à la même table que notre visite, un locataire?

— Pourquoi pas?

Réginald secoua vigoureusement la tête.

— Pas sûr, moi, que t'ayes raison, Paul. Pas sûr pantoute que j'aye d'affaire à m'installer avec vous autres. Avec mes beaux habits, en plus, comme si je faisais partie de la famille. Je serais peut-être mieux de manger avant tout le monde ou ben d'aller m'installer dans la cuisine. Tu penses pas, toi?

— Non, je pense pas, rétorqua Paul sans la moindre hésitation. Ici, c'est chez moi, et je fais ce qui me plaît dans ma maison. Si je veux inviter mon locataire, comme tu dis, à manger en même temps que nous, ça ne regarde personne d'autre que moi.

— Ouais, on dit ça jusqu'à ce que…

— Inquiète-toi pas, interrompit Paul d'une voix catégorique. Si jamais je vois qu'il y a un malaise quelconque, je dirai que c'est une habitude qu'on a prise du temps de mon autre locataire.

— Ton autre locataire?

— Ben oui, mon autre locataire. Julien! À l'âge qu'il avait, c'était normal d'essayer de lui donner l'impression de vivre dans une vraie famille. Par la suite, quand il est parti, on a gardé l'habitude de manger ensemble. C'est aussi simple que ça.

À la mention du nom de Julien, Réginald esquissa un sourire ému. Il avait bien aimé ces quelques années où Paul et lui avaient eu la sensation d'être les parents d'un jeune garçon qui leur avait rendu spontanément leur affection.

— Ça fait un bail, tout ça, murmura-t-il.

À des lieues de la réflexion de son ami, Paul écarta d'un claquement de langue impatient ces quelques mots qu'il voyait comme une objection.

— Pis? Quelle importance que ça fasse un an ou bien dix ans? De toute façon, ça dérange qui qu'on mange ensemble, toi et moi?

— Ouais… personne, c'est vrai. N'empêche que…

Réginald était encore tout hésitant. Puis, d'un petit geste désinvolte de la main, il balaya devant lui les parcelles d'hésitation qui subsistaient.

— À moins que je fasse le service, proposa-t-il, une lueur moqueuse traversant son regard. Avec ton tablier à fleurs pour protéger mon beau pantalon, ça serait chic.

Tout à l'ultime vérification de sa table, Paul n'avait ni vu ni entendu la moquerie. Furibond, il se retourna vers Réginald.

— Mais qu'est-ce que c'est que…

Un regard sur le sourire de Réginald et Paul comprit que son ami se moquait gentiment de lui.

— Bon! Tu m'as bien eu, fit-il, bon prince. Maintenant, va te préparer avant de dire d'autres niaiseries comme celle-là.

Réginald tournait déjà les talons en riant quand Paul ajouta, redevenu étrangement sérieux:

— Tu sais, Réginald, j'ai beau répéter que c'est ma maison, ici, et que je peux y faire tout ce que je veux, ce n'est pas tout à fait vrai.

— Qu'est-ce que tu veux dire par là?

— Simplement que même si c'est mon nom qui apparaît sur les papiers, pour moi ça ne veut rien dire. Cette maison-là, elle t'appartient tout autant qu'à moi… Ici, c'est notre maison, Réginald. Maintenant, va te préparer avant que la visite arrive.

Réginald resta un moment immobile. Venant de Paul, un homme plutôt silencieux et introverti, ces quelques paroles étaient la plus éloquente des déclarations d'amour. Alors, avant de quitter la pièce pour aller se préparer, Réginald revint sur ses pas, et déposa un baiser tout léger sur la joue de son amant.

— Moi aussi je t'aime, Paul.

Puis, il sortit de la salle à manger, sans rien attendre en retour de sa déclaration. L'instant d'après, Paul l'entendait siffler dans la salle de bain.

La soirée fut un franc succès et le repas, un pur délice.

— Mais il est-tu assez beau, ce garçon-là !

Réginald n'en revenait pas. Grand, costaud, les cheveux blonds comme les blés et un regard d'azur, Armand avait séduit tout le monde.

— Justine avait ben raison, conclut-il en retirant les dernières assiettes pour les porter à la cuisine où l'eau coulait déjà dans l'évier. Je pense que ça va lui faire un bon parti. Pis as-tu vu comment il était habillé ? Une vraie carte de mode même si son habit ne datait pas d'hier. On voit que c'est quelqu'un de soigné pour qui les apparences ont leur importance.

— C'est vrai qu'Armand semble être quelqu'un de bien… C'est à se demander comment il se fait qu'il soit encore seul dans la vie ! Après tout, Justine et lui n'ont plus vingt ans même si la jeune trentaine, c'est pas tellement vieux.

— Ça me fait penser à quelqu'un, ça…

— À qui ?

— Ben voyons donc ! À toi, mon beau Paul, à toi.

Les poings sur les hanches, Réginald jeta un regard découragé sur Paul.

— Si je me souviens bien, t'étais pas dans la prime jeunesse
toi non plus quand on s'est rencontrés. Pis toi avec, t'étais un
bon parti !

— C'est ça, moque-toi donc de moi encore une fois.

— Pantoute, Paul, pantoute. Je me moque pas de toi…
C'est quoi cette idée-là ? J'ai-tu l'air de quelqu'un qui se
moque de toi ? Non, non, non… Je dis juste la vérité, Paul.
Juste la vérité. T'es le meilleur gars que je connais pis t'avais
dépassé tes vingt ans depuis un bon boutte quand je t'ai rencontré. C'est toute ce que j'avais à dire. Astheure, tasse-toi de
là, c'est moi qui lave la vaisselle, ordonna-t-il en roulant les
manches de sa chemise. Pis on fait ça vite parce que demain,
je travaille à neuf heures. Faut que je me couche pas trop tard,
sinon m'en vas avoir une mine de papier mâché. C'est pas ben
ben vendeur, ça, un teint verdâtre pis des poches en dessous
des yeux !

— Parce qu'il y a encore du monde qui achète des habits ?

— Ben sûr… On peut toujours ben pas se promener tout
nu dans la rue, voyons donc ! Des habits neufs pis toute le
outfit qui va avec, ça se vendra toujours. Moins qu'avant, c'est
vrai, mais quand même… C'est pour ça que j'ai encore une
job. Pour ça, pis parce que je suis le meilleur.

— C'est vrai que tu es le meilleur. Mais moi, pendant ce
temps-là, je vaux plus grand-chose !

L'amertume de ces quelques mots et le ton pour les dire
amena Réginald à négliger la vaisselle qui trempait dans
l'évier. Tout en s'essuyant les mains, il se retourna, s'accota
les fesses sur le bord du comptoir et fixa longuement Paul qui
avait commencé à essuyer les premiers verres propres.

— Veux-tu ben te taire, Paul Tremblay ! Tu peux ben me
balancer par la tête que je dis des niaiseries, t'es pas le diable

mieux que moi, par bouttes ! Qu'est-ce que c'est que toutes ces idées sombres, à soir ? Si on habite ici, ben confortablement, c'est grâce à toi, non ? Pis me semble que la soirée a été assez belle pour qu'on en profite jusqu'au bout. Viens donc pas toute gâcher avec tes idées pas d'allure !

— Peut-être bien, oui, que j'exagère un peu, mais n'empêche que demain tu vas aller travailler pendant que moi, je vais rester ici à ne rien faire.

— Ben tu prendras les restants du bouilli pis tu nous prépareras un bon souper avec. Ça aussi, tu sauras, c'est important, constata Réginald en revenant à la vaisselle. Avec les bouts de viande pis les quelques légumes qui restent, t'inventeras quelque chose qui va me surprendre. T'es ben bon làdedans. T'es le meilleur... Comme moi, tiens, pour vendre des habits.

— Peut-être, oui, que je suis pas si pire dans une cuisine. Ça, vois-tu, je suis capable de l'admettre. Mais de là à dire que je suis un aussi bon cuisinier que toi, t'es un bon vendeur... Disons que j'ai certains doutes. De toute façon, par les temps qui courent, ce n'est pas ça qui amène de l'eau au moulin.

— Ben arrange-toi pour que ton talent rapporte, si ça te fatigue tant que ça !

Comme Paul l'avait vu si souvent faire par Réginald, à son tour, il leva les yeux au plafond pour montrer à quel point il trouvait cette réponse idiote.

— Bien oui ! Il y a ça au coin de la rue, un restaurant qui pourrait m'engager... Oh non, je sais ! M'en vas préparer des petits plats que je vais vendre au coin du chemin Sainte-Foy, juste ici en bas de la rue.

— Non, mais ! T'as-tu décidé de battre ton propre record en fait de niaiseries, toi, à soir ? Je le sais ben que tu vendras pas des petits plats aux passants pis qu'il y a pas de restaurant au bout de la rue. T'as ben raison… Mais à la Pointe, par exemple…

Réginald laissa volontairement sa réponse en suspens tandis que Paul se mettait à rougir comme une écrevisse dans l'eau bouillante. Réginald le constata en jetant un rapide coup d'œil par-dessus son épaule. Il avait mis dans le mille !

L'auberge de la mère Catherine…

Après la visite de Paul à ses parents, à l'automne 1929, ils n'en avaient parlé que très rarement puisque, au bout du compte, chaque fois ils arrivaient toujours au même point : ça prenait de l'argent pour acheter une maison. À plus forte raison, une auberge avec un fonds de roulement intéressant. Du moins, comme il en était avant le décès de la mère Catherine et, plus récemment, la crise économique. N'empêche que Paul avait des étoiles dans les yeux chaque fois que le mot « auberge » était prononcé.

— Ce que j'en dis, comme ça, en passant, précisait-il avec une nonchalance étudiée dans la voix, les rares fois où le sujet de l'auberge était revenu sur le tapis, c'est que je trouve ça pas mal triste de voir que l'auberge du village est fermée. Tu ne trouves pas, toi, que c'est vraiment déplorable de constater qu'une institution comme celle-là est appelée à disparaître en même temps que sa propriétaire ?

En ces quelques occasions où l'auberge de la mère Catherine avait été au cœur d'une conversation, Réginald n'avait pu s'empêcher de répondre avec une certaine indifférence. Il était un gars de la ville, depuis le temps qu'il y vivait, et la perspective de se retrouver à la campagne n'avait rien de bien attirant à ses yeux. La campagne, pour Réginald, c'était faire un retour délibéré à son enfance et sa prime jeunesse, période de sa vie, s'il en fut une, où il avait été profondément malheureux. Être homosexuel, dans un village, ce n'était pas une très bonne chose. On y était vite ostracisé. Réginald l'avait appris à ses dépens. C'était donc du bout des lèvres qu'il approuvait tout ce que Paul avait à dire sur le sujet de l'auberge.

Puis, à la première pause dans la conversation, Réginald passait à autre chose, quelque chose de plus concret, ou de plus frivole, selon son humeur, l'auberge à vendre n'étant finalement, et peut-être heureusement, qu'un beau rêve inaccessible.

Ce soir, pourtant, c'est Réginald qui avait envie d'en reparler.

Allez donc comprendre pourquoi !

Réginald nettoyait les assiettes à grands coups de lavette et le bruit de la vaisselle entrechoquée emplissait toute la cuisine.

Pourquoi parler de l'auberge alors que ce sujet lui faisait habituellement si peur ?

Peut-être tout simplement parce que même si Paul n'avait pas prononcé les mots, Réginald voyait bien dans son regard que la tentation était toujours là. Peut-être aussi parce qu'il aimait Paul au point de vouloir son bonheur au-delà de ce qu'il avait la capacité de lui offrir et, depuis quelques années, Paul n'était pas vraiment heureux. Alors…

— Pis l'auberge de la Pointe, tu y penses-tu encore ?

— Ben non, voyons ! Ce n'est pas réalisable, et tu le sais comme moi.

La réponse de Paul avait fusé, trop catégorique pour que Réginald la prenne au sérieux. Alors, sans pour autant cesser de laver la vaisselle, il insista.

— C'est toujours ce qu'on a dit, oui. Pis c'est vrai qu'à première vue, c'est gros, tout ça. Mais si tu voulais aller au fond des choses…

— Je t'arrête tout de suite, Réginald. Pour aller au fond des choses, il me faudrait vendre la maison et ça, vois-tu, ça ne serait pas très responsable.

— Pourquoi?

— Tu me le demandes?

— Oui, je te le demande. Moi, je vois pas ce que la vente de...

— Le jour où l'économie va reprendre, je vais avoir besoin d'un bureau, trancha Paul d'une voix cassante, signe que le sujet tournait probablement le couteau dans la plaie.

De toute évidence, il y avait déjà pensé, à cette vente de la maison, mais il n'avait pas retenu l'idée.

— Ça ne me tente pas d'avoir à tout recommencer, poursuivit Paul en essuyant nerveusement une assiette qui était déjà plus que sèche. Je n'ai plus l'âge pour ça. De toute façon, c'est pas dans l'état actuel des choses que je trouverais un acheteur facilement.

— Facilement, peut-être pas. Mais ça vaudrait la peine d'essayer, par exemple.

— C'est toi qui me dis ça?

— C'est moi qui dis ça! De toute façon, tu pourrais t'installer un bureau dans l'auberge, non? C'est grand sans bon sens, c'te bâtisse-là. Pis des maisons, il s'en construit aussi ben par chez vous que par ici. Quand l'économie va bien, comme de raison.

— C'est vrai.

— Bon, tu vois! Commence donc par aller voir comment ça se passe dans ton village. Regarde ce que tu pourrais faire, jase avec le vieux monsieur propriétaire pis reviens-nous avec un projet.

— Un projet?

— Ben oui, un projet! Que c'est que t'as à soir, toi, coudon? Faut-tu toute t'expliquer dans les détails pour que tu comprennes ? Tu vas chez vous, tu regardes la situation avec le mari de la mère Catherine, tu fais tes calculs pis tu prends une décision. Moi pendant ce temps-là, je pourrais sonder le terrain pour voir ce que tu pourrais avoir pour ta maison.

— Sonder le terrain ?

— Oh ! Seigneur que tu me fatigues, des fois, Paul Tremblay ! Ben oui, sonder le terrain.

Sur ce, Réginald se détourna encore une fois de la vaisselle et dévisagea Paul d'un regard impatient.

— Me semble que c'est facile à comprendre, ça ! reprit-il d'une voix fougueuse, agitant les mains de plus belle vers le plafond.

Aussitôt, des centaines de petites bulles de savon se mirent à voltiger dans l'air entre Paul et lui.

— On ôte ta pancarte à louer qui fait juste s'empoussiérer sur le bord de la fenêtre du salon pis on met une pancarte à vendre. On verra ben ce que ça va donner. Mais laisse-moi te dire que si quelqu'un ose sonner à notre porte pour visiter, même si c'est juste un écornifleux, il va avoir à ben se tenir. Comme vendeur, je laisse pas tellement ma place. Je le sais pis tu le sais ! Un coup de sonnette à la porte, pis c'est une vente faite, mon Paul. À partir de là, tu pourrais reprendre ta vie en mains. Non ?

À première vue, l'idée de Réginald n'avait que du bon et méritait qu'on s'y attarde, qu'on tente quelque chose.

En fait, la seule donnée dont Réginald n'avait pas parlé, peut-être la plus importante dans l'équation, c'était la relation qui les unissait, Paul et lui.

Qu'adviendrait-il de leur vie à deux, si jamais la maison était vendue et que Paul partait s'installer à l'auberge de la Pointe ?

Pourraient-ils, tous les deux, vivre sereinement leur union, tout comme ici, dans un village où tout le monde connaît tout le monde ?

Au silence qui suivit brusquement les derniers mots de Réginald, au silence qui suivit cette simple question à laquelle Paul n'avait pas répondu, il était évident que tous les deux, ils y pensaient.

Néanmoins, personne n'osa aborder le sujet.

CHAPITRE 4

Décembre 1931, Pointe-à-la-Truite,
dans la cuisine de Gilberte

Incapable de tenir en place, Célestin faisait les cent pas entre la table et la fenêtre dont les carreaux étaient déjà recouverts d'une dentelle de givre. En effet, depuis trois jours, plus question de s'y tromper : l'hiver avait bel et bien débarqué avec armes et bagages, malgré quelques semaines de retard à son horaire, un retard agrémenté de temps doux qui avait laissé croire à un automne infini.

Mercredi matin, à l'aube, l'illusion était chose du passé. Une longue nuit glaciale et quelques bourrasques avaient secoué la léthargie de la nature et, au réveil, le village entier, jusque dans ses moindres recoins, était caché sous l'habituel édredon hivernal tandis qu'en catastrophe on ressortait bottes, foulards et mitaines pour qu'ils reprennent leur place *manu militari* près de la porte d'entrée dans toutes les maisons.

Pourtant, ce n'était pas la neige qui n'avait cessé de tomber depuis, ou le froid que l'on sentait se glisser sous la porte, ou encore le givre qui grignotait de plus en plus les vitres de la cuisine qui rendaient Célestin si nerveux.

— Non monsieur !

C'était plutôt la lettre arrivée ce matin, postée depuis l'Anse-aux-Morilles, et qu'il avait rapportée du bureau de poste en même temps que le lait et la farine que Gilberte lui avait demandé d'aller acheter.

— On va se faire des crêpes pour souper, avait-elle promis en partant pour l'église, ce matin. Pis comme ça va être le gros du repas, après le restant de soupe aux pois que j'vas faire réchauffer, tu pourras mettre du sirop d'érable dessus, mon Célestin, pas juste de la mélasse.

— Pis moi?

— Pis toi aussi, mon Germain. Astheure, faut que je parte. Monsieur le curé m'attend. Faut que la crèche soit prête pour dimanche prochain, pis si je me souviens bien, la robe d'un des anges est pas mal abîmée pis l'auréole de la sainte Vierge mérite d'être rafistolée. Soyez sages, vous deux. Ah oui! En passant par le magasin, Célestin, va donc voir si on aurait pas reçu du courrier, par hasard. À la veille des fêtes, d'habitude, on reçoit quelques cartes de Noël.

— Oh! Des cartes!

Célestin avait l'air ravi.

— C'est vrai qu'à Noël, on reçoit pas mal de cartes, approuva-t-il, tout souriant. Pis des belles, à part de ça. J'aime ça, moi, recevoir des cartes. Oui monsieur! Promis, Gilberte, j'oublierai pas d'aller voir au bureau de poste si on a de la malle.

C'était ainsi que l'enveloppe avait atterri sur leur table de cuisine et que, depuis, Célestin faisait les cent pas en attendant l'arrivée de Gilberte. Même s'il savait lire, Célestin savait depuis longtemps que personne n'avait le droit d'ouvrir du courrier qui ne lui était pas adressé et sur l'enveloppe, il avait lu le nom de Gilberte, pas le sien. Dans ce cas, pas question de décacheter l'enveloppe même s'il croyait deviner l'écriture de Prudence et qu'il se doutait bien que le contenu de la lettre ou de la carte s'adresserait à lui tout autant qu'à Gilberte. Prudence parlait toujours de tout le monde et demandait des nouvelles de tout le monde. Quant à Germain, qui ne savait ni lire ni écrire, il se montrait plutôt indifférent à l'égard des diverses lettres qui aboutissaient chez eux à l'occasion. Cette lettre-ci ne faisait pas exception à la règle. Confortablement installé au salon, le jeune garçon regardait les images d'un gros catalogue reçu la semaine précédente.

Aux dires de Célestin qui marmonnait tout seul dans la cuisine, la robe de l'ange devait être passablement déchirée, car Gilberte se fit attendre jusqu'à ce que les cloches de l'église sonnent l'angélus de six heures.

— Enfin !

Le grand gaillard était debout à côté de la table quand il entendit la poignée de la porte tourner et, avant même que Gilberte n'ait retiré son manteau, il lui tendait la lettre d'une main impatiente, la secouant comme une vieille guenille.

— T'avais raison, Gilberte, on a reçu une carte… ou peut-être même une lettre parce que ça m'a l'air un peu trop épais pour une carte. Tiens, lis-la ! J'avais hâte que t'arrives parce que ça vient de la maison à l'Anse, pis que c'est ton nom qui est écrit dessus, pis que j'avais pas le droit de l'ouvrir avant que t'arrives mais que j'ai ben hâte de savoir c'est quoi !

— Tu sais ça, toi, que ça vient de la maison à l'Anse ? demanda Gilberte, taquine, tout en retirant son manteau et ses bottes.

— Ben oui… T'aurais-tu oublié que je sais lire ?

— Ben non, j'ai pas oublié… Mets la lettre sur le bord de l'armoire, Célestin. Pour astheure, je suis ben fatiguée. Comme il est tard, j'vas commencer par préparer la pâte à crêpes pis après le souper, on…

— Non, Gilberte ! J'ai pas envie d'attendre jusqu'après le souper. Non monsieur ! Ça fait depuis à matin que j'attends que tu reviennes parce qu'on est allés ben de bonne heure au magasin, Germain pis moi. C'est long, toute une journée à attendre après quelque chose, tu sauras.

— C'est vrai. T'as ben raison. Toute une journée, ça peut paraître long.

— Bon! Tu vois… Tu la lis, la lettre?

— Pis Germain, lui?

— Ohhhh… Ça m'énerve, Gilberte, quand tu prends toute ton temps comme ça! Germain, il est tranquille. Tu le vois ben! Il regarde les images dans le gros catalogue que t'as reçu la semaine dernière.

— Ben, si c'est de même…

Malgré la fatigue engendrée par une longue journée de lavage, de reprisage, de rafistolages en tous genres et l'envie qu'elle avait d'un bon thé chaud siroté lentement en préparant le repas, Gilberte s'installa à la table et, d'un coup d'ongle adroit, elle fendit le papier de l'enveloppe.

— Arrête de tourner en rond, Célestin, pis viens t'asseoir à côté de moi, proposa-t-elle en tapotant le dossier d'une chaise. On va lire ça ensemble, cette lettre-là!

— T'es ben sûre de ce que tu dis là, Gilberte?

De toute évidence, le grand Célestin était hésitant à rejoindre sa sœur. Il se dandinait sur place sans oser avancer.

— Pis si c'était des mauvaises nouvelles, hein? argumenta-t-il. T'as-tu pensé à ça, toi, les mauvaises nouvelles? Tu le sais que j'aime pas ça, moi, des mauvaises nouvelles. Oh non monsieur!

— Je le sais que t'aimes pas ça. Pis moi non plus. Mais je m'inquiéterais pas à ta place. Je sais pas trop ce que Prudence nous a écrit, c'est ben certain, mais une chose que je sais, par exemple, c'est que c'est pas de la mortalité.

— Ah oui? Tu sais ça d'avance, toi? Sans lire la lettre?

— Oui. Si c'était pour nous annoncer la mort de quelqu'un, Prudence aurait pris une enveloppe avec un trait noir tracé tout le tour... Ou ben, elle aurait pris le téléphone pour prévenir Lionel...

— Ouais, c'est un peu vrai, ça...

— Et voilà... C'est toujours ça de pris... Astheure, si tu veux qu'on lise la lettre tout de suite, viens t'asseoir, tu m'énerves à force de piétiner comme un cheval rétif. Si tu continues de même, tu vas finir par user le prélart!

Ces derniers mots suscitèrent un sourire de la part de Célestin qui se laissa tomber sur la chaise à côté de celle de Gilberte. Se penchant vers la gauche, il posa les yeux sur les feuilles que sa sœur venait de déplier. Il avait eu raison de croire qu'il ne s'agissait pas d'une carte de souhaits, car il y avait trois feuillets de papier blanc.

— C'est une grosse lettre, murmura-t-il tandis que, d'un premier regard, Gilberte survolait les mots.

— Suis avec moi, Célestin, ordonna Gilberte en posant la lettre bien à plat sur la table et en la lissant des deux mains.

Puis, du bout de l'index, elle suivit les lignes, lentement, un mot à la fois, pour que Célestin puisse lire, lui aussi.

« *Chère Gilberte,*

Je le sais pas pour chez vous, mais ici, l'hiver se fait attendre. Pas de neige, pas trop de froid non plus. Tant mieux parce que cette année, ça me tente pas de voir la neige arriver. »

— Ben ça, interrompit Célestin en se redressant, ça ressemble à chez nous. Ici aussi, ça a pris ben du temps avant que la neige arrive. Sauf que moi, je suis content de voir la neige. Oui monsieur! J'aime ça, moi, la neige. Pis Germain aussi... Chez nous, c'est Antonin qui aime pas ben ben ça, la neige pis le froid... Astheure que j'ai dit ça, continue, Gilberte. Prudence nous écrit pas juste pour parler de la neige pendant toutes ces pages-là. J'ai hâte de voir ce qu'elle a à nous dire de neuf.

« *Les travaux de la ferme sont terminés pour cette année,* reprit Gilberte, toujours aussi posément parce que Célestin s'était repenché sur les feuilles, lui aussi. *Selon Marius, ça a été une bonne année. Tant mieux, l'hiver sera peut-être moins difficile.* »

— Je m'en rappelle de ça, coupa Célestin encore une fois, tout souriant. Quand papa disait que la saison avait été bonne, on avait plus de sous pour aller au magasin général durant l'hiver pis on mangeait plus souvent du pâté chinois avec du blé d'Inde dedans.

— Tu te rappelles de ça, toi ?

— Oui monsieur ! Je m'en souviens ! Je me souviens même que toi, Gilberte, t'as toujours aimé ça ben gros, du pâté chinois avec du blé d'Inde dedans. Même quand on était petits, Antonin pis moi… On continue la lettre, maintenant. Vas-y, Gilberte !

Comme Célestin s'était accoté contre le dossier de sa chaise, les yeux mi-clos, Gilberte reprit sur un rythme plus rapide.

« *Hortense et Marius ont décidé de partir un élevage de cochons. Ils viennent d'acheter une grosse truie déjà engrossée. Elle vient de la ferme de Ti-Jean Veilleux du rang 2 qui vient de mourir pis ils l'ont installée dans un coin de l'étable avec un enclos juste pour elle. Si tout va bien, Marius parle d'en acheter d'autres. Comme si on avait pas assez de nos vaches et de nos poules. Peut-être ben, comme le dit Marius, que ça va occuper un peu plus les longues journées d'hiver pis que ça devrait nous rapporter un peu plus d'argent quand on va vendre les bêtes, plus tard durant l'été prochain, mais en attendant, c'est moi qui vas écoper, dans tout ça. Qu'est-ce que je vas faire de tout mon temps, toute seule avec personne avec qui jaser parce que tout le monde va être à l'étable pour s'occuper de tous ces animaux-là ? Avec ton père, je peux pas m'éloigner trop trop* de la maison. De toute façon, les bêtes, c'est pas mon fort. Ça me fait peur. Durant l'été, avec le jardin pis la conserve, avec le verger, aussi, où je peux aller me promener quand j'ai pas grand-chose à faire pis que ton père fait sa sieste, je me sens ben, je suis occupée pis ça peut aller. Pis pour astheure, aussi, avec Noël qui s'en vient, je suis ben occupée. J'arrête pas de faire des pâtés pis des beignes. Mais après? En janvier, pis en février? Pis en mars, tant qu'à y être, avec la cabane à sucre qui va commencer pis tout le monde qui va être parti du matin jusqu'au soir, même si une fois rendue là, je vas recommencer à beaucoup cuisiner... Malgré tout ça, avec les journées raccourcies par les deux bouts, je le sais à l'avance que je vas trouver le temps ben long, surtout que ton père fait sa tête dure et qu'il refuse toujours de parler. Même que je dirais qu'il est de plus en plus marabout. Ça fait que c'est pour ça que je me suis décidée à t'écrire, ma Gilberte, pour te demander ce que tu dirais de revenir vivre par ici. »

À ces mots, Célestin se redressa vivement. De toute évidence, le grand gaillard était inquiet.

— J'ai-tu ben compris, moi, là?

Il fixait la lettre avec un air mauvais.

— Qu'est-ce que t'as compris, mon Célestin?

— Ben... Ben, on dirait que Prudence te demande de retourner vivre à l'Anse. C'est-tu ben ça?

— On le dirait bien.

— Ben là...

Agité, Célestin regarda tout autour de lui avant de poser un regard colérique sur la lettre, puis sur Gilberte.

— Que c'est que je vas faire, moi, pendant ce temps-là? Pis Germain? On va-tu rester ici tout seuls, lui pis moi?

— Qu'est-ce que t'en penses?

Sourcils froncés, Célestin resta un long moment silencieux.

— J'en pense que ça se peut pas. Ouais… C'est ça que je pense de l'idée de Prudence. C'est une idée de fou.

— C'est pas très poli ce que tu dis là !

— Ben c'est ça que je pense quand même, s'entêta Célestin en inspirant bruyamment. Si moi, je suis pas poli, Prudence, elle, est pas ben ben fine de penser que tu peux t'en aller comme ça sans nous autres.

— Pis si on allait jusqu'au bout de la lettre ? suggéra Gilberte d'une voix patiente, persuadée que sa belle-mère Prudence n'avait sûrement pas l'intention de la séparer de Célestin et de Germain.

De toute façon, jamais Gilberte n'aurait accepté une telle chose et Prudence le savait fort bien.

— Je suis sûre que Prudence a pensé à toi pis à Germain, dans ce projet-là, le rassura-t-elle avec un sourire attendri.

— Ah ouais ?

— Oh oui ! Laisse-moi finir pis on en reparlera après.

— O.K. d'abord. Finis la lettre.

« *La maison devrait suffire à nos besoins même si Marius pis Hortense ont pris toutes leurs aises depuis que Matthieu pis moi on s'est installés dans la chambre de Mamie, en bas de l'escalier. Pis quand je dis nos besoins, je pense aussi à Célestin pis Germain, comme de raison.* »

— Bon ! Tu vois, Célestin !

— J'aime mieux ça de même. Tu peux continuer, Gilberte. Je dirai plus rien.

« *J'aimerais bien ça que tu penses à mon idée. Je le sais bien que pour cet hiver, il est trop tard pour un déménagement. De toute façon, il faut aussi que ton curé se trouve une autre sacristine. Mais juste à la pensée que tu reviendrais l'an prochain, me semble que ça aiderait à passer le temps froid de cette année. Que c'est t'en penses, de mon idée ? C'est-tu quelque chose de faisable ? Je te laisse y réfléchir le temps qu'il faut, mais j'attends quand même ta réponse avec impatience, Gilberte. Me semble que ça me ferait comme un beau cadeau de Noël, savoir que dans pas trop longtemps, je serais plus toute seule avec mes jongleries. En attendant, tu salueras Lionel pis Célestin pour moi, pis tu donneras un gros bec à Germain. On se reparle un autre tantôt,*

Prudence. »

La voix de Gilberte s'éteignit dans un fin silence qui envahit aussitôt toute la cuisine. Un silence fragile soutenu par le bruit de la neige qui frappait contre la vitre, comme le picotement de milliers de petites aiguilles. Ce fut Célestin qui, le premier, osa briser cette espèce d'état de grâce.

— Pis, Gilberte ?

Malgré la certitude de ne pas être séparé de sa sœur et de son neveu, Prudence l'avait elle-même écrit dans sa lettre, l'inquiétude s'entendait encore dans la question du grand gaillard. Lui qui détestait les changements en tout genre entrevoyait tout un bouleversement dans la proposition de sa belle-mère.

— Pis, Gilberte ? répéta-t-il d'un seul souffle. Que c'est t'en penses, toi, du projet de Prudence ?

— Je le sais pas, mon Célestin… Je le sais pas pantoute.

— Ben t'es comme moi…

Le grand bonhomme qui commençait à grisonner, lui aussi, avait l'air vraiment soulagé, rassuré.

— Je suis content de voir qu'on pense pareil, toi pis moi. Ouais, ben content.

Puis, au bout de quelques instants, Célestin ajouta :

— Me semble qu'on est bien, ici, fit-il sur un ton qui n'avait rien d'interrogatif.

Tout en parlant, Célestin détaillait la pièce : le gros poêle en fonte qui ronronnait dans un coin de la cuisine, l'évier avec un vrai robinet et de l'eau qui coulait au besoin. C'était bien pratique. Plus qu'une pompe, en tout cas. Puis ici, le salon servait tous les jours, Gilberte trouvant ridicule de garder une pièce juste pour la visite. Célestin était bien d'accord avec elle. Présentement, du salon, justement, on entendait le froissement des pages que Germain tournait, inconscient de tout ce qui se tramait dans la pièce d'à côté.

— T'as du travail presque tous les jours avec monsieur le curé, continua d'analyser Célestin en reportant les yeux sur sa sœur. Moi aussi, je peux travailler sur le quai quand c'est l'été pis des fois dans l'église quand c'est l'hiver. Pis ça, c'est ben correct pour gagner des sous. Oui monsieur! Ben correct. Mais en même temps, savoir que je pourrais voir Antonin aussi souvent que je veux, ça me tente pas mal…

L'indécision de Célestin était aussi réelle que son inquiétude. Il poussa un long soupir d'inconfort.

— J'aime pas ça, être toute mélangé comme ça. J'aime donc pas ça!

— Moi non plus, Célestin, j'aime pas ça. Mais on peut pas faire comme si Prudence avait pas écrit les mots, n'est-ce pas?

— C'est sûr.

— Alors, on va penser bien comme il faut à sa proposition, pis on va lentement se faire une idée là-dessus. Notre idée à nous autres. Pis après, quand on sera ben certains de notre affaire, on va y répondre. Il y a rien qui presse. Prudence l'a dit elle-même: c'est juste pour l'an prochain, tout ça. C'est pas comme s'il fallait partir demain matin.

— Partir demain matin! T'es drôle des fois, toi!

— Oh, je dis pas ça pour faire ma drôle.

— Pourquoi, d'abord?

— Comme ça…

Gilberte ne se sentait pas l'énergie de trouver une réponse qui puisse satisfaire Célestin. En plus de la fatigue habituelle ressentie en fin de journée, elle était complètement épuisée.

Si elle avait été seule, elle serait montée à sa chambre sans même manger. C'était impossible. Non seulement y avait-il le repas à préparer et tout le branle-bas de l'installation pour la nuit qui s'ensuivrait, mais encore devrait-elle y voir l'esprit troublé par une proposition qui la laissait pantoise.

Que faire, Seigneur, pour que tout le monde soit bien ?

Gilberte laissa échapper un long soupir.

Elle aussi, elle l'aimait bien, sa petite maison. Elle aimait surtout la vie qu'elle y menait avec ses deux grands, comme elle appelait affectueusement Germain et Célestin.

Gilberte poussa un second soupir accablé, puis elle secoua la tête.

— On va commencer par manger, mon Célestin, proposa-t-elle tout en repoussant sa chaise pour se relever. J'ai faim, tu dois avoir faim et Germain aussi. Mets-moi de l'eau à bouillir pour que je puisse me faire un bon thé pis moi, pendant ce temps-là, je vais aller voir ce que fait Germain. Je le trouve pas mal silencieux.

— Pis pour l'idée de Prudence ?

Gilberte esquissa une moue indécise avant de hausser les épaules.

— Pour la demande de Prudence, on va laisser retomber la poussière pis on va reprendre notre calme, comme on dit. On en reparlera plus tard, si tu veux, quand Germain sera couché. Envoye, debout, mon homme ! Mets la bouilloire sur le feu, je reviens dans deux minutes.

Le repas fut plutôt tranquille. Que les mots du quotidien pour l'agrémenter.

L'assiette du beurre à passer, le sirop à verser…

— C'est bon, Gilberte !

Célestin sentait-il que sa sœur avait besoin de ce moment d'intériorité ? Probablement, car n'eut été le babillage de

Germain auquel il fit l'effort de répondre, le repas se serait déroulé dans un silence monacal.

Puis, ce fut l'heure de la vaisselle, d'un brin de toilette.

— On se dépêche, Germain. Je suis fatiguée et j'ai envie de me coucher de bonne heure.

— Oui, maman.

Le bonheur avec Germain était cette grande docilité en tout, le pourquoi et le comment des choses l'effleurant à peine. Par contre, il aimait bien sa routine. Elle était même essentielle à son équilibre, à son bonheur. C'est pourquoi, malgré le fait qu'il doive se coucher plus tôt qu'à l'accoutumée, Germain demanda:

— Mon histoire, elle? Tu vas lire mon histoire pareil?

Gilberte retint à grand-peine le soupir de lassitude qu'elle eut spontanément envie de pousser. Encore.

— Demain, Germain, promit-elle pour échapper à ce qui lui apparaissait comme une corvée, en ce moment. Demain soir, promis, je te lirai une histoire.

— Ben non, Gilberte!

Germain n'eut pas le temps d'être déçu. Assis au bout de la table, Célestin venait d'intervenir. Il avait suivi la conversation comme il aurait assisté à un match de tennis, allant de l'un à l'autre, ses gros sourcils broussailleux froncés sur sa réflexion. Il s'arrêta finalement sur sa sœur après avoir fait un sourire à Germain.

— Va te reposer, Gilberte… Je suis capable, moi aussi, de lire une histoire à Germain pis de l'aider à se coucher. Oui monsieur! Demain, ça sera à ton tour… Pis… pis on va attendre à demain aussi pour parler de Prudence pis de son idée. C'est vrai que t'as l'air ben fatiguée, à soir.

Ces quelques mots de Célestin, cette délicatesse presque involontaire de sa part mais combien sincère allèrent droit au cœur de Gilberte.

Oui, vraiment, en compagnie de Célestin et de Germain, elle avait droit à une belle part de la vie!

Et elle devrait mettre un terme à tout ça?

— Merci, mon Célestin. T'es pas mal fin.

Un baiser furtif sur la tête de Germain et Gilberte quitta la cuisine en catastrophe pour ne pas avoir à expliquer les larmes qui commençaient à déborder. Probablement trop d'émotion, de fatigue, d'incertitude…

Puis, les choses étant ce qu'elles sont, la poussière retomba, comme Gilberte l'avait prédit. Malgré la forte pression qu'elle ressentait chaque fois qu'elle relisait la lettre de Prudence, Gilberte se contenta d'envoyer une très jolie carte de souhaits sans apporter de réponse. Une carte adressée à toute la famille qui vivait à l'Anse.

— Après Noël, disait-elle invariablement quand Célestin tentait de revenir sur le sujet. On reparlera du projet de Prudence après le temps des fêtes. On a bien assez de choses à penser comme ça avec la messe de minuit qui s'en vient pis le souper de Noël qui va suivre. Oublie pas que j'ai promis à Victoire de l'aider à tout préparer.

— C'est vrai. On va manger chez Victoire durant la nuit, juste après la messe.

C'était bien la première fois cette année que Victoire ne s'était pas fait tirer l'oreille pour accepter de l'aide.

— Je sais pas trop ce que j'ai, cette année, mais je me sens fatiguée. Pas mal plus fatiguée que d'habitude.

Personne n'avait osé dire que l'âge y était probablement pour quelque chose, pour ne pas dire pour beaucoup. Béatrice et Gilberte avaient donc retroussé leurs manches, offrant à Victoire de se contenter de leur préparer quelques délicieux desserts.

— Pour le reste, on va y arriver sans trop de peine. Après tout, on ne sera pas si nombreux que ça, vu qu'Alexandrine pis sa famille seront pas là.

En effet, cette année, les Tremblay fêteraient en famille, avec tous leurs enfants et petits-enfants.

— Ça se peut-tu, Victoire? Paul qui nous a annoncé la semaine dernière qu'il allait revenir vivre au village parce qu'il s'est entendu avec le mari de la mère Catherine pour acheter l'auberge, pis ma Justine est venue en même temps que lui pour nous présenter son promis. Armand Saint-Pierre, qu'il s'appelle. Un vrai bon parti. On rit pus, c'est un comptable, un vrai professionnel, comme mon Paul! Lui aussi, il a fait des études à l'université, tu sais.

Victoire et Alexandrine s'étaient croisées à la messe dominicale. Emmitouflées dans leurs manteaux, un foulard retenant le chapeau parce que le vent venu du large n'était pas chaud du tout, elles discutaient sur le parvis de l'église en tapant du pied pour se réchauffer.

— Tout ça pour te dire, Victoire, que Justine pis Armand veulent se marier au printemps… J'en reviens juste pas! On dirait que toute se place d'un coup, dans ma vie. Moi qui me désespérais de voir tout mon monde s'éparpiller un peu partout en ville, voilà-tu pas qu'ils reviennent toutes les uns après les autres.

— Minute, toi là! Si j'ai bien compris, il y a juste Paul qui compte revenir s'établir par ici, non?

Devant cette remarque on ne peut plus juste, Alexandrine esquissa un petit sourire contrit.

— Ouais… T'as ben raison. C'est ben moi, ça! N'empêche que Justine se marie pis ça, tu sauras, c'est une fichue de bonne nouvelle. Je devrais être grand-mère encore une fois dans pas longtemps, c'est Justine elle-même qui me l'a dit. Avec un peu de chance, cette fois-ci, ça pourrait être un p'tit gars. C'est Clovis qui serait content d'avoir un petit-fils… Par contre, notre Marguerite risque de s'ennuyer, toute seule dans son grand logement de Limoilou, même si elle prétend le contraire.

— Ça, Alexandrine, ça te regarde pas.

— Comment ça, ça me regarde pas ? Marguerite, c'est ma fille.

— Pis ? Ce n'est plus ce qu'on appelle une enfant, ta fille. C'est une adulte d'un âge certain qui mène sa barque toute seule depuis un bon bout de temps. T'as pas à t'en faire avec ses états d'âme à moins qu'elle décide elle-même de t'en parler. On ne peut pas prendre sur nos épaules les ennuis de tout un chacun. Si elle se morfond trop, ta Marguerite, elle aura juste à revenir vivre par ici, elle aussi. Après tout, c'est son frère qui vient d'acheter l'auberge pis Marguerite y a déjà travaillé.

— T'as ben raison. J'avais pas pensé à ça, moi là… Ouais, une fichue de bonne idée, ça, travailler à l'auberge… J'vas en parler à Paul, tiens ! Bon, c'est ben beau, mais je suis gelée. Finalement, si j'ai pris tout ce détour-là, c'était pour te dire que Clovis pis moi, on sera pas de ton souper du réveillon, cette année. J'ai trop d'ouvrage à préparer le repas du soir de Noël avec Augusta pis je suis trop énervée. Je ferais pas une ben bonne invitée, ma pauvre Victoire. Si ça te fait rien, on se reprendra au jour de l'An pour se rendre visite, toi pis moi.

Ce fut ainsi que Gilberte eut deux tourtières de moins à cuire et que la table de la cuisine, chez Lionel et Victoire, n'aurait pas à être montée à deux reprises pour arriver à nourrir tout le monde.

— Onze à table, c'est juste assez pour nous, murmura Victoire en se redressant après avoir déposé le dernier verre.

Sur ce point, elle avait été inflexible : le repas se prenant chez elle, ça serait à elle de voir à préparer la table.

Les poings sur les hanches, Victoire admirait sa belle mise en place. La nappe fraîchement repassée ; les quelques pièces d'argenterie dont elle avait hérité ; ses plus belles assiettes, celles qu'elle avait commandées par catalogue et qui n'étaient pas ébréchées ; les verres en cristal que Lionel lui avait offerts l'an dernier...

— J'aime ça, faire une belle table pour ma famille, avait-elle plaidé, en fin d'après-midi quand Béatrice lui avait proposé de l'aider à tout préparer. Va, ma fille, va retrouver les tiens. T'en as déjà assez fait ! La dinde est au four, les légumes sont prêts pis la soupe aussi. Avec les tourtières que Célestin nous a apportées tout à l'heure pis les desserts que j'ai faits, on sera pas assez de onze pour tout manger.

Béatrice avait donc quitté la cuisine de sa mère pour retourner chez elle se reposer un peu avant la messe de minuit et le réveillon, une habitude relativement récente qui plaisait à plus d'un.

— Ben quoi, avait lancé Célestin l'année précédente quand Lionel avait affirmé qu'un repas au beau milieu de la nuit, c'était une drôle d'habitude. C'est pas drôle pantoute, comme habitude ! J'aime ça, moi, manger un souper durant la nuit. J'ai souvent faim, la nuit, tu sauras, Lionel, mais Gilberte veut pas que je me lève pour descendre dans la cuisine voir s'il y aurait pas un p'tit restant. Ça fait que pour une fois que je peux en profiter...

Tout le monde autour de la table s'était esclaffé sans que Célestin prenne conscience qu'il était la cause de toute cette hilarité. Il avait naïvement cru que c'était une façon comme une autre de montrer son accord à ce qu'il venait de dire. Sur ce, il avait tendu son assiette en demandant, « s'il vous plaît », une seconde portion.

Cette année aussi, le repas fut succulent, les portions abondantes et les rires faciles. On avait beau se voir presque tous les jours, tout connaître les uns des autres, les conversations n'en étaient pas moins animées.

Repu, Célestin fut le premier à demander s'il pouvait retourner chez lui.

— Je suis fatigué, là, Gilberte. Je veux me coucher.

— Bonne idée, mon Célestin. Pis ça serait une bonne idée aussi d'emmener Germain avec toi. L'as-tu vu ? Il cogne des clous dans son assiette.

Puis, ce fut Julien qui suivit de peu.

— J'ai promis à Johnny Boy d'aller faire un tour, s'excusa-t-il avant de disparaître.

Enfin, ce fut Béatrice qui embrassa sa mère.

— À notre tour d'aller se coucher. Et tu devrais en faire autant, maman. Je te regarde depuis tantôt pis j'ai remarqué que tes yeux se ferment tout seuls.

— T'as raison, je me sens un peu fatiguée. Le temps de faire la vaisselle et je…

— Laisse faire la vaisselle !

Lionel était déjà debout, prêt à aider Victoire pour monter à l'étage.

— Je m'en occupe, de la vaisselle, fit-il avec une conviction touchante, lui qui n'avait jamais levé le petit doigt dans la cuisine de Victoire.

Celle-ci esquissa un sourire attendri et moqueur en même temps.

— Toi ? Tu veux faire la vaisselle en plein milieu de la nuit ? Je ne t'ai jamais vu avec un torchon dans les mains et tu prétends faire toute cette vaisselle-là ?

— Pourquoi pas ? rétorqua Lionel, vexé.

— Pas de chicane à soir, intervint Gilberte qui avait déjà commencé à retirer plats et couverts. Je m'en occupe, de la vaisselle… avec Lionel, ajouta-t-elle précipitamment quand elle vit que Victoire allait riposter. Allez vous coucher, Victoire. Béatrice a raison : vous tenez à peine debout.

Puis, se tournant vers son frère, Gilberte ajouta :

— Aide ta femme à se préparer et viens me rejoindre. À deux, ça va être vite fait.

Gilberte avait sous-estimé l'ouvrage à abattre, car une heure plus tard, bâillant et se frottant les yeux à répétition, Lionel et elle étaient toujours dans la cuisine.

— Bonté divine, il y en avait donc ben, de la satanée vaisselle ! Victoire a-t-elle sorti tout ce qu'il y a dans ses armoires, coudon ?

— Presque… Tu la connais, n'est-ce pas ? Elle voulait une belle table pour fêter Noël.

— Oh ! Pour être belle, sa table, elle était belle… Allons ! Encore un p'tit coup de cœur pis on va pouvoir aller se coucher.

— Laisse tomber, Gilberte. Si t'es trop fatiguée, retourne chez toi. Je crois avoir compris le principe et je devrais arriver à me débrouiller pour finir tout seul.

— Pas question ! On a commencé ensemble, on va finir ensemble. Pis…

Gilberte hésita un moment.

Depuis la réception de la lettre de Prudence, elle se promettait d'en parler avec Lionel et rien encore n'avait été fait. Pourtant, il lui semblait qu'un regard à la fois familier et extérieur lui permettrait de mieux cerner la situation. Après, elle pourrait voir où en était Célestin, de son côté, et ensemble ils prendraient la décision.

Malheureusement, le temps avait manqué et cette intention était encore et toujours à l'état de projet.

Gilberte jeta un regard en coin vers son frère. Appliqué comme seul Lionel savait l'être à la moindre des tâches qu'il devait effectuer, il mirait un verre à la lueur du plafonnier pour être certain de l'avoir bien essuyé. Puis, il poussa un long bâillement en le posant sur la table.

L'hésitation de Gilberte n'en fut que plus grande.

Étaient-ils trop fatigués pour aborder un sujet d'une telle importance ? N'y aurait-il jamais de bon moment pour le faire ? Après tout, ils étaient débordés de part et d'autre, Lionel et elle, et les occasions de se retrouver seuls en tête-à-tête étaient plutôt rares.

Alors ?

Gilberte se décida sur un coup de tête. Il lui semblait que si discussion il devait y avoir, ça serait tout de suite ou jamais. Tant pis pour la fatigue. Tant qu'à devoir finir la vaisselle, autant profiter de cet instant de solitude à deux.

— Lionel, faudrait que je te parle, commença donc Gilberte. T'es-tu trop fatigué ou ben je peux te raconter quelque chose d'important ?

— Je suis fatigué, oui, mais je ne serai jamais trop fatigué pour ma petite sœur qui, elle, n'est jamais fatiguée pour aider tout le monde.

— T'es ben fin, de dire ça.

— C'est la vérité…

Du bout des doigts, Gilberte agitait l'eau pour la faire mousser.

— Pour faire une histoire courte, disons qu'un peu avant Noël, j'ai reçu une lettre de Prudence, attaqua donc Gilberte, tentant de son mieux de résumer la situation. Pas une carte comme elle en envoie d'habitude. Non ! Une longue lettre où elle m'a dit combien elle trouvait le temps long depuis que papa a eu son attaque. C'est vrai que d'une visite à l'autre, je voyais ben que Marius avait pas mal pris le contrôle de la ferme. Ça fait qu'on le voit plus beaucoup. Pis c'est correct de même, c'est pas un reproche. Fallait ben que quelqu'un le fasse. Hortense aussi a déserté la maison pour aider aux champs pis à l'étable. Pis ça aussi, c'est ben correct. Mais pendant ce temps-là, Prudence se retrouve toute seule avec papa pis je pense qu'elle trouve ça pesant. Ben pesant. Surtout qu'il parle pas…

— Une autre de ses toquades, oui !

— Je le sais. En fait, tout le monde le sait que c'est de la mauvaise volonté de sa part, mais que c'est tu veux qu'on fasse, mon pauvre Lionel ? La pire, dans tout ça, c'est Prudence qui est obligée de l'endurer, jour et nuit. D'un autre côté, pauvre papa ! Avoir été si dur à l'ouvrage, trimer aussi fort durant toute une vie, pour se retrouver cloué à une chaise, ça doit pas être ben ben drôle.

Volontairement, Gilberte ménagea une pause, espérant peut-être que, pour une fois, Lionel montrerait un peu d'empathie pour leur père. Devant le silence entêté de son frère, elle reprit ses explications.

— Tout ça pour dire que Prudence m'a demandé, dans sa lettre, si j'accepterais de retourner vivre à l'Anse, avec elle pis le reste de la famille qui habite encore là.

— Pis ?

— Pis, je le sais pas.

Gilberte jeta un regard découragé par-dessus son épaule en direction de Lionel.

— Je le sais pas pantoute, répéta-t-elle en revenant à sa vaisselle.

— C'est vrai que c'est pas une décision évidente à prendre.

Gilberte souleva une épaule tremblante en signe d'approbation à ce que Lionel venait de souligner.

— Et Célestin, lui ? demanda Lionel au bout d'un court silence. Est-il au courant ?

— C'est sûr. On a lu la lettre ensemble pis pour dire comme lui : on est aussi mélangés l'un que l'autre. Pour lui, la vie ici a pris une belle tournure. Il travaille un peu, il s'occupe de

Germain comme si c'était son propre enfant… Pour ça, juste pour ça, ce lien avec Germain, je pense que jamais Célestin aurait pu trouver mieux. Par contre, comme il l'a dit lui-même, retourner à l'Anse lui permettrait de voir Antonin plus souvent.

— C'est vrai que pour Célestin, sans vouloir être méchant, les choses sont parfois plus simples… Mais toi, Gilberte? Si les choses ont un certain sens pour Célestin, d'un côté du fleuve ou de l'autre, qu'en est-il pour toi?

— Bof!

— Toute une réponse!

— C'est peut-être parce que j'en vois pas, de réponse… Bonté divine que je trouve ça dur… D'un bord, il y a toi. Ça a peut-être pas été toujours facile entre nous deux, mais je tiens à toi. Ben gros. Pis il y a Germain, aussi, qui vous aime tellement, Victoire et toi. Pis il y a aussi Béatrice avec qui je m'entends vraiment pas pire. Pis Julien, pis… Tu le sais ben à quoi ressemble ma vie d'ici! dit Gilberte avec impatience, en haussant le ton. J'aime mon travail aussi, avec monsieur le curé.

— Alors, pourquoi hésiter?

— Parce que de l'autre bord du fleuve, il y a une femme qui s'appelle Prudence pis elle avec, je l'aime ben gros.

— Est-ce suffisant?

À cette banale question, Gilberte tourna brusquement la tête, le regard chargé de colère.

— Tu sauras, Lionel Bouchard, que si Prudence avait pas été là, quand papa s'est retrouvé veuf, je suis pas sûre pantoute que ma vie aurait été aussi belle… Mais ça tu peux pas le savoir, t'étais pas là.

Gilberte prit une longue inspiration pour faire retomber son impatience. Puis, elle ajouta, songeuse:

— Comment je pourrais t'expliquer ça?

Gilberte cessa de laver l'assiette qu'elle avait à la main et, le regard effleurant la surface des bulles de savon qui éclataient les unes après les autres, elle prit un instant pour réfléchir avant de poursuivre. Elle savait que Lionel avait été très proche de leur mère et elle ne voulait surtout pas le heurter.

— Tu vois, Lionel, j'ai ben aimé maman, expliqua-t-elle, toujours aussi songeuse, tandis qu'elle recommençait à laver l'assiette. Pas de doute là-dessus. Même si par bouttes j'ai trouvé injuste d'arrêter l'école pour aider à la maison, je lui en ai jamais voulu pour ça. Quand notre mère est morte, j'ai vraiment eu l'impression que ma vie à moi aussi s'arrêtait. J'ai trouvé ça dur, ben dur. Pis Prudence est arrivée. Là avec, j'ai trouvé ça dur. Laisse-moi te dire que ça s'est pas faite tout seul avec Prudence. J'avais l'impression qu'elle allait toute m'enlever. Ma maison, ma famille, toute... Mais Prudence, c'est Prudence. On peut pas rester longtemps sans l'apprécier. Ça fait que, petit à petit, j'ai appris à mieux la connaître pis finalement, on s'est ben adonnées, elle pis moi. Pas mal ben adonnées. Pis ça, pour une femme comme moi, ça a peut-être encore plus d'importance que les sentiments. Ça fait qu'aujourd'hui, savoir que Prudence est malheureuse, ça me revire toute en dedans. C'est pour ça que je sais pas quoi faire. Pas pantoute. Toi, Lionel, si t'étais à ma place, que c'est tu ferais?

— C'est à moi que tu demandes ça?

La réplique de Lionel avait fusé comme un cri de panique. Pourtant, il avait parlé à voix feutrée.

Un bref haussement d'épaules fut l'unique réponse de Gilberte.

Soulagé, Lionel profita de ce mutisme pour s'enfoncer dans le silence, lui aussi. Seul le cliquetis de la vaisselle et des ustensiles occupait le temps et l'espace entre le frère et la sœur.

Comment répondre à Gilberte sans tomber dans l'inconfortable domaine des émotions ? Dieu sait que ce monde l'effarouchait. À preuve, s'il avait été certain de l'attitude de leur père, s'il avait été certain d'être bien accueilli, c'est ventre à terre qu'il serait retourné chez lui pour le revoir. Et dans un tel cas, il aurait dit à Gilberte de repartir pour l'Anse même s'il savait à l'avance qu'il s'ennuierait d'elle.

Mais voilà ! Lionel n'était certain de rien. Ni de son père, ni de son frère Marius qui pouvait fort mal accueillir Gilberte, ni de personne habitant à l'Anse. Même Antonin posait problème à ses yeux. En effet, ce dernier serait-il aussi heureux qu'on aurait pu le croire de voir revenir Célestin ? Après tout, depuis de longues années maintenant, Antonin avait sa famille, son travail au magasin général et, de toute évidence, selon les dires de Prudence, il était heureux. Un gaillard comme Célestin prenait beaucoup de place, au propre comme au figuré, et le fait d'être son jumeau n'avait peut-être plus l'importance de jadis.

Lionel n'était surtout pas certain que Gilberte serait la bienvenue. Certes, ce qu'il connaissait de Prudence, à parler régulièrement avec elle au téléphone, laissait supposer que celle-ci l'accueillerait à bras ouverts.

Mais les autres ?

Malheureusement, Prudence n'était pas seule à vivre dans la grande maison. Il y avait aussi toute la famille de Marius qui semblait s'être approprié la ferme et tout ce qui l'accompagnait. Accepteraient-ils, Hortense et lui, de voir débarquer Gilberte sans autre forme de discussion ?

Il y avait aussi et surtout leur père qui, par son silence entêté, laissait croire qu'il n'avait pas tellement changé.

Le souvenir que Lionel en gardait était pénible, chargé d'animosité, d'arrogance, d'autorité, de...

Lionel secoua la tête, épouvanté par les mots qui lui venaient à l'esprit.

Était-ce vraiment là les seuls souvenirs qu'il gardait de son père ? Non, Lionel avait l'honnêteté de l'admettre.

Le médecin grisonnant qui se sentait aussi fragile qu'un enfant, en ce moment, ferma les yeux durant un bref instant, le temps de permettre à son cœur de reprendre un rythme normal. Puis, tout doucement, ses pensées revinrent à Gilberte et à ses interrogations, à ses inquiétudes et, naturellement, l'esprit de Lionel se tourna vers Célestin et Germain.

Comment seraient-ils accueillis, eux, de l'autre côté du fleuve ? Il ne fallait surtout pas oublier qu'inévitablement, Célestin et Germain se grefferaient à l'expédition. C'est ainsi que Lionel voyait la proposition, non, la supplication de Prudence : il y voyait une véritable expédition.

Au bout du compte, partir pour l'Anse serait une aventure périlleuse dont Gilberte risquait de ne pas sortir indemne, Lionel en était convaincu.

Que lui répondre, alors, dans de telles conditions ?

Lionel ne savait que dire. Conseiller à Gilberte de s'en aller et apprendre qu'elle était malheureuse à la suite de ce changement de vie lui serait vite intolérable. Lui recommander de rester ici par crainte d'une erreur ou par pur égoïsme lui semblait malhonnête. On ne bâtit pas une vie sur des craintes et des suppositions.

Lionel jeta un regard en coin à celle qu'il considérait comme le seul témoin de son enfance, celle avec qui il pouvait parfois en parler, Célestin étant encore trop jeune quand il avait quitté la maison, au lendemain du décès de leur mère.

Si jamais Gilberte prenait la décision de retourner vivre à l'Anse, Lionel savait qu'elle emporterait dans ses bagages l'essentiel de ses souvenirs, les plus beaux, ceux qui se rapportaient à sa tendre enfance et à leur mère, Emma.

Néanmoins, Lionel savait aussi qu'il n'avait pas le droit d'influencer sa sœur dans quelque sens que ce soit. L'intention comme le geste auraient été malhonnêtes.

C'était à Gilberte de prendre la décision, pas à lui.

Lionel se décida d'un coup, comme on se jette parfois à l'eau.

— Je ne pourrai pas répondre à ta question parce que je n'ai pas de réponse qui pourrait calmer tes inquiétudes, qui pourrait satisfaire tes interrogations.

La voix de Lionel, rauque de fatigue, fit sursauter Gilberte.

— C'est pas à moi de décider, Gilberte, poursuivit Lionel avec la même intensité grave. J'aimerais ça t'aider, mais je ne peux pas. Je peux juste te dire de penser à tout, soigneusement, honnêtement. Pour toi, c'est sûr, mais pour Célestin et Germain aussi. Le fait de déménager à l'Anse, ce n'est pas comme se préparer pour partir en pique-nique, n'est-ce pas?

Lionel laissa filer un long soupir, le temps de rassembler ses idées.

— Comment dire? Retourner vivre à l'Anse, ce n'est pas juste un but, tu sais. C'est un choix qui va ouvrir de nouvelles perspectives.

— Je le sais, murmura Gilberte, soulagée de voir que son frère pensait comme elle. J'aurais pas pu le dire avec les mêmes mots que toi, c'est sûr, j'ai pas ton instruction, mais c'est exactement ce que je ressens: la décision à prendre est ben importante. Pis pas juste pour moi. C'est ben ça que t'as essayé de me dire, non?

— En quelque sorte, oui.

— Ben, c'est correct de même, comme dirait Célestin, approuva Gilberte en retirant la bonde au fond de l'évier. C'est ça que j'ai compris, c'est ça que je pensais, pis c'est ça que je vas faire. Ben réfléchir. Je me retrouve devant une situation un peu difficile, devant une décision à prendre qui mérite de lui donner tout son temps parce que ça va peut-être changer notre vie à tous les trois, Célestin, Germain pis moi. Ouais… Sais-tu quoi, Lionel ? Ça me rassure de voir que toi, un monsieur sérieux pis ben instruit, tu penses pareil à moi.

Lionel esquissa un sourire. Il était vrai qu'au fil des ans, il avait parfois ressenti une belle complicité avec Gilberte. Tous les deux, ils étaient réservés, persévérants et soucieux des autres. Alors, pour que Gilberte sache qu'elle avait en mains tous les atouts nécessaires pour s'en sortir toute seule, Lionel ajouta, en faisant, au bout de la table, un tas avec les linges à vaisselle trempés qu'il irait porter plus tard dans la chambre désaffectée qui servait à étendre le linge durant l'hiver :

— Et moi, je rajouterais, Gilberte, que tu peux te faire confiance. À voir ce que tu as réussi avec Germain, c'est évident que t'es une femme de bon jugement.

— Merci… Ça fait plaisir à entendre.

— C'est ce que je pense vraiment. Tu es une femme intelligente, capable d'avoir une réflexion sensée sur la situation. C'est pour ça que j'ai dit que tu pouvais te faire confiance quand viendra le temps de prendre ta décision. Mais en même temps, je voudrais te faire une mise en garde.

— Une mise en garde ? Laquelle ? demanda Gilberte qui ne voyait pas où Lionel voulait en venir, surtout après toutes les bonnes paroles qu'il avait eues à son intention.

— Ne pense pas à la situation uniquement en fonction de Célestin ou de Germain, expliqua Lionel sur un ton à la fois très doux et catégorique. Ni même en fonction de Prudence. Pense aussi à toi, Gilberte. Pense à ce que tu veux, toi. Comme je te connais, t'es bien capable de t'oublier, dans tout ça.

Gilberte se mit à rougir. D'être aussi facilement cernée la rendait mal à l'aise.

— Promis, murmura-t-elle. J'vas aussi essayer de penser à moi avant de décider quoi que ce soit… Merci, Lionel, merci ben gros d'avoir pris le temps de m'écouter… Astheure, tu vas m'excuser, mais j'vas rentrer chez nous. Faudrait ben que je dorme un peu avant d'être obligée de retourner à l'église pour la messe du matin.

DEUXIÈME PARTIE

Été ~ Automne 1932

CHAPITRE 5

Août 1932, dans la grande cuisine de l'auberge
de la mère Catherine, que Paul continue d'appeler ainsi,
faute d'avoir su trouver un autre nom pour l'instant

Découragé, Paul regardait les chiffres qu'il avait soigneusement et honnêtement colligés dans un grand livre comptable tout neuf.

S'il avait su !

Ce livre large comme la table quand il était grand ouvert, comme en ce moment, aurait pu aisément et tristement être troqué contre un cahier d'écolier, tant les transactions se faisaient rares depuis le début de la saison touristique.

Paul ferma les yeux un instant, revoyant clairement les quelques touristes qui s'étaient installés pour une semaine, heureux de retrouver l'auberge après une si longue absence. Un peu plus tard, il y avait eu ce voyageur de commerce venu à trois reprises. Mais comme il mangeait sans retenue et buvait trop, Paul espérait sincèrement qu'il ne reviendrait plus, malgré les circonstances. Puis, la semaine dernière, il avait reçu la visite de quelques résidants du Manoir : une petite famille de joyeux Américains, de passage à l'heure d'un repas…

Ils avaient promis de revenir l'an prochain et de séjourner à l'auberge. Malheureusement, c'était loin, l'été prochain.

Très loin. Et comme Paul et Réginald ne pouvaient vivre de promesses et de «peut-être»…

Finalement, les quelques opérations commerciales inscrites au cahier comptable étaient loin d'être suffisantes pour couvrir les frais d'une bâtisse aussi imposante. Que dire alors des paiements qu'il avait promis de faire au mari de la mère Catherine, lui qui avait si gentiment accepté d'attendre la vente de la maison de Paul avant de recevoir le plein montant de la transaction?

— En m'installant chez mon frère, j'aurai pas ben ben de dépenses, avait analysé le vieil homme, visiblement soulagé de quitter enfin cette grande maison. À part mon tabac à chiquer pis une couple de bières à l'occasion, plus une petite rétribution à mon frère, comme de raison, je vois pas grand-chose d'autre… À mon âge, tu sais, le jeune, on change pas de vêtements aussi souvent pis on mange pas autant que dans nos belles années. Quelques piastres, une fois par mois, si ça te convient, ça devrait suffire en attendant.

En attendant…

Paul secoua la tête et ouvrit les yeux.

Le soleil de fin d'été éclaboussait le mur en face de lui et faisait luire le cuivre du robinet qu'il astiquait consciencieusement tous les soirs.

Une bien belle cuisine dans un bien bel hôtel!

— Et une bien belle erreur d'avoir cru que je saurais faire renaître l'auberge d'un simple claquement de doigts, murmura Paul en soupirant de découragement.

Car l'attente de cette renaissance subsistait douloureusement.

Installé depuis le mois de mars dernier, Paul commençait à désespérer. Le peu d'argent qu'il avait emporté avait à peine suffi pour nettoyer et rafraîchir quelques chambres en les peignant de frais afin de recevoir courtoisement la famille à l'occasion du mariage de sa sœur Justine. L'organisation de cette réception avait été une autre erreur qu'il avait commise en toute connaissance de cause, ménageant ainsi sa fierté. Aujourd'hui, il payait le prix de cette manifestation d'orgueil mal placé.

— On finit toujours par être puni par où on a péché.

C'étaient là des paroles que sa mère, Alexandrine, avait souvent prononcées et, aujourd'hui, Paul en prenait la pleine mesure.

Quant à la salle à manger, la pièce la plus importante de l'édifice, aux yeux de Paul, celle qu'il voyait comme la locomotive de son projet, il avait espéré pouvoir compter sur les profits de la belle saison et sur un léger surplus provenant de la vente de sa propriété pour lui donner un petit coup de jeunesse.

Malheureusement, la maison de Québec n'était toujours pas vendue et les profits générés par l'auberge étaient inexistants.

La salle à manger continuerait donc de se flétrir à son grand déplaisir. C'est elle que Paul aurait dû rafraîchir, pas quelques chambres inutilisées qui auraient pu attendre la vente de sa maison de Québec.

En effet, la maison de la rue des Érables n'avait toujours pas trouvé preneur malgré quelques visites qui semblaient prometteuses. À un point tel que, désespéré, Réginald remettait en question ses qualités proverbiales de vendeur à chaque appel que Paul lui faisait scrupuleusement, semaine après semaine, malgré les frais encourus.

— Bonyenne d'affaire, Paul! Qu'est-ce qui se passe? Je me reconnais plus. Ça serait-tu que je suis juste bon dans la guenille? avait proféré Réginald, une fois de plus, quand Paul avait appelé chez lui, la semaine précédente. Je pensais jamais que ça serait long comme ça.

Un long soupir avait souligné l'exaspération de Réginald puis, changeant de ton, il avait demandé, d'une voix doucereuse :

— Pis toi, mon cher Paul ? Comment ça se passe dans ton auberge ?

Paul avait alors menti avec une effronterie qu'il ne se connaissait pas, affirmant que tout allait pour le mieux.

— Il fait beau, l'auberge est pleine et je cuisine comme j'ai toujours rêvé de le faire.

— Ben tant mieux.

Réginald était incapable de la moindre mesquinerie. La bonne fortune de Paul était aussi la sienne, cela s'entendait jusque dans sa voix.

— Au moins, ça va bien pour un de nous deux, c'est ça qui compte... Pis on a la santé, on fera ben aller le reste... Pis ? Quand c'est que tu penses qu'on va pouvoir se voir ?

— Aucune idée ! Je suis débordé.

— Je commence à m'ennuyer, moi là !

— Moi aussi, crains pas...

L'appel s'était terminé sur une promesse de se revoir bientôt, malgré tout.

— Je t'aime, Paul, avait alors chuchoté Réginald, incapable de se retenir malgré toutes les mises en garde que son amant avait pu faire avant son départ de Québec.

Ce chuchotement, ajouté aux allusions à peine camouflées des réparties de Réginald, avait sonné comme un coup de clairon aux oreilles de Paul. Il avait lancé un regard inquiet autour de lui avant de fermer les yeux de découragement en pensant à l'opératrice à l'autre bout de la ligne qui devait soit se gausser de ce qui semblait une situation à tout le moins insolite, soit fermer les yeux, complètement choquée, pour ne pas dire scandalisée.

Coincé contre le comptoir du magasin général entre deux grosses dames qui avaient curieusement cessé de parler dès que Paul avait obtenu sa communication, ce dernier n'avait même pas osé ajouter un « moi aussi » qui aurait été d'une sincérité déchirante. Il avait alors raccroché sans plus de façon et il avait quitté le magasin général comme un voleur pris sur le fait tente de fuir incognito le lieu de son larcin.

— Vous mettrez l'appel sur mon compte ! avait-il lancé derrière lui tandis que la clochette au-dessus de la porte faisait entendre ses notes cristallines.

Quelques jours plus tard, un bref regard au livre comptable venait de confirmer l'énormité de son mensonge. Une fois les quelques piastres de ce mois-ci données au mari de la mère Catherine, comme promis, il resterait à peine de quoi payer la facture d'électricité. Quant à la nourriture, depuis quelque temps déjà, Paul la faisait marquer sur l'ardoise du magasin général, se croisant les doigts pour que ça ne soit pas une erreur de plus, et il piochait allègrement dans le potager, le poulailler et les réserves de ses parents. Quand l'hiver serait là, il n'aurait plus qu'à se laisser mourir de faim... ou de honte !

— Pas de quoi s'en vanter, murmura Paul en refermant le grand livre qui n'avait pas été d'un grand secours pour le rasséréner. Un vrai fiasco, oui.

Pendant ce temps, à quelques maisons de là, Victoire, elle, s'arrachait les cheveux pour exactement le contraire. Elle avait trop d'ouvrage, moins d'énergie, et l'envie de tout laisser tomber lui revenait de plus en plus souvent, appuyée en ce sens par un Lionel qui n'aimait pas du tout lui voir cet air fatigué.

— Il serait temps de penser à te reposer, non ?

— Non...

Quand ils en parlaient, Victoire lançait invariablement ce cri de panique avant d'ajouter, contrite :

— Oui, tu as raison. J'ai envie de me reposer, mais pas en laissant tomber ma clientèle, par exemple. Ça me fendrait le cœur. J'aurais l'impression d'avoir vécu toute une vie de labeur pour pas grand-chose, finalement... Si je pouvais trouver quelqu'un, aussi...

Sur l'insistance de Lionel, Victoire en avait donc reparlé à Béatrice.

— Si tu voulais m'aider un peu, ma fille, ça serait bien. Juste pour un certain moment. Il y a ma clientèle qui...

— Je préfère la couture et de loin, tu le sais, avait coupé Béatrice, sachant à l'avance tous les arguments que sa mère allait lui répéter.

Cela faisait des années que Victoire revenait sur le sujet.

— Moi aussi, vois-tu, j'ai une certaine clientèle que je ne veux pas décevoir. De toute façon, et ça aussi tu le sais depuis longtemps, je n'ai jamais aimé cuisiner les desserts.

Effectivement, Victoire le savait et, bien sûr, elle comprenait.

Quant à Julien, inquiet tout comme Lionel de voir la fatigue grandissante de sa mère et se souvenant fort bien, et fort agréablement d'ailleurs, de son passage sous le toit de la maison de la rue des Érables à Québec, il lui avait suggéré d'en parler à Paul.

— Je te jure, maman, que cet homme-là aime cuisiner. Ça se voit comme le nez au milieu du visage. Et il est pas mal bon, tu sais, de la soupe au dessert, à part de ça ! Comme il habite maintenant au village, il me semble que ça serait une bonne idée de lui parler.

Victoire avait écouté son fils avec attention, hochant la tête, un peu d'espoir et d'intérêt allumant une petite étincelle dans son regard, mais jusqu'à maintenant, elle n'avait pas osé faire les premiers pas.

« Nécessité fait loi, se disait-elle régulièrement pour justifier son embarras et ses hésitations, elle qui avait coutume de foncer droit devant. Julien doit exagérer. Ce n'est pas parce que Paul Tremblay est obligé de manger trois fois par jour comme tout le monde qu'il aime nécessairement se retrouver devant le fourneau. Allons donc ! Un homme qui cuisine par plaisir… On voit ça juste dans les grandes villes ou dans les grands hôtels. On n'est pas à Londres, Paris ou New York, ici. On n'est même pas à La Malbaie ou à Pointe-au-Pic ! On est juste à Pointe-à-la-Truite. »

Une bonne partie de l'été avait donc passé sans que Victoire n'arrive à se décider. Elle n'avait même pas osé en parler avec Alexandrine qui devait pourtant bien connaître les goûts et les habitudes de son fils.

Mais ce matin…

— Ça suffit. J'en ai assez de me faire mourir à l'ouvrage. Je n'ai plus l'âge.

Marmonnant et soupirant, Victoire malmenait ses casseroles.

— De toute façon, ce n'est pas tellement compliqué : cette fois-ci, sans aide, je n'y arriverai pas.

Depuis deux mois, la fatigue l'emportait de plus en plus souvent sur tout le reste. Il arrivait donc fréquemment que Victoire n'arrive pas à respecter les échéances, ou, si elle y parvenait, cela se faisait au détriment de son sommeil. D'où une escalade dans les discussions, de plus en plus musclées, entre Lionel et elle.

Une grosse commande du Manoir pour une noce d'importance venait de faire déborder le vase : sans un autre cuisinier à ses côtés, Victoire ne pourrait remplir son contrat. Là où jadis elle excellait, pouvant abattre l'ouvrage de deux et même trois pâtissiers d'expérience, se faisant une petite gloire de son endurance proverbiale et de ses réussites culinaires, aujourd'hui, elle ne voyait plus qu'une montagne infranchissable. Victoire n'avait plus rien à prouver ni à elle ni aux autres, et le plaisir ressenti à être devant ses fourneaux de l'aube au crépuscule n'était plus au rendez-vous aussi invariablement qu'avant. Elle devait l'admettre : à soixante-seize ans, elle n'avait plus l'âge pour faire face à la musique. À preuve : depuis ces dernières semaines, elle avait maigri, l'appétit lui faisant de plus en plus souvent défaut.

— Mais ça, je ne suis surtout pas pour m'en plaindre, constata-t-elle en dénouant les cordons de son tablier.

Un tablier qu'elle lança droit sur la table, entre le sac de farine, la tasse à mesurer et le panier rempli d'œufs encore presque chauds que Léopold lui avait laissé en passant pour se rendre à son bateau.

Puis, les poings sur les hanches, Victoire pivota sur elle-même pour se retrouver face à ses deux gros poêles en fonte qui trônaient majestueusement dans la pièce, posés côte à côte contre le mur extérieur de son immense cuisine.

— La pièce a beau être grande et les commodités nombreuses, je suis toujours bien toute seule pour y travailler, argumenta-t-elle pour les murs. Ça ne marche pas... Ça ne marche plus, répéta-t-elle en martelant chaque syllabe. Un gâteau à trois étages, glacé au beurre, des tartes à différentes saveurs et des petits fours... Tout ça à la dernière minute parce que leur chef engagé pour l'été est tombé malade. Comment veux-tu que j'arrive à tout faire ça d'ici à demain ? Non, non, non... Ça suffit ! C'est ce matin que ça change. Et pour le mieux, j'espère.

Si la fatigue justifiait le geste qu'elle s'apprêtait à faire, la détermination lui était revenue tout entière et c'est elle qui la fit s'activer sans tarder.

Victoire sortit de sa cuisine bien décidée à n'y revenir qu'une fois son problème réglé pour de bon.

Et la solution s'appelait Paul Tremblay, selon les dires de son fils Julien qui n'en démordait pas.

Victoire claqua la porte de sa cuisine dans son dos et elle descendit les quelques marches du perron avec une certaine précaution, ses genoux n'étant plus aussi sûrs qu'auparavant.

C'est aujourd'hui qu'elle allait vérifier les allégations de son fils qui, avec l'appétit phénoménal qui était le sien, avait bien pu exagérer les talents de son ancien logeur. Par contre, avec la grande expérience qui était la sienne, Victoire se savait capable d'évaluer les capacités et les talents culinaires du fils de sa bonne amie Alexandrine.

La vieille dame ne s'arrêta qu'une fois arrivée à l'auberge et la vigueur du poing qui frappa le battant avant d'ouvrir la porte avec autorité, sans attendre de réponse, était la manifestation d'un certain regain de jeunesse.

Dans l'état d'esprit qui était le sien, Victoire était persuadée que le reste de sa vie dépendrait probablement des quinze prochaines minutes.

Comme elle connaissait les moindres recoins de la maison, sans hésiter, elle emprunta le corridor qui menait à l'arrière du bâtiment. Direction, la cuisine. Aux yeux de Victoire, y trouver le fils de son amie serait de bon augure.

Paul se trouvait justement à un bout de l'immense table de réfectoire que la mère Catherine avait tenu à installer pour ses nombreux employés, du temps où l'auberge était une référence dans le domaine de l'hôtellerie. Elle voulait qu'ils puissent se sentir chez eux quand ils prendraient une pause ou au moment des repas.

Victoire s'arrêta sur le pas de la porte pour reprendre son souffle. Mais alors qu'elle s'apprêtait à lancer une cordiale salutation, comme elle en avait l'habitude dès qu'elle arrivait quelque part, elle se pinça plutôt les lèvres.

Même vu de loin, elle ne pouvait se tromper : l'homme aux cheveux grisonnants assis à l'autre bout de la table était en train de pleurer, le front appuyé sur une main. Sans grand éclat, sans sanglots, mais il versait quand même de grosses larmes silencieuses.

Bien que mal à l'aise, les larmes d'un homme lui avaient toujours fait cet effet, Victoire n'hésita pas longtemps. Bien sûr, elle aurait pu rebrousser chemin sans autre forme de questionnement. Après tout, la situation de Paul Tremblay ne la regardait pas. Cependant, ce n'était pas dans sa nature de fuir ainsi devant un homme en larmes. De surcroît, un homme qu'elle avait vu naître et grandir. Qu'elle avait vu souffrir aussi, quand son frère Joseph était mort tragiquement sous ses yeux d'enfant.

Victoire sentit son cœur se serrer. La famille de son amie Alexandrine avait eu son lot de déchirements et de grands malheurs au fil des ans et, pourtant, Clovis et elle formaient le couple le plus uni que Victoire avait eu l'occasion de côtoyer.

Il n'était pas dit que Paul resterait seul avec sa tristesse.

Pour Victoire, un homme ne pleurait jamais pour rien, elle l'avait appris au fil des années et si elle pouvait l'aider, d'une façon ou d'une autre...

La vieille dame toussota alors discrètement pour attirer l'attention de Paul qui sursauta plus que de raison avant de se mettre à rougir comme un coquelicot. Sans quitter l'embrasure de la porte, Victoire tenta de le rassurer à l'aide d'un sourire. Puis, d'une voix douce, elle demanda :

— Ça ne va pas ? Est-ce que je peux faire quelque chose pour toi ?

La réponse parvint à Victoire dans un soupir.

— Pas vraiment.

Embarrassé d'avoir été surpris dans un tel moment de faiblesse, Paul tenta d'évacuer ses larmes et ses inquiétudes par une longue inspiration tremblante. Il renifla, s'essuya le visage du plat de la main, puis il pointa le cahier comptable avec le menton.

— Si vous avez un truc quelconque pour attirer les touristes, dites-le-moi et vite, avant que la saison soit complètement finie. Sinon…

Incapable de poursuivre, se sachant fragile dans sa déconfiture et ayant peur de recommencer à pleurer, Paul détourna les yeux.

Victoire en profita pour s'approcher.

— Je n'ai peut-être pas de truc, comme tu dis, pour attirer les touristes, annonça-t-elle en tirant une chaise vers elle, pas dans le sens où je crois le percevoir dans ton appel à l'aide. Parce que c'est bien un appel à l'aide que tu viens de lancer, n'est-ce pas ?

Tout en parlant, Victoire se laissa tomber sur la chaise, heureuse de soulager ses jambes endolories par la promenade qui l'avait emmenée depuis chez elle jusqu'à l'auberge même si la distance n'était pas très grande.

— Il n'y a rien de magique dans ma présence ici, précisa-t-elle, émue de se souvenir tout à coup de l'époque où James O'Connor disait à son fils Johnny Boy qu'elle était la magicienne des desserts. Cela dit, à voir ce grand livre sur la table, je me doute un peu de ce qui te tracasse. C'est vrai que la saison ne semble pas très bonne pour toi. Et pour ça, même sans touristes pour l'instant, j'ai peut-être une solution. Si ce que Julien m'a dit de toi est vrai, comme de raison.

— Julien ? Qu'est-ce que Julien a à voir avec…

— Laisse-moi terminer… En fait, je n'ai qu'une question à te poser. Une seule. Selon ta réponse, je crois qu'il y aurait quelque chose à faire pour te permettre d'attendre la clientèle de façon plus confortable.

— Ah oui ? Une question ? Une simple question et mon problème serait réglé ? Sans vous manquer de respect, ai-je le droit de dire que j'en doute ?

— Tu as ce droit, oui, et j'avoue que moi aussi, je serais sceptique si on me faisait une telle proposition... Dis-moi, Paul, si je te demandais de troquer ton livre comptable pour un livre de recettes, qu'est-ce que tu me répondrais ?

L'étincelle qui brilla dans le regard de Paul, aussi fragile et fugitive fût-elle, suffit amplement à rassurer Victoire. Julien ne s'était pas trompé et Paul Tremblay était probablement fort à l'aise dans une cuisine. De là à imaginer qu'il y excellait, il n'y avait qu'un pas à franchir, ce que Victoire fit sans l'ombre d'une hésitation parce qu'elle avait besoin d'y croire. Elle n'aurait qu'à tout superviser et le tour serait joué !

N'est-ce pas ?

— Je dirais oui, bien sûr, accorda Paul en soupirant, vite revenu du bref enthousiasme qu'avait fait naître en lui la curieuse question de Victoire. C'est vrai que je préfère nettement fouiller dans un livre de recettes plutôt que d'aligner des chiffres dans un cahier de comptabilité, surtout si les chiffres sont en rouge. Mais pourquoi est-ce que j'ouvrirais mes livres de recettes ?

D'un vaste geste du bras, Paul embrassa la grande cuisine de l'auberge, impeccable et reluisante de n'être pas suffisamment utilisée.

— Pour qui est-ce que je me mettrais aux fourneaux, je me le demande bien... Il n'y a personne ici à part moi !

— Pour l'instant peut-être... Mais en attendant, moi, j'ai une clientèle que je peine à satisfaire... Je vieillis, Paul, et tout le boulot que j'arrivais à abattre facilement auparavant m'éreinte aujourd'hui... J'ai un petit commerce qui, ma foi, s'en sort pas mal bien, mais personne n'en veut. Alors, qu'en dis-tu ? Marché conclu ? Tu m'aides à remplir mes commandes, je te verse un salaire, bien entendu, et ainsi, tu devrais pouvoir garder l'auberge en attendant que...

— Minute, vous là...

Paul n'était pas Réginald pour lancer les bras en l'air ou se mettre à applaudir sans autre réflexion, se fiant uniquement à sa bonne étoile pour faire confiance à autrui, même si dans le cas présent il s'agissait de Victoire, une femme qu'il connaissait depuis toujours et qu'il respectait. Avant de s'emballer devant ce qui ressemblait pour l'instant à un miracle, Paul voulait connaître les tenants et les aboutissants de la proposition.

— Si j'ai bien entendu tout ce que vous avez dit, vous avez besoin d'aide, résuma-t-il. Ça, c'est pas tellement difficile à comprendre, je suis dans la même situation que vous... C'est après que je comprends moins. Qu'est-ce que vous voulez, au juste ? Un marmiton ou un associé ?

— Les deux !

Jamais, jusqu'à cet instant précis où, en quelques mots, Paul parlait d'avenir, jamais Victoire n'avait pensé à s'associer à qui que ce soit. Pas plus, en fait, à l'exception de sa fille Béatrice, qu'elle n'avait imaginé travailler avec qui que ce soit et voilà que, sans crier gare, l'idée de Paul était séduisante.

— Les deux, mon Paul, répéta Victoire avec enthousiasme, les deux. Un marmiton, c'est tout à fait certain et un associé, c'est plus qu'envisageable. Si tu me dis que tu aimes cuisiner, tout est possible.

L'ombre d'un sourire, sincère et soulagé, détendit enfin les traits du visage de Paul. Puis, ce fut le regard qui s'illumina.

— Pour aimer cuisiner, c'est sûr que j'aime cuisiner, dit-il sur un ton qui ressemblait à une confession tellement le timbre de voix était bas.

— Et, compléta Victoire qui commençait à voir clair dans la situation, tu as acheté cette auberge dans l'espoir de te retrouver à temps plein, dans la cuisine, le nez au-dessus de tes casseroles. Je me trompe?

Paul redressa les épaules.

— Vous ne vous trompez pas, admit-il sans la moindre hésitation, cette fois-ci. À partir du moment où ma défunte sœur Rose m'a montré à cuisiner, l'architecture est tombée au second rang. Même si à l'époque je n'étais encore qu'un étudiant, soit dit en passant. Quand j'ai vu que l'architecture ne me faisait plus vivre, j'ai alors tout naturellement pensé à la cuisine. Pour moi, ça allait de soi.

— C'est vrai! En plus, tu es architecte…

Devant cette constatation, Paul échappa un rire sarcastique.

— Oui, je suis architecte… Mais disons que, pour l'instant, avec le marasme économique qu'on connaît, ce diplôme-là ne m'est pas d'une grande utilité. Il n'y a plus personne qui a les moyens de se faire construire une maison. Ni même de la modifier.

— C'est peut-être tout simplement que tu n'étais pas au bon endroit en ces temps de noirceur économique, constata Victoire en balayant l'air du bout des doigts avec une curieuse nonchalance.

À croire qu'elle avait une solution à ce problème-là aussi! Interloqué, le souffle court, Paul dévisageait la meilleure amie de sa mère sans oser intervenir.

— J'ai ma petite idée là-dessus, ajouta celle qui commençait à être coiffée d'une auréole aux yeux de Paul. Mais trêve de jasette, on a du pain sur la planche…

Victoire était déjà debout, bousculant bruyamment sa chaise, ce qui brisa la bulle de rêve de Paul.

— Je suis votre homme, si je peux m'exprimer ainsi, lança-t-il alors en se relevant à son tour. Dites-moi ce que…

— On s'en va chez moi ! coupa Victoire, pressée de se mettre à l'ouvrage. J'ai tout ce qu'il me faut et je connais ma cuisine comme le fond de ma poche, ce qui n'est pas le cas ici. Ça va être plus facile ainsi… Pour le moment, bien sûr ! Allez, Paul, suis-moi ! On a jusqu'à demain matin dix heures, bien précisément, pour tout préparer afin de satisfaire l'appétit d'une centaine de convives… Tout préparer mais aussi tout livrer ! Tu as déjà confectionné des gâteaux, j'espère, parce qu'aujourd'hui, on a un gâteau de noces à monter, en plus de tout le reste… Ah oui ! Si tu veux, pour cette fois-ci, on va utiliser mes recettes. Question de ne pas perdre de temps. Les heures nous sont comptées ! Rien n'empêche qu'une prochaine fois, on pourrait…

Victoire fut intarissable à partir de la cuisine de l'auberge jusqu'à sa propre cuisine, là où elle récupéra prestement son tablier et en lança un à Paul dès qu'ils furent entrés.

— Désolée pour le tissu à fleurs, s'excusa-t-elle en voyant Paul passer autour de sa taille, comme si de rien n'était, les cordons d'un tablier décoloré d'avoir été trop souvent lavé, rose pâle parsemé de petits myosotis bleus. Ça ne fait pas très masculin.

— Oh, vous savez, je ne suis pas…

L'explication s'arrêta net et, pour cacher la rougeur qui lui montait au visage, Paul se pencha au plus vite sur le gros livre de recettes qui trônait quasiment en permanence sur la longue table en bois verni.

— À la page 201, précisa Victoire tout en ajustant la température d'un des deux fourneaux. Le gâteau jonquille, que ça s'appelle. Pendant que tu prépares la pâte de ce gâteau, une pâte légère comme un nuage, tu vas voir, moi je vais m'occuper des tartes. Aux pommes, au sucre et au citron…

Ça, c'est pour le dîner et le souper de la salle à manger du Manoir. Quatre de chaque... Ah oui! Au besoin, le malaxeur, les spatules et les bols sont dans la grande armoire du fond. Pour le reste, tu auras juste à le demander.

Ce fut ainsi qu'ils passèrent la matinée à travailler, parfois dans un silence concentré et parfois en comparant expérience et recettes.

— Moi, voyez-vous, j'ajoute un peu de vinaigre à ma pâte à tarte, avait souligné Paul entre deux coups de fouet pour monter les blancs en neige afin de confectionner la meringue qui garnirait les tartes au citron.

— Eh ben...

Victoire semblait sceptique.

— Du vinaigre? Drôle d'idée... Bien que... Il me semble avoir déjà vu une recette qui disait justement que le vinaigre...

Victoire avait froncé les sourcils.

Que disait-elle au juste, cette recette? Et dans quel livre l'avait-elle déjà lue?

Sa mémoire étant nettement plus paresseuse qu'auparavant, la vieille dame avait bien vite renoncé à chercher dans ses souvenirs.

— À essayer quand je cuisinerai juste pour nous autres, avait-elle décrété en guise de conclusion. Tu me laisseras ta recette, ça ne me tente pas de fouiller dans mes livres. Si c'est bon, je l'adopterai peut-être. En attendant, vérifie donc les tartes que j'ai mises au four. Il me semble que ça sent les pommes à plein nez!

Paul avait la sensation de remonter dans le temps et de renouer avec l'agrément ressenti à «papoter» avec sa sœur Rose, comme elle le disait elle-même en riant quand ils avaient la chance de préparer un repas ensemble. Au bout de la table, trois superbes gâteaux dorés refroidissaient en attendant d'être glacés. La cuisine sentait bon la vanille et les fruits et Paul était heureux, sans le moindre compromis.

Puis, l'après-midi s'installa à son tour, sur le coup d'une heure sonné à l'horloge du salon, après un bref moment occupé à se sustenter en compagnie de Lionel et de Julien. Un père et un fils visiblement heureux de la présence de Paul sous leur toit, d'ailleurs.

— Quelle belle visite ! avait lancé Lionel en entrant dans la cuisine, tout épanoui de voir que Paul était affublé d'un des tabliers de sa femme, devinant ainsi la raison exacte de cette présence chez lui.

Et les fleurs du tablier n'étaient pas la cause de sa bonne humeur !

Puis, c'était Julien qui était entré, les mains tachées de cambouis.

— Monsieur Paul ! Quelle belle surprise !

D'un seul geste accompagnant le large sourire que le jeune homme avait spontanément affiché, il s'était retourné vers Victoire.

— Je te l'avais dit, n'est-ce pas ? Mon ancien logeur est un très bon cuisinier.

— En effet, mon fils, en effet.

Peu encline à admettre s'être trompée, surtout devant son fils, Victoire était tout à coup bourrue. Elle posa un peu brusquement un lourd chaudron de soupe sur un coin de la table et quelques gouttes couleur tomate s'égaillèrent sur le blond du bois de la table.

Puis, bonne joueuse, elle fit amende honorable, en essuyant le petit dégât avec un coin de son tablier. Victoire était incapable de rester boudeuse longtemps.

— D'accord, je te donne raison, admit-elle simplement. Paul est un excellent cuisinier. C'est pas sorcier à comprendre. Regarde les trois gâteaux au bout de la table... Maintenant, va te laver les mains. Tu sens la vieille huile et la gazoline jusqu'ici! On passe à la table. Soupe aux légumes réchauffée et pain d'hier matin. Je n'ai pas eu le temps de faire mieux.

Glaçage des gâteaux, assemblage de la pièce montée et garniture de fantaisie pour les petits fours, de une heure à cinq heures, Paul ne vit pas le temps passer.

— Je n'aurai jamais fait autant de pâtisseries en même temps de toute ma vie!

— Attends de voir, le jeune! Ce n'est qu'un début... La pâtisserie a été mon lot à moi. C'est la base de ma compagnie.

Malgré la fatigue qui se lisait dans son regard, Victoire était souriante. Elle aussi, elle avait passé une très belle journée. Elle était surtout soulagée de voir que, dorénavant, elle ne serait plus seule dans sa grande cuisine.

— Puissiez-vous dire vrai, Victoire! s'exclama Paul devant la réplique de l'amie de sa mère. Des journées comme aujourd'hui, j'en prendrais treize à la douzaine! Si vous saviez comme j'aime ça!

— Je m'en doute un peu, répliqua Victoire, malicieuse. Tu l'as d'écrit sur le visage que tu es heureux comme un poisson dans l'eau!

À quoi Paul répondit comme à l'accoutumée, en rougissant comme une tomate.

Puis, on s'entendit sur la livraison.

— Pour une fois, je n'aurai pas besoin de faire appel à Gonzague Gendron.

— Pourquoi?

— Parce que grâce à toi, je suis devenue indépendante de transport à partir du moment où tu m'as dit que tu aimais cuisiner! Ton auto va reprendre du service, mon Paul! Tu vas me sortir ça des boules à mites, cette machine-là, et demain, à la première heure, tu viens me chercher pour aller au Manoir.

— Ouais… Ça serait peut-être une bonne idée, d'être indépendant de transport, mais je ne sais même pas si elle va vouloir démarrer, la machine, comme vous dites. Ça fait des mois que mon auto est entreposée à l'humidité, dans le hangar derrière l'auberge.

— Et alors ?

Victoire haussa une épaule avec nonchalance.

— Si tu as des problèmes, tu appelleras mon Julien à ton secours.

— C'est vrai qu'avec Julien…

— Et voilà ! Tu vois ? On était fait pour aller ensemble, toi et moi. Tout se place tout seul depuis ce matin.

— C'est vrai qu'on s'est bien entendus.

Ce ne fut qu'en fin de journée, alors que Paul s'apprêtait à regagner ses pénates, fourbu mais heureux, que Victoire revint sur l'autre sujet qui avait été abordé tôt le matin, au moment où elle était toujours dans la cuisine de l'auberge.

— Et maintenant, on va parler architecture.

Épuisé, Paul se tourna vers Victoire. Il n'avait surtout pas envie de se lancer dans une longue conversation sur les mérites de son ancienne profession. Pour lui, l'architecture était chose du passé, d'autant plus qu'il venait de vivre une merveilleuse journée aux côtés de Victoire.

Pourquoi vouloir autre chose, pourquoi chercher ailleurs ?

— Est-ce vraiment nécessaire de parler de ça maintenant ? demanda-t-il, une main sur la poignée de la porte.

— Pourquoi pas ? Tu es trop fatigué ?

— Un peu oui… Ces derniers mois, j'ai été plutôt oisif et d'avoir travaillé comme ça, depuis le matin…

Paul ébaucha un sourire un peu las.

— À vrai dire, je suis épuisé !

— N'empêche…

Assise à la table, Victoire levait un regard sérieux vers Paul. Devant elle, une jolie théière de porcelaine laissait monter un fin panache de fumée blanche tout en infusant le thé. Après une longue journée d'efforts, l'heure était à la détente et Paul avait bien l'intention d'en profiter. Mais alors qu'il allait demander à Victoire de reporter la discussion au lendemain, après tout, ils devaient se revoir dès le matin, Victoire insista.

— Je te demanderais un petit effort, mon Paul. Un dernier, promis. Demain, quand on va être à La Malbaie, il y a quelqu'un que j'aimerais te présenter. Si tu es d'accord, bien sûr. C'est pour ça que je veux parler d'architecture, maintenant, avec toi.

Retenant un soupir de lassitude, tant à cause de la fatigue qui était la sienne que devant l'inutilité qu'il voyait à parler de son ancienne profession, Paul revint sur ses pas et s'installa devant Victoire. Après tout, c'était grâce à elle que cette nuit, il allait enfin bien dormir. Il lui devait bien ça !

— Que voulez-vous savoir ?

— Si des clients se présentaient chez toi, avec un projet sérieux, j'entends, est-ce que tu accepterais de te repencher à nouveau sur ta table à dessin ?

— Mon Dieu…

Paul était hésitant. Bien sûr, ce n'était pas parce qu'il préférait cuisiner qu'il détestait le dessin. Quand même… Au fil des ans, il avait tiré une grande fierté à voir des maisons se dresser, grandes et belles, sachant qu'elles étaient nées de son imagination.

Il leva alors les yeux vers Victoire qui, image incarnée de la patience, attendait calmement une réponse, ses deux mains entourant la théière comme si elle avait besoin de se réchauffer. Pourtant, le soleil couchant qui inondait la cuisine avait encore des tiédeurs confortables.

— Compte tenu des circonstances, commença Paul avec une légère hésitation dans la voix, je crois que je dirais oui même si, à première vue, je préfère et de loin me retrouver dans une cuisine.

— Bonne réponse, le jeune.

Victoire se redressa, et, comme si elle attendait cette réponse pour agir, elle versa le thé dans une jolie tasse, fleurie elle aussi, tout comme ses tabliers.

— J'ai toujours considéré qu'il ne faut jamais mettre tous ses œufs dans le même panier, argumenta-t-elle après avoir prudemment siroté une gorgée. Et toi, vois-tu, tu as ce privilège incroyable de pouvoir varier tes occupations… C'est rare, par les temps qui courent…

Paul approuva d'un bref mouvement de la tête. Sous cet angle, la situation qu'il apercevait comme précaire devenait avantageuse.

— Effectivement, vu comme ça, approuva-t-il en écho à ses pensées. De toute façon, tout ce qui peut me rapporter un peu d'argent sera le bienvenu.

— Voilà qui est bien parlé! C'est terre-à-terre, j'en conviens, mais c'est encore la meilleure façon d'assurer le toit sur la tête et le pain sur la table. C'est un peu comme ça que j'ai géré ma vie et je ne le regrette pas. Alors, demain, je vais te présenter un vieil ami.

Toute fatiguée qu'elle puisse être, Victoire s'emballait.

— Un Américain que je connais depuis des années, précisa-t-elle. Ça doit faire plus de trente ans qu'il vient chaque année dans la région. Il est présentement ici, il loge au Manoir. Mon défunt mari, Albert, s'entendait à merveille avec lui quand venait le temps de disputer une partie de dames… Tout ça pour dire qu'Arnold, c'est le nom de mon ami, parle depuis quelques années de se faire construire une maison à Pointe-au-Pic. Il a même acheté un terrain. Je crois qu'il serait heureux de te rencontrer. Il n'arrête pas de dire que le jour où il trouvera quelqu'un capable de voir à son projet de A à Z, quelqu'un de la région, là-dessus il est formel, il commencera la construction de sa maison. Je crois bien que ce jour-là est arrivé. Il n'y a que lui qui ne le sait pas pour l'instant !

Paul expira bruyamment, conscient qu'il venait de donner son accord à une entreprise qui l'engagerait, lui, ses énergies et son temps, ailleurs qu'à l'auberge qui pourtant nécessitait beaucoup de soins et d'amour pour prendre son envol.

Mais comme l'auberge ne rapportait rien pour l'instant...

— Si vous le dites... C'est vrai que j'ai souvent supervisé des chantiers et que j'en tirais un certain plaisir. Ça c'est quelque chose que je peux faire. Par contre, je n'ai rien ici pour préparer des plans. Je n'en voyais pas l'utilité, alors tout est resté à Québec.

— Détail ! Tu n'auras qu'à aller chercher ce dont tu as besoin si jamais tu t'entendais avec Arnold... Et tu pourrais en profiter pour rapporter en même temps quelques cartes d'affaires. Tu dois bien avoir ça, non ? On pourrait en distribuer dans quelques points stratégiques. On ne sait jamais sur quoi ça pourrait déboucher. Arnold n'est pas le seul Américain à revenir dans la région tous les ans. À croire que la dépression ne les a pas touchés.

Paul regarda Victoire sans réagir. C'était trop en même temps !

C'était à la fois décevant et attirant.

Décevant parce qu'il avait tant espéré voir son avenir changer, et que pour l'instant il n'en était rien, mais attirant en même temps, car non seulement le nuage noir de ses finances, cette coupole de malédictions qui planait au-dessus de sa tête depuis tous ces derniers mois, lui semblait tout à coup un peu moins sombre, mais en plus, il aurait l'obligation de se rendre bientôt à Québec.

Le nom de Réginald, immanquablement associé à celui de la ville, lui fit aussitôt battre le cœur.

Si tout se passait bien demain, si la rencontre avec ce monsieur Arnold était concluante, il aurait la chance de revoir son ami dans un délai que ce matin il n'aurait jamais pu imaginer.

Brusquement, Paul se surprit à espérer que cet éventuel contrat d'architecture ne soit pas qu'une illusion. Après tout, il avait toujours aimé dessiner, non?

Et ça ne serait qu'en attendant!

Sur ce, Paul rendit son sourire à Victoire.

— D'accord, je me fie à vous. Si cet homme est intéressé par mes services, je vais tout tenter pour le satisfaire.

À ces mots, Victoire assena une petite tape sèche sur la table avant d'offrir un sourire radieux à Paul.

— À la bonne heure! Tu ne regretteras pas cette décision-là, j'en suis certaine. Et veux-tu que je te dise? C'est ta mère qui va être contente... Si tu savais comme elle est fière de son fils architecte!

— Ah oui?

— Comment peux-tu en douter... Bien sûr qu'elle est fière de toi. Très fière, même. Tout comme ton père, d'ailleurs. Maintenant, file chez toi, le jeune. Et n'oublie pas! Tu as une auto à sortir des boules à mites.

Le lundi suivant, très tôt le matin, Paul quittait Pointe-à-la-Truite en direction de Québec. Le contrat était signé et Arnold Brown attendait une première ébauche des plans avant de quitter la région pour retourner à Boston.

Paul était accompagné de sa mère, Alexandrine, qui profitait de ce transport inattendu pour rendre visite à sa fille Justine, récemment installée dans un petit logement qui, lui, était idéalement situé à deux rues à peine de celui qu'elle avait longtemps partagé avec Marguerite.

— Tu parles d'un adon! Avec sa petite sœur pas trop loin, c'est sûr que Marguerite va se sentir moins seule! Surtout que toi, t'es plus là, vu que t'es revenu à la Pointe… Ça serait bien que notre Justine m'annonce qu'elle est en famille… Tu penses pas, toi? D'un autre côté, ils viennent juste de se marier, Armand pis elle. Faudrait peut-être leur laisser un peu de temps avant de penser à la famille même si notre Justine a plus vingt ans… Ça a été une belle noce, hein, Paul? Une ben belle noce… Il faisait tellement beau pis chaud, avec juste ce qu'il faut de brise venue du large pour nous rafraîchir. Merci d'avoir pensé à nous recevoir comme ça, dans ton auberge… Ça me fait tout drôle de penser qu'astheure, l'auberge est à quelqu'un de la famille. Pis je te savais pas si bon cuisinier… Dommage que Marguerite soye tombée malade juste à ce moment-là, tu trouves pas toi? Pauvre Marguerite! Une grosse bronchite en plein été… Curieux…

Comme un papillon butine un champ de fleurs, Alexandrine passait d'un sujet à l'autre sans suite logique.

— … Pis me voilà en route pour Québec, poursuivit-elle au moment où, du haut de la côte, avec la pointe de l'Isle-aux-Coudres à sa gauche, elle venait d'apercevoir le clocher de Baie-Saint-Paul… J'avais pas prévu ça pantoute. C'est de la conserve que je devais faire avec Augusta, cette semaine, pas un voyage à Québec. N'empêche que c'est pas désagréable… Pas désagréable pantoute.

Puis, une fois Baie-Saint-Paul dépassé, le ton avait changé.

— M'entends-tu parler? Une vraie pie… À toi, astheure.

— Quoi moi? J'ai pas grand-chose à dire, tu sais.

— Ben voyons donc! Tout le monde a quelque chose à dire, tout le monde! Alors, je répète: pis toi, mon grand, comment ça va?

Mon grand…

Cela faisait des années qu'Alexandrine n'avait pas employé ces quelques mots en s'adressant à son fils et Paul en fut tout ému. Il faut dire que ce n'étaient ni l'amour ni la tendresse qui avaient été à l'honneur dans sa vie ces derniers mois, alors que le silence de la grande maison où il habitait rendait sa solitude encore plus lourde à supporter. C'est pour cette raison qu'un rien lui faisait débattre le cœur depuis que Victoire s'était présentée dans sa cuisine. Comme si l'espoir était enfin permis. Les mots de sa mère eurent ce même effet de baume sur une plaie. Mais de là à en être capable d'en parler…

— Ça va, bougonna-t-il, agrippé à son volant, essayant tant bien que mal de cacher ses émotions. Tant qu'on a la santé, ça va, n'est-ce pas ?

— Non, non, Paul. C'est pas ce que je veux dire. T'es en santé, je le sais. Juste à te regarder, on voit ben.

— C'est quoi, alors ?

— C'est toi, Paul. C'est de toi que je veux parler. Juste de toi pis de ta vie. Comment elle va, ta vie ? On peut pas dire que les amis se bousculent à ta porte, n'est-ce pas ? Comment tu te sens, tout seul dans la grande maison de la mère Catherine ? C'est tout un changement, ça, pour quelqu'un qui habitait en ville depuis tant d'années.

Paul se renfrogna de plus belle, jouant du frein et de l'accélérateur pour expliquer ce subit retrait silencieux de sa part. Il se sentait désemparé parce qu'au moment où sa mère avait dit « amis », lui avait compris « jeunes filles ».

Paul poussa un discret soupir.

Ça ne serait pas la première fois que le sujet serait abordé entre eux et l'habituelle excuse du surplus de travail ne tenait plus la route. Que répondre, alors ?

Paul n'osa tourner les yeux vers Alexandrine qui avait le curieux pouvoir de lire en lui, parfois, comme dans un grand livre ouvert.

Comment dire à sa mère qu'il avait l'impression de voir sa vie s'effilocher comme une vieille couverture? Bien sûr, il y avait Victoire et tous ses projets. Mais cela suffirait-il à son bonheur?

Paul en doutait. Il avait peur d'avoir mal comme jamais il n'avait eu mal. Pire qu'au jour de la mort de son frère Joseph, peut-être. Comment expliquer que s'il espérait que sa maison se vende pour régler une partie des problèmes financiers qui l'accablaient, et de cela non plus il n'avait jamais vraiment parlé, cette même vente le terrorisait, car il craignait d'y perdre Réginald? Tant que son amant, son amour, habitait sous son toit à Québec, Paul gardait un lien tangible avec lui, l'espoir bien fragile mais réel qu'ils soient à nouveau réunis au quotidien, mais le jour où la maison serait vendue…

Réginald pourrait-il venir le rejoindre et habiter avec lui à l'auberge de la Pointe? Rien n'était moins certain. Alors, au-delà des projets qui se dessinaient devant lui, Paul restait inquiet.

— La route est difficile, ici, fit-il subitement tandis qu'un long frisson secouait ses épaules, à la simple pensée qu'il puisse être définitivement séparé de Réginald.

— Essaye pas de noyer le poisson, mon fils. C'est pas de ça qu'on parlait.

Du coin de l'œil, tout au long de la réflexion de son fils, Alexandrine s'était aperçue qu'il s'était mis à virer à l'écarlate, signe chez lui qu'il était mal à l'aise.

Elle avait donc vu juste en suscitant cette petite discussion.

Pour que Paul soit embarrassé, il fallait qu'il lui cache quelque chose, ce dont Alexandrine se doutait depuis longtemps.

Mais de là à savoir quoi…

S'enfonçant dans la banquette de l'auto, Alexandrine laissa le silence s'installer tranquillement entre son fils et elle. Paul était ainsi fait : il avait besoin de temps pour réfléchir avant de parler. Par contre, les premiers pas étaient faits, la perche était tendue. Pour Alexandrine, c'était là l'essentiel.

Cela faisait plusieurs semaines qu'elle espérait une conversation comme celle qu'elle venait d'amorcer. En fait, depuis que Paul était revenu à la Pointe, elle l'observait et c'est le cœur gros qu'elle avait compris que son fils n'était pas aussi heureux qu'il en donnait l'impression. Bien sûr, il semblait content de la voir régulièrement, de jardiner et de discuter cuisine avec elle. C'était là l'occasion de parler de leur chère Rose partie trop vite, emportée par la grippe espagnole, il y avait de cela plus de dix ans, maintenant. Mais au-delà de ces petits plaisirs quasi quotidiens, de ces petites rencontres où l'on parlait de choses et d'autres sans grande importance, il y avait une tension chez Paul qu'Alexandrine essayait de comprendre. Une tension qui, selon son intuition, allait beaucoup plus loin que le simple fait de voir une profession appréciée devenir brusquement inutile. Beaucoup plus loin qu'un évident manque à gagner.

Paul n'était pas tout simplement déçu ou humilié par un quelconque revers financier, il était malheureux, profondément inquiet, et Alexandrine voulait savoir pourquoi.

Assis chacun à un bout de la longue banquette recouverte de tissu élimé, au gris fané par le temps, Alexandrine et Paul fixaient la route en lacet qui montait et descendait au gré des collines. Alexandrine attendait que son fils se décide à parler et Paul, perdu dans ses pensées, conduisait distraitement, par habitude.

Comment peut-on annoncer à sa mère qu'on est amoureux d'un autre homme ? Parce que c'était là ce dont il avait envie de parler. Comment expliquer ce qui pourrait paraître inexplicable sans blesser ? Car pour Paul, il ne faisait aucun doute que sa mère serait déçue. Elle le taquinait trop souvent au sujet de ses blondes inexistantes pour qu'il en soit autrement. Et que dire de son père ! Pourtant, Dieu lui était témoin qu'il en rêvait, de ce moment de confidence, et ce, depuis les premiers temps où Réginald était entré dans sa vie. Combien de fois avait-il imaginé sa mère lui ouvrant tout grand les bras à la suite de l'aveu de cet amour qu'il lui fallait cacher ? Les mots à dire, il se les était répétés jusqu'à les savoir par cœur, puis à cause de la peur qui lui tordait le ventre, il les avait oubliés.

Pourquoi prendre le risque d'être perdant ?

C'était un fait dont Paul était douloureusement conscient : être rejeté par sa mère lui serait pénible, presque aussi difficile à accepter que de voir Réginald s'éloigner de lui. Plus que d'être renié par son père dont il s'était détaché, comme par instinct, après le décès de son frère Joseph, sans qu'il ait jamais vraiment su pourquoi, d'ailleurs. Peut-être à cause de cette culpabilité maudite qui l'empêchait de se confier, peut-être aussi à cause de l'horreur qu'ils avaient vécue, l'un comme l'autre, son père et lui, et qu'ils voulaient à tout prix oublier.

Peut-être.

Finalement, les années avaient passé, Paul était devenu un homme et, entre hommes, on ne parle pas de ces choses du cœur. Alors, ne restait plus qu'Alexandrine. Paul savait bien que sa mère était inquiète devant ce célibat qui n'en finissait plus. Il aurait tant voulu la rassurer, lui dire qu'il était heureux avec Réginald tout comme elle-même l'était avec son Clovis. Paul avait toujours été sensible aux émotions, à leur expression, et il savait que ses parents étaient toujours profondément amoureux l'un de l'autre. Le passage du temps n'avait rien détruit de cette passion qui était la leur, cela se voyait dans leur regard, certains matins au déjeuner. Alors, peut-être que sa mère comprendrait que Réginald était celui que son fils avait choisi et que leur vie à deux était celle qu'il avait voulue même si ce choix pouvait sembler difficile à comprendre pour la plupart des gens.

Que des mots à mettre les uns à la file des autres, n'est-ce pas? Uniquement quelques mots tout simples...

Mais Paul n'y arrivait pas. Il y pensait depuis des années et des années et il n'y arrivait toujours pas.

Si parfois quelque formulation lui venait à l'esprit, quand venait le temps de l'exprimer à voix haute, elle restait prisonnière dans un recoin de son cœur et la peur de se voir rejeté s'occupait du peu de courage qu'il ressentait, une hardiesse qu'il voyait comme bien maladroite et qui était aisément effacée par un simple battement de cœur plus intense, presque douloureux.

Et voilà qu'en ce moment, c'était Alexandrine qui lui tendait la main. Sans le savoir, probablement. Pourtant, par sa toute petite question, elle avait ouvert la porte aux confidences. Paul n'avait qu'à l'emprunter pour être enfin libéré de son fardeau, ce si lourd silence entourant ses amours.

Un mot peut-être suffirait. Un nom...

Le mutisme persistant de Paul fut le témoin le plus éloquent de son désarroi et Alexandrine le respecta. Elle avait toujours respecté ses enfants.

En haut de la longue et abrupte côte menant à Saint-Joachim et à Beaupré, celle que d'aucuns appelaient la côte de la Miche[1] allez donc savoir pourquoi, ce fut à ce moment-là

---

1 Veuillez prendre note, et ici je m'adresse aux puristes de l'histoire, que j'ai sciemment devancé la construction d'une route du Québec. En effet, en 1932, la côte de la Miche n'existait pas, mais aux fins de l'histoire, je l'ai mentionnée comme étant présente. Désolée pour ceux que ça incommoderait!

que Paul ressentit l'urgence de dire quelque chose, juste pour faire comprendre à sa mère qu'il ne fermait pas complètement la porte.

Il n'était tout simplement pas prêt.

Au loin, on apercevait la ville de Québec et ses quelques hautes cheminées d'usine qui pointaient vers le ciel, crachant une fumée qui passait du blanc vaporeux au gris charbon. Cette image lui fit penser à Marguerite et Justine qui, toutes les deux, travaillaient justement en usine à la Rock City. Sans qu'ils en aient jamais parlé entre eux, Paul savait pourtant que ses sœurs avaient compris depuis longtemps les liens qui l'unissaient à Réginald. Elles ne lui en avaient jamais tenu rigueur. Elles ne lui avaient jamais fermé leur porte.

Alors, pourquoi en serait-il autrement avec ses parents ?

— J'ai hâte d'être chez moi. Je m'ennuie, tu sais. Beaucoup.

La voix de Paul était rauque, chargée de ce trop-plein d'émotion qu'il ressentait. Au bout d'un court silence, celle de sa mère, en contrepartie, ne fut qu'un simple murmure.

— Ah bon.

À peine quelques mots, de part et d'autre, qui semblèrent tomber dans le vide. Puis, le silence reprit aussitôt ses droits sans autre forme de discussion. Alexandrine avait-elle compris ce que Paul tentait péniblement de lui dire ? Était-elle en train de réfléchir pour donner un sens à ces quelques mots ? Paul osa croire que oui et il sut que oui quand sa mère ajouta, longtemps plus tard, une fois qu'ils furent arrivés devant la maison de Marguerite :

— Tu salueras Réginald pour moi et pour ton père. Nous aussi, tu sais, on s'ennuie beaucoup de lui. Ça fait longtemps qu'il n'est pas venu à la maison.

Ce serait tout, mais aux yeux de Paul, c'était déjà beaucoup.

Paul aida sa mère à sortir sa petite valise du coffre de l'auto, ils s'embrassèrent sur les deux joues comme ils l'avaient toujours fait quand ils se quittaient et, droite comme un I, Alexandrine remonta l'allée bordée d'une petite clôture blanche qui menait à la porte peinte en bourgogne et dont elle avait la clé.

C'est Marguerite qui serait surprise de trouver sa mère chez elle quand elle reviendrait de son travail, en fin de journée.

Fébrile de toutes les émotions qu'il était en train de vivre, pressé de retrouver sa maison et son ami, Paul regagna sa voiture et il se dirigea aussitôt vers le pont menant à Saint-Roch. Dans quelques minutes, là tout en haut de la côte, il serait enfin chez lui.

Et comme habituellement, le lundi était une journée de congé pour Réginald…

Il conduisit jusqu'à la rue Saint-Jean, puis emprunta le chemin Sainte-Foy en sifflotant. À deux, Réginald et lui, ils finiraient bien par trouver une solution, n'est-ce pas ?

Sa joie se transforma en inquiétude dès qu'il vit les deux autos stationnées dans la rue, juste devant l'immeuble.

Pourquoi ? Qui donc était chez lui ? Réginald avait-il des amis inconnus de lui ? Profitait-il de la maison pour mener grand train ?

Ça expliquerait pourquoi l'immeuble n'était toujours pas vendu.

L'inquiétude fut si grande, tout à coup, que Paul en oublia que la maison était à vendre, justement.

Partagé entre tristesse, jalousie et colère, Paul resta un long moment immobile, assis derrière le volant. Puis, incapable de se résoudre à partir sans en avoir le cœur net, il descendit de l'auto et emprunta silencieusement l'escalier qui menait chez lui. S'il était pour avoir une vision de cauchemar en entrant dans sa maison, au moins, aurait-il l'effet de surprise à son avantage et il ne perdrait pas la face.

Tout en montant chez lui, c'est ce que Paul se répétait : ne pas perdre la face. Surtout ne pas perdre la face et garder sa dignité... Le peu qui lui restait.

En réalité, il avait le cœur en lambeaux.

À deux reprises, il eut envie de rebrousser chemin.

— Ce qu'on ne sait pas ne fait pas mal, répétait souvent Alexandrine.

Peut-être. Mais pour l'instant, Paul en savait trop et ne savait rien en même temps. Alors, il monta jusqu'à la dernière marche, longea le perron...

Il n'avait pas ouvert la porte que la voix de Réginald lui parvenait.

— Comme vous le voyez, c'est une belle grande maison, bien entretenue. Pis si jamais vous avez envie, vous aussi, d'avoir des locataires, propres de leur personne, ben, moi, je peux venir avec les meubles.

En ce moment, la voix de Réginald portait dans les aigus comme jamais Paul ne l'avait entendue. Une voix pointue, presque criarde.

En ce moment, Réginald n'était qu'une caricature de lui-même. Une caricature qui se mit à rire avec exagération comme s'il venait d'énoncer une bonne blague.

Paul n'eut aucune difficulté à imaginer Réginald, les mains sur les hanches, le soupir facile et bruyant, les paupières battantes, minaudant comme jamais il n'avait minaudé.

Alors, Paul comprit.

Sa propre détresse, son ennui de l'autre et sa peur incontrôlable de l'inconnu, Réginald les vivait lui aussi. À sa façon. S'il était prêt à se parodier lui-même, quitte à essuyer moquerie et mépris, c'est que Réginald était, tout comme lui, profondément malheureux. Paul le connaissait suffisamment pour en être persuadé.

Et si, du même coup, cette parodie permettait de ne pas vendre la maison…

Les pensées défilaient dans l'esprit de Paul à une vitesse vertigineuse.

En effet, qui voudrait du domicile de deux tapettes, comme on l'entendait fréquemment, n'est-ce pas ?

Car pour ceux qui visitaient l'immeuble, aucun doute n'était permis : l'attitude de Réginald était trop éloquente. Probablement que Réginald espérait qu'en agissant ainsi la maison en serait stigmatisée et qu'elle resterait invendue.

Ce fut sur cette pensée que Paul se décida à ouvrir la porte. Tant pis si sa présence pouvait incommoder d'éventuels acheteurs, il se tiendrait aux côtés de Réginald et cette présence serait sans équivoque.

Et tant pis si, encore une fois, la maison ne se vendait pas, car pour Réginald comme pour Paul, c'était leur maison et ils y étaient heureux.

Ailleurs, ils ne savaient pas ce qui les attendait. Surtout, peut-être, si cet ailleurs s'appelait Pointe-à-la-Truite.

CHAPITRE 6

Septembre 1932, par un beau matin d'automne, chez Gilberte
qui s'apprête à partir pour l'Anse-aux-Morilles

— Voulez-vous ben me dire ce qui se passe en haut, les garçons ?

Prête à s'en aller depuis un bon moment déjà, sa paire de gants dans une main et son plus beau chapeau bien planté sur sa tête, Gilberte avait haussé le ton pour que sa question rejoigne Germain et Célestin, restés tous les deux à l'étage. Du plat de la main, elle épousseta quelques fils blancs sur un pli de sa jupe, puis elle releva la tête, s'apprêtant ainsi à insister.

— Grouillez-vous, bonté divine ! À l'heure qu'il est, Léopold doit ben commencer à se demander ce qui se passe avec nous autres.

— C'est pas moi, Gilberte, rétorqua Célestin avec une visible inquiétude dans la voix. Non monsieur ! Moi, je suis prêt, pis ma valise aussi. Elle est déjà sur le bord des marches, tu sauras. Non, c'est Germain qui veut pas s'habiller.

— Comment ça, il veut pas s'habiller ?

Irritée par ce léger contretemps, Gilberte laissa tomber son baluchon sur le plancher contre la porte, puis déposa son sac à main et ses gants sur un coin de la table de la cuisine. Elle prit aussi le temps de retirer l'épingle qui retenait son chapeau et elle rangea le tout avec mille précautions à côté du petit sac de perles noires que Lionel et Victoire lui avaient offert à Noël.

Cela faisait si longtemps que Gilberte n'avait pas quitté sa maison pour s'offrir quelques jours de détente qu'elle avait pris soin de porter une toilette soignée.

Une fois ses effets sur la table, elle quitta la pièce et monta rapidement l'escalier qui partait du salon pour se rendre aux chambres. Dans celle des garçons, Germain, boudeur, refusait obstinément de mettre les vêtements que Gilberte avait préparés pour lui. Elle les avait soigneusement déposés au pied de son lit, tout à l'heure au réveil.

— Qu'est-ce qui se passe ici?

Gilberte s'était arrêtée sur le pas de la porte et, poings sur les hanches, de plus en plus contrariée par la situation, elle contemplait la scène.

Assis à même le sol entre les deux lits, toujours en sous-vêtements, Germain respirait bruyamment. À côté de lui, un pantalon entre les mains et le regard effaré, Célestin, lui, semblait dépassé par la situation.

— Tu le vois ben! fit-il, soulagé de voir enfin apparaître Gilberte. C'est pas moi, le problème, c'est lui.

Du pouce, Célestin montra Germain.

— C'est à cause de lui si on est en retard. Oui monsieur! On va pas manquer notre bateau, hein, Gilberte? Je veux donc pas manquer le bateau, moi. Oh non! Antonin m'attend pour manger chez lui. C'est à midi qu'on mange, chez nous, qu'Antonin m'a dit. Quand les cloches vont sonner au clocher de l'église. Pis moi, j'ai promis que je serais là avant les cloches. J'vas pouvoir être là, hein, Gilberte? Faut surtout pas qu'on manque notre bateau parce qu'il faut que j'arrive chez Antonin pis Annette avant les cloches!

— On manquera pas le bateau, crains pas, mon Célestin, le rassura aussitôt Gilberte qui comprenait aisément à quel point son frère était inquiet. Et tu vas être à l'heure chez ton frère.

Pour Célestin, chaque rencontre avec son jumeau, Antonin, était toute une fête, et la moindre anicroche risquant de compromettre leurs retrouvailles prenait des proportions de catastrophe à ses yeux.

— Le bateau partira pas sans nous, promis, répéta Gilberte. Léopold va nous attendre, il me l'a dit. Mais il faut se dépêcher, par exemple.

— Ben dis ça à Germain, pas à moi.

Tandis que Gilberte et Célestin discutaient bateau, ledit Germain, comme s'il n'entendait rien de la conversation, avait commencé à se balancer d'avant en arrière, le regard fixe et les narines dilatées.

À peine un regard sur lui et Gilberte comprit, sans éprouver le moindre doute, que Germain était inquiet, malheureux, mais pourquoi, grands dieux, elle l'ignorait totalement. Ce n'était pas la première fois que son neveu allait entreprendre la traversée du fleuve, tant s'en faut, et, habituellement, il aimait bien se promener sur l'eau, comme il le disait lui-même. Tout comme il semblait heureux, d'ailleurs, une fois arrivé à l'Anse, de rencontrer toute la famille des Bouchard ainsi que son père et ses nombreux frères et sœurs.

Alors, que se passait-il ce matin pour que Germain manifeste une aussi évidente mauvaise volonté ? Cette attitude butée ne lui ressemblait pas du tout.

S'armant de patience, Gilberte fit les quelques pas qui la séparaient de Germain et, à son tour, elle s'installa sur le sol. Il était toujours plus facile pour elle de comprendre et d'expliquer quand elle pouvait regarder Germain droit dans les yeux. Sans se retourner, Gilberte demanda d'abord à Célestin de les laisser seuls. Avec sa manie d'interrompre les conversations à tout bout de champ pour glisser son opinion sur à peu près tout, Célestin risquait de leur faire perdre un temps précieux.

— Descends ta valise, mon Célestin, ça sera toujours ça de gagné. Mets-la dans la cuisine à côté de mon baluchon pis attends-moi là. Ça sera pas trop long.

Quand Gilberte entendit le pas lourd de son frère descendant l'escalier, d'un geste très doux mais ferme, elle prit le menton de Germain entre ses doigts et l'obligea à lever les yeux vers elle.

— Bon! Maintenant, mon beau Germain, tu vas me dire ce qui ne va pas.

Mon beau Germain…

L'expression lui était restée depuis l'enfance de Germain, alors qu'il avait été un mignon bébé. Ses yeux en amande et son petit corps dodu lui donnaient un charme indéniable. Puis, quelques années plus tard, s'il avait été un petit garçon différent, il était quand même resté agréable à regarder.

Aujourd'hui, à l'aube de l'âge adulte, Germain n'avait plus aucune grâce.

Lourd et maladroit, les jambes fortement arquées et la démarche toujours aussi particulière, car il se dandinait comme un canard, Germain portait directement sur ses épaules une tête qui semblait trop grosse pour lui, et sa barbe, qui poussait en épis hirsutes, lui donnait l'air négligé malgré un rasage régulier, effectué sous le regard attentif de Célestin.

— C'est une affaire d'homme, ça, le rasage, avait déclaré Célestin le jour où Gilberte avait acheté un rasoir à Germain. Laisse-moi faire, Gilberte, je suis capable de m'occuper de ça tout seul!

Trop heureuse d'être soulagée de cette corvée, Gilberte avait tourné les talons sans plus d'insistance et, même si parfois le résultat était vaille que vaille, elle ne passait jamais de remarque.

Quant au regard de Germain, il n'était pas aussi lumineux qu'il l'aurait sans doute été s'il n'était pas né avec son handicap. Néanmoins, pour Gilberte, le jeune homme serait toujours son beau Germain parce qu'à lui seul, il était toute la famille qu'elle avait jadis rêvé de fonder. Il était sa raison d'être au quotidien et le but premier de sa vie à long terme.

— Alors, mon grand? Vas-tu finir par me dire ce qui se passe, à matin, pour que tu veuilles pas mettre tes vêtements?

— Veux pas des culottes longues.

Le ton de Germain était bourru, son regard, fuyant, et il secouait la tête comme pour se dégager de l'emprise de Gilberte. À l'inverse, celle-ci semblait d'un calme imperturbable, malgré le bouillonnement qu'elle sentait monter en elle.

C'est que le temps passait!

— Et pourquoi tu veux pas mettre tes culottes longues? insista-t-elle, toujours aussi calmement.

Le ton placide de Gilberte sembla agir positivement sur Germain.

Le jeune homme cessa de se balancer durant un instant. Immobile, sourcils froncés, il cherchait indéniablement les mots pour trouver une réponse à la question de celle qu'il considérait comme sa mère. Puis, d'un coup sec, il réussit à dégager son visage d'entre les doigts de Gilberte et le balancement recommença.

— C'est pas des culottes longues pour un pique-nique, argumenta-t-il. C'est des culottes courtes.

— Mais cette fois-ci, on va pas juste faire un pique-nique, Germain, rétorqua Gilberte. Je te l'ai expliqué, hier soir. On va rester partis pendant deux jours.

— Veux un pique-nique, moi. Pas un… Pas un…

— Pas un voyage?

— Pas un v-o-y-a-g-e.

Le mot semblait difficile à prononcer pour Germain, qui se balança de plus belle. Puis, il poussa un long soupir.

— Juste un pique-nique, maman. Veux pas dormir là-bas.

Cette fois-ci, le ton se faisait implorant.

— Veux juste un pique-nique.

— Eh ben...

L'entêtement de Germain, ce garçon habituellement si souple, si docile, décontenança Gilberte. Il était vrai, cependant, que Germain détestait voir ses habitudes bouleversées. Un rien le déstabilisait, l'oppressait. Alors que les pique-niques faisaient partie de sa vie depuis toujours et qu'il en faisait ses délices, dormir ailleurs suscitait de l'affolement, voire de la panique. Pour Germain, il y avait dans cette perspective de quitter la maison quelques jours une bonne dose d'inconnu et le jeune homme appréhendait l'inconnu. Depuis toujours, peut-être. À preuve, entre l'hôpital où Germain avait passé les premières années de sa vie et le village de la Pointe où Gilberte l'avait emmené, de longs mois s'étaient écoulés avant que Germain cesse de s'éveiller la nuit, angoissé de ne pas retrouver ses repères habituels. Deux nuits ou toute une vie hors des murs de sa maison ne faisaient aucun changement dans l'esprit de Germain. Ne pas dormir chez soi était tout un changement et cela suffisait pour angoisser le jeune homme.

Pourquoi Gilberte n'y avait-elle pas pensé?

Elle résista à l'envie de pousser un long soupir de découragement qui ne ferait qu'augmenter l'inquiétude de Germain, particulièrement sensible aux états d'âme de ceux qu'il aimait.

Mais que répondre maintenant à sa demande de pique-nique alors qu'à l'Anse, tout plein de gens les attendaient avec impatience, à commencer par Prudence, avec qui Gilberte devait avoir une longue discussion, elle l'avait promis. Tout le monde se félicitait de ce séjour prolongé qui permettrait des rencontres plus longues et des invitations à manger. En fait, sans l'avoir dit à personne, Gilberte comptait énormément sur ce petit passage de l'autre côté du fleuve pour l'aider à prendre une décision qu'elle n'arrivait toujours pas à bien cerner.

L'Anse ou la Pointe ?

Gilberte en était toujours au même point. Le pour et le contre, de l'une comme de l'autre option, s'entremêlaient allègrement depuis tout près d'un an maintenant, faisant en sorte qu'elle était toujours aussi indécise.

Ici, à Pointe-à-la-Truite, elle avait un emploi à l'église, un emploi qu'elle affectionnait particulièrement, monsieur le curé étant une personne de bon jugement, capable de rire à l'occasion. Grâce à cela, elle menait une vie tranquille, sans véritable inquiétude, ce qu'elle appréciait grandement, c'était indéniable. Par contre, de l'autre côté du fleuve, il y avait une certaine Prudence avec qui elle s'entendait à merveille, et toute une famille dont il lui arrivait régulièrement de s'ennuyer.

Ici, ses deux garçons, comme elle appelait affectueusement son frère Célestin et son neveu Germain, avaient une vie réglée comme du papier à musique, ce qui, dans les circonstances, leur convenait parfaitement.

Là-bas...

Eh bien, là-bas, Gilberte n'avait pas la moindre idée de ce qui pouvait réellement attendre Célestin et Germain, et c'était peut-être là où le bât blessait le plus. Dans l'esprit de Gilberte, il n'y avait que des suppositions à leur sujet et c'est ce qui retardait sa prise de décision.

Pour Célestin, l'avenir reprendrait probablement là où le passé l'avait envoyé sur l'autre rive. Quoi d'autre ? Il y avait donc de fortes chances pour que le grand gaillard retrouve sa place sur la ferme familiale avec, en prime, la possibilité de voir son jumeau aussi souvent qu'il le voudrait. Serait-ce une bonne chose pour lui? Gilberte l'ignorait totalement. Seul l'avenir pourrait le dire. Célestin avait quand même acquis une bonne dose d'autonomie depuis qu'il s'occupait de Germain. C'était là une équation à ne pas négliger.

Quant à Germain…

Sa situation était plus problématique. Il aimait ses habitudes et il avait ses petits caprices, l'attitude de ce matin en faisait foi. Sachant cela, saurait-il se tailler une place confortable au sein de la famille Bouchard? Combien de temps avant de s'habituer à une nouvelle vie? À moins qu'en cas d'échec sur la ferme des Bouchard, Germain réintègre sa propre famille aux côtés de Romuald, qui était son père et le beau-frère de Gilberte.

À cette pensée, Gilberte ferma les yeux d'épouvante. Tout mais pas ça! Jamais elle ne pourrait vivre au quotidien sans la présence de Germain qu'elle considérait depuis toujours ou presque comme son propre fils.

Et tout ça, c'était sans compter la présence de Lionel, et Victoire, et Julien, et Johnny Boy, et Alexandrine, et Béatrice, surtout, cette petite sœur dont la naissance avait complètement bouleversé sa vie et dont Gilberte était très proche aujourd'hui…

Cette fois-ci, un long soupir lui échappa.

Déménager impliquerait pour Gilberte qu'elle verrait ces gens beaucoup moins souvent, et comme elle appréciait grandement leur présence…

Par contre, à l'Anse, il y aurait Antonin et Matilde à qui elle pourrait rendre visite assidûment; Marius, Hortense et Prudence qu'elle aimait bien et qu'elle côtoierait tous les jours; et son père, dont elle pourrait prendre soin.

À cette dernière pensée, Gilberte esquissa un sourire.

Peut-être bien qu'avec elle, Matthieu Bouchard finirait par céder et qu'il reparlerait, parce qu'ils avaient la tête aussi dure l'un que l'autre et que l'insistance de sa fille Gilberte lui porterait tellement sur les nerfs qu'il ouvrirait enfin la bouche pour lui dire de fermer la sienne.

Peut-être...

Un été passablement chargé, les mariages se succédant à une vitesse folle, à deux et même parfois à trois cérémonies par samedi, avait obligé Gilberte à mettre sa réflexion en veilleuse. «On verra à l'automne», se disait-elle quand son regard bifurquait machinalement vers l'horizon et que, par temps clair comme aujourd'hui, elle apercevait l'autre rive du fleuve avec le clocher de l'église qui chatouillait l'azur du ciel.

C'est ainsi que la belle saison avait fini par passer et que l'automne était arrivé. Gilberte et sa petite troupe n'avaient pu se rendre à l'Anse avant aujourd'hui, au grand désespoir de Prudence, avec qui elle parlait quand même régulièrement, par le biais des téléphones respectifs de Lionel et de Romuald.

— Bonyenne d'affaire, Gilberte! Tu travailles à l'évêché de Québec ou quoi? Me semble que c'est pas mal d'ouvrage, ça, tous ces mariages-là, dans une paroisse finalement pas plus grande que celle d'ici.

— C'est juste que chez nous, durant l'été, on a les touristes, en plus de tout notre monde. Ça fait beaucoup de cérémonies, ça. Pis c'est sans compter les funérailles.

— Ouais...

— Promis, Prudence! À la première fin de semaine sans mariage, pis sans funérailles, comme de raison, parce que je parle même pas des baptêmes où «madame curé» peut prendre ma place, on traverse vers l'Anse, Célestin, Germain pis moi. Pis pour une fois, on va même rester à coucher. J'en ai parlé à mon curé, pis il est d'accord pour que je prenne quelques jours de congé.

— Ben j'ai hâte, tu sauras. Ben ben hâte de vous voir la face à tous les trois.

Ce qui normalement devrait se produire dans les quelques heures à venir pourvu que Germain se décide à enfiler son pantalon.

Gilberte expira bruyamment, impatiente de s'en aller, et elle revint à la chambre où le soleil entrait maintenant à pleine fenêtre.

— Bon, ça suffit ! Vas-tu te décider, mon beau garçon ? Léopold nous attendra pas indéfiniment, tu sais. Pense à la belle promenade sur l'eau que tu vas faire. T'aimes ça, non, aller sur l'eau ? Regarde un peu dehors ! Il fait tellement beau… C'est de valeur de perdre notre temps comme ça.

— Ouais.

— Bon, tu vois !

Lentement, Germain leva la main pour prendre le pantalon que Gilberte lui tendait.

— Veux quand même un pique-nique, s'obstina-t-il tout en glissant un pied dans une jambe du pantalon.

— Promis, Germain ! Si tu fais ça comme un grand, à matin, demain, sans faute, je vais demander à Prudence de nous préparer un bon pique-nique, avec plein de sandwiches aux œufs comme t'aimes, pis on va aller manger tout ça sur la plage de l'Anse-aux-Morilles, tous les deux ensemble.

— Avec des culottes courtes ?

— Avec des culottes courtes !

— Pis aussi le jus qui pique le nez ?

— Pis avec de l'orangeade, oui. Si je me souviens bien, ils ont ça au magasin général, du jus qui pique le nez !

Gilberte aurait promis la lune !

— Maintenant, grouille-toi un peu, mon homme ! Célestin nous attend en bas. On va partir dans deux minutes.

La perspective d'un pique-nique eut l'air d'être suffisante pour calmer les inquiétudes de Germain. En effet, tout au long de la traversée, il resta debout, face au fleuve, le nez en l'air et un sourire ravi sur les lèvres, en compagnie de Célestin qui veillait sur lui comme sur la prunelle de ses yeux. Pour son jeune neveu, le grand gaillard avait fait de gros efforts pour passer par-dessus son habituelle maladresse sur un bateau, lui qui avait longtemps dit qu'il avait les pieds ronds dès qu'il sentait la houle sous ses pas.

Assise dans un coin de la cabine de pilotage, Gilberte, par contre, était loin de partager pareille insouciance. Pour elle, l'attitude de Germain dépassait et de loin un ridicule caprice qu'une banale promesse de pique-nique avait réussi à contenter. À sa manière, le jeune homme avait tenté de lui dire qu'il était malheureux et qu'il avait peur. Certaines conversations entre Célestin et elle l'avaient peut-être rejoint de façon nettement plus précise que tout ce que Gilberte avait pu imaginer.

Alors, pourquoi vouloir tout bouleverser ?

Comme le disait parfois Célestin, en parlant de la Pointe, lui qui était tout aussi indécis que sa sœur sur le sujet : on est pas mal bien ici, non ?

Et si Célestin avait raison ? Après tout, c'était vrai qu'ils étaient bien tous les trois dans leur petite maison de Pointe-à-la-Truite.

Déprimée, Gilberte releva la tête et fixa le ciel qu'elle apercevait à travers un petit hublot juste à côté d'elle.

Pour être honnête, Gilberte devait avouer que si elle hésitait autant, c'était tout simplement par affection pour une dame plus très jeune qui avait été un phare pour elle, au décès de sa mère, Emma. Prudence...

Cette même Prudence les attendait en faisant le pied de grue sur le quai de l'Anse-aux-Morilles, un quai qui commençait tranquillement à perdre de sa prestance, vaincu par les vents et les marées.

— Enfin !

Prudence se précipita vers le bateau et, sans plus de façon, elle enlaça Gilberte jusqu'à lui faire perdre le souffle dès que celle-ci posa un pied sur la terre ferme.

— Si tu savais combien j'avais hâte de te voir, toi !

Puis, Prudence se tourna vers Célestin qui eut droit au même accueil débordant, le temps qu'il se dégage en secouant les épaules et tapant du pied, lui qui détestait la moindre promiscuité. Il annonça du même souffle, comme pour excuser son attitude, qu'il devait tout de suite se rendre chez son frère Antonin.

— Avant les cloches, Prudence. Il faut que je soye chez Annette pis Antonin avant que les cloches se mettent à sonner.

À ces mots, Prudence éclata de rire, se souvenant, subitement, de toutes les petites manies de Célestin.

— C'est ben d'adon, mon Célestin. Je comprends ça. C'est vrai que ça fait un moyen bail que t'as pas vu ton frère. Va, mon homme, va voir ton frère. Nous autres, on se reverra tout à l'heure.

Et tandis que Célestin s'éloignait à grandes enjambées, Prudence se tourna vers Gilberte qui était en train de ramasser leurs légers bagages, à Germain et elle.

Effarouché par l'effervescence bruyante que déployait Prudence, le jeune homme se tenait à quelques pas seulement de sa tante, un peu comme il le faisait enfant lorsqu'il se cachait dans les jupes de Gilberte. Prudence n'insista pas, et elle se contenta de lui sourire avant de lancer, toute joyeuse :

— Maintenant, à la maison ! Hier, j'ai pris de l'avance pis j'ai préparé un bon bouilli avec nos légumes du jardin, une poule de notre poulailler pis une belle fesse de cochon élevé sur notre ferme pis salé par Hortense. C'est en train de réchauffer… Finalement, un dans l'autre, c'était une bonne idée d'avoir des cochons même si ces grosses bêtes-là me font ben peur. Plus que les vaches, je crois ben. Astheure, suivez-moi! Après mes commissions, j'ai laissé la charrette attachée devant le magasin général. C'est comme rien que la jument doit commencer à nous espérer. Depuis le temps qu'elle est là!

Une façon adroite de faire remarquer le retard à l'horaire, Gilberte le comprit sans hésitation, mais elle ne lança pas la discussion. Elle avait eu son lot de négociations pour aujourd'hui!

À son tour, elle fit la route le nez en l'air. Le vent d'ici n'avait pas la même senteur que celui de la Pointe et Gilberte s'en gava au rythme où les souvenirs refluaient. L'église, la longue côte, la croisée des chemins, l'école de rang…

Ici aussi, on pourrait peut-être vivre heureux, non?

Hortense les attendait sur la galerie ceinturant la maison blanche qui avait abrité son enfance. Lorsqu'elle vit sa belle-sœur assise dans le fauteuil jadis fabriqué par Lionel pour leur mère Emma, mise au repos par le médecin lors de la grossesse qui l'avait finalement emportée, Gilberte sentit l'émotion lui monter aux yeux. D'un geste vif, elle essuya la petite larme indiscrète qui se préparait à rouler sur sa joue et elle s'activa aussitôt autour de Germain pour cacher son malaise.

— Viens, mon homme, viens! Tu dois bien te rappeler la maison de ton grand-père Matthieu, n'est-ce pas? Pis ma tante Hortense aussi…

Le repas fut copieux et les conversations, joyeuses. Même Marius avait dérogé à ses sempiternelles habitudes et il était revenu depuis le fond du champ de maïs, en compagnie de son fils Gédéon, pour être présent au repas.

— Ça fait plaisir de te voir, la sœur !

— Moi pareillement. Pis ? Paraîtrait-il que t'as des cochons, astheure ?

Installé à sa place habituelle, au bout de la table, Matthieu épiait la moindre parole qui s'échangeait autour de ce qu'il considérait toujours comme étant sa table, au beau milieu de sa cuisine, à l'arrière de sa maison.

Ici, c'était chez lui, et il en serait ainsi jusqu'à sa mort. Qu'on se le tienne pour dit ! Il n'était pour rien dans tout ce gâchis qui le tenait à l'écart de l'ouvrage, et Marius avait dû finir par le comprendre puisqu'il ne parlait plus jamais d'acheter la terre, comme il s'était entêté à le faire durant les premières années suivant son attaque. Malgré le silence obstiné de son père, Marius était revenu souvent sur le sujet. Puis, un beau matin, il avait cessé, comme ça, apparemment sans raison. Par contre, il apportait dans la ferme et dans la maison toutes les modifications qu'il jugeait à propos sans lui demander son avis. À force d'y penser, et Dieu sait qu'il avait du temps devant lui pour réfléchir, Matthieu avait fini par admettre en son for intérieur que c'était peut-être la meilleure chose à faire. Après tout, le monde changeait, et vite, même s'il le faisait sans lui.

Le nez dans son assiette, Matthieu mangeait avec une certaine adresse, la main gauche ayant appris à être presque aussi habile que l'avait été sa main droite, et l'appétit ne lui faisait jamais défaut. Bien au contraire ! Et ceci expliquant cela, Matthieu en profitait largement, jugeant que c'était, trois fois par jour, un des rares plaisirs de la vie que le Seigneur avait consenti à lui laisser.

Chez lui, la colère était retombée. Depuis le temps…

Bien sûr, il lui arrivait d'être agacé par son immobilité imposée, voire exaspéré à certains moments, mais Matthieu ne s'emportait plus jamais. La maladie lui avait appris une certaine forme de patience et l'index qui auparavant piano-tait furieusement sur le bras de son fauteuil pour montrer sa dissension se tenait désormais sagement sur ses genoux.

Ne restait plus que cette détestable solitude qu'il avait lui-même édifiée autour de sa personne en s'entêtant à ne pas parler. Mais comment revenir sur cette décision ridicule sans perdre le peu de fierté qui lui restait? Matthieu l'ignorait, l'imagination n'ayant jamais été sa force majeure. N'empêche que, par moments, il se faisait l'impression d'être un vulgaire meuble, un meuble embarrassant que l'on déplaçait au gré des heures de la journée ou, pire, au gré de la fantaisie des gens qui papillonnaient autour de lui, libres de leurs allées et de leurs venues, eux.

Cette sensation d'être traité comme un objet lui était rare-ment agréable.

Ce fut ainsi qu'après le repas, alors que Germain montait faire une sieste à l'étage en maugréant – «Veux pas dormir ici, maman!» –, Matthieu se retrouva sous les pommiers sans qu'on ait pensé à lui demander son avis. Néanmoins, comme d'être à l'extérieur lui plaisait toujours autant, il aurait pro-bablement accepté la proposition sans rechigner.

— Une sieste à l'ombre des arbres, c'est toujours ben agréable, disait justement Prudence en ajustant une couver-ture autour de ses jambes. Je le sais que t'aimes ça. Si t'as besoin de quelque chose, t'auras juste à me le faire savoir. M'en vas être juste à côté avec Gilberte. On va s'installer à l'ombre, nous autres avec, proche de la clôture des poules. Tu dois ben te douter qu'on a pas mal de choses à se raconter, elle pis moi. C'est pas des farces, ça fait un an qu'on s'est pas vues. De ton bord, essaye de dormir un peu, mon Matthieu. Ça va te faire du bien.

Comme s'il était fatigué, à ne rien faire de ses grandes journées!

Matthieu ravala son envie de grogner et, en apparence soumis, il baissa les paupières. Sans distraction, il arriverait peut-être à entendre ce que Gilberte et Prudence avaient tant à se dire. Heureusement, comme elle en avait pris spontanément l'habitude, Prudence s'était assise relativement proche de lui.

Après quelques formules de politesse banales, comme si Gilberte et Prudence avaient besoin de ce subterfuge pour engager une conversation plus sérieuse, le sujet du déménagement apparut enfin entre elles. « En effet, se dit alors Matthieu, tout heureux, quoi de mieux, pour occuper le temps, que de discuter d'avenir et de projets ? »

Grandement intéressé, Matthieu tendit l'oreille. Cependant, à cause du bruissement de la brise dans le feuillage des pommiers, il comprit rapidement qu'il perdrait certains mots de la discussion, emportés par le vent, mais dans l'ensemble, il devrait saisir l'essentiel de cet échange.

L'ombre d'un sourire effleura le visage de Matthieu.

Depuis le premier jour où Prudence lui avait dit, entre autres choses, qu'elle aimerait bien que Gilberte revienne à la maison, Matthieu vivait d'espoir. Comme si le fait d'avoir une plus grande partie de sa famille autour de lui allait permettre à sa vie de retrouver une certaine normalité.

Surtout qu'ici, on parlait de Gilberte, n'est-ce pas ?

C'était la seule de ses enfants dont il se souvenait nettement de la naissance, par un clair matin de juin, alors qu'il était revenu des champs à la fine épouvante quand leur voisin, qui était aussi l'époux de la sage-femme, était venu le chercher. Habituellement, les accouchements d'Emma étaient longs et difficiles, et c'est le cœur dans un étau que Matthieu avait suivi son voisin, au pas de course, sur le chemin de traverse qui menait à la maison.

Mais pour une fois, et très curieusement d'ailleurs, à la naissance de Gilberte, tout s'était très bien passé. La petite était déjà née quand il était entré dans la chambre.

Le sourire heureux qu'Emma avait levé vers lui l'avait frappé en plein cœur. Jamais sa femme n'avait été aussi jolie qu'en ce matin d'été où, après avoir donné naissance à quatre garçons en six ans à peine, elle tenait enfin une petite fille dans ses bras. Matthieu se souvenait très bien du picotement qu'il avait senti au bord des paupières et de la gratitude qu'il avait éprouvée envers le Seigneur, si bon à leur égard. Non qu'il n'ait pas été heureux à l'arrivée de chacun de ses autres enfants, cela aurait été mentir que de l'affirmer, mais au jour de la naissance de Gilberte, tout avait été différent. Peut-être à cause de ce moment de grâce entre Emma et lui, de cet instant de communion totale entre eux, alors qu'ils avaient été si rares au cours de leur vie à deux.

Puis, Gilberte avait été la première de ses filles, n'est-ce pas, et elle ressemblait tellement à sa mère…

Ce fut cette même Gilberte, encore presque une enfant, qui avait courageusement pris la relève au décès d'Emma, et ce fut encore elle qui l'avait souvent soutenu lui, le père, dans cette terrible épreuve. Alors, savoir qu'elle reviendrait peut-être vivre à la maison était une véritable joie pour Matthieu, lui qui en avait si peu depuis cette attaque qui l'avait laissé paralysé.

Même que pour avoir sa fille auprès de lui, Matthieu était prêt à accueillir sous son toit ce drôle d'enfant qu'était Germain, celui-là même qui était monté se reposer, tout à l'heure, en pleurant comme une fontaine parce que le lit ne serait pas le sien et qu'il n'aimait pas la chambre.

Toute une crise pour une simple sieste! Si Matthieu avait pu parler, sa voix aurait tonné, sans la moindre hésitation. Mais voilà, il avait choisi de ne rien dire…

À l'époque de la naissance de Germain, on lui avait expliqué que l'âge de Marie, la mère de l'enfant et sa deuxième fille, était la cause probable du fait que ce bébé-là soit né idiot. Matthieu en avait grandement douté. Si c'était aussi vrai que le médecin se plaisait à le dire, alors pourquoi Prudence, qui à l'époque était nettement plus âgée que Marie, avait-elle donné naissance à deux filles en parfaite santé ?

Matthieu en avait alors conclu que le médecin s'était peut-être trompé dans son diagnostic et quand, quelques années plus tard, Marie était décédée subitement, sans raison logique, il en avait eu la certitude. Quoi qu'en dise le médecin, ce n'était pas l'âge de Marie qui avait été la cause de l'idiotie de Germain, c'était son état de santé en général, de toute évidence précaire.

N'empêche que cet enfant-là arrivait régulièrement à le décontenancer. Germain le rendait mal à l'aise et, à chacune de ses visites, il le laissait perturbé. Comme tantôt, à l'heure de la sieste.

Néanmoins, pour avoir Gilberte avec lui, Matthieu était prêt à s'en accommoder.

Le vieil homme entrouvrit les yeux. Depuis quelques instants, absorbé dans ses pensées, il avait perdu le fil de la conversation entre les deux femmes. Il fut rassuré en entendant sa fille éclater de rire en même temps que Prudence. Si celles-ci étaient aussi joyeuses, c'est que tout allait bien, non ?

Rassuré, Matthieu referma alors les yeux et retourna à ses souvenirs.

Des treize enfants qu'il avait eus, tant avec Emma qu'avec Prudence, dix étaient encore vivants et en bonne santé. Une moyenne somme toute raisonnable, estimait Matthieu, qui, sans le laisser voir, avait grandement souffert du décès de Marie, partie sans avertissement ; de celui de Louis, piétiné à mort par un cheval emballé ; et de la façon atroce dont était décédée Clotilde, brûlée vive dans l'incendie de l'école de rang dont elle était responsable. En quelques mois à peine, désemparé, Matthieu avait vu sa famille décimée.

Puis, le temps avait passé, rendant les blessures moins douloureuses. N'empêche que le vieil homme se désespérait de voir si peu souvent les enfants qui lui restaient. « Avoir eu une belle et grande famille, pensait-il amèrement, avoir sué sang et eau pour eux autres tout au long de ma vie, et me retrouver tout seul au bout du chemin. »

En effet, rares étaient ceux qui venaient le voir régulièrement.

Au quotidien, il n'y avait plus que Marius et sa famille à habiter la maison. En soi, une bonne chose puisque plus personne ne parlait de construire une seconde résidence, désormais inutile. Antonin, qui habitait au village, venait prêter main-forte à son frère au besoin et, soyons honnêtes, il pensait régulièrement à son père puisqu'il lui apportait des bonbons clairs et des lunes de miel, un dimanche sur deux. Gérard, lui, habitait le village voisin. Pas si loin que ça, estimait Matthieu. Mais apparemment, Gérard était débordé, car on ne le voyait qu'aux fêtes de fin d'année et à Pâques. Célestin, quant à lui, était probablement celui de ses fils qui lui avait causé la plus grande surprise. En effet, alors que Matthieu le voyait rester avec lui jusqu'à la fin de ses jours, le grand gaillard avait eu l'idée saugrenue de s'établir de l'autre côté du fleuve.

— Comme quoi on peut jamais être sûr de rien, avait alors souligné Matthieu, du temps où il parlait encore tous les soirs avec Prudence.

Quant à Lionel...

Un rictus qui ressemblait à un tic nerveux zébra le visage du vieil homme qui se dépêcha de passer à ses filles.

Aux yeux de Matthieu, les deux plus jeunes, Constance et Fernande, avaient toujours été d'abord et avant tout les filles de Prudence. À l'âge qu'il avait atteint à leur naissance, il s'était spontanément senti plus grand-père que père à leur égard. Aujourd'hui, si l'une habitait au village, pas trop loin, l'autre avait suivi son mari à la ville. De ce fait, Constance avait la chance de revenir régulièrement à la maison, mais c'était surtout pour voir sa mère. Compte tenu des circonstances et de la relation qui avait toujours existé entre eux, Matthieu ne s'en offusquait pas.

Des jumelles, il ne restait plus que Matilde, sa sœur ayant péri dans l'incendie. Était-ce le fait de revoir la maison de leur enfance à deux qui ravivait de douloureux souvenirs ? Peut-être bien, après tout. Mais toujours est-il que les visites de Matilde se faisaient de plus en plus rares.

Quant à Béatrice, Matthieu ne l'avait vue qu'à sa naissance et fort brièvement, d'ailleurs, puisque selon les volontés d'Emma, leur fille naissante avait été confiée à leur amie Victoire pour que celle-ci l'élève comme étant la sienne. On lui avait dit, quelques années plus tard, que Béatrice, tout comme Gilberte, ressemblait étrangement à Emma, leur mère.

Durant un certain temps, la curiosité avait chatouillé Matthieu, puis le bon sens l'avait rattrapé.

De ce jour, Matthieu avait préféré ne pas trop y penser, et c'est pour cette même raison qu'il n'avait jamais visité sa fille. Ce n'était pas par indifférence, comme d'aucuns l'avaient cru et le croyaient encore, mais plutôt par crainte qu'en retrouvant chez elle les traits de sa première épouse, il ait envie de ramener Béatrice à la maison.

En conscience, après y avoir longuement réfléchi, il en avait conclu qu'il ne pouvait faire cela à Victoire. Après tout, de son côté, il s'était remarié et il avait refait sa vie, comme on le dit. Pourquoi serait-il retourné chercher des souvenirs douloureux dans le passé?

Ne restait donc plus que Gilberte.

Sa Gilberte qui, avec un peu de chance, reviendrait bientôt à la maison, redonnant un certain entrain à son quotidien, une envie de se lever chaque matin.

Matthieu poussa un long soupir de contentement et il ouvrit les yeux sur ce beau samedi de septembre où le soleil, presque chaud, était doux comme une caresse.

C'est alors qu'il prit conscience du curieux silence qui enveloppait le verger. Seuls la brise dans les arbres, le chant de quelques oiseaux et le caquètement des poules habitaient l'espace autour de lui.

Matthieu tourna la tête.

À sa droite, tout à côté de la clôture du poulailler, comme dit, les deux femmes étaient maintenant silencieuses. Prudence lui tournait le dos et elle semblait fixer le fleuve qui, d'ici, n'était qu'un étroit ruban scintillant.

Quant à Gilberte, les yeux au sol, elle triturait un coin de sa jupe, un tic qu'elle avait depuis l'enfance et qui dénotait chez elle un grand désarroi.

Que se passait-il, tout à coup?

Tout à ses souvenirs, Matthieu avait perdu le fil de la conversation se déroulant entre Gilberte et Prudence. Ainsi, il ne s'était pas rendu compte que le ton joyeux s'était fait, petit à petit, de plus en plus réservé.

Jusqu'à devenir un murmure.

Jusqu'à tarir complètement.

À voir les deux femmes aussi songeuses, Matthieu en déduisit que Gilberte avait pris sa décision et qu'elle n'était pas favorable, du moins pas dans le sens où lui l'entendait et l'espérait depuis tant de semaines et de mois.

Sa fille ne reviendrait pas vivre à l'Anse-aux-Morilles, Matthieu en fut brusquement persuadé et il sentit son cœur battre furieusement dans sa poitrine. Sa déception était si grande.

La raison de cette décision lui importait peu. Qu'est-ce que ça aurait changé à la réalité ? À sa réalité ?

Pour l'instant, Matthieu comprenait qu'il serait triste et malheureux, et que cela lui pèserait longtemps.

Sa sensibilité exacerbée par ce terrible revers que la vie lui avait réservé en le clouant à un fauteuil roulant et bien que, tout au long de sa vie active, il ait pleuré fort peu souvent, Matthieu sentit les larmes lui monter aux yeux. Il détourna vivement la tête et la laissa retomber, le menton sur sa poitrine.

Si jamais on regardait dans sa direction, on croirait qu'il dormait encore et personne ne viendrait le déranger.

Ce fut ainsi que Célestin retrouva son père.

Le grand gaillard était revenu de son repas chez Antonin, tout heureux du moment passé avec son frère, sa belle-sœur et leur petite famille. Il avait été tout aussi content de retrouver la maison paternelle par la suite.

Il y était entré avec assurance et il s'était secoué les pieds sur le paillasson, renouant spontanément avec ses anciennes habitudes. Il avait ressenti ce phénomène comme étant bien confortable. Même l'odeur qui chatouillait ses narines avait un petit quelque chose de rassurant et Célestin avait pris le temps d'inspirer longuement, deux ou trois fois, en regardant tout autour de lui. Puis, ses pas l'avaient mené directement à la cuisine.

Constatant qu'il n'y avait personne dans cette pièce qui avait toujours été le centre névralgique de la demeure, Célestin en avait déduit que tout le monde était dehors, probablement au verger.

— Quand c'est le temps des pommes, tout le monde va dans le verger, avait-il constaté à voix haute. Surtout quand il fait beau comme aujourd'hui. Oui monsieur!

Le temps de lorgner avec une pointe d'envie la vieille chaise berçante de Mamie, toujours en poste devant la fenêtre, et Célestin était ressorti en trombe de la maison avant de céder à la tentation de se bercer. Il y passerait trop de temps, il le savait à l'avance.

Celle que Célestin aperçut en premier fut Gilberte. Elle était en compagnie de Prudence, et les deux femmes se tenaient effectivement à l'orée du verger.

Par contre, elles étaient plutôt silencieuses, et Prudence n'avait pas l'air particulièrement heureuse, comme il aurait été de mise par une si belle journée.

Et pourquoi rester assise, aussi absorbée par ses pensées, alors que les pommes étaient du plus beau rouge?

— Ben voyons donc! murmura Célestin, tout hésitant.

C'était une journée pour cueillir des pommes, pas une journée pour réfléchir.

Puis, tout comme Matthieu l'avait ressenti avant lui, Célestin eut la brusque intuition d'avoir tout compris.

Gilberte et lui en avaient trop parlé durant l'hiver, puis au printemps, et même durant l'été, pour que ça soit autre chose.

Sa sœur avait enfin pris sa décision et il semblait bien que demain, en fin de journée, ils retourneraient tous à la Pointe.

Et ça serait pour y rester.

Quoi d'autre pour rendre Prudence aussi morose, elle qui était habituellement tout feu tout flamme?

La réflexion de Célestin ne déborda pas de cette limite. En fait, il était soulagé. De toute évidence, Gilberte avait tranché en faveur de la Pointe et comme, depuis quelque temps, il s'en était remis à elle pour prendre la décision les concernant tous, il s'y soumettrait.

— C'est trop mêlé dans ma tête, avait-il avoué au début de l'été en se grattant le crâne frénétiquement, signe que le grand gaillard était dépassé par les événements. Un jour, je veux rester ici parce que je suis pas mal bien dans notre maison. Pis le jour d'après, je veux partir pour l'Anse pour être plus souvent avec Antonin. Un jour, je veux aller voir Victoire pour manger ses biscuits, pis le jour d'après, je pense aux tartes de Prudence... Je le sais pas, ce que je veux, Gilberte. Pas pantoute. Ça fait que décide pour moi... Ouais, c'est toi qui vas décider pour tout le monde. C'est comme ça que je veux ça, moi, pis c'est comme ça qu'on va faire. Oui monsieur !

Et voilà que, devant lui, c'est ce que Gilberte venait de faire : elle avait décidé. Pour Célestin, à la vue de Prudence si songeuse, c'était clair comme de l'eau de roche.

Il n'eut même pas l'idée de se demander s'il était content ou déçu. Peu importe après tout puisque, à partir de maintenant, ils pourraient tous passer à autre chose, et ça, oui monsieur, ça lui faisait grandement plaisir.

Il fit alors un pas en direction de Gilberte, bien décidé à lui annoncer qu'il était content de savoir qu'on passerait à autre chose quand il s'arrêta brusquement, intimidé tout à coup par l'attitude des deux femmes qui, il venait d'en prendre conscience, avaient l'air aussi tristes l'une que l'autre.

Prudence, il devinait pourquoi, mais Gilberte...

Ça se pouvait, ça, être malheureux d'avoir décidé quelque chose ?

Célestin fronça les sourcils, agacé. Il ne comprenait pas. Pourquoi, d'abord, Gilberte avait-elle choisi de rester à la Pointe, et de cela il était convaincu, si c'était pour avoir de la peine ? Elle n'avait qu'à choisir de rester ici, et lui, Célestin, il ne lui en aurait jamais voulu.

Ce problème ne finirait donc jamais ?

Impulsivement, le regard rempli d'attentes, Célestin se tourna vers son père. Quand il était enfant, qu'Antonin était encore trop jeune pour savoir expliquer les choses difficiles à comprendre et que sa mère, Emma, n'était plus là pour le faire, c'était souvent son père qui expliquait les situations. Peut-être qu'en ce moment, c'était encore lui qui saurait dire les choses pour qu'il puisse comprendre ?

Dans le désarroi du moment, Célestin en avait oublié que son père avait un jour choisi de ne plus parler.

Malheureusement, son père semblait endormi. Les jambes enroulées dans un plaid, les deux mains inertes sur les cuisses, le menton sur la poitrine... La brise soulevait une mèche de cheveux qui s'était échappée de sa vieille casquette grise, celle que son père appelait « sa calotte de quêteux », et, curieusement, Célestin eut envie de s'approcher pour la replacer. Ça devait être agaçant, cette mèche qui tournoyait inlassablement contre son front.

Il n'en fit rien, trop intimidé par ce geste attirant mais qui impliquerait une trop grande intimité.

Célestin resta un long moment immobile à regarder son père, espérant un mouvement, un soubresaut. Alors, il pourrait s'approcher.

Au bout de quelques minutes, croyant que Matthieu dormait toujours aussi profondément et comprenant par intuition que ni Gilberte ni Prudence ne lui feraient signe, il rebroussa chemin.

À pas lents, les yeux au sol, déçu par cette journée qui avait pourtant si bien commencé en compagnie d'Antonin, Célestin se dirigea vers la maison.

Puis, il repensa à la chaise de Mamie et le pied se fit tout à coup plus léger, le pas, plus rapide. Les épaules se redressèrent et la tête se releva.

Après tout, ce n'était peut-être pas une si mauvaise idée que ça, rester à la cuisine pour se bercer et réfléchir. Parce que, finalement, c'était bel et bien une journée pour réfléchir, pas pour cueillir des pommes, n'est-ce pas?

Puis, à force de penser à tout ça en se berçant, à force d'user le plancher, comme le disait Prudence en riant, Célestin finirait peut-être par tout comprendre tout seul.

Peut-être.

CHAPITRE 7

Début d'octobre 1932, à Pointe-à-la-Truite,
dans le salon chez Victoire et Lionel

Aussi longtemps qu'elle avait pu le faire, une certaine fierté aidant, car après tout, elle avait toujours cherché à paraître aussi jeune que Lionel, Victoire lui avait tenu tête, ainsi qu'à sa fille Béatrice et à son fils Julien, bien entendu, fustigeant régulièrement l'un et l'autre et s'emportant de temps en temps contre son mari.

— Fiche-moi patience avec ça, Lionel Bouchard, je me sens bien. Ça ne veut pas dire grand-chose, avoir un peu moins d'appétit. Voyons donc ! Ça dit seulement que je vieillis, un point c'est tout. C'est plate, mais c'est ça. Comme médecin, tu devrais savoir ça depuis longtemps. Béatrice l'a bien compris, elle, et elle n'insiste plus. Tu devrais faire comme ta petite sœur, tiens ! Et puis, tant mieux si j'ai maigri, bon sang d'affaire. Tu as passé des années à répéter que mon poids allait me nuire un jour, ne viens surtout pas te plaindre maintenant parce que j'ai pris tes recommandations à la lettre et que j'ai effectivement maigri !

— Il y a maigrir et maigrir !

— Pffft !

Puis, un certain matin au réveil, la douleur avait joué un mauvais tour à Victoire. Elle avait intensifié sa présence au point d'amener la vieille dame à faire fi de son habituelle indifférence aux propos de Lionel qui, lui, de son côté, n'avait jamais cessé de s'entêter : à son avis, Victoire devrait consulter un spécialiste de la ville.

— Bonté divine, Victoire ! Je suis médecin, je dois savoir ce que je dis, non ?

Au bout de plusieurs mois, depuis l'hiver précédent, en fait, et peut-être même l'automne d'avant, Victoire avait enfin décidé d'en tenir compte. À sa manière.

— Disons que je me sens un peu plus fatiguée, ce matin.

On était arrivé à la fin du mois d'août et l'érable au fond de la cour avait déjà commencé à rougir.

Ce jour-là, Victoire s'était levée avec précaution, commençant par se tourner sur le côté avec une infinie lenteur, incapable de retenir une grimace de douleur. Une douleur si intense, si fulgurante, qu'elle en avait fermé les yeux un instant. Lionel, lui, avait sauté du lit dès les premiers mots de sa femme.

— Enfin ! Un peu de bon sens…

Il avait déjà son pantalon entre les mains et, tout médecin qu'il était, ou au contraire, justement parce qu'il était médecin, il jetait de fréquents regards anxieux vers Victoire.

— J'annule tous mes rendez-vous et on va…

— Minute, papillon !

Assise sur le bord du lit, Victoire reprenait péniblement son souffle. Puis, elle avait tourné la tête vers Lionel.

— Je n'ai pas dit que je partais de ce pas pour Québec, comme tu n'arrêtes pas de me le proposer. Je dis simplement que je suis un peu plus fatiguée que d'habitude, que je me sens un peu raide et que je vais m'entendre avec Paul dès aujourd'hui pour qu'il prenne la relève à plein temps. La popote, malheureusement, ce n'est plus pour moi, je viens d'en prendre conscience.

— Il était temps.

Lionel, tant pour donner un peu de poids à ses paroles que pour cacher son émotion, avait utilisé sa voix doctorale, soulignant chacun de ses mots d'un index sentencieux, comme s'il parlait à l'un de ses patients. Un patient particulièrement récalcitrant.

— C'est pour cela que tu vas m'écouter et que tu…

— Pas question, avait coupé Victoire en levant le ton. Pas question que je laisse tomber ma clientèle pour autant. C'est une question de respect.

À croire que Victoire n'avait rien écouté de ce que Lionel avait tenté de lui dire. Elle avait donc poursuivi sur le même ton.

— Paul a tous les atouts dans son jeu pour prendre la relève, à commencer par un talent indéniable pour la cuisine, et surtout par une jeunesse que je n'ai plus. Je vais donc en parler avec lui pour m'assurer que le projet l'intéresse. Et il devrait l'intéresser. Il me semble que ce n'est pas un petit contrat d'architecture qui devrait lui prendre tout son temps ! Puis, la saison touristique achève, on a beaucoup moins d'ouvrage. Je suis certaine qu'il peut y arriver… Il aime tellement ça, cuisiner, cet homme-là ! Plus que moi, je crois bien.

Ce matin-là, tout ce que Lionel avait réussi à lui arracher, c'est que Victoire ne s'éreinterait plus à rouler de la pâte ni à battre les œufs en neige ferme pour tous les hôtels de la région.

— Promis, avait-elle déclaré d'une voix un peu dramatique, une main sur le cœur. Mais pour le reste, on verra plus tard.

« Tout un succès », avait songé Lionel, amer et déçu, en quittant la maison pour aller faire ses visites aux malades.

Le lendemain, moins souffrante, Victoire préparait un contrat de son cru à l'intention de Paul afin que les choses soient claires. Elle espérait sincèrement que celui-ci accepte

de devenir le seul et unique propriétaire de la petite entreprise de pâtisserie qu'elle avait eu l'idée de créer, des lustres
auparavant, uniquement par désennui parce qu'elle passait
ses grandes journées toute seule à la maison, n'ayant eu aucun
enfant avec son premier mari, et qu'elle trouvait le temps
long. En contrepartie, en guise de paiement, elle exigeait tout
simplement que Paul s'engage à respecter la clientèle, comme
elle-même l'avait fait tout au long de sa longue et fructueuse
carrière de pâtissière.

— Maintenant, c'est toi qui décides! Si tu signes ce petit
bout de papier, comme je te demande de le faire, tu deviens
le patron.

En homme pondéré qu'il avait toujours été, Paul avait
senti une petite panique s'emparer de lui après avoir lu le
«petit bout de papier» de deux pages, préparé par Victoire.

En effet, s'il signait ce contrat, en quelques semaines à
peine il passerait de l'oisiveté presque totale à deux emplois
qui bientôt l'accapareraient à temps plein. Architecte et
pâtissier.

De ce fait, il s'engagerait en même temps à rester à la
Pointe pour de nombreuses années encore.

Incapable de passer outre, Paul avait eu alors une pensée
pour Réginald… Qu'adviendrait-il de leurs amours, qui heureusement ne battaient toujours pas de l'aile malgré la distance qui séparait les deux amants?

— Je pourrai au moins vous consulter, n'est-ce pas? avait-
il demandé à Victoire, visiblement bousculé par les événements, la plume entre deux doigts mais hésitant tout de
même à s'engager.

Un grand éclat de rire avait précédé la réponse positive de
la vieille dame.

— Tu vas même me voir tellement souvent que tu vas t'en
fatiguer!

Alors, Paul avait signé, l'envie de se retrouver en cuisine de façon régulière se faisant la plus forte.

Malheureusement, cette promesse d'être présente n'avait été qu'un vœu pieux, modérément respecté par Victoire.

Et ce n'était pas du tout par mauvaise volonté de sa part.

Bien sûr, au fil des dernières semaines, il y avait quand même eu quelques occasions où la vieille dame avait donné son avis, elle qui connaissait les préférences et les caprices de tout un chacun, elle qui avait veillé sur sa clientèle, au fil des ans, comme une mère poule veille sur sa progéniture.

Oui, Victoire avait été là pour Paul, trois ou quatre fois peut-être. Mais la nuit dernière, à ne pas dormir à cause d'une douleur très vive au côté, un élancement qui irradiait dans tout son ventre et même jusqu'à son dos, Victoire avait compris qu'elle ne pourrait jouer la comédie beaucoup plus longtemps.

Pour la cuisinière, le dernier tour de piste était terminé et le rideau était en train de tomber pour de bon. Victoire venait d'en prendre douloureusement conscience.

Elle s'était relevée péniblement pour se rendre à l'office où Lionel gardait ses médicaments afin de lui « emprunter » un peu d'aspirine, question de faire passer le plus gros de la douleur qui la sciait en deux. Incapable de se figurer en train de remonter à l'étage des chambres parce qu'elle avait les jambes flageolantes, Victoire s'était laissée tomber dans la bergère du salon où elle avait assisté à un spectaculaire lever du jour en attendant le réveil de son mari.

C'est là, dans le salon, que Lionel, encore tout bouffi de sommeil, retrouva sa femme. À la voir ébouriffée et pâle, il s'éveilla tout à fait.

— Veux-tu bien me dire…

D'un geste de la main, Victoire l'interrompit.

— Si tu es toujours d'accord pour qu'on se dirige vers Québec, disons que ce matin, je suis prête à te suivre.

Ils partirent dans l'heure, Lionel ayant annulé, d'une voix impatiente parfois, tous les rendez-vous qu'il avait inscrits à son agenda, et ce, pour les deux jours à venir. Quant à Julien, qui ferait office de conducteur puisqu'il s'était procuré une auto tout récemment, il avait confié les rênes de son garage à son ami Johnny Boy, et il s'était empressé de prévenir Béatrice de leur départ.

— Sois chez les parents vers cinq heures cet après-midi, avait proposé Julien devant l'inquiétude évidente de Béatrice. Je vais essayer d'être à la maison de Paul à cette heure-là pour te passer un coup de fil et te donner des nouvelles.

— Promis ! À cinq heures tapant, je vais être dans le bureau de Lionel et je vais attendre ton appel.

À regret, sur le coup de cinq heures, Julien ne put annoncer grand-chose à celle qu'il avait toujours considérée comme sa plus chère amie, à défaut de la voir comme une grande sœur, sinon que Victoire avait été hospitalisée sur l'ordre du médecin rencontré en arrivant à l'hôpital. Dès le lendemain, elle passerait des examens approfondis.

— Papa a l'air inquiet. Vraiment. Il est encore à l'hôpital avec maman. Mais je m'en occupe ! Dès la fin des visites, je l'emmène dormir ici. Je suis présentement chez Paul, comme je te l'avais dit. Ça m'a fait tout drôle de revoir ma chambre d'étudiant. Rien n'a changé, tu sais, et Réginald, le locataire de Paul, est dans tous ses états d'avoir de la visite à l'impro-viste comme ça, mais je le connais bien : il est sûrement ravi de nous recevoir. C'est dans sa nature de toujours tout exa-gérer. Laisse-moi te dire qu'il m'a souvent fait rire quand j'habitais ici… Quant à moi, ou je reviens au village dès demain, ou je t'appelle à la même heure. Chose certaine, je te donne des nouvelles fraîches. Pour l'instant, je raccroche et je retourne voir maman.

À l'Hôtel-Dieu de Québec, où Lionel savait pouvoir trouver d'excellents médecins, on avait installé Victoire dans une chambre privée. Une jolie chambre peinte en jaune pâle avec une vue imprenable sur les Laurentides et le soleil couchant, qu'elle apercevait de biais, à partir de son lit.

Être l'épouse d'un médecin avait indéniablement ses avantages.

— Entre confrères, c'est la moindre des choses. Ainsi, soyez assuré que madame Bouchard sera vue à la première heure demain matin, par nos meilleurs médecins.

De par sa profession, Lionel aurait pu prolonger l'heure des visites à sa guise, mais Julien, tout comme Victoire, l'entendait d'une autre oreille.

— Et si je te dis que je veux me reposer ? Tu as entendu le docteur Lachance tout comme moi, non ? Si c'est une crise de foie comme il le suspecte, je dois refaire mes forces parce que c'est une opération qui m'attend. Donc, je dois dormir ! Ai-je besoin de le dire, à toi qui es médecin ?

— Et moi j'ajoute, fit Julien sur un ton qui se voulait sévère, que toi aussi tu dois te reposer, papa. La journée de demain risque d'être longue pour tout le monde.

— Et tu dois manger, renchérit Victoire qui avait dédié sa vie à bien remplir la panse des siens. Tu n'as rien avalé depuis le matin. Si moi j'ai moins d'appétit à cause de mon foie engorgé, ce n'est pas du tout ton cas et, en ce moment, tu dois mourir de faim. Comme notre fils, d'ailleurs.

— De plus, Réginald m'a dit qu'il nous préparerait quelque chose à manger, précisa Julien. Il doit bien se demander ce qu'on fait. Il est neuf heures passé !

— Allons, Lionel, écoute-nous, pour une fois, et va manger. Va te reposer ! Ne crains rien pour moi, je suis en sécurité. On se revoit demain matin.

Lionel n'eut d'autre choix que de plier devant tant d'insistance.

La porte de la chambre n'avait pas encore fini de se refermer dans un grand chuintement d'air comprimé que Victoire poussait un long soupir de soulagement. Elle n'en pouvait plus de sourire et de donner le change alors qu'elle avait envie de pleurer tellement la douleur était intense, la médication prescrite n'ayant pas donné grand-chose.

Puis, Victoire se mourait d'inquiétude. Elle n'y croyait pas vraiment, à cette seule crise de foie. Elle avait trop mal et la voix du médecin, quand il s'était adressé à elle, était trop mielleuse pour dire la vérité.

— Avec une peau aussi jaune, il n'y a que le foie !

Ça, Victoire le savait depuis longtemps, car cela faisait des mois et des mois que Lionel le répétait.

— Probablement une carrière de pierres qui engorge l'organe, madame, avait poursuivi le médecin. Voilà ce qui cause cette douleur intense. Une intervention sous anesthésie me semble tout indiquée.

Par contre, le regard du docteur Lachance, sévère et sombre sous ses sourcils broussailleux, contredisait sa voix trop calme, et comme celui que Lionel lui avait renvoyé était du même acabit...

Les deux hommes, son mari et le médecin d'office, ceux-là mêmes qui se tenaient devant Victoire, debout au pied de son lit, semblaient beaucoup trop inquiets pour une simple crise de foie même si l'anesthésie n'était pas une chose à prendre à la légère. Cela aussi, Victoire le savait depuis longtemps, tout comme le fait d'être jaune comme un citron dénotait un problème avec le foie.

Être femme de médecin, en plus des privilèges, apportait aussi certaines connaissances qu'elle aurait peut-être préféré ne pas avoir en ce moment.

Malgré les médicaments administrés pour l'aider à dormir, Victoire passa une très mauvaise nuit. Quand la noirceur derrière la fenêtre passa tout doucement à la grisaille de l'aube, elle avait déjà les yeux grands ouverts sur ses inquiétudes.

S'il n'avait été question que d'elle, si elle avait été seule au monde, Victoire aurait accepté son sort, quel qu'il soit, pourvu qu'on puisse calmer cette douleur insoutenable. Après tout, elle n'était plus très jeune.

À cet euphémisme, Victoire eut même le courage de sourire, malgré la douleur indescriptible qui ne la quittait plus, avant de rectifier intérieurement ses derniers mots et de se dire qu'elle était même passablement âgée. Passé soixante-quinze ans, c'était quand même quelque chose et, quoi qu'elle en pense, elle finirait bien par mourir un jour. Même que plusieurs, à sa place, se seraient contentés de regarder passer la vie en s'estimant chanceux d'être encore tout simplement vivants.

Ce n'était pas le cas de Victoire.

Si elle avait été en parfaite santé, elle ne se serait même pas questionnée et elle aurait choisi sans hésiter de poursuivre ses activités durant de nombreuses années encore.

En compagnie de Paul, ça aurait même été un véritable plaisir, car elle avait longtemps rêvé de partager sa passion avec quelqu'un.

Était-ce le fait d'être mariée à un homme nettement plus jeune qu'elle qui lui donnait cette énergie, cette rage de vivre ?

Peut-être bien, après tout, que cette réalité pesait dans la balance, Victoire ne s'était jamais véritablement posé la question. Mais ce matin, seule dans une chambre d'hôpital devant le jour qui se levait, alors qu'elle avait l'intime conviction que sa vie ne tenait plus qu'à un fil, Victoire aurait plutôt eu envie de dire que c'était parce qu'elle avait eu une belle et bonne vie qu'elle ne voulait pas partir tout de suite.

Oui, voilà pourquoi elle n'avait pas du tout envie d'en finir trop tôt.

Quand on avait la chance d'avoir eu une vie comme la sienne, une vie bien remplie dans laquelle elle avait mordu à belles dents sans restriction, on n'avait qu'une envie et c'était celle de continuer.

Encore et encore…

En effet, de ses jeunes années en compagnie d'Alexandrine et Emma, ses plus chères amies, en passant par son long mariage avec Albert et sa vie d'aujourd'hui en compagnie de Lionel, Victoire ne regrettait rien. Elle avait eu la belle part, malgré qu'en dehors du fait d'avoir élevé Béatrice, la fille de son amie Emma, Victoire avait cru ne jamais connaître les joies de la maternité.

Pourtant, pour elle, avoir des enfants avait toujours été le but ultime de la vie d'une femme mariée, et Dieu lui était témoin qu'elle avait prié et supplié en ce sens. Malheureusement, le Seigneur ne l'avait pas écoutée et le médecin du village avait fini par la déclarer infertile puisque, après des années, aucun enfant n'était venu bénir son union avec Albert, le forgeron de la place.

Puis, peu après le décès d'Albert, Lionel était entré dans sa vie.

Ce fut à cette époque, contre toute attente et malgré la cinquantaine bien sonnée, que Victoire avait été comblée par la naissance de leur fils Julien. Finalement, quoi qu'en ait pensé le vieux docteur Gignac, ce n'était pas à cause d'elle si son premier mari était resté sans héritier. Victoire qui avait beaucoup aimé son Albert en avait été curieusement soulagée. Par contre, à cause de la différence d'âge entre eux, Béatrice et

Julien ne s'étaient jamais vraiment considérés l'un l'autre comme frère et sœur, d'autant plus que Lionel était à la fois le grand frère de Béatrice et le père de Julien. Situation particulière, s'il en est une. Néanmoins, leur relation avait toujours été empreinte d'un grand respect mutuel, signe d'une amitié profonde entre eux. Victoire y avait vu.

Et que dire, maintenant, de toutes ces années à vivre heureuse dans sa cuisine où, en plus de nourrir sa famille, Victoire prenait un plaisir chaque fois renouvelé à cuisiner gâteaux et tartes, galettes et biscuits pour une clientèle qui lui était restée, encore aujourd'hui, très fidèle ? Là non plus, Victoire ne ressentait aucun regret, à plus forte raison depuis que Paul avait repris son tablier avec la maîtrise d'un chef chevronné. Les angoisses du nouveau cuisinier en titre disparaîtraient d'elles-mêmes avec le temps, Victoire en était intimement convaincue.

— C'est normal de douter, mon pauvre Paul, lui avait-elle confié, un jour pas si lointain où, en catastrophe, le nouveau chef était venu la consulter pour une commande de gâteau, à l'occasion d'un baptême.

— Avec des fleurs en sucre, avait-il précisé, de toute évidence terrifié. Je n'ai jamais fait ça, moi, des fleurs en sucre !

À ces mots, devant l'allure déconfite de Paul, Victoire avait égrené un rire sincère, elle qui ne riait plus tellement souvent.

— Moi aussi, tu sais, avait-elle alors ajouté, j'ai eu le trac à plus d'une occasion. Aujourd'hui, ce sont des fleurs en sucre, et demain, ce sera peut-être un pralin ou un fondant. Qui sait ? N'empêche que c'est le propre des artistes de douter de leurs capacités. Et la pâtisserie, mon cher Paul, c'est du grand art. Trouve-toi une bonne recette et fonce !

À ce souvenir, Victoire esquissa un sourire un peu triste, nostalgique.

— Qu'est-ce que je ne donnerais pas, en ce moment, pour trouver une recette magique, une recette capable de me guérir, murmura-t-elle tandis qu'elle sentait son cœur débattre d'angoisse.

C'était une grande partie de l'histoire de sa vie, les recettes et les gâteaux. Tant ceux qu'elle avait cuisinés avec entrain que ceux, nombreux, qu'elle avait mangés avec gourmandise.

Peut-être aurait-elle dû écouter Lionel quand il était encore temps ? Peut-être aurait-elle dû moins manger ? Peut-être...

Le temps de quelques larmes de regret qui coulèrent sans retenue sur sa joue, puis Victoire se redressa contre ses oreillers en reniflant sa peine. Peut-être aussi que ça n'aurait rien changé, de passer sa vie à se priver. Alors, pourquoi perdre son temps à pleurer ?

— Ne rien regretter, murmura-t-elle encore. Ça a été l'une de mes devises, tout au long de ma vie, ce n'est pas ce matin que je vais en changer.

C'est pourquoi, dès le lendemain, il y eut tout juste une grande, une immense tristesse quand le verdict du médecin tomba, en fin de journée.

Parce qu'elle avait une confiance absolue en lui, Victoire avait exigé que Lionel l'accompagne durant cette journée éprouvante où elle fut auscultée sous toutes ses coutures. Ce fut cependant le résultat des rayons X qui scella la journée.

Une pluie fine s'était mise à tomber sur l'heure du midi et, quand Victoire vit le spécialiste entrer dans sa chambre, elle se dit que sa mine austère allait de concert avec le temps. Il semblait aussi maussade que le ciel anthracite.

À moins que le médecin ne soit mal à l'aise ; plusieurs l'étaient quand venait l'heure d'annoncer de mauvaises nouvelles.

Impulsivement, Victoire prit une profonde inspiration pour se donner du courage et elle glissa sa main dans celle de

Lionel qui, après l'avoir accompagnée un peu partout tout au long de la journée, avait cependant refusé de voir les résultats de la radiographie.

— Non, pas question. Je suis beaucoup trop proche de toi, Victoire, pour avoir une opinion éclairée. Puis, je suis juste un médecin de campagne, j'aurais peur de me tromper.

Mais dès que l'interniste, ce spécialiste de grand renom qui avait été consulté, ouvrit la bouche pour annoncer l'impensable, Lionel comprit qu'aucune erreur de sa part n'aurait pu être possible.

— Je regrette, on ne peut rien faire pour vous, madame Bouchard. À part peut-être tenter de calmer la douleur. Mais cela, votre mari peut le faire aussi bien que moi.

L'interniste était un grand homme sec, à la moustache cirée comme on le voyait souvent au siècle précédent. S'il ressentait la moindre empathie pour la patiente, rien n'y paraissait.

— Il y a des tumeurs partout, poursuivit-il, s'adressant visiblement beaucoup plus à Lionel qu'à Victoire.

Le temps de quelques précisions médicales, débitées en termes techniques sur un ton docte à l'intention de Lionel qui laissait les mots entrer en lui sans vraiment les écouter, sa main serrant celle de Victoire de plus en plus fort, puis le spécialiste revint à la principale intéressée, changeant radicalement de ton et de vocabulaire pour s'adresser à elle.

— … On dirait une tempête de neige dans votre abdomen, madame.

À ces mots qu'elle trouva poétiques, malgré les circonstances, Victoire eut la curieuse idée de se dire que l'image aurait été jolie, si elle n'avait pas signé son arrêt de mort. Puis, elle revint au médecin qui était en train de conclure.

— Voilà pourquoi je ne peux intervenir, annonçait justement celui qui, tout à coup, semblait pressé d'en finir.

Aucun traitement possible, ça ne donnerait absolument rien, madame, sinon peut-être vous faire souffrir davantage ou encore précipiter les choses. Vous m'en voyez désolé.

Ce serait là la seule phrase de réconfort. « Vous m'en voyez désolé. »

Cependant, ce furent les sanglots retenus de Julien, tapi dans un coin de la chambre, qui mirent le terme réel à cette pénible discussion.

À sa demande insistante, Victoire passa une dernière nuit à l'hôpital.

— Je suis épuisée, avoua-t-elle dans un long soupir. Je préfère rester ici. Si vous le voulez bien, on prendra la route demain matin, quand il fera jour. Allez, mes hommes, allez vous reposer, vous autres aussi. Tout ça, c'est bien éprouvant pour tout le monde.

— Je ne veux pas te laisser, voyons donc.

— Ça va aller, Lionel. Le temps de me faire à l'idée, je crois bien. Que faire d'autre ? Après tout ira bien, tu vas voir.

Devant la réticence manifeste de Lionel, Victoire ajouta, en mettant dans sa voix tout ce qu'elle put trouver de persuasion :

— S'il te plaît ! Tu me connais, non ? Quand les miens sont devant une bonne table, et je ne doute pas un instant que Réginald vous attend avec une table bien garnie, ça me suffit pour être heureuse. Alors, donne-moi ce petit bonheur, ce soir. Laisse-moi vous imaginer autour de cette table. Demain, à tête reposée, on parlera d'avenir.

Parler d'avenir…

Il n'y avait que Victoire pour oser parler d'avenir quand on venait de lui signifier que pour elle, justement, il ne restait qu'un tout petit peu de temps.

Par respect pour cette femme entière et forte, pour cette femme qu'il aimait profondément, et malgré l'envie viscérale qu'il avait de passer la nuit auprès d'elle, Lionel obtempéra.

Dans son sillage, il happa son fils, un Julien visiblement démoli par la dure réalité qui le frappait de plein fouet. Juste pour cela, pour l'unique raison de soustraire aux yeux de Victoire l'image de son fils accablé, l'idée de rejoindre Réginald sans délai n'avait que du bon.

Ce soir-là, se doutant bien que ça serait probablement la dernière nuit qu'elle passerait seule, Victoire put alors pleurer toutes les larmes de son corps. Avec un autre, même si cet autre s'appelait Lionel et qu'elle l'aimait sincèrement, jamais Victoire n'aurait pu se laisser aller à un tel débordement.

C'est ainsi, à sa façon, revoyant tous les beaux moments qui avaient croisé sa route ainsi que ceux plus difficiles, que Victoire accepta de faire le deuil de sa propre vie.

Pour elle, le voyage tirait à sa fin.

Déjà, aurait-elle eu envie de dire, malgré les années qui s'accumulaient derrière elle.

Alors oui, elle se donnerait le droit de pleurer jusqu'à ce que les larmes tarissent d'elles-mêmes. Pleurer sur ce chemin que Lionel continuerait de parcourir sans elle. Pleurer sur le mariage de Julien qu'elle ne verrait pas. Pleurer sur sa Béatrice qui, une fois l'heure ultime des adieux arrivée, voudrait peut-être enfin rencontrer son père, Matthieu.

Pourquoi pas? Dans le fond, Victoire n'avait rien contre l'idée et elle se promit d'en parler avec Béatrice.

Puis, les larmes reprirent et elle pleura aussi les incertitudes de ce temps où elle n'y serait plus, les abandons qu'elle ferait à son corps défendant, ce soleil d'été qu'elle ne reverrait probablement jamais.

Pleurer tant et tant qu'elle n'aurait plus jamais besoin de pleurer. De toute façon, elle n'en aurait plus le temps.

Puis, quand elle eut épuisé les larmes et les sanglots, quand l'inventaire des regrets sincères et des projets avortés fut complet, Victoire essuya son visage et elle se permit de penser à ceux qui avaient quitté ce monde bien avant elle.

À commencer par Emma, qui n'avait pas quarante ans quand la Faucheuse était passée pour elle.

Et Victoire oserait se plaindre aujourd'hui, elle qui avait souligné ses soixante-seize ans en grande pompe, il y avait de cela plusieurs mois déjà ? Allons donc ! À cette loterie de la vie où tout le monde avait un numéro dès le départ, même à ce jour, le billet de Victoire était gagnant, à côté de celui d'Emma.

Puis, il y avait eu Albert, ce premier mari, parti bien vite malgré son grand âge. Ce jour-là, le trouvant foudroyé à côté de l'âtre de sa forge, Victoire s'était sentie amputée d'une partie d'elle-même et elle avait bien cru qu'elle ne serait plus jamais vraiment heureuse.

Pourtant, si elle avait épousé Albert Lajoie, deux fois veuf et nettement plus âgé qu'elle, c'était d'abord et avant tout pour ne pas rester vieille fille et, avouons-le franchement, pour lui donner les fils qu'il n'avait jamais eus. Bien en chair et en bonne santé, Victoire ne doutait pas un instant qu'elle saurait lui offrir cette grande progéniture qu'il avait toujours espérée, il ne s'en cachait pas.

Oui, elle, Victoire, allait réussir là où deux autres avant elle avaient échoué.

Quelle vantardise, quelle présomption !

Peut-être bien que c'était pour la punir de cet excès d'orgueil que le Ciel en avait décidé autrement. N'empêche que d'un mariage de raison, un mariage d'accommodement comme d'aucuns l'avaient qualifié, était née une des plus belles unions que la Pointe eut l'occasion de voir grandir sur ses berges.

Victoire et Albert. Le forgeron et la pâtissière.

Les mauvaises langues du village qui avaient prédit un échec monumental à ce mariage insolite n'eurent plus qu'à se taire.

Au souvenir de toutes ces belles années vécues aux côtés d'Albert, Victoire ébaucha l'ombre d'un sourire et le temps d'un battement de paupières, elle eut l'étrange sensation que son défunt mari n'était pas très loin d'elle.

Oui, malgré tout, elle avait eu cette chance d'être heureuse. Incroyablement heureuse.

Et elle continuerait de l'être jusqu'au dernier instant parce que c'était là ce qu'elle souhaitait le plus au monde.

Être heureuse en rendant les autres heureux autour d'elle.

N'est-ce pas qu'il suffisait de le souhaiter de toutes ses forces, pour continuer de répandre la gaieté jusqu'à la fin ?

Le regard fixé sur un ciel d'automne où lune et étoiles jouaient à cache-cache avec un encombrement de nuages effilochés, Victoire laissa la plénitude remplacer tout doucement la peur qui lui tordait le ventre.

Est-ce le mot « bonheur » qui lui fit penser à James O'Connor ? Peut-être bien, car l'Irlandais était l'incarnation de la joie de vivre et, en ce moment, c'était son visage souriant qui venait d'apparaître dans les souvenirs de Victoire. D'abord le James de la jeunesse, un rouquin du roux le plus flamboyant qu'elle avait eu l'occasion de voir. Un homme de son âge qu'elle aurait pu facilement aimer, si son Albert n'avait pas été là.

Qui aurait pu prédire qu'un jour, ce même James deviendrait le forgeron du village à la place d'Albert qui, trop âgé pour continuer, avait mis sa forge en vente ?

C'est ce qui arriva néanmoins quand, des années plus tard, James vint s'installer à la Pointe pour protéger la santé de sa femme, Lysbeth, en rémission d'une tuberculose.

James O'Connor…

Un autre qui était parti bien vite.

Victoire ferma les yeux sur cette image affreuse de l'ami sincère terrassé par un infarctus, dans l'ancienne forge devenue l'atelier de son propre fils, Johnny Boy, et aussi le garage de son fils à elle, son Julien. James avait finalement rendu l'âme sous les yeux horrifiés de tout ce beau monde.

Victoire secoua la tête pour faire disparaître ce souvenir pénible et elle revint à sa chambre, presque soulagée de se retrouver à l'hôpital parce que la mort de James O'Connor, qu'Albert et elle avaient toujours appelé affectueusement l'Irlandais, avait été un des moments les plus éprouvants de sa vie.

— S'il est vrai qu'une fois arrivé de l'autre bord, on peut rencontrer ceux qu'on a aimés, murmura-t-elle en se calant dans l'oreiller, je jure de faire des pieds et des mains pour le retrouver, ce James O'Connor, et le remercier.

Sans la moindre hésitation, l'Irlandais avait sacrifié sa vie pour sauver celle de son fils Julien, coincé sous une voiture.

Une mère n'oublie jamais une chose comme celle-là.

Lentement, le sommeil commençait à s'infiltrer dans les pensées de Victoire, les rendant diffuses, presque confuses, insaisissables, quand, soudain, elle eut un soubresaut et ouvrit précipitamment les yeux.

Le sourire d'Alexandrine venait de lui apparaître, aussi clair que si elle avait été là, dans la chambre, rejoignant Victoire au cœur de ses pensées les plus intimes.

Alexandrine, l'amie de toujours, la confidente, la presque sœur et la mère de son filleul Léopold.

Victoire se sentit réconfortée de savoir qu'il y aurait aussi Alexandrine pour partager ces derniers...

Victoire retint son souffle, n'osant estimer le temps qu'il lui restait à vivre. Si le médecin ne l'avait pas fait, pourquoi s'y hasarderait-elle ?

Mais chose certaine, si jamais les larmes se permettaient une récidive et menaçaient de déborder, si une ondée qu'elle ne saurait contenir se présentait, Victoire se dit que ce serait sur l'épaule d'Alexandrine qu'elle les verserait.

Ce fut sur cette assurance d'une amitié sincère capable de transcender la douleur et la peur que Victoire finit par s'endormir.

Cette nuit-là, elle rêva d'Emma, d'Albert et de l'Irlandais. Tous les trois, ils étaient lumineux et souriants. D'un sourire paisible que Victoire ne leur avait jamais vu.

Le lendemain, la route se fit sous un ciel redevenu complètement gris dont l'humeur mélancolique des trois voyageurs s'accommoda aisément.

Cette fois-ci, cependant, Victoire n'eut pas le dernier mot, et Lionel prit place à l'arrière de la voiture tout contre elle.

— Si tu veux dormir, tu t'appuieras sur mon épaule. Tu seras bien plus confortable qu'écrasée contre la portière.

Quand, effectivement, épuisée par la route qui n'en finissait plus et brisée par les émotions qu'elle vivait en rafale depuis la veille, Victoire chercha refuge dans les bras de son mari, ce dernier prit conscience à quel point sa Victoire toute ronde était devenue fragile. Il se jura alors d'être fort pour deux, tant et aussi longtemps que cela serait nécessaire.

Venue les attendre à la maison familiale, Béatrice était à la fenêtre quand ils arrivèrent à la Pointe. Elle se précipita à l'extérieur de la maison dès qu'elle aperçut le capot noir de l'auto de Julien, tandis que ce dernier abordait habilement le tournant en bas de la côte.

En digne fille de Victoire, car à ses yeux, elle n'avait jamais eu d'autre mère que cette femme formidable, Béatrice retint ses larmes. Victoire n'en avait pas besoin. Pas pour l'instant. Si un jour elles avaient à pleurer ensemble, toutes les deux, elles le feraient dans la plus stricte intimité. Pour maintenant, elle lui offrirait son plus beau sourire. Béatrice ouvrit la portière à l'instant où l'auto s'immobilisait.

— Maman ! Viens… J'ai fait une soupe au poulet en suivant scrupuleusement la vieille recette de grand-maman Georgette.

— Oh ! La petite soupe de malade de maman… Quelle bonne idée !

Victoire leva un sourire vers sa fille. Pour elle aussi, l'équation tenait et Béatrice serait toujours sa fille.

— Quelle bonne idée ! répéta Victoire. J'ai une petite faim, tu sais… Une faim de malade, justement. Viens, Béatrice, viens m'aider à sortir de cet engin. Une auto, ça va plus vite qu'un cheval et c'est plus confortable qu'une calèche, d'accord, et je te remercie, Julien, de nous avoir servi d'escorte, mais j'ai quand même hâte de me retrouver dans ma cuisine. Elle m'a manqué comme seul un être cher peut le faire !

Ceci étant dit, Victoire se tourna vers son fils.

— Maintenant, jeune homme, comme je te connais, tu dois te languir de ton garage comme moi je me suis ennuyée de mes chaudrons. Va, Julien, va voir ce qui se passe au garage. On va te garder une portion de soupe, ne crains pas. Tu viendras la manger quand tu seras prêt à le faire.

Victoire se doutait surtout que Julien avait grande hâte de retrouver Johnny pour laisser libre cours à sa tristesse.

Puis, la tête droite mais les épaules voûtées, appuyée de part et d'autre sur Béatrice et Lionel, Victoire rentra enfin chez elle.

Ce qu'elle voulait faire des quelques semaines à venir n'était pas très compliqué. Elle voulait tout simplement les consacrer à tous ceux qu'elle aimait.

C'est ce que Victoire avait décidé, ce matin au réveil, après avoir rêvé de ceux qu'elle avait tant aimés : continuer à bâtir du bonheur autour d'elle et, si Dieu le voulait bien, elle le ferait jusqu'à la toute fin.

Ce serait assurément son dernier projet, et elle souhaitait le mener à terme.

La vraisemblance que Victoire soit atteinte d'un mal incurable et probablement mortel à brève échéance fit le tour du village comme une traînée de poudre.

Qui ne connaissait pas Victoire, la pâtissière ?

Et surtout, qui n'aimait pas Victoire Lajoie, devenue Victoire Bouchard ?

Il avait donc suffi d'un regard indiscret, glissé derrière un rideau mal fermé, la voyant revenir chez elle courbée et solidement appuyée sur son mari et sa fille, pour que le village au grand complet se lance dans toutes sortes de spéculations.

Que se passait-il donc sous le toit du médecin de la place ?

Victoire, qui n'avait rien à cacher, confirma le tout dès une première visite, soi-disant amicale.

— Oui, je suis malade, très chère Gertrude. Non, je ne peux en guérir, là-dessus le médecin consulté a été formel. Quant à savoir le moment où tout sera fini, je ne le sais pas plus que vous.

C'était direct et ça avait l'avantage d'être clair. Ladite Gertrude, que Victoire n'avait jamais vraiment fréquentée, avait quitté sa cuisine le rouge au front.

De ce jour, les visites se firent nombreuses.

De celle qui se souvenait d'un gâteau mangé lors d'un anniversaire à cette autre, qui avait jadis été dans la même classe qu'elle, à l'école du village, en passant par ce vieux grincheux qui avait très bien connu Albert, tout un chacun se trouvait une bonne raison pour assouvir sa curiosité.

Si Victoire ne s'en formalisait pas, Lionel, lui, sortait régulièrement de ses gonds.

— C'est juste normal, Lionel, expliqua-t-elle, un soir où son mari s'était vivement emporté devant tant d'indiscrétion. Dans un aussi petit village que le nôtre, il faut s'attendre à ça. Et puis, tout ce beau monde dans ma cuisine, ça m'occupe.

— Et ça te fatigue aussi. Je le vois bien, va !

Malgré cela, Victoire s'entêta.

Les semaines passèrent et Victoire était toujours là. Alors, les gens se lassèrent de ces visites qui ne donnaient pas grand-chose, finalement.

On avait toujours dit de Victoire qu'elle était une force de la nature, grande et bien emballée, comme on le soulignait avec un minimum de politesse, il semblait bien qu'elle le resterait jusque dans la mort, malgré qu'elle ait grandement maigri.

Et avez-vous vu ce teint jaunâtre ?

Puis, la période des fêtes approchait à grands pas, n'est-ce pas ? Il y eut consensus au village pour se dire qu'une réunion de famille était nettement plus réjouissante à préparer qu'une visite à la malade à effectuer.

Chez Lionel, Victoire fut la première à parler du réveillon, une habitude prise sous son toit, des années auparavant, et à laquelle la vieille dame tenait vraiment beaucoup.

— Je ne vois pas ce qui nous empêcherait de festoyer comme d'habitude.

Mine de rien, Victoire sirotait un thé, assise à un bout de la table. Nouvelle habitude pour lui, installé à l'autre bout de la table, Lionel vérifiait ses dossiers. En fait, depuis leur retour de Québec, dès qu'il mettait un pied dans la maison, il ne s'éloignait guère de Victoire, sauf quand il devait recevoir quelque patient dans son bureau ou rendre une visite incon-tournable, auquel cas, Julien ou Béatrice prenait la relève.

L'après-midi n'était pas fini que le jour tombait déjà. Le soleil tout pâlot de décembre accrochait ses derniers rayons aux branches de l'érable, alourdies par une neige récemment tombée.

Devant le mutisme de son mari, Victoire prit le temps d'apprécier le paysage féerique que la fenêtre découpait sur le mur de sa cuisine, comme un tableau de maître accroché dans un musée, puis elle reporta les yeux vers son mari.

— Alors? Qu'est-ce que tu en penses, Lionel? Faire un réveillon, ça serait une bonne idée, non?

À contrecœur, ce dernier leva les yeux de sa paperasse. Il avait fait semblant d'être concentré sur sa lecture pour éviter d'avoir à répondre. À ses yeux, de toutes les idées parfois saugrenues qui passaient par la tête de Victoire depuis qu'elle savait pour sa maladie, organiser un réveillon n'était sûrement pas la meilleure.

— Un réveillon? Pourquoi pas? approuva-t-il néanmoins d'emblée, au grand soulagement de Victoire qui n'avait pas tellement envie de négocier.

Mais quand il ajouta: « À condition qu'il se passe ailleurs qu'ici », Victoire lui renvoya un regard noir.

Lionel savait pertinemment que depuis le tout premier flocon, tombé par inadvertance à la fin du mois de novembre, Victoire refusait systématiquement de sortir de chez elle.

— J'ai peur de tomber, alléguait-elle obstinément.

En fait, elle se savait fragile, de plus en plus fragile, et elle avait réellement peur que le froid de l'hiver ne lui donne la grippe, précipitant ainsi une échéance qu'elle croyait pouvoir continuer de maintenir à distance, malgré la douleur qui se faisait, par moments, suffisamment forte pour avoir envie d'en finir.

— Comment ça, ailleurs? demanda Victoire sur un ton impatient.

Elle regarda tout autour d'elle et, de la main, elle montra l'immensité de la pièce.

— Ma cuisine est bien assez grande pour tout notre monde, justifia-t-elle d'une voix catégorique. Et je ne me vois pas en train de tout trimbaler pour aller manger ailleurs, comme tu dis.

— Comment ça, tout trimbaler? Tu ne viendras toujours pas me dire que tu as l'intention de préparer quoi que…

À ce moment, il suffit d'un regard de Victoire, appuyé, insistant, presque sévère, pour interrompre Lionel. Il se tut aussitôt tandis que le rouge lui montait aux joues.

— J'ai comme un regain de vigueur, expliqua alors Victoire. Noël m'a toujours fait ça. Alors, de grâce, Lionel, laisse-moi ce… ce petit plaisir.

Victoire avait failli dire «ce dernier plaisir», mais au moment de prononcer le mot, il avait refusé de franchir ses lèvres. Embarrassée, elle détourna rapidement les yeux pour ajouter:

— Avec Paul pour m'aider, ça ne devrait pas être trop fatigant. Je t'en supplie, Lionel, ne sois pas contre.

Demandé sur ce ton, comment aurait-il pu s'opposer?

Ce fut ainsi qu'il y eut un réveillon dans la grande cuisine de Victoire, et tous ceux qu'elle aimait s'y retrouvèrent, à l'exception des O'Connor. Lysbeth aussi fuyait le froid de l'hiver comme si c'était la peste.

Tous les autres, par contre, seraient à ses côtés.

Alexandrine et Clovis, les amis fidèles; Paul, qui accepta de bon cœur de faire office de grand chef; Béatrice et sa famille; Julien et cette gentille Caroline que l'on voyait de plus en plus souvent à la maison; Léopold, son filleul, et tous les siens; Gilberte et ses deux grands, arrivés un peu plus tard à cause des trois messes de la nuit de Noël…

Emporté par l'enthousiasme de sa mère, de bonne grâce, Julien avait monté une seconde table dans le salon pour que tout le monde puisse manger en même temps, et Béatrice, en compagnie d'Augusta, avait fait le service.

Alors, on fit bombance, on se taquina et il y eut même des rires spontanés et gourmands quand Victoire elle-même déposa sur la table de la cuisine sa fameuse bûche fourrée à la crème au chocolat et recouverte d'une glace moka.

Pourtant, on savait bien que ça serait la dernière bûche à être préparée par Victoire. Mais cette nuit, personne n'avait envie d'y penser, Victoire encore moins que les autres.

Puis, ce fut le jour de l'An.

— Va, Lionel, va souper chez Gilberte.

— Pas question !

Victoire n'avait plus la force d'insister, encore moins de s'emporter. Alors, d'une voix très douce, elle ajouta :

— Et si c'est moi qui te le demande ? Ta sœur, Célestin et notre gentil Germain seraient trop déçus par ton absence… Déjà que moi, je n'y serai pas… Allez, va ! On se retrouve tout de suite après.

Lionel se fit tirer l'oreille jusqu'au dernier moment, puis il abdiqua.

— D'accord. J'y vais, je mange et je reviens.

— Embrasse Germain pour moi.

— Je n'y manquerai pas. Et toi, ne t'avise surtout pas de monter à l'étage toute seule. Attends-moi ici, au salon, je ne serai pas longtemps parti.

À cette dernière consigne, Victoire préféra ne pas répondre. Elle n'avait jamais menti, ce n'était pas une fois arrivée au bout du chemin qu'elle allait commencer à le faire.

Elle attendit de ne plus entendre le crissement des pas de Lionel sur la neige durcie pour se relever avec mille précautions. La douleur n'avait jamais été plus intense qu'en ce moment, mais elle voulait, une dernière fois, faire le tour de son royaume.

Pliée par la douleur, elle s'appuya sur les meubles et sur les murs pour avancer et c'est ainsi qu'elle se rendit à la cuisine.

Longtemps, assise au bout de la table, là où elle avait passé un temps infini à consulter ses livres de recettes ou à concevoir des menus, Victoire détailla la pièce dans ses moindres détails.

Il n'y avait pas à dire, c'était une vraie belle cuisine! Et tout ça, c'était à son premier mari qu'elle le devait. C'était grâce à Albert si elle avait pu offrir ce domaine à la cuisinière qu'elle était. C'était lui, par son travail acharné, qui avait réussi à mettre suffisamment d'argent de côté pour pouvoir faire agrandir la maison. Malheureusement, Albert n'avait pas eu la chance de voir le travail achevé. Il était décédé avant. Alors, dans ce projet, c'étaient Lionel et James qui avaient aidé la veuve que Victoire était devenue depuis peu.

James, l'ami de longue date, et Lionel, le nouveau médecin du village, le grand frère de sa Béatrice et bientôt son second mari et le père de Julien…

Que d'heureux moments avec toutes ces personnes qu'elle avait sincèrement aimées et qui le lui avaient bien rendu!

Quand Victoire eut fini de faire le bilan de ses dernières années, quand elle sentit que les forces commençaient vraiment à lui manquer, elle se releva et quitta la cuisine sans un seul regard derrière elle. Les adieux étaient faits, elle n'y reviendrait plus, elle le savait.

Victoire s'était promis de rendre les siens heureux jusqu'au dernier instant, cette limite avait été atteinte durant la nuit de Noël. Il y avait eu des rires, des blagues, des sourires gourmands.

À partir de cette nuit-là, Victoire avait estimé qu'elle ne pouvait faire plus.

S'agrippant à la rampe de l'escalier, la vieille dame monta à l'étage. Elle y mit de longues minutes, de douloureux efforts, mais elle tenait à être dans son lit quand Lionel serait de retour.

Le lit où elle avait aimé ses deux hommes, le lit où elle avait donné naissance à Julien, son fils unique.

C'est là que Lionel la retrouva. Pour la première fois depuis bien longtemps, Victoire semblait dormir d'un sommeil paisible. Tout léger mais paisible.

Lionel se prépara rapidement pour la nuit et il se glissa sous les couvertures alors que l'horloge du salon sonnait huit heures.

Ce fut suffisant pour éveiller Victoire.

Sentant une présence auprès d'elle, Victoire tourna la tête vers Lionel, lui sourit, heureuse de le savoir de retour, et, sans dire un mot, elle resta ainsi à le regarder intensément, à la seule lueur de la lune qui furetait insolemment par la fenêtre de leur chambre. Puis, comme si brusquement elle n'avait plus aucun mal, Victoire se retourna sur le côté et vint se blottir dans les bras de son mari.

— Je t'aime, Lionel, murmura-t-elle en étouffant un bâillement. Et quand tu les verras, tu diras à Julien et à Béatrice qu'ils ont été de bons enfants, et qu'eux aussi, je les ai beaucoup aimés.

Lionel eut la décence de ne rien répliquer. Aucun déni, nulle fausse promesse. Si Victoire avait eu mal, elle l'aurait dit, alors il n'offrit aucun médicament non plus. Lionel savait, pour l'avoir vécu à quelques reprises, qu'il arrivait que certains patients aient ce moment de grâce juste avant de partir.

Une boule d'émotion au fond de la gorge, Lionel se dit alors que si Victoire lui parlait ainsi, c'est qu'elle sentait certaines choses hors d'atteinte pour lui. Il se contenta de refermer tendrement les bras sur elle.

Sur un long soupir, Victoire ferma les yeux. Lionel comprit que la fin n'était pas loin, car au même instant, elle se fit lourde, très lourde tout contre lui.

Et tandis qu'il tenait sa femme dans ses bras, épiant le moindre souffle, Lionel eut une pensée pour sa mère.

À son tour, il ferma les yeux sur les quelques larmes qui commençaient à perler et il pria Emma pour que les tout derniers instants de Victoire lui soient faciles à passer.

TROISIÈME PARTIE

Été 1933 ~ Été 1934

CHAPITRE 8

*Pointe-à-la-Truite, juin 1933, sur la nouvelle galerie
d'Alexandrine que son fils Paul, en bon architecte qu'il est,
a baptisée du mot plus raffiné de « terrasse »*

Alexandrine profitait d'une des premières vraies belles journées d'un été qui s'était longtemps fait désirer et elle se berçait mollement sur sa toute nouvelle galerie, dessinée par Paul et construite en grande partie par son vieux mari, Clovis, trop heureux d'être enfin sollicité, lui qui se plaignait de ne pas être suffisamment occupé.

— C'est pas l'âge qui va finir par m'avoir, bateau d'affaire, c'est le désœuvrement! lançait-il régulièrement quand il regardait avec envie son fils Léopold partir en mer pour quelques heures ou quelques jours, sachant que lui-même devrait se contenter de désherber le potager, de voir aux cinq poules rousses ou de fendre quelques bûches pour remplir le poêle à bois.

Et Clovis de rester planté au bout du jardin, une main dans la poche de son pantalon et l'autre cramponnée à sa pipe en écume, ancienne, suivant des yeux la goélette, sa vieille goélette, qui s'éloignait de plus en plus, soit vers l'autre rive, soit vers l'amont du fleuve, en direction de Québec. L'homme à la tête blanche comme la neige restait là, immobile, tirant machinalement sur sa pipe, jusqu'à ce que le bateau disparaisse de son champ de vision. Ensuite, quand il n'y avait plus rien à voir, il poussait un long soupir mélancolique et il revenait vers la maison à pas lents, les épaules voûtées, lui qui habituellement se tenait si droit.

Cette image de son mari, à l'enseigne de la nostalgie, atteignait Alexandrine droit au cœur. Un homme tel que Clovis, qui avait trimé de l'aube au crépuscule durant toute sa vie pour le bien-être des siens, qui avait fait de la mer sa courtisane, comme l'avait souvent dit Alexandrine en riant, méritait beaucoup mieux que de finir sa vie affligé d'être au rancart comme un vieux bateau qui prend l'eau.

Malheureusement, en mer, il n'était plus d'un grand secours, Clovis l'admettait lui-même. S'il marchait toujours aussi fièrement quand il était sur la terre ferme, la tête haute et le pied sûr, il avait cependant les jambes nettement moins solides quand le roulis s'invitait sous ses pas.

Peut-être bien, finalement, que l'idée de refaire leur galerie lui était venue de là, de cette tristesse qu'affichait parfois Clovis, Alexandrine n'en savait trop rien. N'empêche que cette année, jusqu'à maintenant, Clovis n'avait pas eu vraiment raison de se plaindre de cette oisiveté imposée par l'âge, car il avait eu une galerie à reconstruire selon les plans précis que Paul lui avait laissés.

Inutile de dire que le vieux Clovis y avait mis tout son cœur. Comme il le disait si bien, avec fougue :

— En dedans de moi, je suis encore un tout jeune homme, pardi !

Cette idée d'une nouvelle galerie était donc venue d'Alexandrine, en plein cœur de l'hiver, et sans qu'elle rencontre aucune opposition. Bien au contraire, elle avait trouvé une oreille réceptive, tant chez son fils que chez son mari. Ainsi, lorsqu'elle avait parlé de rafistoler la galerie de la maison, usée par le passage du temps, plus personne n'osant s'y installer pour la veillée tant certaines planches étaient vermoulues, les deux hommes avaient suivi ses propos avec la plus grande attention.

— Et puis, remplacer une bonne partie des planches pourries, ça t'occuperait durant un bon bout de temps, non? avait-elle souligné en se tournant vers Clovis. Rappelle-toi, mon homme, rappelle-toi toutes les belles soirées qu'on a passées là, toi pis moi, à contempler le fleuve en faisant des projets!

Et en ce moment, c'était exactement ce qu'elle était en train de faire, la belle Alexandrine: elle admirait le fleuve, son fleuve. Ce cours d'eau majestueux qui faisait partie de son quotidien depuis la naissance et qu'elle avait aimé et détesté tout à la fois. Cependant, en ce doux après-midi d'été, c'était une certaine morosité qui accompagnait ses pensées, pas les projets.

— En fait de projets, c'est plutôt ceux des autres qui m'intéressent parce que pour Clovis pis moi, c'est l'affaire d'une autre époque, tout ça.

On était l'automne précédent, et c'est à Paul qu'Alexandrine avait adressé ces quelques mots pour la première fois, un Paul tout enthousiaste et fier devant le plan de la maison qu'il avait dessiné pour l'Américain, ce vieil ami de Victoire. Candidement, il venait d'offrir à sa mère de leur dessiner une nouvelle maison, à Clovis et elle.

— Pour que Léopold soit enfin chez lui, avait-il noté, espérant ainsi faire fléchir Alexandrine. Et puis, ça m'occuperait, moi aussi, entre deux commandes de gâteaux! Durant l'hiver, j'aurais le temps de vous…

— Es-tu malade, toi?

Alexandrine avait fixé son fils, les yeux exorbités.

— On est bien trop vieux pour faire des projets, ton père pis moi. Pis ben que trop fatigués pour les mener à terme! Je veux plus entendre parler de ton idée de fou, Paul. Pis va surtout pas en parler à ton père. M'as-tu bien compris? Des plans pour qu'il se mette à rêver pour être déçu par après. Non, non, non… Pas question. Voir qu'on peut entretenir un projet comme celui-là à nos âges !

Depuis, il n'était pas rare qu'Alexandrine serve cette remarque sur son grand âge, et de plus en plus régulièrement, d'ailleurs, comme pour faire entendre raison à ceux qui l'entouraient. Elle répétait ces quelques mots à un peu tout le monde et pour toutes sortes de raisons différentes.

— C'est qu'on rajeunit pas, Clovis pis moi ! concluait-elle invariablement.

— Mais le projet de galerie, c'est bien votre projet, non ? À papa et toi.

Ce jour-là, alors que l'hiver pliait tranquillement bagage, la question était venue de Paul qui se moquait gentiment de sa mère, chaque fois qu'elle se lamentait sur son âge devant lui. Paul, pour sa part, ne la trouvait ni vieille ni fatiguée. Pas plus que son père, d'ailleurs. Même qu'il considérait qu'à leur âge, justement, ses parents formaient encore un très beau couple. Tous les deux, alertes et actifs, faisaient partie de ce que d'aucuns appelaient « la vieille garde du village », celle qui entendait bien conserver une voix résolue au chapitre des décisions municipales comme paroissiales.

— La galerie ? Ç'est pas pareil, avait répliqué Alexandrine du tac au tac. C'est une question de sécurité. C'est juste un renippage qui était nécessaire. Faudrait pas oublier que cette maison-là va pas mourir en même temps que ton père pis moi. Non. En fait, elle va revenir à ton frère Léopold, rapport que toi, tu as toute une auberge qui t'appartient, plus une maison en ville qui est toujours pas vendue. Ton père a toujours dit qu'on laisserait une maison solide pis en bon état. Compte sur moi pour y voir parce que c'est ce qu'on va faire.

Mai n'était pas arrivé qu'à la demande de sa mère, Paul prenait des mesures, et avant que la neige ne soit complètement fondue, un plan précis était déployé sur la grande table carrée de la cuisine d'été. Penché au-dessus de l'immense feuille de papier couverte de chiffres et de dessins, devant l'étendue du projet que son fils leur avait finalement concocté, Clovis s'était gratté la tête, ce qui avait fait dire à Paul, un peu précipitamment, croyant que son père était dépassé par ses nombreux dessins :

— T'inquiète pas, papa. Faire une galerie comme celle-là, ce n'est pas plus difficile que d'entreprendre des réparations sur un bateau.

— Je le sais…

Clovis avait eu l'air offusqué qu'on puisse penser qu'il ne savait pas lire un plan, lui qui avait aidé à construire une bonne partie de la flotte des goélettes du village. C'est pourquoi, éveillant l'attention de Paul en tirant sur la manche de son chandail, il lui avait montré les poutres du plafond. Des poutres qu'il avait lui-même équarries à la hache et qui étaient, près d'un demi-siècle plus tard, encore bien droites et solides.

— Tout ce que tu vois là, mon gars, c'est moi qui l'ai bâti. Tu t'en souviens peut-être pas parce que t'étais encore juste un gamin en culottes courtes, mais c'est vrai. Pis j'ai même pas eu besoin de plan, tu sauras. Il était là, le plan, avait-il ajouté en se picossant le front avec l'index. Pis je l'ai suivi à la lettre. Non, le problème est pas là.

— Il est où, d'abord, le problème ?

— Il est dans le fait qu'on avait parlé de remplacer les planches trop maganées. Pas de refaire l'extérieur de la maison au grand complet.

— Tant qu'à devoir remplacer les poutres de soutien de l'ancienne galerie, je me suis dit que…

— Ouais… T'as peut-être raison.

C'est ainsi que l'idée d'Alexandrine s'était transformée en véritable projet, soutenue en ce sens par Léopold qui n'y voyait que du bon. Après tout, sa mère avait raison : un jour, cette maison lui appartiendrait, aussi bien y voir tout de suite avant qu'elle ne commence à s'écrouler, un morceau après l'autre. Léopold avait donc délié les cordons de sa bourse, ajoutant ainsi sa juste part au petit pécule que Clovis avait les moyens d'investir.

Avant la saison de cabotage, les trois hommes, travaillant de concert, y avaient mis beaucoup d'énergie. Par la suite, Léopold parti en mer et Paul réquisitionné sur son chantier, Clovis avait terminé le tout sans aide, et c'était ainsi qu'aujourd'hui, en cette belle journée de soleil, Alexandrine avait pu s'installer face au fleuve, sur un bel espace aménagé devant la cuisine d'été, une plate-forme de belle grandeur pouvant accueillir sans difficulté table et chaises, construite en planches bien égales et soulevée de terre par quelques marches à peine, ce qui faisait dire à Paul que sa mère avait dorénavant une terrasse pour se prélasser, et non une banale galerie.

— Pis c'est à vous de l'étrenner, la belle-mère, lui avait lancé joyeusement Augusta en voyant passer Alexandrine dans la cuisine, alors qu'elle traînait d'une main encore ferme la chaise berçante habituellement installée au coin de la fenêtre de sa chambre. Profitez-en, il fait beau. Pour une fois.

Alexandrine avait répondu par un sourire avant de sortir sur ce qu'elle s'entêtait à appeler « la galerie ».

Et si en ce moment, la perspective d'étrenner cette galerie-là plaisait assez à Alexandrine, après tout, l'idée venait d'elle, celle de s'y prélasser ne faisait pas particulièrement partie de ses intentions.

Malheureusement.

En effet, ce matin, au réveil, comme trop souvent hélas, il lui était resté en tête le visage et le sourire de Victoire à qui elle avait sans doute rêvé.

Du rêve comme tel, nul souvenir, mais le sourire, lui...

Persuadée que son amie avait quelque message à lui transmettre, sinon pourquoi le visage aurait-il été aussi précis que ce matin, je vous le demande un peu, c'est à elle qu'Alexandrine pensait en ce moment avec une nostalgie certaine.

La vieille dame exhala un long soupir de lassitude tout en retenant d'une main machinale sa longue chevelure argentée que le vent s'amusait à emmêler. Le geste lui était devenu inconscient, tant elle l'avait répété souvent tout au long de sa vie.

Depuis le décès de son amie Victoire, à l'exception des quelques semaines où la construction avait occupé tout le monde, Alexandrine avait souvent le vague à l'âme quand elle pensait au trio d'enfance qu'elle avait jadis formé avec Emma et Victoire, un trio inséparable malgré la distance que la vie leur avait imposée, tout un fleuve, ce n'est pas rien, et dont elle était désormais la seule survivante.

— Bonté que la vie a passé vite! C'est quasiment pas croyable que j'aye plus personne avec qui jaser.

En un mot, depuis le décès de Victoire, Alexandrine s'ennuyait.

De ses amies, bien sûr, mais pas uniquement d'elles.

En effet, et très curieusement, d'ailleurs, les funérailles de Victoire, solennelles et arrosées par les larmes de tout un village, avaient ravivé une foule de souvenirs malheureux et, depuis, Alexandrine n'arrivait pas à passer outre quand venait le matin. Elle n'avait plus envie de faire semblant d'être pleinement heureuse, plus envie de s'imaginer que tout allait pour le mieux parce que non, pour elle, en ce moment, tout n'allait pas pour le mieux.

Bien sûr, au quotidien, la vie était bonne, stable, prévisible. Mais au fond de son cœur...

La nuit précédente, Alexandrine avait encore rêvé à Victoire, ce qui était peut-être tout à fait normal, étant donné que la mort de son amie remontait à quelques mois à peine. Par contre, la nuit d'avant, c'était Emma qui s'était imposée, comme trois semaines plus tôt, deux nuits d'affilée, et la semaine d'avant... Plus triste encore, après tant d'années, il lui arrivait maintenant de revoir en rêve son fils Joseph de plus en plus régulièrement. Tout comme sa fille Rose. Bien sûr, elle avait pensé à eux tout au long de sa vie, presque tous les jours, mais jamais comme depuis ces derniers mois, alors que la tristesse, entière et douloureuse, lui revenait par vagues insistantes, comme la houle se meurt à l'infini sur le sable doré de la plage.

— Pourquoi ? murmura Alexandrine tandis qu'elle venait de repérer la goélette de Léopold qui s'amenait vers le village depuis l'autre rive. Pourquoi le passé s'amuse-t-il à venir me hanter, à me faire du mal ?

Alexandrine ne comprenait pas. Qu'avait-elle fait pour mériter ça ? Était-ce là le prix à payer pour vivre le plus longtemps possible avec son cher Clovis, ce qu'elle considérait comme un véritable privilège puisque, malgré le passage des années, Clovis et elle étaient toujours profondément amoureux l'un de l'autre ? Même leur passion ne s'était pas ternie au fil des années.

À quoi Victoire avait répondu, un jour, quand Alexandrine, toute rougissante, lui avait confié ce désir qu'elle avait encore de son homme, malgré leurs cheveux gris à tous les deux :

— C'est juste normal, je crois, avait finalement déclaré Victoire au bout d'une courte réflexion, mal à l'aise devant le sujet abordé, elle qui était si prude. Vous avez assez souffert tous les deux pour mériter que tout aille bien le plus longtemps possible entre vous.

Alexandrine s'était alors dit que son amie avait probablement raison, car il était vrai que Clovis et elle avaient connu de grandes douleurs, la mort de deux de leurs enfants ayant été leur pire épreuve.

C'était cette même douleur, pure et dure, qu'Alexandrine revivait, de plus en plus souvent, quand elle rêvait à son fils Joseph s'enfonçant dans les eaux glauques d'un fleuve déchaîné par l'orage, ou qu'elle entendait la voix fiévreuse de sa fille Rose, emportée par la grippe espagnole alors qu'elle habitait à Québec, si loin de la maison familiale.

Pourquoi? Pourquoi ce retour des cauchemars et des tourments qui s'ensuivaient alors qu'Alexandrine croyait sincèrement que la vie l'avait finalement emporté sur la mort et que, désormais, elle aurait droit à une vieillesse paisible?

Ça avait été au retour de Léopold, revenu miraculeusement de la Grande Guerre alors qu'on le croyait mort, qu'Alexandrine avait enfin osé croire que la vie serait toujours la plus forte.

Même si Léopold avait été gravement blessé, au moins il était vivant, comme l'avait si justement souligné Clovis.

— Pour le reste, m'en vas y voir, crains pas, Alex. C'est la mer que notre fils aime, il l'a toujours dit, c'est donc à la mer qu'il va confier le reste de sa vie.

— Même boiteux? Même sans son bras droit?

— Malgré tout, oui. Compte sur moi.

Et Clovis avait eu raison. Après une acclimatation difficile, faite de hauts et de bas, de colère et de découragement, puis d'espoir et de réussite, Léopold était devenu capitaine à son tour, comme son père et son grand-père avant lui. Aujourd'hui, accompagné de deux fidèles amis qui le suivaient sur l'eau au jour le jour, leur fils gagnait honorablement sa vie en cabotant sur le fleuve.

C'est pourquoi, après avoir pleuré son fils Joseph, mort noyé entre les deux rives, et sa fille Rose, emportée par la grippe et enterrée loin du village, Alexandrine avait choisi de croire en la vie. Coûte que coûte.

« Le balancier de la vie, avait-elle alors pensé, quelques jours après le retour de Léopold. On ne peut jamais être sûr de rien. Clovis pis moi, on a perdu deux des nôtres pendant qu'on les tenait pour acquis, mais on a retrouvé celui qu'on croyait perdu. »

C'était à cela qu'Alexandrine avait attaché le reste de sa vie : à Léopold qui leur avait été redonné, et à Augusta, la gentille fiancée qui avait eu la foi et la patience de l'attendre durant cinq longues années. Quant à ses autres enfants, ceux qui avaient choisi de s'établir en ville, comme ils semblaient tous heureux, Alexandrine avait décidé d'arrêter de s'en faire pour eux. Pourquoi aurait-elle perdu son temps à s'inquiéter ? Anna avait l'air satisfaite de sa vie de recluse au fond d'un couvent, à défaut d'être heureuse selon l'entendement qu'Alexandrine en avait ; Marguerite et Justine s'étaient de toute évidence transformées en vraies filles de la ville, car elles en parlaient toujours avec beaucoup d'enthousiasme ; quant à Paul, il faisait la fierté de ses parents à titre d'architecte. Que demander de plus ?

Puis, au fil des mois, Augusta lui avait donné les petits-enfants qu'elle rêvait d'avoir depuis de si nombreuses années, deux merveilleuses petites-filles, Rose et Yolande, et le temps avait passé, calme et serein, jusqu'au jour où Paul, contre toute attente, était revenu s'établir au village, à un jet de pierre de la maison.

Ce jour-là, Alexandrine avait béni la crise financière qui lui ramenait un de ses fils, elle s'en souvenait fort bien.

Néanmoins, au-delà d'un de ses espoirs les plus fous qu'elle voyait se réaliser, Alexandrine se souvenait aussi que, mise devant le fait accompli et Paul installé dans son auberge, elle s'était posé une question. Une seule.

Qu'adviendrait-il de ce gentil Réginald, ce locataire devenu ami, et que Paul leur avait présenté lors d'une réunion familiale ?

Sachant que Réginald n'avait pas de famille, Alexandrine s'était alors demandé s'il suivrait son fils, s'établissant lui aussi à la Pointe, ou, au contraire, s'il allait rester à la ville et se trouver un nouveau toit.

À la même époque, Justine leur apprenait qu'elle allait se marier prochainement et Alexandrine en avait oublié Réginald. Après tout, Paul n'avait-il pas affirmé que son locataire allait s'occuper de sa maison de Québec, le temps qu'elle soit vendue ? Il fallait bien que quelqu'un le fasse, n'est-ce pas ?

Et quelques mois plus tard, ce même Réginald n'avait pas assisté aux noces de Justine, alors…

Néanmoins, Alexandrine avait profité d'un voyage vers Québec pour tendre la perche à son fils.

Curieux, quand même, de confier sa maison à un simple locataire, non ?

Alors, qui était-il vraiment aux yeux de Paul, ce gentil Réginald ?

Un simple ami ?

Alexandrine en doutait de plus en plus, et cette incertitude, aussi ambiguë fût-elle, la turlupinait un peu. D'autant plus que la présence de Réginald expliquerait peut-être pourquoi un aussi gentil garçon que Paul soit encore seul dans la vie même si Alexandrine avait bien de la difficulté à imaginer l'inimaginable…

Paul ne l'avait pas saisie, cette perche qu'Alexandrine lui avait tendue lors de ce voyage à Québec, et cette dernière avait respecté le silence de son fils. Alexandrine ignorait totalement le pourquoi de ce mutisme entêté, sinon que Paul avait toujours été un être renfermé.

— Comme tous mes hommes, finalement, maugréa-t-elle en intensifiant le bercement de la chaise.

Depuis ce jour, elle espérait simplement que Paul avait compris que la porte ne serait jamais fermée pour lui.

Ils n'en avaient jamais reparlé.

Ce qui n'avait pas empêché Alexandrine de remarquer que le moindre prétexte était bon pour que Paul fasse un saut à Québec et qu'au bout de nombreux mois, c'était toujours Réginald qui tenait maison à la place de Paul.

Un simple locataire ? Vraiment ?

La réflexion d'Alexandrine s'arrêta à cette question.

— Quand on n'a pas de réponse à apporter, vaut mieux ne pas trop se questionner, ronchonna-t-elle. Ça rend marabout !

Dans une volte-face tout à fait volontaire, Alexandrine passa alors à un autre registre d'idées et elle esquissa un sourire en se répétant que, dans quelques jours à peine, une semaine tout au plus, sa fille Justine donnerait enfin naissance à son premier enfant.

Avait-elle vraiment besoin d'autre chose pour être heureuse ?

— Pas vraiment.

Effectivement et en toute honnêteté, Alexandrine se devait d'admettre que le compte était complet au chapitre du bonheur. De sa vie paisible à la Pointe aux côtés de son Clovis qui vieillissait en santé tout comme elle, jusqu'à l'espoir d'être encore une fois grand-mère, elle avait tout ce qu'une femme de son âge pouvait désirer pour apprécier la vie.

Alors, pourquoi cette si grande désolation depuis le décès de Victoire ? Pourquoi ces larmes et ces cauchemars ? Après tout, malgré la belle relation qui avait existé entre les deux femmes, Victoire n'avait été qu'une grande amie pour elle. Tout comme Emma.

C'est à ce moment pénible de questions sans réponses, de celles qui affectaient particulièrement Alexandrine depuis quelque temps, que Paul fit bruyamment son apparition.

— Maman !

Alexandrine sursauta et se retourna. Poussiéreux de la tête aux pieds, mais visiblement heureux, son fils se dirigeait vers elle à grandes enjambées. Pour être aussi sale, probablement revenait-il du chantier où la maison de l'Américain commençait à prendre forme. Paul en parlait justement avec beaucoup d'enthousiasme depuis quelques jours. Alexandrine lui rendit aussitôt son sourire, fort heureuse d'être tirée de sa sombre réflexion.

— Paul ! Comme tu vois, je profite de ta galerie.

— De ma terrasse, maman ! De ma terrasse…

Tandis que Paul, taquin, se laissait tomber sur la première marche de l'escalier, tout près de sa mère, Alexandrine tendait le bras et montrait l'immensité de l'horizon qui s'étendait devant elle. Elle soupira de contentement.

— Peu importe, galerie ou terrasse, Paul… Regarde, mon homme, regarde comme c'est beau tout ça !

Paul jeta un bref coup d'œil au fleuve tout scintillant d'éclats de soleil avant de se détourner rapidement pour se concentrer sur ses chaussures. S'il s'était lentement habitué à apprécier le fleuve à Québec, alors que le cours d'eau n'était qu'un étroit ruban entre les deux rives, fort peu menaçant, ici, devant l'immensité de l'étendue d'eau, le malaise lui était revenu entier.

— C'est vrai que c'est beau, acquiesça-t-il du bout des lèvres, mais l'eau et moi, tu sais bien que…

— Je sais, Paul, je sais, coupa Alexandrine, devinant aisément ce que son fils allait ajouter. L'eau et toi, ça a toujours fait deux. Pas besoin de me le répéter. N'empêche que c'est vraiment beau, non ?

— Peut-être, oui.

Un long silence s'installa entre Alexandrine et son fils avant que, d'une voix songeuse, celle-ci constate :

— Pour toi, je crois ben que c'est de naissance, le fait de détester l'eau. Demande-moi pas d'où ça vient, par exemple, j'en ai pas la moindre idée. Mais d'aussi loin que je me souvienne, t'as jamais aimé ça. Pas plus les baignades à la plage que d'être sur le bateau de ton père. Tandis que moi...

Alexandrine prit une profonde inspiration.

— Moi, poursuivit-elle, c'est la vie qui m'a appris à détester le fleuve avant que j'accepte, ben des années plus tard, pis comme malgré moi, d'enfin me réconcilier avec lui.

Nul besoin d'aller plus loin pour que Paul se mette à rougir violemment, comprenant à cette allusion que sa mère parlait de Joseph. Mais que pouvait-il partager avec elle, lui qui n'avait jamais reparlé de l'accident avec ses parents ?

Paul s'enfonça dans son silence.

Alexandrine devait probablement se dire la même chose, car ce fut elle qui reprit, incapable de comprendre ce qui la poussait aussi viscéralement à parler de Joseph alors que l'instant auparavant, c'était à Réginald qu'elle pensait.

— J'sais ben que beaucoup de temps a passé depuis, mais... Dis-moi, Paul, est-ce que tu penses encore à ton frère Joseph, des fois ?

Paul eut un rire sarcastique et, sans oser soutenir le regard de sa mère, il rétorqua vivement :

— Des fois ? Tu me demandes si je pense *des fois* à Joseph ? Tous les jours ou presque, peut-être, oui ! J'y pense à devenir fou... Ou plutôt j'y pensais à devenir fou, tous les jours, et parfois la nuit en rêve, durant des années.

— Ah bon… Alors, on aurait dû en parler ensemble parce que moi avec, vois-tu, je pense à Joseph tous les jours ou presque. Pis depuis quelques mois, j'ai recommencé à rêver à lui pas mal souvent.

Un second silence étira son malaise entre eux. À moins que ça ne fût une prise de conscience sur tout ce temps perdu à entretenir, de part et d'autre, un long silence douloureux.

Alexandrine détacha son regard du fleuve et elle tourna la tête vers son fils. La tête baissée, Paul avait fermé les yeux et, sur ses joues, de grosses larmes silencieuses suivaient les rides que la vie y avait tracées. Le cœur d'Alexandrine se serra, comme pris dans un étau.

— Raconte-moi, Paul, demanda-t-elle alors d'une voix sourde, devinant par instinct les mots à dire. Tant qu'à parler de lui, dis-moi l'histoire de Joseph. Parce que dans le fond, t'es le seul à la connaître, cette histoire maudite. Ton père en a gardé des tas d'émotions pis de la rage, mais pas d'images à partager. Ce qui fait que moi, ben, moi c'est juste des suppositions qui me font pleurer.

À ces mots porteurs de douleur et d'incompréhension, Paul comprit que si lui avait souffert de garder en lui, intactes, les images de la mort de son frère, sa mère, elle, de son côté, avait souffert de l'inconnu entourant cette même mort.

Et Joseph, c'était encore aujourd'hui son fils à elle.

Comment avait-il pu croire qu'il était seul dans la tourmente ?

D'une main tremblante, Paul essuya son visage. Puis, d'une voix rauque, les yeux fermés sur le monde autour de lui mais l'âme ouverte sur le terrible souvenir, Paul se mit à parler.

Pour sa mère, soit, parce qu'elle avait le droit de savoir, mais en même temps, et de cela Paul était terriblement conscient, il accepta de se dire qu'elle n'était que le prétexte.

Quelques mots, une main tendue devant ce paysage qu'il portait en lui comme une cicatrice depuis tant d'années, et les vannes venaient de s'ouvrir. Maintenant, rien au monde n'aurait pu empêcher les mots de sortir.

Alors, Paul raconta.

Le fleuve en furie et la peur, le bruit des vagues et la peur, le vent furieux et la peur... Mais cette peur, comprenons-nous bien, c'était la sienne, celle qui l'avait amené à se réfugier loin de la rambarde. Joseph, lui, était resté à l'avant parce que Joseph, l'invincible Joseph, n'avait jamais eu peur de l'eau.

Il allait même jusqu'à s'en moquer, lorsque cette vague immense...

— Jamais, maman, jamais je ne pourrai oublier l'éclat de terreur que j'ai vu dans le regard de Joseph...

Paul avait ouvert les yeux, levé la tête et, le regard plongé dans celui de sa mère, c'était l'enfant en lui qui s'apprêtait à demander pardon.

— Si j'avais été là, à côté de Joseph, si je n'avais pas été aussi peureux, aussi lâche, j'aurais pu le retenir. J'en suis certain.

— Et moi, murmura Alexandrine à travers ses larmes et sans la moindre hésitation, c'est deux fils que j'aurais probablement perdus, ce jour-là. Et peut-être aussi un mari. Alors, ne dis plus jamais que Joseph est mort à cause de toi. Jamais.

— Mais, maman...

— Jamais, tu m'entends ? Ne dis plus jamais ça, mon Paul. Ce jour-là, c'est le Ciel qui a décidé du destin de Joseph. C'est pas à cause de toi pis c'est pas à cause de ton père non plus même s'il a longtemps pensé ça, rongé par le remords, lui avec. Si j'en ai voulu à quelqu'un, pis je dirais que j'ai longtemps porté de la colère en moi, c'est au Ciel que j'ai adressé mes reproches. Juste au Ciel.

En ce moment, pour Alexandrine, il n'y avait plus de rides sur le visage de son fils, et sa chevelure avait encore les reflets dorés de l'enfance. Une main sur sa tête, elle lui caressait les cheveux comme elle l'avait si souvent fait quand le petit garçon qu'il était pleurait devant l'obligation de suivre son père sur la goélette.

Après l'accident, elle ne l'avait plus jamais vu pleurer. Plus jamais avant aujourd'hui.

— Merci d'avoir parlé, Paul, reprit-elle, reportant les yeux devant elle alors que, sur le quai, une poignée d'hommes s'activaient autour de la goélette de Léopold qui venait d'accoster. Merci d'avoir eu le courage de retourner dans le passé. Ça devait être difficile pour toi, mais il me semble qu'astheure que je sais ce qui s'est réellement passé, j'vas pouvoir laisser partir ton frère pour de bon… Je… C'est un peu fou à dire parce que c'est toi qui as parlé, mais on dirait que c'est moi qui me sens soulagée… J'espère juste que toi aussi, ça t'a fait du bien, malgré tout.

— Oui… J'aurais envie de dire comme toi que ça m'a soulagé. Bien que…

— Bien que quoi, Paul?

L'hésitation de Paul fut à peine perceptible. Avoir réussi à parler de Joseph avait entrouvert la porte des confidences.

— Depuis quelque temps, depuis quelques années, je dirais, pour moi, c'est moins douloureux même si je pense encore souvent à Joseph.

— À cause de Réginald?

En prononçant ce nom, Alexandrine eut la voix plus douce qu'un murmure, toute enrobée d'indécision et de gêne, comme si elle était entrée dans un jardin clos sur le bout des pieds et en retenant son souffle, car ce jardin était interdit aux étrangers et elle en faisait partie. Pourtant, cette question lui était venue spontanément à l'esprit, comme allant de soi. Le temps d'une profonde inspiration et Paul lui répondit sur le même ton, fait d'hésitation et de retenue.

— Oui, à cause de Réginald.

— Ah bon.

Puis, au bout d'un bref silence, Alexandrine ajouta :

— Il a remplacé le frère que tu as perdu ?

Cette fois-ci, la réponse de Paul fut claire et sans équivoque.

— Non, maman. Réginald n'a jamais été un frère pour moi. Vraiment pas…

Vraiment pas…

Deux mots, ceux qu'Alexandrine avait retenus, et tout était dit.

La vieille dame ferma alors les yeux sur le profond malaise qui s'était subitement emparé d'elle. Le temps de se faire à l'idée, peut-être, de chasser certaines images intolérables qui se présentaient bien involontairement sur l'écran de ses pensées.

Le temps, surtout, d'essayer de toutes ses forces d'accepter cette réalité qu'elle n'avait jamais envisagée pour ses fils. Une réalité différente, provocante, dérangeante, dont on ne parlait jamais autour d'elle. Une réalité dont on allait jusqu'à se détourner si jamais elle croisait notre route. C'était comme ça qu'Alexandrine avait été élevée, dans le mépris de cette différence, un mépris enseigné par les gens autour d'elle et par l'Église. C'était comme ça qu'Alexandrine avait vécu, sans se poser de questions, tout simplement, peut-être, parce que l'occasion ne s'était pas présentée. Alors, ce choix de vie un peu particulier fait par son fils n'était pas nécessairement facile à comprendre pour la vieille dame qu'elle était devenue.

Puis, brusquement, comme si elle sortait d'une certaine torpeur, Alexandrine secoua la tête et se redressa.

Paul était son fils, n'est-ce pas ? Et elle l'aimait depuis son tout premier cri, d'un amour inconditionnel.

La main d'Alexandrine passa alors de la tête de Paul à son épaule et elle la serra avec force. Son fils attendait sûrement une réponse de sa part, elle allait donc la lui donner.

— Qu'est-ce que t'attends, d'abord, pour le faire venir ici ?

À ces mots, Paul sursauta comme s'il avait reçu une décharge électrique. Se pouvait-il que sa mère ait tout compris et accepté ? Il en avait tellement rêvé !

— Réginald, ici ? fit-il d'une voix étranglée.

Puis, la réalité le rattrapa.

— Tu n'y penses pas vraiment, n'est-ce pas ?

Paul prit une profonde inspiration, jeta un coup d'œil à sa mère qui semblait ne pas avoir l'intention de répondre. La vieille dame regardait droit devant elle, mais pour Paul, ce silence était la plus belle preuve de son acceptation. Il n'y avait eu ni cri ni déni. Il n'y avait peut-être que les mots à dire qu'elle ne trouvait pas. Pas pour l'instant.

— C'est pas la ville et son semblant d'anonymat, ici, maman, ajouta-t-il enfin. C'est juste un petit village où tout le monde surveille tout le monde.

— Ouais, c'est vrai… N'empêche…

— Non, maman. Il n'y a pas de « n'empêche »… Ça fait des mois que j'y pense et je n'ai toujours pas trouvé de solution, de prétexte pour…

— N'empêche, s'entêta Alexandrine.

La vieille dame s'agita sur sa chaise, reporta les yeux sur Paul. Le malaise en elle s'éloignait parce qu'elle venait de comprendre que son fils n'avait pas changé malgré l'aveu. C'était le même Paul qu'hier et que celui de demain. Alors, il y avait surtout une vie au quotidien qui allait continuer, pareille à hier.

— Avec tes commandes en pâtisserie pis ton contrat d'architecte, on dirait ben que ta vie à toi va se poursuivre ici, pas en ville, n'est-ce pas ?

— On dirait bien, oui. Même que je viens de signer pour la construction d'une autre maison. C'est ce que j'étais venu t'annoncer en passant par ici avant d'aller à l'auberge…

— Tant mieux, mon homme. C'est une bonne nouvelle, ça.

— Oui, si on veut…

À son tour, Paul s'agita sur la marche où il était assis. Puis, il lâcha un bruyant soupir.

— Pis tant qu'à y être, parlons-en, de l'auberge !

Brusquement, Paul le taciturne avait envie de causer en abondance comme une écluse aurait cédé sous la force du courant. Trop de choses dans sa vie se bousculaient en même temps. Et même si Paul avait l'intuition qu'enfin les événements et les émotions allaient dans le bon sens, lui, il risquait de perdre pied. Alors, tout à coup, il se sentit intarissable, avec néanmoins une indéniable inquiétude dans la voix.

— La saison des touristes va bientôt commencer, expliqua-t-il, faisant ainsi référence à l'auberge, et on dirait bien qu'à force de me faire connaître un peu partout avec une première construction de maison et les gâteaux qu'on me commande de plus en plus, on dirait bien que ça va finalement débloquer, du côté de l'auberge. À droite et à gauche, on m'a promis d'envoyer des clients.

— Ben voyons donc !

Alexandrine s'était redressée, soulagée de voir que le sujet de conversation bifurquait de lui-même. Elle était tout heureuse de la bonne fortune de son fils.

— C'est ce que tu voulais, non, en rachetant l'auberge de la mère Catherine ? Avoir des clients, c'est ce que tout aubergiste digne de ce nom doit espérer, il me semble.

— Bien d'accord avec toi. En autant que t'as le temps de t'en occuper, par exemple. Ce qui n'est pas précisément mon cas, par les temps qui courent.

— Pis ça? lança Alexandrine de cette voix entêtée qu'elle utilisait quand elle était en train de prendre une situation en mains.

— Je ne vois pas ce que tu veux dire, maman.

— Il y aurait peut-être Marguerite.

Paul resta un moment sans voix, assimilant lentement les derniers mots d'Alexandrine, puis il secoua vigoureusement la tête. Si c'était ça, la solution de sa mère…

— Marguerite? répéta-t-il en écho. Mais qu'est-ce que ma sœur vient faire dans ce que je viens de dire?

— Elle pourrait te donner un coup de main. Après tout, Marguerite a déjà travaillé à l'auberge, du temps de la mère Catherine.

— Peut-être, oui, mais cette même Marguerite a aussi affirmé catégoriquement que jamais elle ne reviendrait vivre par ici, l'aurais-tu oublié?

Ce fut au tour d'Alexandrine de secouer la tête énergiquement, dans un grand geste de négation.

— Nenni, mon fils… J'ai rien oublié pantoute. Marguerite l'a répété assez souvent pour que je m'en rappelle jusqu'à la fin de mes jours. Mais mon petit doigt, lui, me laisse entendre que ça pourrait changer. Pis pas mal plus vite que tu pourrais le penser.

Paul esquissa un sourire bien malgré lui.

— Bon! Ton petit doigt maintenant. Ça faisait longtemps que tu ne l'avais pas ressorti, celui-là. Depuis la petite école, je crois bien. Comment se porte-t-il? demanda-t-il, gentiment narquois.

— Il se porte à merveille, tu sauras.

— Ben tant mieux pour lui. En attendant, faut que je trouve une solution pour l'auberge et, sauf le respect que je te dois, c'est pas ton petit doigt qui va pouvoir m'aider.

— Tête dure, va! Laisse-moi donc aller jusqu'au bout, mon homme. On verra ben après ce que ça va donner.

Paul hésita. Il n'y avait que sa mère, parfois, pour se mêler des affaires de tous les siens, à sa façon, sans vraiment tenir compte des opinions autour d'elle. Toujours avec une foule de bonnes intentions, soit dit en passant, mais pas nécessairement avec d'heureux résultats. Elle pouvait bien dire qu'il n'y avait plus que les projets des autres pour l'intéresser!

Par contre, au point où il en était, toutes les idées étaient bonnes à analyser. Paul en était conscient. Il osa espérer que, finalement, il y aurait peut-être une solution qui s'offrirait enfin à lui.

Et à Réginald, bien sûr, lui qui commençait à en avoir sérieusement assez de vivre seul dans la grande maison de la rue des Érables.

— D'accord, maman. Je t'écoute!

Tout heureuse d'avoir enfin l'attention de son fils, Alexandrine s'accota contre le dossier de sa chaise et, du bout du pied, elle en régla le balancement.

— Tu vas voir, Paul, c'est pas compliqué pantoute... Admettons que Marguerite te rejoigne à l'auberge pis que...

— Encore? Voyons, maman! Rien n'est moins sûr que Marguerite va accepter. Si c'est là ton argument de base, va falloir...

— Veux-tu ben me laisser continuer!

— D'accord, je m'excuse. Continue.

— Allons-y donc! Tu demandes à Marguerite de venir t'aider. Quoi de plus normal que de voir un frère et une sœur, célibataires en plus, décider de s'entraider dans un projet aussi important que celui de gérer une auberge, n'est-ce pas? Là-dessus, personne pourrait se permettre de redire quoi que ce soit au village... D'autant plus que ça fait longtemps que tout le monde espère la voir reprendre du service, cette auberge-là, pis que Marguerite pis toi, vous êtes des enfants de par ici. Jusque-là, tu me suis?

— Pas de crainte. Je te suis comme ton ombre.

— Parfait. Quoi que tu en penses, pis je l'entends dans ta voix, je suis certaine que ta sœur dira pas non à une proposition comme celle-là. C'est même le contraire qui me surprendrait. J'ai ma petite idée là-dessus. Bon... Pendant ce temps-là, comme Marguerite est là pour voir à l'auberge, toi, tu peux te consacrer à tes commandes de desserts pis à tes constructions. Là aussi, c'est important de continuer parce que ça amène de l'eau au moulin. Est-ce que ça tient debout, mon affaire?

— En autant que Marguerite accepte, oui, ça tient debout, ton affaire.

— Dans ce cas-là, on continue!

Les yeux mi-clos, Alexandrine semblait boire du petit lait. Rien ne lui plaisait autant que d'avoir son mot à dire dans la vie de ses enfants, tout adulte qu'ils soient devenus! Après les avoir mis au monde, la mère en elle avait toujours considéré qu'elle ne pouvait se tromper à leur égard. À tort ou à raison, elle n'en avait cure! Alors, en ce moment, d'intuition en constatation, de désir en réalisation possible, elle avait la nette sensation de les aider à faire un pas de plus vers l'avenir. Leur avenir.

— L'auberge, fit-elle songeuse. Dans le fond, c'est comme pour le fer forgé de Johnny Boy: il faut juste vendre l'auberge aux touristes comme il leur vend ses sculptures pis ses girouettes. Faut vendre l'idée que ton auberge, que votre auberge, à Marguerite pis toi, c'est la meilleure dans la région. Avec la meilleure salle à manger. C'est comme ça que tu vas avoir plein de monde... Pis c'est qui le meilleur vendeur, comme tu l'as souvent dit?

— Réginald?

— Et voilà ! C'est toi qui l'as dit, pas moi.

Tout étourdi par les propositions inattendues de sa mère, Paul resta un court moment silencieux.

— Vendeur d'habits, ça oui, admit-il enfin. Réginald est un excellent vendeur. On vient même de loin pour le consulter, j'en conviens. Mais pour l'auberge...

Paul semblait sceptique. Il n'y avait qu'à regarder la maison qui n'était toujours pas vendue pour avoir des doutes.

— Ben pour moi, mon homme, déclara Alexandrine d'une voix décidée, quoi que tu en penses, il y a pas de différence entre vendre un habit pis vendre une chambre d'hôtel. Quand t'as le bagout nécessaire pour convaincre un acheteur, ça finit toujours par donner des résultats intéressants.

Cette fois-ci, Paul eut un sourire.

— Pour le bagout, comme tu dis, pas de doute, Réginald est le meilleur.

— Je le savais. Ça se voit pis ça s'entend, juste à être devant lui. C'est tout un atout dans le jeu d'un aubergiste, ça, mon homme. Ton Réginald, il est charmant, je l'ai toujours dit, pis il est toujours de bonne humeur... Juste ça, c'est déjà vendeur. Dans le fond, c'est Réginald, ton meilleur atout. Pis avec ta sœur Marguerite dans le portrait, ça serait probablement suffisant pour faire taire les mauvaises langues du village, parce que malheureusement, il y en a.

— Si tu le dis.

— Je le dis... Comme tu vois, ta situation est pas si pire que ça. D'ici à juillet, t'as en masse le temps de ben enligner tes affaires.

À ces mots, tout empreints d'assurance, Paul esquissa une petite moue. Peut-être bien, après tout. Il voulait tellement y croire. Puis, brusquement, son regard s'éteignit et c'est alors qu'il ajouta :

— Il n'y a qu'un petit détail que tu as oublié.

— Un détail ?

Alexandrine fit mine de chercher, soupira, puis elle tourna son interrogation vers son fils.

— Quel détail, Paul ? J'vois pas pantoute de quoi tu parles.

— C'est la maison en ville, le petit détail. C'est ma maison de la rue des Érables. Qui va s'en occuper, si Réginald est ici ?

Alexandrine resta un moment silencieuse. De toute évidence, ce « détail » lui avait échappé. Ne voyant rien pour l'instant, épuisée par tout ce qu'elle venait d'improviser, une étape après l'autre, essayant d'être le plus logique possible, Alexandrine soupira encore une fois avant de lâcher avec une certaine nonchalance :

— Laisse-moi y penser, pis je te reviens là-dessus…

Alexandrine était convaincue qu'à tête reposée, elle trouverait une solution à ce léger contretemps.

— C'est sûr que j'vas trouver quelque chose, assura-t-elle. Laisse-moi en discuter avec ton père… Je… Je pense que lui avec, il a le droit de savoir.

— C'est sûr.

— De tout savoir.

Ces trois derniers mots étant dits avec un regard appuyé en direction de Paul, qui se sentit rougir jusqu'au front, mais Alexandrine n'en tint pas compte.

— Quant aux autres…

D'une main catégorique, la vieille dame balaya l'air devant elle avec une certaine autorité dans le geste. Puis, le regard fixé sur l'Anse-aux-Morilles que l'on apercevait clairement en cet après-midi d'été, elle ratissa d'un mouvement du bras sa maison, le village en bas de la côte, toutes les paroisses avoisinantes, mais encore le fleuve au grand complet, de la rive nord à la rive sud.

— Quant aux autres, mettons qu'ils ont vraiment pas besoin de tout savoir.

CHAPITRE 9

Juin 1933, à peine quelques jours plus tard,
chez Marguerite, dans le quartier Limoilou à Québec

Agacée par un rayon de soleil qui s'infiltrait comme un polisson entre les rideaux pour ensuite filer en droite ligne jusqu'à son oreiller, Marguerite grogna dans son sommeil.

On était samedi et elle n'avait pas besoin de se lever. Quelle idiote elle avait été de ne pas fermer convenablement ses rideaux !

Le temps d'un long bâillement, avant de se retourner pour essayer de se rendormir, puis le souvenir lui revint. Aussitôt, Marguerite ouvrit tout grand les yeux, complètement éveillée.

Hier, en début de soirée et avec une bonne semaine d'avance, sa petite sœur Justine avait mis au monde deux petits garçons de bon poids et en parfaite santé.

Deux !

Hubert et Léon, avait annoncé le père, fier comme un paon, au moment où il était passé par son appartement avant de retourner chez lui, tout énervé.

— Deux, Marguerite ! Deux ! Te rends-tu compte ? Le pire, dans tout ça, c'est pas qu'ils soient deux, on les aime déjà, Justine pis moi. Non, le pire, je pense, c'est que ça va tout prendre en double. À commencer par notre logement qui est bien trop petit pour une famille comme celle-là ! Pour une première année, je ne dis pas, mais après…

Rarement Marguerite avait-elle vu un homme aussi surexcité.

Quand Armand était reparti, il avait continué de réfléchir à haute voix, même une fois arrivé sur le trottoir, et il gesticulait comme un pantin.

À cette pensée, Marguerite esquissa un sourire.

— Personne l'avait vue venir, celle-là, murmura-t-elle, tout en se retournant paresseusement entre les draps. Pas même le docteur. Tu parles d'une affaire : deux bébés, deux en même temps !

Marguerite étant pétrie de la même pâte que sa mère, Alexandrine, elle était incapable de jalouser ni d'envier qui que ce soit. Aussi, c'est en élargissant son sourire qu'elle s'étira longuement, heureuse du bonheur de sa petite sœur, tout comme elle l'avait été à son mariage, l'année dernière. Le fait qu'elle-même, plus âgée, soit encore célibataire et sans enfant ne changeait absolument rien à la donne.

— Et maintenant, debout ! lança-t-elle joyeusement en repoussant les draps d'un coup de pied vigoureux. J'ai plus juste un cadeau à acheter, moi là, j'en ai deux… Mais avec le même budget, par exemple. C'est là que ça se complique. Armand a ben raison : à partir de maintenant, ça va tout prendre en double !

Manie de vieille fille, et Marguerite le reconnaissait sans ambages, elle parlait souvent ainsi à voix haute, sans interlocuteur, pour le simple plaisir d'entendre un peu de bruit briser le silence de son appartement.

C'était pour combler le vide laissé par le départ de Justine que Marguerite avait développé cette marotte de parler toute seule. Pour ralentir cette mauvaise habitude, à défaut de l'annuler complètement, elle avait déposé sur le bout du comptoir de la cuisine un poste de radio rutilant, tout de rouge et de chrome recouvert, qu'elle avait réussi à s'offrir après de longs mois d'économies.

Ainsi, fidèle à elle-même, puisque le poste de radio ne fonctionnait pas encore à cette heure matinale, Marguerite n'avait pas fini de marmonner tout en ouvrant ses tentures qu'on frappait à sa porte. Intriguée, elle attrapa machinalement sa robe de chambre avachie qu'elle avait laissée traîner au pied de son lit la veille et, tout en l'enfilant, elle se précipita vers l'avant de la maison.

Quelle ne fut pas sa surprise de découvrir son frère Paul, debout sur le perron, tenant dans une main une assiette à salade recouverte d'une serviette de table en lin.

— Des muffins, annonça-t-il en guise de salutation, tout en soulevant l'assiette. Frais faits d'hier soir... Je peux entrer?

Abasourdie que la nouvelle de l'arrivée des bébés se soit propagée aussi vite jusqu'au village, quoi d'autre pour que son frère se pointe ainsi chez elle un samedi matin, Marguerite s'effaçait déjà pour le laisser passer.

— Ben voyons donc, toi! Qu'est-ce que tu fais là? Tu sais déjà?

Connaissant les aires de la maison comme s'il était chez lui, Paul empruntait déjà le corridor qui menait à la cuisine. À la question de sa sœur, il détourna la tête en ralentissant.

— Comment ça «je sais déjà»? Il s'est passé quelque chose? Quelque chose que je devrais savoir et que je ne sais pas? Rien de tragique, j'espère?

— Pantoute! C'est Justine.

Paul et Marguerite entrèrent dans la cuisine l'un après l'autre. Paul déposa délicatement l'assiette sur la table tandis que Marguerite se dirigeait vers l'évier pour mettre de l'eau à bouillir, le tout sans cesser de parler.

— Imagine-toi donc qu'elle a eu des jumeaux, expliqua-t-elle. Hier en début de soirée... T'es encore une fois «mononcle», mon Paul! Et deux fois plutôt qu'une! Hubert pis Léon. Deux petits garçons en bonne santé, paraît-il. Selon notre beau-frère, ils se ressemblent comme deux gouttes d'eau et ils seraient les plus beaux de la ville… Quand je t'ai vu à la porte, je pensais que tu avais déjà appris la bonne nouvelle pis que t'étais là pour ça.

— Eh non, je ne savais pas. Je me doutais bien que ça s'en venait parce que maman en parle à qui veut l'entendre chaque fois que quelqu'un passe à la maison, mais pas plus. De toute façon, comment est-ce que j'aurais pu savoir ça, hein?

— C'est vrai, t'as pas le téléphone dans ton auberge… Mais quand même, peut-être par le magasin général… Pis c'est pas vraiment important… Mais si c'est pas pour les jumeaux que t'es ici, veux-tu ben me dire ce que tu fais chez moi, toi, par un beau samedi matin pis aussi de bonne heure surtout?

— C'est toi que je suis venu voir, Marguerite.

— Moi? Ben voyons donc… À mon tour de dire que j'espère que rien de tragique est arrivé par chez nous.

— Non. Pas pantoute, comme dirait maman. Faut juste qu'on parle.

— Parler? Me semble que t'as l'air ben sérieux, tout à coup.

— Oui, c'est sérieux…

Paul avait ravalé son sourire devant ce qu'il s'apprêtait à demander à Marguerite. Il n'y avait bien qu'une Alexandrine pour réussir à le convaincre d'être ici dès ce matin parce que lui, il aurait préféré avoir plus de temps pour se préparer. Soupeser le pour et le contre, comme il l'avait dit. À quoi Alexandrine avait rétorqué:

— Ça prend du temps pour tout ben analyser pis du temps, t'en as pas de reste, mon pauvre garçon. Juillet va nous tomber dessus avant qu'on aye dit ouf! Pis les touristes avec!

En quoi, elle n'avait pas tort.

« Le pauvre garçon » avait donc mis une muselière à sa timidité naturelle, et la perspective de voir Réginald dès le samedi suivant s'était occupée du petit restant d'incertitude qui hantait l'esprit de Paul.

C'est ainsi qu'il se trouvait présentement dans la cuisine de Marguerite, toujours aussi intimidé et inquiet. Il cherchait encore les mots qui sauraient convaincre sa sœur de le suivre à la Pointe parce que les longues heures de route entre l'auberge et ici n'avaient pas suffi. Paul avala péniblement sa salive avant de poursuivre.

— Oui, on pourrait effectivement le voir de cette façon-là : ce que j'ai à te dire, c'est du sérieux, mais ce n'est pas tragique, crains pas. Je dirais même que ça pourrait être quelque chose d'heureux.

— Heureux ? T'as pas la face de quelqu'un de ben ben joyeux, mon pauvre Paul, laisse-moi te dire ça. Mais assis-toi quand même. J'ai toujours envie d'entendre ça, moi, des choses heureuses. Enlève ta serviette de sur tes muffins pis j'arrive avec le thé pis des assiettes. Si c'est ça que tu veux, on va jaser. Mais laisse-moi te dire que tu m'intrigues, par exemple. Pis pas juste un peu !

Ce que Paul avait à proposer à sa sœur tenait en quelques phrases à peine, surtout qu'il n'avait pas l'intention d'entrer dans les détails. Il espérait même que, dans le meilleur des mondes, il n'aurait jamais à le faire. Marguerite n'avait pas terminé son premier muffin que Paul se taisait, tandis qu'au même instant, elle repoussait son assiette. Les grandes lignes du projet avaient été exposées et elle se demandait quoi répondre.

Avait-elle, surtout, envie de retourner à la Pointe ?

— C'est pas que c'est pas bon, s'excusa-t-elle en se levant de table, c'est juste que ça me dépasse un peu, ton affaire... Retourner à la Pointe pour voir à l'auberge... C'est un moyen projet que tu me proposes là, Paul... Ouais, un moyen contrat.

Tandis que Marguerite lui tournait le dos pour se rendre à la fenêtre, songeuse, sa tasse de thé à la main, Paul eut la présence d'esprit de se dire, franchement interloqué, qu'elle n'avait pas refusé.

Sa sœur Marguerite n'avait pas dit non !

Pourtant, c'était un peu à cela qu'il s'était attendu en arrivant un peu plus tôt. Malgré le pressentiment de sa mère, lui prévoyait un refus clair et net parce que Marguerite, jusqu'à aujourd'hui, avait souvent poussé les hauts cris quand on lui parlait de retourner vivre à la Pointe.

— Es-tu fou, toi ? lui avait-elle clamé plus d'une fois quand le sujet revenait sur le tapis, surtout à l'époque où lui-même avait fait le grand saut. J'aime bien trop la ville pour retourner m'enfermer dans notre village ! Il y a ben assez de notre sœur Anna pour vivre cloîtrée, compte pas sur moi pour y ressembler.

Voilà ce que Marguerite avait coutume de répéter dès qu'on lui parlait de retourner vivre à la campagne.

Mais pas ce matin.

Curieusement, ce matin, il n'y avait eu ni cris ni bras en l'air...

Se pourrait-il finalement qu'Alexandrine ait eu raison en disant que certaines choses avaient changé ?

Étant donné cette attitude surprenante, c'était à peine si Paul osait respirer pour ne pas contrarier la réflexion de Marguerite, conscient qu'une bonne partie de sa propre vie dépendrait de la réponse de sa jeune sœur.

Si Marguerite disait oui et acceptait de le suivre, l'avenir pour lui reprendrait tout son sens, car il aurait l'espoir qu'un jour pas si lointain, Réginald viendrait le rejoindre.

Par contre, si Marguerite disait non...

Aux yeux de Paul, qui n'en menait pas large, elle parut très longue, cette réflexion. Elle fut ponctuée à quelques reprises de bruyants soupirs qu'il ne sut comment interpréter, puis Marguerite se retourna enfin.

— Je le sais pas, Paul, avoua-t-elle franchement.

C'était là l'une des belles qualités de Marguerite : elle ne savait pas mentir et elle allait toujours droit au but.

— C'est tentant, ton idée, c'est sûr, ajouta-t-elle précipitamment, voyant son frère se rembrunir au fil des mots qu'elle prononçait. C'est sûr que c'est tentant ben gros... S'occuper d'une auberge, avec tout ce que ça comporte, c'est autre chose que d'être rouleuse de cigarettes, n'est-ce pas ? D'un autre côté, j'ai une bonne vie ici même si ma job est pas ben ben excitante... C'est la ville, Paul ! Tu le sais combien j'aime ça, vivre en ville. Les cinémas, les restaurants, toutes les commodités... En plus, depuis hier, il y a Justine avec ses jumeaux. Peut-être ben que ça l'épouvanterait, la pauvre fille, de savoir que je m'en vas en la laissant toute seule. Avec deux p'tits sur les bras, elle doit sûrement compter sur moi...

La réponse de Marguerite ressemblait tellement à ce que Paul avait anticipé qu'il n'eut pas le réflexe d'insister.

— Si c'est ce que tu penses.

— Bonté divine, Paul, t'as ben l'air déçu, tout à coup ! Tu devais pourtant te douter que je pourrais pas répondre oui comme ça, sur un coup de tête.

— D'accord, je l'avoue, ça ressemble un peu à ce que je pensais. Mais pas maman.

— Ah bon...

Savoir que sa mère présageait que la réponse de sa fille pourrait être moins spontanée qu'elle l'avait été au fil des années fit rougir Marguerite. Elle se détourna aussitôt pour échapper au regard de Paul.

Serait-ce que sa mère, Alexandrine, pensait à la même chose qu'elle?

À la même personne?

Après tout, l'engouement de Marguerite pour la ville avait été plutôt subit. Il tenait tout bêtement à un moment bien particulier de sa vie, à un refus à moitié dit, et il n'y avait qu'Alexandrine pour être suffisamment clairvoyante et s'en douter. Le véritable attachement de Marguerite et la ville et ses agréments n'était venu que plus tard.

Sans pouvoir comprendre jusqu'où pouvait se rendre la réflexion de Marguerite, Paul, de son côté, se permit d'insister:

— Maman était à ce point convaincue que tu dirais oui qu'elle a presque réussi à me convaincre moi aussi, ajouta-t-il diligemment, espérant ainsi faire pencher la balance en sa faveur, car il avait cru déceler une drôle d'ambivalence qui semblait brusquement affecter sa sœur.

— J'ai pas dit non, répliqua-t-elle, évasive, comme en écho aux pensées de son frère.

— Mais t'as pas dit oui non plus, rétorqua Paul du tac au tac. Et si moi je précisais que j'ai vraiment besoin de toi pour m'en sortir?

Pour Marguerite, qui elle non plus ne pouvait deviner les véritables enjeux de la proposition de Paul, l'attitude de son frère sembla tellement démesurée, tout à coup, qu'elle sortit de sa torpeur.

— Si c'est pas moi, ça sera quelqu'un d'autre, lança-t-elle, un brin exaspérée par tant d'insistance. Voyons donc! C'est de même qu'il faut voir ça, Paul, pas autrement. Je suis pas la seule personne sur terre à pouvoir t'aider.

— Oui, justement. Il n'y a que toi.

— Ben là, je te suis pas. Va falloir que tu m'expliques ça.

Un long soupir fut la première explication de Paul.

Depuis bien des années, il croyait savoir que ses deux sœurs avaient deviné quels étaient les véritables liens qui l'unissaient à Réginald parce qu'il avait surpris certains regards entre elles, soupesé la portée de certains gestes d'amitié, apprécié certaines délicatesses envers Réginald et lui...

Pourtant, malgré cela, ils n'en avaient jamais parlé entre eux.

Et voilà que Paul venait brusquement de comprendre que, à l'égard de Marguerite, à tout le moins, tout comme avec sa mère l'autre jour, d'ailleurs, ce moment-là venait d'arriver.

Bien sûr, il ne tenait qu'à lui de dire clairement les choses, personne ne l'y obligeait. S'il le préférait, il pouvait toujours se taire. Se taire à tout jamais. Mais si en ce moment, par pudeur ou par crainte, il refusait d'emprunter le tournant qui se profilait devant lui, Paul le regretterait peut-être jusqu'à la fin de ses jours.

Il inspira alors profondément.

En réalité, il lui fallait tout simplement mettre en mots ce qui n'avait été, jusqu'à présent, que des suppositions entre sa sœur et lui.

Ce fut l'image du sourire de Réginald, racoleur, éclatant, qui lui donna le courage de répéter ce qu'il venait de demander, mais en y ajoutant, cette fois, les nuances nécessaires.

— Voilà ce qu'il en est précisément de la situation...

Et Paul se mit à parler de l'entreprise de Victoire qui prenait beaucoup de son temps, même s'il adorait cela, et il précisa l'engagement qu'il avait pris avec l'amie de leur mère, à savoir ne jamais laisser tomber les clients. Il décrivit les plans qu'on lui avait demandé de dessiner et les chantiers qu'il devait désormais surveiller. Il ajouta que tout cela, c'était sans compter les promesses qu'on lui avait faites de lui envoyer des clients pour l'auberge, et ce, de plus en plus fréquemment, tandis que la saison touristique approchait à grands pas.

— Même si Réginald était avec moi, précisa-t-il en guise de conclusion, je ne serais pas certain d'y arriver. Je manquerais de temps. De toute façon, Réginald a peut-être de l'entregent à revendre et est le meilleur vendeur que je connaisse, pour l'administration, il ne vaut pas un clou… Et puis, si Réginald me rejoignait à l'auberge sans plus de précautions, ça ferait sûrement jaser. Tu dois bien t'en douter, n'est-ce pas ?

Les derniers mots de Paul avaient été murmurés plus que prononcés et ils furent suivis d'un long silence.

Sans que Paul ait besoin d'entrer dans les détails, Marguerite avait tout compris. Son intuition ne s'était pas trompée.

Un peu mal à l'aise devant les propos de son frère qui venait de confirmer ce qui n'avait été qu'hypothèse de sa part, car même avec Justine elle n'en avait jamais vraiment parlé, Marguerite ne savait ni quoi ni comment répondre.

Devant ce silence persistant, et comprenant qu'il s'était déjà beaucoup trop avancé pour en rester là, Paul reprit.

— C'est maman qui a pensé à toi en disant que ton entête-ment à vouloir vivre en ville était peut-être une chose du passé. Ne me demande pas pourquoi elle a dit ça, par exemple, je n'en ai pas la moindre idée. Elle m'a rappelé, aussi, que tu as déjà travaillé à l'auberge, du temps de la mère Catherine. Ton expérience nous serait utile, c'est indéniable. Comme maman l'a précisé : avec toi dans le portrait, et ce sont les mots de maman que je répète ici, ça devrait suffire pour faire taire les mauvaises langues, concernant Réginald et moi… Elle a pro-bablement raison. Du moins, je l'espère. Ainsi, dans le scé-nario élaboré par notre mère, toi et moi, on est propriétaires de l'auberge et, devant la saison qui s'annonce prometteuse, on engage Réginald, quelqu'un d'expérience avec le public et un excellent vendeur. C'est lui qu'on a choisi ensemble pour nous aider... Avec un peu de chance et beaucoup de discrétion, les gens n'y verront que du feu. Voilà, Marguerite, tu sais tout. À toi de décider, maintenant.

— Facile à dire, ça, murmura Marguerite en se relevant.

Elle avait l'air si indécise que Paul se détourna pour cacher la tristesse subite qui venait de s'emparer de lui.

Pourtant, Marguerite n'était pas aussi incertaine qu'elle le laissait croire et, pour elle, l'offre de son frère était terriblement tentante.

Si ça n'avait été de la peur dévorante de retomber franchement amoureuse et d'être éconduite une seconde fois, elle aurait accepté sans hésiter, sachant pertinemment que Justine n'avait pas vraiment besoin d'elle pour voir à ses deux fils.

En ce moment, son attachement inconditionnel pour la ville et sa petite sœur Justine n'était qu'un seul et même paravent derrière lequel Marguerite se cachait. Elle en était consciente.

Alors?

Le cœur en émoi, Marguerite souleva la bouilloire pour refaire du thé, comme si le fait d'être active en s'occupant les mains allait permettre au nom de Lionel de s'effacer subitement de ses pensées.

Lionel...

Tout comme sa mère, Marguerite aurait été la femme d'un unique amour même si celui-ci, durant de nombreuses années, avait été impossible.

Marguerite laissa filer un soupir qui se mêla à celui de la bouilloire.

Que de gentils garçons écartés dès une première ou une seconde soirée, sous prétexte de rester fidèle au souvenir que Marguerite gardait d'une soirée d'été particulièrement douce, alors qu'assise dans le jardin de celui qu'elle aimait déjà en silence, elle avait cru que tout pourrait être possible entre eux!

Oui, Marguerite avait entretenu ce souvenir avec une infinie patience et une surabondance de soupirs, se disant qu'un jour peut-être…

Puis, ce jour-là était arrivé et, depuis le tout premier instant où elle avait appris le décès de Victoire, que Dieu le lui pardonne, Marguerite avait osé espérer que tout n'était pas perdu pour elle.

Alors, son cœur s'était remis à battre avec un peu plus d'intensité.

Lionel, Lionel était redevenu un homme libre.

Puis, une fois de plus, le temps avait passé, se comptant en mois cette fois-ci, sans que rien change à son quotidien.

Encore fallait-il que Marguerite puisse croiser Lionel à l'occasion, n'est-ce pas?

Elle l'avait rapidement reconnu, admettant du même coup que ce n'était pas une visite par-ci par-là à ses parents qui allait nécessairement se porter garante d'une rencontre prometteuse!

C'est ainsi que Marguerite avait continué à ronger son frein.

Jusqu'à ce matin.

Jusqu'à ce que Paul frappe à sa porte.

Et qu'il lui parle de son projet.

Brusquement, Marguerite se sentit fébrile.

Et si l'offre de Paul était un signe du destin?

La théière fumante à la main, Marguerite se tourna vers son frère qui, lui, avait encore une fois respecté religieusement son silence.

— Si je disais oui, et je dis bien «si», annonça-t-elle en versant une rasade ambrée toute fumante dans la tasse de

Paul, il ne faut pas croire que je partirais comme ça, tout de suite avec toi.

Maintenant, ce fut le cœur de Paul qui commença à se démener furieusement dans sa poitrine.

— C'est bien évident… Et jamais je ne te l'aurais demandé. Après tout, tu as mille et une choses à régler avant de pouvoir te libérer.

— Ouais, comme tu dis… Et Réginald, lui?

Marguerite n'osait pas regarder directement son frère, comme s'il avait pu lire en elle et deviner ses véritables motivations. Elle sursauta quand Paul demanda:

— Quoi, Réginald?

— Est-il au courant de tout ça? Parce que si j'ai bien compris tout ce que tu m'as expliqué depuis tantôt, Réginald va suivre mon arrivée à moi, n'est-ce pas?

Petit à petit, Paul prenait conscience que tout était subitement en train de se placer autour de lui. Même si Marguerite n'avait pas dit oui, du moins pas encore, il sentait bien qu'elle en avait terriblement envie. Bien sûr, Réginald n'était pas encore au courant, car Paul voulait lui éviter une grande déception. Par contre, il savait que son amant serait fou de joie à la perspective de venir vivre avec lui à l'auberge. Ils en avaient suffisamment parlé pour que Paul puisse en être totalement convaincu.

— Non, Réginald n'est pas encore au courant, admit-il alors honnêtement. Tout ça a été trop expéditif pour que j'aie le temps de lui en parler. Ce n'est vraiment pas quelque chose dont on peut parler au téléphone! Mais ne t'en fais pas, il va dire oui. On s'est trop ennuyés, lui et moi, pour qu'il dise non… Alors?

Cette fois-ci, Paul avait dit exactement ce qu'il fallait pour finir de convaincre Marguerite. Elle savait trop ce que voulait dire le mot «ennui».

— Alors, c'est oui, Paul, lança-t-elle précipitamment parce qu'elle entretenait l'infime peur de changer d'idée à la dernière minute. J'accepte ta proposition. Ouais... Finalement, j'vas aller t'aider à la Pointe !

Tout en parlant, elle tendit la main par-dessus la table pour sceller cette entente.

— On va y voir ensemble, à cette auberge-là. Toi, moi, pis Réginald.

— Ben voyons donc... Ouf !

Paul en avait le souffle coupé. Il secouait la main de sa sœur avec frénésie, tout en cherchant ses mots.

— Ben là, tu me fais plaisir, Marguerite, déclara-t-il finalement quand il fut à moitié remis de sa surprise.

Paul avait le cœur qui battait la chamade.

— Si tu savais à quel point tu me fais plaisir, répéta-t-il. Mon Dieu ! C'est fou... J'ai hâte de voir la réaction de Réginald quand je vais lui apprendre que nos problèmes de distance vont enfin se régler... Et pour Justine, si jamais t'avais l'idée d'en reparler, voici ce que j'ai pensé pour elle, avant même de savoir qu'elle aurait des jumeaux, à part de ça ! J'aimerais que tu me dises ce que tu en penses.

Deux semaines n'étaient pas écoulées que Paul repartait déjà pour la ville afin de chercher Marguerite et ses bagages. Réginald, lui, suivrait par train, uniquement à la fin de la semaine suivante, question de donner un peu de crédibilité aux divagations d'Alexandrine qui, de son côté, ne se possédait plus d'être la grand-mère de jumeaux.

— Deux, Clovis ! Te rends-tu compte ? Deux beaux bébés d'un seul coup ! C'est ben notre Justine, ça !

Les mains jointes à la hauteur du cœur, Alexandrine avait l'air en extase.

— C'est ben dommage que Victoire soye plus là pour me donner quelques conseils, avait-elle cependant souligné avec une pointe de tristesse dans la voix. Elle avait de l'expérience dans le domaine, rapport que Béatrice a eu des jumeaux, elle avec, en commençant sa famille. Mais deux bébés, ça reste quand même merveilleux!

Deux garçons, de surcroît, ce qui faisait la fierté de Clovis, tous ses amis du village s'en étaient rapidement aperçu! Avec un peu de chance, avait-il confié à Alexandrine, Léopold venait de se trouver une succession, lui qui n'avait que deux filles.

Comme elle n'avait pas eu le bonheur de voir les bébés, Alexandrine serait encore une fois du voyage vers Québec, alors que Paul se préparait à aller chercher sa sœur Marguerite.

— J'vas m'ennuyer de toi, c'est sûr, mais Justine a trop besoin de moi pour que je puisse dire non.

Clovis regarda sa femme avec une lueur amusée au fond des yeux.

— Voir que t'aurais eu envie de dire non! souligna-t-il après avoir tiré une longue bouffée de sa pipe.

— C'est vrai, j'aurais jamais été capable, t'as ben raison. Mais j'vas m'ennuyer quand même un peu. Ça fait un boutte, Clovis Tremblay, qu'on s'est pas laissés, toi pis moi.

Pour être honnête, il faudrait plutôt dire qu'Alexandrine était resplendissante à la perspective de passer deux longues semaines avec sa fille et que seule la petite culpabilité de faire le voyage sans son mari lui dictait ses propos. En effet, après une longue discussion et bien des recommandations de la part de Paul, il avait été décidé que Clovis resterait à la Pointe et qu'il irait attendre le retour de ses enfants à l'auberge au cas où des touristes se présenteraient. Quant à Alexandrine, si elle partait aussi longtemps, c'était parce qu'en plus d'avoir à s'occuper de ses jumeaux, Justine devait préparer un déménagement.

— C'est du Paul tout craché, ça, d'avoir pensé à offrir sa maison de la rue des Érables à sa sœur Justine. Gratis en plus!

— Oh là! Paul la donne pas, cette maison-là... Il permet à sa sœur de s'installer au rez-de-chaussée tandis qu'il va louer l'étage. N'empêche, oui, que c'est généreux de sa part, même si tout le monde y trouve son profit.

— C'est ce que j'ai dit: on a de bons enfants, Clovis.

— Non, ça c'est moi qui l'ai toujours dit, Alex: on a de bons enfants parce qu'on a été de bons parents. Astheure, arrête de placoter, pis va finir de faire ta valise. Paul t'attendra pas indéfiniment, tu sais. Il a dit qu'il venait te chercher à neuf heures tapant, pis il est déjà huit heures passé!

Cette fois-ci, la route en direction de Québec se fit dans la plus cacophonique des conversations et ce fut ainsi, le lendemain en fin d'après-midi, que Marguerite, le cœur battant, revint au village pour s'installer à l'auberge.

Quand l'auto de Paul passa devant la maison jaune de Victoire, devenue celle de Lionel l'hiver précédent, elle détourna la tête en rougissant.

S'il fallait que quelqu'un sache, que quelqu'un devine...

Toutefois, une fois la maison jaune derrière elle, Marguerite arriva à se raisonner.

Après tout, elle n'était plus une gamine pour avoir le cœur battant et les mains moites pour un homme! C'était pour les toutes jeunes filles, ça, pas pour une femme qui allait avoir bientôt quarante-huit ans.

Marguerite se dit alors que son âge devrait suffire pour camoufler ses attentes, car personne ne se douterait de rien.

Elle entra donc dans l'auberge la tête haute et l'esprit en paix.

Marguerite et Paul Tremblay, aubergistes...

Ça sonnait bien, n'est-ce pas?

Clovis accueillit sa fille en la prenant tout contre lui.

— Ben content de te savoir revenue chez nous, Marguerite… Ouais, ben content.

Le ton était bourru pour camoufler l'émotion qu'il ressentait, car tout comme Alexandrine, Clovis aimait bien avoir les siens auprès de lui.

Dans un premier temps, la saison touristique commença tout en douceur, ce qui n'était pas une mauvaise chose. Chacun avait à se roder, à prendre la place qui serait désormais la sienne.

Quelque dix jours plus tard, Réginald arriva, encombré de valises, survolté par ce qu'il voyait comme le début d'une grande aventure.

— Ça se peut-tu ! Me v'là arrivé pour vivre ici, dans une auberge. J'en reviens juste pas… Pis c'est ben beau ! Ça va me changer de la compagnie Paquet !

C'est alors qu'il y eut comme une petite tornade qui souleva l'atmosphère de l'auberge. Réginald passait d'une pièce à l'autre, débordant d'idées, de projets de décoration, parlant rideaux et couleurs, mobilier et papier peint. À plus d'une reprise, Paul dut remettre les pendules à l'heure.

— Deux minutes, toi là. On n'est pas millionnaires. On a tout juste ce qu'il faut pour assurer le roulement de l'auberge. Les rénovations, ça sera pour plus tard.

— Pas de problème, mon beau… Pas de problème, monsieur Paul. En autant que je peux espérer pis m'amuser à toute imaginer, moi, ça fait mon bonheur…

Monsieur Paul…

L'idée venait de Marguerite et elle avait été acceptée à l'unanimité. Il y aurait donc monsieur Paul, comme elle-même serait madame Marguerite devant la clientèle et le public en général. Réginald serait appelé par son prénom, soit, mais on se vouvoierait et on garderait les familiarités pour l'intimité.

— Mon doux que c'est excitant tout ça…

Les mains sur les hanches, Réginald toupinait sur lui-même, impressionné par l'immensité des lieux.

— C'est pas mêlant, on dirait que je m'en vas jouer dans une pièce de théâtre français. J'aime ça, Paul, j'aime donc ça !

Et son rôle à lui serait d'accueillir les clients.

— À toi, Réginald, de recevoir la clientèle, lança Marguerite sur un ton rempli d'excitation, ici, derrière le comptoir de l'accueil. À toi de faire en sorte que tous nos clients se sentent à l'aise dès leur arrivée.

— T'inquiète pas, Marguerite, j'ai l'habitude… Non, je me reprends ! Ne vous inquiétez pas, madame Marguerite, j'ai l'habitude !

Réginald avait pris un ton légèrement ampoulé pour faire cette mise au point, ce qui fit rire Paul et Marguerite. Néanmoins, sur un ton nettement plus sérieux, Réginald ajouta :

— Vendeur un jour, vendeur toujours ! Vous pouvez compter sur moi.

D'une première famille venue de Montréal pour fuir la canicule à un vendeur de commerce qui était de passage, d'un couple d'Américains en voyage de noces à une vieille dame qui se contenta de tricoter sur la galerie face au fleuve tout au long de son séjour, l'auberge commença lentement à reprendre vie.

Paul surveillait ses chantiers et cuisinait en sifflotant dans la cuisine ; Marguerite voyait au confort de ses hôtes comme une mère poule surveille ses poussins ; et Réginald… Eh bien, Réginald faisait rire un peu tout le monde et il fut rapidement adopté, depuis les clients les plus austères jusqu'au marchand général, en passant par Julien qui le retrouva avec un plaisir évident.

Puis, ce fut la saison des mariages. Quatre samedis d'affilée à voir l'auberge déborder de gens et de rires, à voir un Paul échevelé et angoissé se tordre les mains d'inquiétude dans sa cuisine.

— Tu parles d'une foule, toi! Cinquante personnes affamées à nourrir... Pourvu que ça soit bon tout ça!

— Monsieur Paul!

Et Réginald de lui lancer un de ses sourires accrocheurs entre deux services, un rôle qu'il assumait avec brio en compagnie de Marguerite et d'une jeune fille du village engagée pour l'occasion.

— Je n'aurais aucune crainte à votre place, monsieur Paul... Vous n'avez qu'à regarder mon tour de taille! Allez, hop! On continue. Les gens ont faim!

Puis, un certain lundi, ce fut Lionel qui se présenta à l'auberge.

— J'aimerais connaître vos disponibilités.

Lionel connaissait bien Réginald et il fut heureux de voir que c'était lui qui se tenait à la réception de l'auberge.

— Réginald! Quel plaisir. On m'avait dit que vous étiez là.

— Docteur Bouchard... Le plaisir est partagé.

Le temps d'une longue inspiration et, sur un ton rempli de déférence, Réginald ajouta :

— J'ai su pour madame Victoire... Toutes mes sympathies.

— Merci... C'est encore difficile, mais ça va mieux... Oui, ça va mieux. Je... Je viens pour le mariage de mon fils Julien... Comme sa mère est décédée l'hiver dernier, pas question de faire ça à la maison... Et ce sera une toute petite noce, bien entendu. Que les intimes... Par contre, mon fils aimerait bien s'entendre lui-même avec monsieur Paul pour le menu. Est-ce possible?

Du petit bureau adjacent à la réception, Marguerite avait tout entendu. Incapable de prendre suffisamment sur elle pour se présenter à Lionel, elle tendit l'oreille, le cœur battant très fort.

Ainsi, il y aurait une autre noce à l'auberge, car le docteur Bouchard marierait son fils en août, et il espérait faire la réception ici.

— Compte tenu des circonstances, ça serait plus convenable, avait-il dit.

Marguerite calcula mentalement qu'il lui restait trois semaines pour se préparer à rencontrer Lionel et elle jugea aussitôt que c'était bien peu.

Pourtant, elle en avait rêvé toute sa vie durant ou presque.

À partir de ce matin-là, le temps se mit à stagner et Marguerite dormit fort peu et fort mal, élaborant mille et un scénarios, elle qui, malgré tout ce qu'elle avait pu en penser au fil des années, avait quand même cherché à éviter le médecin depuis son retour à la Pointe.

Que lui dire, grands dieux, et surtout quelle attitude adopter, si jamais elle le croisait dans la rue ?

Le samedi fatidique arriva et, comme si le fait de savoir que Lionel serait là, à quelques pas, mangeant et se réjouissant sous son toit, ne suffisait pas à l'angoisser, Marguerite avait appris que sa mère y serait elle aussi puisque ses parents faisaient partie de ce groupe intime dont Lionel avait parlé.

Pourvu qu'elle ne dise rien et ne se mêle de rien !

Dès que les cloches de l'église se mirent à carillonner à toute volée, le cœur de Marguerite fit de même, et, lui sembla-t-il, aussi bruyamment.

Nul doute, toute la noce allait l'entendre !

Mais comme Paul était à la cuisine, dans tous ses états comme d'habitude, Marguerite n'eut d'autre choix que celui de se tenir à la porte en compagnie de Réginald afin d'accueillir comme il se doit tous les invités au mariage.

Julien et sa Caroline furent les premiers à entrer dans l'auberge.

— Salut, Réginald !

Julien rayonnait de bonheur.

Puis, ce fut Lionel qui parut, seul, un peu triste dans son habit noir, mais aussitôt, aux yeux de Marguerite, il éclipsa la beauté de la jeune mariée, toute de blanc vêtue. Pourtant, Lionel n'avait plus rien de la gloire de ses jeunes années : cheveux clairsemés et gris, la taille empâtée, il faisait plus que son âge.

— Mademoiselle Marguerite !

En trente ans, l'appellation n'avait pas changé et l'interpellée se demanda si elle devait s'en réjouir ou s'en affliger. Mais politesse oblige, elle n'eut pas le temps de s'attarder sur le sujet et elle inclina élégamment la tête.

— Docteur.

— Je vous savais de retour… On me l'avait dit. Curieux que nous ne nous soyons pas rencontrés avant aujourd'hui, n'est-ce pas ?

— Curieux, en effet.

Ce serait tout.

Lionel gagna la salle à manger pour s'installer à la table d'honneur. Bien que ce fût le mariage de son fils, il n'avait pas le cœur à la fête. Depuis le matin, la perte de Victoire se faisait de nouveau cruellement sentir, car elle aurait dû être à ses côtés en ce moment de réjouissance. Il fit acte de présence, certes, il s'efforça de sourire pour Julien, mais c'était le plus qu'il pouvait faire.

Malheureusement, Marguerite ne vit pas cet aspect des choses.

En fait, elle ne vit qu'un regard triste qui semblait éviter le sien. Alors, de son côté, elle évita d'avoir à servir le docteur Bouchard, craignant qu'il voie ses mains trembler. Ce serait bête de laisser tomber quelques gouttes de soupe chaude sur l'habit du médecin !

Le repas se déroula sans anicroche et on souligna la qualité des mets. Puis, Julien et sa jeune épouse passèrent à la cuisine pour remercier Paul et les invités quittèrent l'auberge les uns après les autres à la suite des jeunes mariés, qui iraient passer la nuit au Manoir.

Lionel fut le dernier à partir. Il remercia Réginald qui s'était occupé de lui durant tout le repas. Il lui glissa un pourboire dans la main et ce fut tout.

Cette nuit-là, sans chercher plus loin que ce qu'elle avait vu et ressenti, Marguerite pleura toutes les larmes de son corps, regrettant amèrement de ne pas être restée à Québec. Ses pires craintes étaient en train de se réaliser et, à ses yeux, il aurait mieux valu un beau rêve à jamais entretenu plutôt que de devoir affronter encore une fois cette amère réalité : le beau docteur ne l'aimerait jamais.

Pourtant…

Dans la maison jaune, Lionel non plus ne dormait pas. Si la dame avait vieilli, elle l'avait fait en beauté et son sourire un peu timide avait gardé la fraîcheur de ses dix-huit ans.

Mademoiselle Marguerite méritait bien cette appellation, car elle avait encore la grâce exquise d'une jeune fille. Du moins, était-ce là ce que Lionel avait cru apercevoir, et c'était largement suffisant pour éloigner le sommeil.

Pendant ce temps, tout en haut de la côte, Alexandrine contemplait le reflet de la lune sur le mur de sa chambre, incapable de s'endormir.

Des regards qui s'évitent, une assiette qui retourne à la cuisine à moitié pleine et Marguerite qui avait passé la soirée à passer à côté de la table d'honneur comme si elle était invisible. Voilà ce qui empêchait Alexandrine de trouver le sommeil.

Et il n'en fallut pas plus pour qu'elle se dise, au bout d'une longue réflexion, que sa fille avait probablement bien fait de revenir vivre au village. Après tout, Lionel était veuf depuis seulement quelques mois. Il fallait tout de même lui laisser le temps !

CHAPITRE 10

Pointe-à-la-Truite, juillet 1934,
chez Gilberte, Germain et Célestin

Depuis que sa sœur avait pris la décision de vivre à la Pointe, et cela faisait bien longtemps selon Célestin, lui avait pris la décision d'aller plus souvent faire un tour à l'Anse-aux-Morilles.

— C'est correct de vivre ici, Gilberte, avait-il approuvé sans hésitation. C'est ben correct de même parce qu'on est assez bien dans notre maison. J'suis content de rester ici. Mais moi, je veux voir mon frère Antonin plus souvent. Oui monsieur! Je m'ennuie de lui, moi. Pis d'Annette aussi.

Gilberte ne s'était pas obstinée, d'autant plus que Germain pouvait, à l'occasion, l'accompagner à son travail, maintenant qu'il avait vieilli et qu'il était beaucoup plus raisonnable.

— Si c'est pas le petit enfant du Bon Dieu qui s'en vient, disait alors le curé de la Pointe, tout sourire, quand il voyait Germain arriver en se dandinant. Un vrai rayon de soleil, cet enfant-là!

Même si ces quelques mots l'agaçaient un peu, Gilberte laissait porter et ne reprenait jamais son curé pour préciser que Germain, du haut de ses dix-neuf ans, n'était plus vraiment un enfant. À quoi bon couper les cheveux en quatre, n'est-ce pas? Après tout, Germain avait effectivement un cœur d'enfant et il en serait ainsi jusqu'à la fin de sa vie même s'il avait appris à se raser tous les matins comme un homme.

Puis, « madame curé » aimait bien Germain. Quand Gilberte était trop occupée à l'église pour avoir un œil sur lui, elle l'accueillait avec plaisir dans sa cuisine.

— C'est comme si j'avais un petit-fils ! Allez, Gilberte, allez travailler. On s'entend bien, Germain et moi.

C'était ainsi que depuis quelques étés, Célestin décidait par lui-même quand il voulait se rendre de l'autre côté du fleuve et qu'il choisissait le temps qu'il voulait y passer sans que Gilberte sente le besoin d'intervenir.

Parfois, il revenait la même journée et, parfois, il y restait quelques jours. Cela dépendait souvent du travail qu'il y avait pour lui, au quai de Pointe-à-la-Truite.

— Ça fait plaisir à Prudence quand j'vas la voir, expliquait-il invariablement quand il s'apprêtait à partir, toujours avec son baluchon à la main, au cas où il resterait plus d'une journée, comme s'il sentait chaque fois le besoin de se justifier. Pis à papa aussi, ça fait plaisir, même s'il dit rien. Je le sais, moi, quand il est content. Oui monsieur ! Je le vois dans ses yeux… Dis, Gilberte, pourquoi il veut pas parler, papa ? Me semble que ça serait plus facile pour lui, non ?

Chaque fois que Célestin partait pour la ferme de son père ou en revenait, avec arrêt obligatoire chez Antonin, bien entendu, il était toujours obsédé par cette même question.

—Dis, Gilberte, le sais-tu, toi, pourquoi il veut pas parler, papa ? Me semble que ça serait plus facile pour lui, non ?

— Peut-être, Célestin. Peut-être, oui, que ça serait plus facile pour lui pis pour tout le monde autour de lui. T'auras juste à le demander à papa, pourquoi il veut pas parler. Un jour, il va peut-être se décider à te répondre. Parce que moi, vois-tu, je le sais pas.

— Ouais, peut-être qu'il va le dire un jour pourquoi... Mais je suis pas sûr de ça, moi. Non monsieur !

Mais cette fois-ci, alors que Célestin se préparait encore une fois à partir pour l'Anse, Gilberte n'était pas d'accord.

— Il suffit d'une tempête de vent ou d'un orage pour que tu soyes pas là.

— M'en vas être là, Gilberte. Promis. Regarde le ciel ! Il est tout bleu.

— Le temps, ça change vite, des fois. On part, il fait beau soleil, pis quand on veut revenir, il y a plein de nuages dans le ciel.

— Pas aujourd'hui... Non monsieur ! Ça arrivera pas. Pis demain non plus. Je le sais, moi, que ça arrivera pas. Ça se peut pas.

— Ben voyons donc ! C'est pas toi qui mènes, Célestin, c'est le Bon Dieu.

— Ben justement... Le Bon Dieu, Il sait, Lui, qu'il faut que je soye là demain soir au plus tard, à cause de samedi matin. Lionel compte sur moi. Tu me l'as dit, je l'ai bien compris, pis Lui avec l'a compris. C'est toi, Gilberte, qui m'a dit un jour que le Bon Dieu, Il est partout. Comme ça, c'est sûr qu'Il a tout bien compris.

— Bon, bon... C'est vrai que vu de même... Vas-y, Célestin. Mais viens pas te plaindre si tout va pas comme tu veux...

De toute évidence et malgré ce qu'elle venait de dire, Gilberte était inquiète.

— Me semble que tu pourrais attendre à la semaine prochaine, non ? proposa-t-elle une dernière fois d'une voix insistante. À mon avis, en partant comme ça aujourd'hui, tu prends des risques inutiles.

Célestin, ne voyant pas du tout où était le risque de traverser le fleuve par une si belle journée, ne répondit pas. En fait, il n'avait pas le choix d'aller à l'Anse dès aujourd'hui et, de toute façon, il n'était pas vraiment certain d'avoir compris ce que Gilberte tentait de lui expliquer. Alors, avant de perdre patience, parce que ça lui arrivait parfois quand il ne comprenait pas, sur un « bonjour » claironné à pleins poumons, Célestin claqua la porte et se dirigea vers le quai. C'était toujours à ce moment de la matinée que Léopold prenait la mer, juste après le déjeuner, et Célestin ne voulait surtout pas le rater.

Et si Léopold ne se rendait pas à l'Anse, il y aurait quelqu'un d'autre pour le faire.

Ce matin, le fleuve était un vrai miroir et Célestin en profita pour rester sur le pont. Avec le temps, il avait appris à garder son équilibre malgré la houle et, quand il faisait beau comme aujourd'hui, il aimait bien voir l'eau glisser sous le bateau. Admirer la coque d'une goélette fendre l'écume toute blanche le fascinait et, habituellement, se rendre à l'Anse était une véritable fête pour Célestin.

Mais pas aujourd'hui.

Si ce matin, il était resté sur le pont, c'était surtout qu'il ne voulait parler à personne, car il avait trop de choses en tête pour se permettre la moindre distraction. Il n'irait même pas chez Antonin, c'était tout dire !

Cela faisait longtemps qu'il y pensait, sans trop savoir comment s'y prendre. Il n'avait pas envie d'en parler non plus, à l'exception de son habituelle question à Gilberte, parce qu'il sentait bien qu'on lui dirait de se mêler de ses affaires. Ça arrivait, parfois, qu'on lui dise cela, et Célestin n'aimait pas du tout cette remarque. Chose certaine, cependant, le grand gaillard était convaincu que ça ne se pouvait pas que quelqu'un décide comme ça de ne plus jamais parler.

— Voyons donc ! Il doit trouver le temps long.

Il s'était longtemps bercé en y pensant, il y avait longuement réfléchi et il avait compris que quelque chose ne tournait pas rond.

Ou alors, le médecin se trompait et Matthieu Bouchard n'était vraiment plus capable de parler, ou alors, son père avait vraiment la tête dure. Ça, par contre, ça pouvait être possible parce que Célestin aussi pouvait s'entêter très fort et on avait souvent dit qu'il ressemblait à son père.

Mais de là à ne plus parler...

C'est ainsi que Célestin s'était mis en tête de faire reparler Matthieu. Il finirait bien par trouver une bonne raison pour l'y obliger. Ça devait être trop ennuyant et trop triste de ne jamais rien dire.

C'est pourquoi, ce matin, Célestin était en route vers l'Anse alors qu'il aurait dû rester chez lui comme le voulait Gilberte. C'était bien parce qu'il avait l'assurance d'avoir enfin trouvé une bonne raison qu'il avait pris la route. Une si bonne raison que, si cette fois ça ne marchait pas, il était certain que ça ne marcherait jamais.

Le soleil était déjà haut dans le ciel quand Célestin arriva devant la maison blanche de son père. Pour le grand gaillard, cette maison-là serait toujours celle de son père même si Marius avait pris l'habitude de tout décider. Prudence, qui passait justement du poulailler au potager, fut la première à l'apercevoir.

— Eh! Mais qui c'est que je vois là! Tu parles d'une belle visite, à matin! Regarde, Matthieu, c'est Célestin! Viens par ici, mon homme. Ton père pis moi, on est dans le jardin.

Célestin aurait probablement préféré que la maison soit vide et la cour déserte pour qu'il puisse prendre un moment pour se bercer, question de bien répéter ce qu'il voulait dire. Mais il n'avait pas le choix, Prudence l'avait vu. Il se dirigea alors vers le potager.

Lui tournant le dos, installé dans son fauteuil roulant, son père semblait prendre un bain de soleil, le front tendu vers le ciel, mais dès que Prudence prononça le nom de Célestin, Matthieu tourna la tête en direction de la maison.

Célestin se dirigeait vers eux à grandes enjambées régulières.

Malgré une certaine lenteur en tout, ou peut-être bien justement à cause d'elle, Matthieu avait toujours eu un faible pour son fils Célestin. Physiquement, il était celui de ses enfants qui lui ressemblait le plus.

Même carrure, mêmes longues jambes, mêmes mains larges et fortes.

Même certains des raisonnements de Célestin, parfois laborieux mais toujours empreints d'une grande justesse dans leur simplicité, trouvaient rapidement un écho en lui.

Le reflet d'un sourire heureux traversa le regard de Matthieu. De tous ses enfants qui vivaient éloignés, Célestin était celui qui lui rendait visite le plus régulièrement quand venaient l'été et le temps des goélettes. Si Matthieu avait été franchement déçu quand il avait compris que ni Gilberte ni Célestin ne reviendraient vivre à la maison, son fils avait atténué sa déception en revenant le voir souvent. Ainsi, Célestin brisait régulièrement la monotonie des jours par des visites toujours impromptues et ponctuées de remarques à l'emporte-pièce et d'observations qui le faisaient sourire.

Matthieu fit alors l'effort de lever sa main valide pour le saluer.

— Papa! Fatiguez-vous pas comme ça. J'arrive!

Prudence et Célestin arrivèrent à la hauteur de Matthieu en même temps.

— Salut, la compagnie! lança Célestin, toujours aussi heureux d'être chez lui.

— Salut, mon Célestin. Heureuse de te voir pis ton père doit l'être aussi.

Depuis des années maintenant, Prudence se faisait le porte-parole de Matthieu tout comme elle s'entêtait à lui parler à longueur de journée, à le questionner sans véritablement attendre de réponse. Peut-être une façon comme une autre, la seule qu'elle ait pu trouver, permettant d'entretenir la flamme entre eux. Mais dire qu'elle était heureuse quand quelqu'un venait leur rendre visite aurait été un euphémisme! Elle espérait les visites comme le bourgeon doit espérer le printemps.

— Pis qu'est-ce qui t'amène chez nous, à matin? Le beau temps?

Célestin leva le nez au ciel et constata, soulagé, qu'il était toujours aussi bleu. Il ne faudrait surtout pas que les craintes de Gilberte se rendent jusqu'au Bon Dieu.

— C'est vrai qu'il fait beau. Tant mieux. C'est important pour moi, le beau temps, aujourd'hui. Pis il fait chaud, aussi… C'est l'été.

— Eh! T'as ben raison, mon Célestin, c'est l'été. Pis un fichu de bel été, en plus.

— C'est ça que Gilberte dit, elle avec. «Cette année, on a un fichu de bel été…» Ouais, c'est de même qu'elle dit ça, Gilberte. Comme vous, Prudence.

Célestin regarda autour de lui.

— Les autres sont au champ?

— Gédéon, oui. Hortense est partie au village, pis ton frère Marius est au village d'à côté. Pour vendre une partie des cochons nés l'hiver dernier. Des p'tits cochons de lait, qu'il appelle ça. Ça a l'air que le monde aime ben ça. Ça serait plus tendre. Nous autres, on en mange pas, rapport qu'on les vend. On les mange plus gros, quand vient l'automne. J'ai pour mon dire qu'il y a plus de viande pis que c'est mieux comme ça.

Les bras appuyés sur son râteau, Prudence était intarissable, pour une fois qu'elle avait la certitude que quelqu'un l'écoutait. Avec Matthieu, elle ne le savait jamais.

C'est ainsi que Célestin apprit que leur plus proche voisin était mort d'une embolie la semaine précédente, que la Jacqueline du rang deux venait d'avoir un gros garçon, et qu'après la fête de la Saint-Jean-Baptiste, le curé Bédard, jugé trop vieux pour bien accomplir sa tâche, était retourné au Grand Séminaire de Québec.

— C'est une espèce de grand freluquet qui l'a remplacé. Pas sûre encore que j'vas l'aimer. Pis en plus, il parle du nez. C'est fatigant !

Puis, d'un même souffle, Célestin apprit que la vieille jument était morte et qu'un tracteur l'avait remplacée.

— Ah oui ? Un tracteur ?

— Comme je te dis. Un tracteur qui marche avec de l'essence. Ça pue sans bon sens, mais ça fait gagner du temps à Gédéon pis Marius. Pis paraîtrait que c'est plus fort qu'un cheval... Astheure, mon homme, à ton tour de parler ! Raconte-moi ce qu'il y a de nouveau par chez vous !

— Chez nous ?

Célestin haussa les épaules en ouvrant tout grand les bras.

— C'est pareil, chez nous. Gilberte travaille pour monsieur le curé pis moi, j'aide les hommes au quai. Parce que je suis fort... Oui monsieur ! Chez nous c'est pareil que la dernière fois que je suis venu. Pour Germain aussi, c'est pareil. Sauf que...

Tout en parlant, comprenant confusément que la porte était grande ouverte pour annoncer ce qu'il croyait être une assez belle nouvelle pour donner envie à son père de reparler, Célestin s'était mis à se balancer.

Puis, brusquement, il se tut, à court de mots.

— J'ai soif, moi, regardant furtivement tout autour de lui comme une bête traquée. J'ai ben soif. C'est l'été, pis il fait chaud. Oui monsieur! Ben chaud. Je veux de l'eau, un grand verre d'eau.

Sur ce, Célestin tourna les talons et fila vers la cuisine.

— Ben voyons donc? Qu'est-ce qui se passe avec lui? On dirait qu'il a paniqué, tout d'un coup. As-tu remarqué ça, toi, Matthieu?

Quand il revint, quelques minutes plus tard, Célestin semblait plus calme. Il aurait bien aimé qu'Antonin soit à ses côtés. Les choses lui semblaient toujours plus faciles à dire ou à faire quand son frère était là.

Puis, tout en approchant de son père et de Prudence, Célestin repensa à ce que Gilberte lui répétait souvent quand l'envie de voir son frère se faisait un peu trop fréquente: Antonin avait sa vie à lui maintenant, tout comme lui, Célestin, avait la sienne.

— T'es un homme, maintenant, mon Célestin, lui répétait régulièrement Gilberte. Regarde! C'est toi qui t'es occupé de Germain durant toute la journée, tout seul. Pis ça s'est bien passé!

À ce souvenir, Célestin redressa les épaules. Oui, il était un homme, tout comme Antonin. Ça, c'était sûr et c'était bien suffisant pour trouver les mots tout seul.

— Papa, je pense que j'ai quelque chose à dire.

Sourcils froncés sur sa réflexion, Célestin s'était arrêté à quelques pas de la chaise de son père et il fixait la pointe de ses chaussures.

— C'est important, oui monsieur, c'est ben important. Pis si vous voulez, on va partir ensemble pour la Pointe.

Maintenant qu'il était lancé, que les mots s'enchaînaient sans trop de difficulté, Célestin osa lever les yeux vers son père.

— Faut venir avec moi, papa, parce que Lionel va se marier.

Tout ce chemin depuis sa maison pour dire ces quelques mots.

— Pis quand on se marie, on veut avoir notre père avec nous autres. C'est comme ça, les mariages. Oui monsieur! Je le sais parce que Gilberte aide souvent monsieur le curé pour les mariages. Ça fait qu'elle connaît ça. Pis samedi, c'est au tour de Lionel de se marier. Avec madame Marguerite. Pis vous, vous êtes le père de Lionel, rapport que Lionel c'est mon frère. Comme Antonin. Alors, faut venir avec moi, papa.

Célestin n'avait jamais autant parlé en si peu de temps. Espérant avoir tout dit, il se tut, épuisé, souhaitant de tout son cœur que son père ouvre enfin la bouche pour lui donner sa réponse.

Un oiseau lança un trille, une vache meugla dans le lointain, mais Matthieu, lui, ne disait rien.

Aux premiers mots de Célestin, Prudence avait laissé tomber son râteau et elle avait fait quelques pas vers le fauteuil roulant. Elle retenait son souffle tandis que Matthieu avait fermé précipitamment les yeux sur ses émotions.

Lionel...

Une fois prononcé, le nom de son fils aîné lui avait transpercé le cœur. Une fois de plus. Mais cette fois-ci, Matthieu le comprit, c'était l'ennui de lui qui faisait le plus mal.

Lionel...

Si ces mots étaient venus de quelqu'un d'autre, probablement que Matthieu se serait mis en colère. À sa façon, frappant l'accoudoir de sa chaise à petits coups secs, lançant sa couverture en travers de la pièce ou au bout de son bras valide, sur les jeunes pousses du jardin. Chez lui, on n'avait pas le droit de prononcer le nom de Lionel.

Comme cela venait de Célestin, Matthieu ne pouvait pas se mettre en colère.

Célestin ne connaissait ni la méchanceté ni la mesquinerie. On ne pouvait lui en vouloir d'aucune façon. Encore moins Matthieu que les autres parce que Célestin était son fils. Tout comme Lionel, et Antonin, et Marius…

Pourtant, Matthieu ne dirait rien. Ça faisait trop longtemps et il avait peur de ne plus savoir. Son orgueil, son maudit orgueil l'en empêchait. Mais quand une larme apparut au coin de sa paupière et qu'elle glissa le long de sa joue, Célestin comprit.

L'intuition de cet homme tout simple avait saisi que son père acceptait sa proposition. Nul mot n'avait eu besoin d'être prononcé. Le père et le fils s'étaient compris à travers les mots de l'un et le silence de l'autre.

Tout à coup, Célestin se sentit grand et fort. Au moins aussi grand et fort que son père l'avait été.

— C'est ben correct de même, papa, approuva-t-il en hochant la tête vigoureusement. Ouais, ben correct. C'est à vous de décider pour vous. Oui monsieur ! Moi avec, je décide pour moi, des fois. Gilberte dit que c'est important de décider tout seul, pis moi, je pense comme elle. Pis demain, si vous le voulez encore, Léopold va nous attendre sur le quai pour nous amener jusqu'à la Pointe. Il l'a promis.

Alors, Matthieu ouvrit les yeux et les leva vers Célestin tandis qu'un fragile sourire, le premier vrai sourire depuis tant d'années, éclaira brièvement son visage. Célestin y répondit spontanément.

Il était content.

Certes, son père n'avait toujours pas parlé, mais qu'importe? Célestin avait la sensation d'avoir retrouvé son père, celui d'avant, et c'est cela qui avait le plus d'importance.

Devant cette visible complicité, Prudence se retira discrètement. De toute façon, n'avait-elle pas un léger bagage à préparer pour Matthieu et elle?

Prudence se sentait toute légère, comme si brusquement elle venait de rajeunir. Non seulement elle avait le pressentiment que son Matthieu était en train de revenir à la vie, tout doucement, à son rythme à lui, mais en plus, elle avait compris que, finalement, elle assisterait au mariage de Lionel. Oh! Elle le connaissait bien peu, ce Lionel. Que d'occasionnelles et brèves visites de sa part quand elle s'était parfois rendue à la Pointe et surtout des appels téléphoniques entre eux, de plus en plus rares depuis le décès de Victoire. Dernièrement, avec une pointe de jeunesse dans la voix, Lionel lui avait annoncé qu'il se remariait.

— Avec une femme merveilleuse... Marguerite Tremblay. Vous la connaissez?

Non, malheureusement, Prudence ne la connaissait pas. De nom peut-être, mais rien de plus. Ainsi donc, Lionel allait se remarier...

Prudence avait été heureuse pour lui. Mais comme on ne parlait jamais de Lionel à la maison, elle n'en avait rien dit. À personne.

Ils arrivèrent à la Pointe le lendemain en fin de journée.

Célestin avait gagné son pari et, quoi qu'en ait pensé Gilberte, il ne serait pas en retard au mariage de son frère Lionel, à qui il devait servir de témoin. Pour l'occasion, Réginald lui avait fait venir de la ville le plus beau des habits, et Célestin ne voulait surtout pas rater la fête. Il aimait bien les fêtes, lui, et celle du mariage de son frère serait probablement une des plus belles. Même Germain porterait un habit et Gilberte, elle, avait commandé une jolie robe par catalogue.

Inquiète, sachant par le marchand général qui avait reçu un appel le matin même que Célestin lui « amenait une grosse surprise », cette même Gilberte faisait les cent pas sur le quai tandis que Germain, un peu plus loin, était assis sur le sable grossier de la plage. Il s'amusait avec les cailloux qu'il classait par couleur.

Quand le bateau approcha du quai, Célestin était à la proue et il lui fit de larges signes avec les bras.

— Gilberte ! C'est moi, Célestin ! J'arrive... Bouge pas, Gilberte, j'arrive. J'ai une surprise pour le mariage de Lionel. Oui monsieur ! Une grosse surprise. Il va être content, Lionel !

Le grand gaillard qui était d'un naturel plutôt calme, pour ne pas dire placide, semblait en ébullition. Gilberte fronça les sourcils, ne sachant trop comment interpréter cette nouvelle attitude. Puis, elle esquissa un sourire.

La surprise de Célestin ne serait-elle pas la présence de son frère Antonin, par hasard ? Ça expliquerait bien des choses, et oui, cela ferait sûrement plaisir à Lionel.

Puis, Gilberte aperçut Prudence sortir de la cabine de pilotage et tout, d'un seul coup, devint limpide pour elle. Si Prudence était là, c'est que son père y était aussi. Depuis l'accident, Prudence ne quittait jamais son mari bien longtemps, sauf à de très rares exceptions.

Se pourrait-il que le mariage de Lionel en soit une ?

Gilberte avait à peine formulé sa question que son père apparaissait à son tour, installé dans ce fauteuil qu'il ne quittait plus, poussé par Léopold.

Gilberte porta les deux mains à sa poitrine pour contenir son cœur qui s'était mis à battre un peu trop vite. Elle venait d'avoir sa réponse. Matthieu Bouchard était la surprise que Célestin réservait à son frère à l'occasion de son mariage.

Gilberte esquissa un sourire resplendissant. Il n'y avait que Célestin pour réussir un tel tour de force.

Par contre, elle n'était pas du tout certaine que le cadeau plairait à Lionel.

Gilberte se précipita vers le bateau tout en jetant de fréquents regards par-dessus son épaule. S'il fallait que quelqu'un aperçoive Matthieu Bouchard dans son fauteuil et le dise à Lionel sans autre forme de précaution! Après tout, ils vivaient tous dans un très petit village.

Mais le Ciel semblait bien de leur côté et Prudence, de toute évidence, avait vu à lui donner un petit coup de pouce.

Après une accolade à Gilberte qu'elle aimait comme ses propres filles, Prudence prit la situation en mains.

— Astheure, on s'en va à l'auberge.

— À l'auberge?

— Ouais... J'ai parlé à monsieur Paul, ce matin, et il nous attend.

Devant le visible étonnement de Gilberte, Prudence précisa:

— Ils ont le téléphone, maintenant, à l'auberge. Tu ne le savais pas? Quelle belle invention, n'est-ce pas?

Prévenus par leur fils que Prudence et Matthieu seraient au mariage de Lionel et Marguerite, Alexandrine et Clovis étaient venus les attendre. Non seulement étaient-ils les parents de la mariée, ils étaient aussi et surtout des amis de longue date, des amis d'enfance. Leur présence pouvait s'avérer nécessaire, comme l'avait jugé Prudence.

Émue, Alexandrine se précipita au-devant de Matthieu dès que le fauteuil fut porté à bras d'homme jusque dans le hall d'entrée de l'auberge.

— Matthieu! Si tu savais comme je suis contente de te voir ici. T'es fin, t'es ben fin d'être venu.

Matthieu hocha doucement la tête, comme pour dire que lui aussi était heureux d'être là.

Pourtant, Dieu qu'il était nerveux. Plus qu'au matin de ses noces, probablement.

Il posa sa lourde main sur celle d'Alexandrine et esquissa un sourire. Puis, du regard, il chercha Célestin. À lui aussi, Matthieu avait envie de sourire. Son fils l'avait peut-être bousculé dans cette espèce de confort malsain qu'il avait créé autour de lui, mais en ce moment, Matthieu avait envie de lui dire, par son sourire, qu'il avait bien fait.

Mais Célestin n'était plus là.

À l'instant où il avait déposé la chaise de son père dans l'entrée, Célestin s'était éclipsé.

Ici, tout allait bien. Son père était arrivé sans encombre, Gilberte était là et Prudence aussi. On n'avait plus besoin de lui.

Célestin courut jusqu'à la petite maison jaune, celle où habitait Lionel. Depuis son réveil, avant même de quitter la maison de l'Anse pour se rendre au quai où irait les attendre Léopold, il avait décidé que c'était aujourd'hui qu'il donnerait son cadeau de mariage. Le grand gaillard était trop content de sa bonne idée pour attendre jusqu'au lendemain.

Au même instant, tandis que Célestin traversait le village au pas de course, Lionel était dans son bureau à vérifier le contenu de sa mallette en cuir noir. Il s'apprêtait à partir pour quelques visites, le décès de Victoire n'ayant rien changé à ses habitudes : le vendredi, depuis la toute première semaine où il était arrivé à la Pointe, le docteur Lionel Bouchard faisait la tournée de ses patients les plus malades dans l'espoir que le samedi serait une journée de repos.

Heureusement, d'ailleurs, que Lionel avait eu son travail pour lui permettre de passer à travers son deuil, occupant son esprit et tout son temps, jour après jour, parce que le départ de Victoire avait laissé un grand vide dans la maison et dans la cuisine.

Dans un premier temps.

Quelques mois plus tard, quand l'hiver s'en était allé avec sa neige et que, dans le cimetière, une belle épitaphe aux lettres dorées avait été gravée sur une pierre tombale à la mémoire de Victoire, Lionel s'était laissé tenter par l'achat d'une auto.

— Pour me faciliter la tâche, avait-il allégué à Julien qui s'était gentiment moqué de lui.

— Allons donc, papa! Une auto? À ton âge?

Qu'importe l'âge, Lionel avait même pris un plaisir certain à apprendre les techniques de la conduite automobile. Quant à l'entretien du véhicule, il avait un fils pour s'en occuper, n'est-ce pas?

Puis, au temps des feuilles dorées et des brises plus fraîches, alors que Julien et Caroline, nouvellement mariés, quittaient la maison jaune pour s'installer dans une jolie demeure toute neuve construite selon les plans de Paul sur une parcelle de terrain offerte par Johnny Boy, il y avait eu mademoiselle Marguerite, croisée par le plus grand des hasards au magasin général. Petit cadeau du destin s'il en est un, car Lionel craignait comme la peste la solitude qui s'emparerait sûrement de son domicile, maintenant que Julien était parti.

— Mademoiselle Marguerite!

— Docteur!

Oh! Rien de bien sérieux entre eux, lors de cette première rencontre. Quelques politesses échangées entre deux rangées de conserves, un bref dialogue se terminant banalement sur la vague promesse de se revoir «un de ces jours» et chacun était reparti de son côté.

Mais cela avait été suffisant pour repousser le sommeil du médecin, exactement comme le soir du mariage de Julien, sans que Lionel puisse se douter le moins du monde qu'il en allait de même pour la jolie dame, à quelques portes seulement de chez lui. Ce soir-là, Lionel s'était d'ailleurs adressé une sérieuse remontrance, se traitant d'imbécile tout en martelant son oreiller à coups de poing impatients. Mais qu'est-ce que c'était que ces battements de cœur désordonnés? Il n'avait plus l'âge pour de telles gamineries! Une femme comme Marguerite Tremblay, nettement plus jeune et encore tout en beauté, méritait mieux qu'un vieux croûton comme lui.

Et en pensant de la sorte, Lionel n'exagérait même pas!

Il s'était longuement regardé en faisant sa toilette du soir, et c'est ce que le miroir lui avait renvoyé: un homme grisonnant, aux traits tombants, aux rides profondes et au regard fatigué.

Comment pouvait-il espérer qu'un jour, peut-être...

Ce soir-là, pétri de complexes, Lionel en avait oublié que, de nombreuses années plus tôt, c'était lui qui était tombé amoureux d'une femme plus âgée dont il n'avait remarqué ni les rides ni les cheveux gris.

N'empêche que le lendemain, au réveil, sa première pensée avait été pour cette même mademoiselle Marguerite.

Que prenait-elle, le matin au saut du lit, la jolie dame? Du thé ou du café?

À partir de ce matin tout enveloppé de brume, Lionel avait eu l'intime conviction que le village tout entier s'était mis de la partie pour faire en sorte que mademoiselle Marguerite se trouve sur son chemin, beau temps mauvais temps.

Au magasin, à l'église, chez Johnny Boy, chez Gilberte, au bureau de poste...

Partout où Lionel allait, lui sembla-t-il, mademoiselle Marguerite y était!

Ce fut ainsi que, d'une chose à l'autre, d'une hésitation à une tentation et d'une envie à une indécision, Lionel s'était enfin décidé. Par un beau dimanche de décembre rempli d'éclats de soleil dans le givre des arbres, il s'était présenté à l'auberge pour le repas du midi, le seul repas de la semaine offert par monsieur Paul en cette période creuse de l'année. Tant qu'à se geler les pieds au coin d'une rue pour prendre parfois le temps de bavarder, n'est-ce pas qu'il valait mieux tenter sa chance bien au chaud ?

L'occasion était trop belle pour un homme comme Réginald, qui se délectait des histoires de cœur. Un homme surtout qui n'avait ni les yeux ni la langue dans sa poche.

De toute évidence, ce midi-là, il avait pris un malin plaisir à jouer les entremetteurs, obligeant mademoiselle Marguerite à prendre son propre repas en compagnie du docteur Bouchard.

— Voir que ça a de l'allure de laisser un client manger tout seul comme ça ! Pauvre homme… Il est sûrement pas ici pour rien, notre docteur ! Il doit trouver sa maison ben grande pis ben silencieuse. Allez, mademoiselle Marguerite ! C'est vous la patronne, ici, non ? C'est à vous de tenir compagnie au médecin du village. Je peux me débrouiller tout seul, la salle à manger est presque vide.

Le tout débité sur un ton sévère, les deux poings sur les hanches et les yeux au plafond.

Ce dimanche-là, il y avait eu des rires étouffés provenant de la petite table ronde près de la fenêtre.

Tout comme le dimanche suivant.

C'est ainsi qu'Alexandrine avait vu s'épanouir sa fille comme une fleur ouvre ses corolles au soleil et, demain, les cloches de l'église du village sonneraient à toute volée pour célébrer le mariage de Lionel et Marguerite.

— À mon âge, les longues fréquentations ne sont plus de mise. Qu'en penses-tu, Marguerite?

Le «mademoiselle» ne faisant désormais plus partie du vocabulaire de Lionel et le vouvoiement non plus, on avait donc fixé la date du mariage sans plus tarder et on avait fait publier les bans.

— Et c'est toi, Célestin, qui seras mon témoin.

— Témoin?

Célestin s'était longuement gratté la tête, puis au bout d'une intense réflexion, il avait demandé:

— C'est quoi, ça, un témoin?

Les explications de Lionel furent complexes et laborieuses. Au bout du compte, Célestin n'avait pas retenu grand-chose du soliloque de son frère, sinon qu'habituellement, c'était le père du marié qui servait de témoin. Ce fut le point de départ d'une seconde réflexion passablement touffue qui mena le grand gaillard, le cœur rempli d'espoir et de bonne volonté, à traverser le fleuve en direction de l'Anse pour parler à son père.

Il semblait bien qu'il avait eu raison de le faire, car si Matthieu n'avait toujours pas desserré les lèvres, il avait tout de même accepté de venir jusqu'à la Pointe.

— Astheure, faut que Lionel me suive, murmura Célestin en frappant un grand coup contre la porte. Faut qu'il vienne tout de suite avec moi avant que tout le monde dans le village se mette à parler de papa qui est rendu à l'auberge. Je veux lui faire une surprise, moi, à Lionel. Une vraie surprise, oui monsieur! C'est pour son mariage avec la gentille mademoiselle Marguerite.

Sur ce, Célestin frappa un second coup à l'instant où Lionel entrouvrait la porte. Visiblement, le médecin était sur le point de partir, car il avait sa mallette à la main. Célestin poussa un soupir d'impatience. Il faudrait encore expliquer les choses et il n'aimait pas tellement ça, les explications.

— Lionel, faut que tu laisses ta valise de docteur ici, dans ta maison, pis que tu viennes avec moi jusqu'à l'auberge, exigea-t-il sans plus de détails.

Au ton autoritaire employé par Célestin, Lionel esquissa un sourire amusé.

— Pourquoi ? Tu le sais bien que le vendredi, je visite toujours les malades. D'autant plus aujourd'hui, n'est-ce pas, parce que demain je ne serai pas libre.

— Ben là non plus, t'es pas libre, comme tu dis. Pas pour tout suite, en tout cas ! Viens, Lionel ! Viens avec moi.

— Je le répète : pourquoi ?

— Parce que...

Célestin se mit à taper du pied en fronçant les sourcils.

— Oh ! J'aime pas ça, moi, quand ça va tout croche. J'aime donc pas ça...

Le grand gaillard poussa un long soupir contrarié.

— Il faut que tu viennes parce que c'est une surprise, Lionel, expliqua-t-il avec tout ce qu'il put trouver de patience, lui qui n'en avait guère. C'est une surprise juste pour toi, en plus. Maintenant, viens, Lionel, viens à l'auberge avec moi. Tu feras tes visites après.

Il y avait quelque chose qui ressemblait à une supplication dans la voix de Célestin, à un point tel que Lionel posa sa mallette sur l'accoudoir du fauteuil derrière lui.

— Bon, bon, d'accord, je te suis, Célestin. J'espère simplement que tu ne me fais pas perdre mon temps.

Soulagé, Célestin afficha aussitôt un large sourire.

— Pantoute, Lionel. Tu vas voir, tu perdras pas ton temps à cause de moi. Non monsieur ! C'est juste mon cadeau pour ton mariage...

— Un cadeau ? interrompit Lionel tout en emboîtant le pas à son frère. Parce que tu vas me donner un cadeau, toi ?

— Ben oui !

Célestin roulait de gros yeux sévères, offusqué de voir que son frère ait pu douter d'une telle chose.

— C'est important, les cadeaux, quand on se marie. Oui monsieur ! C'est Gilberte qui l'a dit, l'autre jour, quand elle a pris son gros catalogue pour commander une belle... Oh ! Je parle trop, moi là. C'est de ta faute, aussi, Lionel. Arrête de me poser des questions, sinon j'vas faire encore une grosse bêtise, pis Gilberte sera pas contente. Viens, dépêche-toi ! J'ai ben hâte que tu voyes mon cadeau.

Les deux hommes n'eurent pas à se rendre jusqu'à l'auberge pour que Lionel comprenne ce que Célestin lui avait réservé comme cadeau.

Il était de taille. Il était surtout totalement imprévu.

Sur la longue galerie ceinturant l'auberge, un homme contemplait le fleuve.

Un homme en fauteuil roulant.

Le cœur battant, Lionel s'arrêta brusquement.

— Mais veux-tu bien me dire...

Lionel avait les jambes molles et le souffle court. Cet homme assis à quelques pas de lui était sans nul doute son père.

Cette carrure, ce port de tête altier...

Oui, c'était bien Matthieu Bouchard qui se tenait là, et de le voir, après tant d'années, permit à Lionel de mesurer l'immensité des émotions qui l'avaient porté jusqu'à maintenant depuis le jour où ce même homme l'avait chassé de leur maison au lendemain du décès de sa mère. L'ennui, certes, la tristesse et la nostalgie avaient bercé nombre d'heures dans sa vie, mais la rancune et la colère aussi.

Un homme que Lionel avait fui en se promettant de ne jamais le revoir.

Il l'avait détesté à en perdre le sommeil et s'était juré de l'oublier.

Il n'avait pas pu.

Alors, pour calmer la douleur de l'ennui, la douleur de l'incompréhension, Lionel avait rêvé d'un instant comme celui qu'il était en train de vivre sans jamais oser y croire vraiment. Sans jamais oser faire les premiers pas, ne sachant l'accueil qui lui serait réservé. Invariablement, c'était toujours devant cette crainte de se voir renié une seconde fois que la colère prenait la relève et éloignait la tristesse, et ce, chaque fois qu'il pensait à la maison de son enfance.

Mais voilà que ce premier pas était fait, et sa crainte de se voir rejeté n'avait plus raison d'exister, et pourtant...

Lionel se tourna résolument vers Célestin, incapable de parler. Il soutint son regard durant un long moment, puis :

— Qu'est-ce que t'as fait là, toi ? Sans m'en parler ?

La voix de Lionel était rauque d'émotion.

— Je ne peux pas, Célestin. T'as pas idée de... Non, je ne peux pas me présenter à notre père comme ça, comme si de rien n'était... Tu... Tu étais trop jeune pour comprendre, mais c'est toute une vie que tu me demandes d'oublier sur un claquement des doigts, l'émotion de toute ma vie que je devrais balayer du revers de la main sur commande, et ça, vois-tu, je viens de comprendre que je n'en serai pas capable. Pas comme ça, sans préparation. Je suis désolé.

— Ben voyons donc !

Célestin ne comprenait plus rien, hormis le fait que son frère n'irait pas jusqu'à leur père. Pourtant, c'est Lionel lui-même qui avait dit, l'autre jour, que normalement le père était le vrai témoin dans un mariage.

Et Lionel allait bien se marier demain, non ?

Et leur père était là.

Alors, pourquoi tant hésiter ? Pourquoi ne pas être heureux de le revoir après toutes ces années ? Lui, Célestin, il était tout content quand arrivait le printemps et qu'il pouvait enfin aller chez Antonin après un long hiver à s'ennuyer.

Ce n'était pas pareil pour tout le monde ?

Le regard du grand gaillard passa de Lionel à Matthieu, puis revint à Lionel. Non, vraiment, Célestin ne comprenait pas, lui qui était si fier du cadeau qu'il allait offrir à son frère.

— Ben voyons donc, répéta-t-il d'une voix songeuse, déçue.

Pour Célestin, à partir du moment où il avait compris que Matthieu Bouchard, leur père à Lionel et lui, serait à la Pointe pour le mariage, le problème était réglé. Tant pis si Antonin n'était pas à la cérémonie, Lionel au moins aurait son témoin.

Malheureusement, il semblait bien que cela ne suffisait pas.

Célestin avait détourné la tête et fixait le fleuve. Sa déception était si grande qu'il sentit les larmes lui monter aux yeux. Alors, comme toujours en pareil cas, il se mit à penser à son frère Antonin.

Si Antonin avait été là, il l'aurait consolé. Il aurait pu expliquer avec des mots que Célestin aurait compris pourquoi Lionel n'était pas content.

Antonin, lui, avait toujours les bons mots. Ceux qui réconfortaient, ceux qui convainquaient, ceux qui expliquaient. Alors, Antonin aurait peut-être su ce qu'il fallait dire pour persuader Lionel de faire les quelques pas qui menaient jusqu'à l'auberge. Tandis que lui, Célestin, tout ce qu'il pouvait faire, c'était répéter et répéter les quelques mots qu'il savait déjà pour les avoir longuement ressassés dans sa tête.

Dire la peine qu'il ressentait et tout l'espoir qu'il avait mis dans sa démarche, ça aussi, c'était quelque chose qu'il pouvait faire. Alors...

— Non, Lionel, t'as pas le droit de dire non parce que papa a dit oui, lui, pour venir jusqu'à la Pointe, juste pour ton mariage.

Tout en parlant, Célestin fixait le clocher de l'Anse-aux-Morilles que l'on devinait de l'autre côté du fleuve. Même sans l'apercevoir, Célestin savait aussi que tout à côté de l'église, il y avait le magasin général. À cette heure-ci, Antonin devait sûrement y travailler. Il travaillait fort, son frère Antonin, parce qu'il connaissait bien les chiffres et les mots. C'est pourquoi Célestin eut l'impression que c'était à Antonin qu'il parlait. Le grand gaillard plissait les paupières pour ne pas perdre le clocher de vue, et c'est la brise qui portait les mots qu'il adressait à quelqu'un d'invisible, soit, mais quelqu'un en qui il avait une confiance absolue et qui habitait tout à côté de l'église de l'Anse, là, de l'autre côté du fleuve.

— Ouais, je sais ça moi, que le mariage de Lionel est ben spécial pour notre père parce que depuis son accident, il est jamais sorti de sa maison. Jamais. C'est Prudence qui me l'a dit, pis Prudence, elle dit toujours la vérité. Mais pour le mariage de Lionel, papa a dit oui pour sortir de sa maison. Mais pas avec des mots, par exemple. Non monsieur ! Depuis son accident, il parle pas, notre père, même si le docteur a dit qu'il serait capable. Mais c'est pas grave, ça, rapport qu'il a le droit de choisir pour lui. C'est de même que Gilberte elle dit ça : on a toutes le droit de choisir pour nous autres, en autant qu'on fait pas de peine aux autres. Ouais, c'est de même qu'elle dit ça, Gilberte, pis moi, je pense comme elle.

Un brusque silence succéda à ce long reproche qui n'en était pas vraiment un. Une constatation, peut-être, une mise au point pour lui comme pour Antonin. Puis, Célestin secoua la tête, prit conscience de l'endroit où il se tenait réellement et, machinalement, il reporta les yeux sur Lionel. Antonin était peut-être loin d'ici, mais de penser à lui fut suffisant pour que Célestin ajoute :

— Pis toi, Lionel, parce que tu dis non, ben, tu me fais de la peine. Beaucoup de peine. Je pensais que tu serais content de mon cadeau, mais on dirait ben que c'est pas ça.

Célestin hochait négativement la tête, l'air songeur. Puis, brusquement, il tapa du pied sur le bois du trottoir et le claquement de sa semelle résonna en écho au chant des oiseaux, au bruissement des feuilles dans les arbres.

— Oh, oh, oh! Je suis donc ben pas content, moi là! J'aurais dû en parler à Gilberte aussi… J'ai toute raté pis…

— Non! Non, Célestin, t'as rien raté pantoute…

Attirée par le conciliabule que ses deux frères semblaient tenir à quelques pas de l'auberge, se doutant fort bien des émotions qui devaient secouer Lionel, Gilberte arrivait à leur hauteur. Ni Célestin ni Lionel ne l'avaient vue venir.

— T'as même bien fait d'inviter papa au mariage de Lionel. Veux-tu que je te dise, Célestin? Fallait que quelqu'un finisse par le faire.

— Ah oui?

Le soulagement du grand gaillard était palpable. Il essuya son visage avec le mouchoir à carreaux que Gilberte glissait toujours dans la poche de son pantalon parce qu'il n'avait plus raison de pleurer. Gilberte pensait comme lui, c'était bien assez pour être consolé. De toute façon, tout comme Antonin, Gilberte aussi avait toujours les bons mots à dire. Elle allait donc parler à Lionel et le problème serait réglé.

Célestin n'avait pas tort.

Si Gilberte pouvait comprendre et accepter l'hésitation de Lionel – on serait mal à l'aise à moins que cela –, jamais elle ne pourrait tolérer un refus de sa part. Leur père avait fait son bout de chemin, à Lionel maintenant de faire le sien. Mais le braquer ne servirait à rien. À vivre auprès de lui depuis longtemps maintenant, Gilberte avait appris à bien connaître son frère.

Lionel Bouchard était de la même trempe que leur père, Matthieu, c'était tout dire.

— Viens, Lionel, proposa Gilberte avec une infinie douceur dans la voix. Ça fait un bon moment déjà que notre père est assis là à t'espérer.

— Tu penses ça, toi?

— Que c'est tu veux que je pense d'autre? Il est ici, non? Qu'est-ce que tu veux de plus, Lionel? Prends ça comme tu voudras, vire ça dans tous les sens, finalement, c'est lui qui aura fait les premiers pas en venant jusqu'ici. Comme manière de s'excuser, je pense que c'est déjà pas mal. À toi, astheure, de dire si tu pardonnes ou pas.

— Pardonner, pardonner... C'est un bien grand mot, non? Tu dois bien le savoir, toi, comment je me sens.

— Non, Lionel, je le sais pas. T'en as jamais vraiment parlé de ce que tu ressentais. Des questions sur le père, des fois pas souvent, pis c'est à peu près toute... T'es comme lui, Lionel, tu gardes toute par en dedans. Ça fait que non, je le sais pas comment tu te sens, mais je peux le deviner, par exemple. Ouais, ça je peux le faire. De la même manière que j'ai appris à deviner c'est quoi notre père a envie de dire même s'il parle pas.

— C'est vrai... Il ne parle pas.

— Pis ça? Ça change quoi, finalement, de savoir qu'il parle pas? C'est une obstination, on le sait toutes. Mais comme il a jamais ben ben parlé, notre père, ça change pas grand-chose pour nous autres. En fait, c'est Prudence la pire. Pis ça, ça nous regarde pas... Pis? Tu viens avec moi, Lionel?

Tout en parlant, Gilberte avait tendu la main à son frère.

Lionel regarda cette main usée par le temps, aux ongles cassés par l'ouvrage, et il hésita une dernière fois. Puis, il jeta un regard à la dérobée vers Célestin qui se tenait en retrait, devinant pour une fois qu'il n'avait surtout pas besoin d'intervenir dans la discussion. Alors, Lionel esquissa un sourire à ce frère qu'il aimait bien, à ce frère qui avait osé ce que lui n'aurait probablement jamais osé. Finalement, il glissa sa main dans celle de Gilberte. À deux, le premier contact serait plus facile.

À l'intérieur de lui, Lionel avait retrouvé l'inconfort de ses vingt ans à l'égard de son père, trop de souvenirs douloureux se rattachant aux derniers instants qu'il avait vécus chez lui, et c'est à pas lents qu'il remonta l'allée menant à l'auberge. Cependant, ce furent deux têtes blanches qui montèrent les quelques marches qui menaient à la longue galerie peinte en gris.

Au bruit de leurs pas, Matthieu se retourna.

Il avait gardé le souvenir d'un jeune homme fougueux, or c'était un vieillard qui s'approchait de lui. Seul l'éclat du regard n'avait pas changé.

Matthieu avait glissé sur son fauteuil, comme trop souvent cela lui arrivait. Comme Prudence n'était pas là, personne ne l'avait redressé. Alors, Matthieu se sentit diminué, humilié par cette posture grotesque de pantin désarticulé. Il aurait tant voulu être debout, droit et fier, et tendre les bras à Lionel pour que, dans un geste, il y ait tous les mots qu'ils n'auraient su dire.

Il ne put que lever malhabilement sa main gauche et voilà que Lionel délaissait celle de Gilberte et s'avançait vers lui. Il était déjà là, tout à côté du fauteuil, le médecin ayant tout de suite compris l'inconfort de cet homme qui était son père. Avec une infinie douceur, il l'aida à se redresser.

— Voilà. Vous allez être mieux comme ça.

Ce fut à cet instant que leurs regards se croisèrent. Le père et le fils, tous les deux âgés, avec toute une vie à rattraper, à rafistoler tant bien que mal.

À ce premier regard, à cette douceur dans le geste de ce fils qui l'aidait à s'asseoir convenablement, Matthieu comprit à quel point il avait eu raison de croire qu'un jour il serait fier de Lionel, tandis que ce dernier admit, bien humblement, que son père avait souffert tout autant que lui. Le mot lui vint alors spontanément.

— Papa.

— Lionel.

Entre deux êtres aussi farouches que Matthieu et Lionel, ce serait suffisant. De la porte où elles se tenaient, Gilberte et Prudence avaient tout entendu. Gilberte s'agrippa à la main de Prudence, qui laissa couler quelques larmes de bonheur.

Enfin !

Enfin, son Matthieu avait parlé. Elle avait eu raison de croire et d'espérer qu'un jour, l'avenir reprendrait un certain sens.

Du trottoir où il était resté, Célestin aussi avait tout entendu même si la voix de son père était rude, éraillée, à peine audible.

Mais il avait tout de même parlé !

Alors, parce qu'il était heureux, parce que, tout compte fait, son idée n'était pas si mauvaise que ça, Célestin se mit à applaudir, puis il lança :

— Ben là, je suis content, moi. Oui monsieur ! Ben ben content. Pis demain, ça va être un beau mariage, le mariage de Lionel pis mademoiselle Marguerite. Plus beau que celui de mon frère Antonin. Ouais… C'est ça que je pense, moi, pis il y a pas personne ici qui va venir changer mon idée !

ÉPILOGUE

Sur la longue galerie de l'auberge,
le dimanche 3 septembre 1939

Gilberte se remettait lentement des derniers mois qu'elle venait de vivre. Des mois pénibles, parsemés d'inquiétudes et de douleur, qu'elle espérait oublier bientôt.

En ce moment, confortablement installée dans une chaise berçante, elle profitait du temps particulièrement clément de ce premier dimanche de septembre pour se détendre face au fleuve tout en faisant l'inventaire de ce qui avait traversé sa vie ces dernières années. Invitée à manger par Paul et Réginald, la dame de plus en plus grisonnante avait fait honneur au repas, ce qui était une première depuis son hospitalisation au mois de juin précédent, alors qu'elle avait été victime d'une péritonite qui avait bien failli l'emporter.

L'automne remplaçait l'été tout en douceur, sans grands vents, sans froidure et sans pluie torrentielle. Gilberte pouvait donc raisonnablement espérer que demain le ciel serait toujours aussi clair et la brise aussi légère. Ainsi, Germain et Célestin reviendraient enfin de l'Anse-aux-Morilles où ils avaient passé l'été. Gilberte avait été catégorique sur le sujet : elle se sentait assez forte pour reprendre la vie au quotidien avec ses deux grands.

— Je me suis assez ennuyée comme ça, Lionel. T'auras beau froncer les sourcils pis soupirer comme un marsouin, ça suffit. J'ai envie de les voir, mes deux grands, pis de les entendre placoter comme deux pies. J'en ai assez du silence. De toute façon, me semble que si je suis occupée, ça va m'aider à finir de guérir. Pis tu le sais comme moi : la présence de Germain est pas mal lourde à porter pour Prudence. Depuis le décès de papa, elle a pris un coup de vieux, la pauvre femme. Il est temps que la vie reprenne son cours normal pour tout le monde.

Au souvenir de ce dialogue avec Lionel, Gilberte ferma les yeux. Encore aujourd'hui, elle avait de la difficulté à se faire à l'idée que son père était décédé. Pourtant, tout allait si bien depuis les retrouvailles avec Lionel.

Gilberte secoua la tête. Pas question de s'apitoyer sur cet événement triste, elle ne voulait que du bonheur autour d'elle puisque Germain et Célestin arrivaient dès le lendemain. Rien d'autre n'avait d'importance.

Même s'il s'était fait tirer l'oreille, Lionel avait fini par dire oui.

À l'autre bout de la ligne, quand Gilberte avait téléphoné chez Antonin qui possédait un appareil depuis quelques années déjà, Célestin avait accueilli la bonne nouvelle à grand renfort de « oui monsieur ! » et Germain, jamais bien loin derrière lui, avait battu des mains tellement il était heureux de revenir. Quand Gilberte l'avait entendu « dans le téléphone », les larmes lui étaient montées aux yeux.

Le lendemain, Marguerite, restée sans enfants depuis son mariage avec Lionel, était venue l'aider à tout faire reluire dans sa petite maison, et Paul, toujours aussi prévenant, avait tenu à garnir sa glacière.

— C'est qu'il mange comme deux, le Célestin !

Évidemment, pour lui, faire à manger n'était pas une corvée. L'auberge roulait à plein régime de juin à octobre et, le reste de l'année, il y avait quand même des gens à sa table tous les jours puisque Alexandrine habitait avec lui depuis le décès de Clovis, survenu l'année dernière, en pleine canicule. Un arrêt cardiaque, tout bêtement, alors qu'il bêchait dans son potager.

— Pas question que je reste ici plus longtemps, avait-elle déclaré, environ une semaine après les funérailles, en pivotant au beau milieu de sa cuisine, les yeux pleins d'eau. J'ai trop attendu mon Clovis durant ma vie. À chaque fois qu'il prenait la mer… Ouais, à chaque fois, je me morfondais d'ennui. Astheure qu'il est parti pour de bon, j'ai l'impression de l'attendre encore. Ça va finir par me rendre folle.

Le lendemain, Paul venait chercher les maigres bagages de sa mère, plus quelques meubles chargés de souvenirs, et il l'installait dans sa plus belle chambre.

— Ben voyons donc, Paul ! Tu vas perdre de l'argent en m'offrant ta plus grande chambre comme ça.

Un seul regard avait suffi à faire taire la vieille dame, et un baiser sur sa joue avait conclu le marché.

— Tu m'aideras à la cuisine, maman. Avec les touristes et les commandes de gâteaux, il y a certains jours où je n'y arrive pas tout seul !

Alors, maintenant, quand on venait à l'auberge et que Marguerite n'y était pas, c'était souvent Alexandrine qui nous accueillait. Comme en ce moment, alors que Gilberte entendait sa voix depuis le hall d'entrée. Il y eut un rire, une exclamation et, l'instant d'après, le froufroutement d'une jupe lui fit tourner la tête. Alexandrine se dirigeait vers Gilberte à petits pas pressés.

— Gilberte ! C'est terrible ! La guerre, Gilberte ! La France pis l'Angleterre viennent de déclarer la guerre à l'Allemagne… C'est le client qui vient d'arriver qui me l'a annoncé.

— Ah oui ?

Gilberte ne semblait pas tellement impressionnée ni particulièrement inquiète. Bien sûr, elle se souvenait de la guerre de 1914-1918, celle que d'aucuns appelaient la Grande Guerre, mais comme elle n'avait pas été personnellement touchée…

— Et qu'est-ce que ça change pour nous autres, ça, que la France pis…

— Ça change, coupa Alexandrine un peu sèchement, que les fils pis les fiancés de certaines femmes vont finir par être obligés de partir pour défendre un pays qui est pas à eux autres. C'est ça que ça change, une guerre, ma pauvre Gilberte. Je le sais, je l'ai vécu.

Ceci étant dit en faisant référence à son fils Léopold, revenu au printemps 1919, lourdement blessé. Gilberte se sentit rougir.

— C'est vrai… Pardon… Pis c'est le nouveau client qui vous a annoncé que la France pis l'Angleterre étaient en guerre?

— En plein ça. Ça aurait été ben malaisé de le savoir autrement, rapport que le poste de radio est éteint. Le client m'en a parlé parce que lui, vois-tu, ça l'inquiète pas mal à cause de ses petits-fils qui sont en âge de traverser de l'autre bord, si jamais le Canada déclarait la guerre lui avec. Du moins, c'est ce qu'il m'a dit.

— Je vois… Et qu'est-ce qu'il fait ici, le nouveau client, au lieu de rester chez lui avec les siens?

— Il est venu travailler, madame. La réservation était faite depuis longtemps.

Une voix grave, plutôt chaleureuse, avait devancé celle d'Alexandrine qui s'apprêtait à répondre. Gilberte, mal à l'aise, tourna la tête vers l'inconnu qui se tenait dans l'embrasure de la porte, nonchalamment appuyé contre le chambranle.

Un homme sans âge défini, plutôt grand, mince et les cheveux gris, la dévisageait, une lueur amusée dans le regard. Il inclina la tête en guise de salutation.

— Ernest Constantin, madame, précisa-t-il alors. Pour vous servir.

À suivre, en quelque sorte, dans le prochain roman...

POSTFACE

Comme vous le savez, je n'ai aucun contrôle sur la destinée de mes personnages! Ce sont eux qui décident de tout. Alors que je croyais que cette série se poursuivrait jusqu'en 1955, elle s'est arrêtée en 1939.

Allez savoir pourquoi!

N'empêche que vingt ans à rattraper, c'est tout un contrat! Vous comprendrez donc que je ne peux résumer, en quelques pages seulement, ce qui attend les nombreux personnages des *Héritiers du fleuve*, n'est-ce pas?

Par contre, je peux vous dire où ils sont tous rendus, alors que le monde s'apprête à vivre le cauchemar de la Seconde Guerre mondiale que j'aurais tant voulu traiter dans cette série. Il vous faudra lire mon prochain livre pour plonger dans l'horreur de cette guerre en compagnie de nouveaux personnages, certes, mais aussi avec certains de ceux que vous avez déjà rencontrés dans les *Héritiers du fleuve*. Ainsi va la vie…

Ce livre que vous venez de lire n'est donc qu'un au revoir, car je vous donne rendez-vous au printemps 2015 pour le prochain roman, une histoire qui tiendra en un seul livre et dont j'ignore le titre pour l'instant!

Ce livre a été entièrement imaginé, créé et fabriqué au Québec

Saint-Jean Éditeur
est une maison d'édition québécoise
fondée en 1981.